ACCESO GRATIS a la Lectura en la Nube

Para visualizar el libro electrónico en la nube de lectura envíe junto a su nombre y apellidos una fotografía del código de barras situado en la contraportada del libro y otra del ticket de compra a la dirección:

ebooktirant@tirant.com

En un máximo de 72 horas laborables le enviaremos el código de acceso con sus instrucciones.

La visualización del libro en **NUBE DE LECTURA** excluye los usos bibliotecarios y públicos que puedan poner el archivo electrónico a disposición de una comunidad de lectores. Se permite tan solo un uso individual y privado

CANALES DE DENUNCIA E INVESTIGACIONES INTERNAS EN EL MARCO DEL COMPLIANCE PENAL CORPORATIVO

COMITÉ CIENTÍFICO DE LA EDITORIAL TIRANT LO BLANCH

MARÍA JOSÉ AÑÓN ROIG
Catedrática de Filosofía del Derecho de la Universidad de Valencia

ANA CAÑIZARES LASO
Catedrática de Derecho Civil de la Universidad de Málaga

JORGE A. CERDIO HERRÁN
Catedrático de Teoría y Filosofía de Derecho Instituto Tecnológico Autónomo de México

JOSÉ RAMÓN COSSÍO DÍAZ
Ministro en retiro de la Suprema Corte de Justicia de la Nación y miembro de El Colegio Nacional

EDUARDO FERRER MAC-GREGOR POISOT
Juez de la Corte Interamericana de Derechos Humanos. Investigador del Instituto de Investigaciones Jurídicas de la UNAM

OWEN FISS
Catedrático emérito de Teoría del Derecho de la Universidad de Yale (EEUU)

JOSÉ ANTONIO GARCÍA-CRUCES GONZÁLEZ
Catedrático de Derecho Mercantil de la UNED

LUIS LÓPEZ GUERRA
Catedrático de Derecho Constitucional de la Universidad Carlos III de Madrid

ÁNGEL M. LÓPEZ Y LÓPEZ
Catedrático de Derecho Civil de la Universidad de Sevilla

MARTA LORENTE SARIÑENA
Catedrática de Historia del Derecho de la Universidad Autónoma de Madrid

JAVIER DE LUCAS MARTÍN
Catedrático de Filosofía del Derecho y Filosofía Política de la Universidad de Valencia

VÍCTOR MORENO CATENA
Catedrático de Derecho Procesal de la Universidad Carlos III de Madrid

FRANCISCO MUÑOZ CONDE
Catedrático de Derecho Penal de la Universidad Pablo de Olavide de Sevilla

ANGELIKA NUSSBERGER
Catedrática de Derecho Constitucional e Internacional en la Universidad de Colonia (Alemania)
Miembro de la Comisión de Venecia

HÉCTOR OLASOLO ALONSO
Catedrático de Derecho Internacional de la Universidad del Rosario (Colombia) y Presidente del Instituto Ibero-Americano de La Haya (Holanda)

LUCIANO PAREJO ALFONSO
Catedrático de Derecho Administrativo de la Universidad Carlos III de Madrid

CONSUELO RAMÓN CHORNET
Catedrática de Derecho Internacional Público y Relaciones Internacionales de la Universidad de Valencia

TOMÁS SALA FRANCO
Catedrático de Derecho del Trabajo y de la Seguridad Social de la Universidad de Valencia

IGNACIO SANCHO GARGALLO
Magistrado de la Sala Primera (Civil) del Tribunal Supremo de España

TOMÁS S. VIVES ANTÓN
Catedrático de Derecho Penal de la Universidad de Valencia

RUTH ZIMMERLING
Catedrática de Ciencia Política de la Universidad de Mainz (Alemania)

Procedimiento de selección de originales, ver página web:

www.tirant.net/index.php/editorial/procedimiento-de-seleccion-de-originales

CANALES DE DENUNCIA E INVESTIGACIONES INTERNAS EN EL MARCO DEL COMPLIANCE PENAL CORPORATIVO

JOSÉ LEÓN ALAPONT
Profesor Ayudante Doctor de Derecho Penal
Universitat de València

Prólogo de JUAN CARLOS FERRÉ OLIVÉ
Catedrático de Derecho Penal
Universidad de Huelva

tirant lo blanch
Valencia, 2023

Copyright ® 2023

Todos los derechos reservados. Ni la totalidad ni parte de este libro puede reproducirse o transmitirse por ningún procedimiento electrónico o mecánico, incluyendo fotocopia, grabación magnética, o cualquier almacenamiento de información y sistema de recuperación sin permiso escrito del autor y del editor.

En caso de erratas y actualizaciones, la Editorial Tirant lo Blanch publicará la pertinente corrección en la página web www.tirant.com.

Este trabajo es resultado y se enmarca en el desarrollo del Proyecto de Investigación "El Derecho penal frente a las crisis sanitarias", DERPENCRISAN, con referencia GV/2021/103, concedido y financiado por la Generalitat Valenciana por *RESOLUCIÓN de la Dirección General de Ciencia e Investigación, por la que se conceden subvenciones a grupos de investigación emergentes –GV/2021* de 7 de septiembre de 2021. Investigador Principal: José León Alapont. Período de ejecución: enero de 2021 a 31 de diciembre de 2022.

La presente obra ha sido sometida a la revisión de pares ciegos según el protocolo de publicación de la editorial a efectos de ofrecer el rigor y calidad correspondiente tanto en su contenido como en su forma, aplicándose los criterios específicos aprobados por la Comisión Nacional E 016 (BOE num. 286, de 26 de noviembre de 2016).

Asimismo, su realización ha sido posible gracias a la estancia de investigación llevada a cabo en la Università degli Studi di Modena e Reggio Emilia del 9 de junio al 9 de septiembre de 2022.

Colección:
"Corrupción, crimen organizado y delincuencia económica"

Dirigida por:
NICOLÁS RODRÍGUEZ-GARCÍA
Catedrático de Derecho Procesal - Universidad de Salamanca

© José León Alapont

© TIRANT LO BLANCH
EDITA: TIRANT LO BLANCH
C/ Artes Gráficas, 14 - 46010 - Valencia
TELFS.: 96/361 00 48 - 50
FAX: 96/369 41 51
Email:tlb@tirant.com
www.tirant.com
Librería virtual: www.tirant.es
DEPÓSITO LEGAL: V-3710-2022
ISBN: 978-84-1147-164-0
MAQUETA: Tink Factoría de Color

Si tiene alguna queja o sugerencia, envíenos un mail a: *atencioncliente@tirant.com*. En caso de no ser atendida su sugerencia, por favor, lea en *www.tirant.net/index.php/empresa/politicas-de-empresa* nuestro procedimiento de quejas.

Responsabilidad Social Corporativa: http://www.tirant.net/Docs/RSCTirant.pdf

A la memoria de D. Tomás S. Vives Antón
y de D. Enrique Orts Berenguer,
dos maestros irremplazables.

Índice

Capítulo II
PROGRAMAS DE CUMPLIMIENTO PENAL

Capítulo III

LA DISCUSIÓN EN TORNO A LA NATURALEZA JURÍDICA DE LOS MODELOS DE ORGANIZACIÓN Y GESTIÓN Y SU UBICACIÓN SISTEMÁTICA EN EL RÉGIMEN DE RESPONSABILIDAD PENAL DE LAS PERSONAS JURÍDICAS: CONSECUENCIAS

SEGUNDA PARTE
CANALES DE DENUNCIA E INVESTIGACIONES INTERNAS

Capítulo IV

CANALES DE DENUNCIA

Capítulo V
INVESTIGACIONES INTERNAS

Capítulo VI
LÍMITES EN LAS INVESTIGACIONES INTERNAS: MEDIOS DE INVESTIGACIÓN Y VULNERACIÓN DE DERECHOS FUNDAMENTALES

PRÓLOGO

Al incorporar un mecanismo de responsabilidad penal para las personas jurídicas el legislador español también introdujo —con cinco años de retraso— la otra cara de la moneda, es decir, una estructura de irresponsabilidad penal para dichas personas jurídicas. Aparece así, mágicamente, el compliance penal que bien sirve para exonerar o, en su caso, disminuir, la pena que debería imponerse al ente jurídico que ha llevado a cabo un hecho delictivo. La literatura sobre *criminal compliance* en España es, hoy en día, inabarcable. La literatura sobre *criminal compliance de calidad* en España es, hoy en día, casi inexistente. Así las cosas, cuando hay que rebuscar entre montañas de papeles producto de la imaginación de ingenieros, economistas o simplemente malos copistas, uno se alegra cuando llegan a sus manos obras serias sobre estas materias, como las que desarrollan en Valencia José Luis González Cussac y su discípulo José León Alapont.

El texto comienza con una reflexión que, por evidente, no es menos necesaria y fidedigna: el derecho penal español se ha revolucionado con la aparición de la responsabilidad penal de las personas jurídicas. Para algunos parece incuestionable que la dogmática tradicional se tambalea, que el ser humano deja de ser el epicentro de la teoría jurídica del delito, que la normativización ha superado todo lo admisible, que el caos es absoluto. Sin embargo, es mucho más razonable estar a la altura de los tiempos y aprender a interpretar este nuevo derecho penal, sus mecanismos de imputación, sus consecuencias jurídicas y también, por supuesto, el sistema de garantías que debe ir necesariamente unido a cualquier tipo de pena. A todos estos objetivos se dedica la obra que aquí se presenta, que en su primera parte se esmera por realizar un análisis completo del modelo español de responsabilidad penal de las personas jurídicas, del *criminal compliance* hispano, con particular atención al debate sobre la naturaleza jurídica de esta institución, su ubicación sistemática y la problemática probatoria.

La segunda parte de la obra se dedica exclusivamente a los canales de denuncia y a las investigaciones internas, ejes centrales de esta monografía. Los canales de denuncia son, en el modelo *compliance*, un mecanismo esencial si se pretende dotar de eficacia jurídica a estas reestructuraciones empresariales. Como destaca el autor, los canales de denuncia ya existían en nuestro país antes del advenimiento del compliance (a efectos tributarios, de las agencias antifraude, del SEPBLAC, etc.), pero han cobrado inusual relevancia con las últimas reformas. Aquí se estudia, por lo tanto, esta "*herramienta comunicativa*" o "*canal ético*", que tiene un amplio arraigo en el mundo anglosajón que le ha dado origen, pero que se mira con desconfianza en nuestro medio, ya que nuestra sociedad no siempre ha visto con buenos ojos al "*soplón*" o al "*chivato*". Debemos, pues, acostumbrarnos a esta nueva cultura del "*whistleblowing*", todo sea por el bien de la empresa y por atemperar las posibles consecuencias jurídicas negativas que derivan de los delitos que se gesten en su seno. Estamos, en síntesis, ante un estudio exhaustivo de los denunciantes y de los denunciados, de las autoridades que deben recibir las denuncias, de los responsables del canal, de la prohibición de represalias e incluso de las normas europeas que intentan proteger a quienes formulan denuncias.

El último capítulo se ocupa específicamente de las investigaciones internas dentro de la empresa, tema en sí mismo muy polémico, que gira en torno a las competencias propias de la empresa y a los derechos de los investigados, que pueden verse afectados por excesos en el marco de la indagación.

Se trata de una obra muy actual y completa, que aporta claridad a esta oscura parcela del Derecho penal de la empresa, y que ayuda a construir la nueva —y por algunos resistida— dogmática aplicada a la responsabilidad penal de las personas jurídicas. Enhorabuena a su autor.

En El Rompido, Playas de Huelva, a 1 de julio de 2022.

Juan Carlos Ferré Olivé
Catedrático de Derecho Penal
Universidad de Huelva

ABREVIATURAS

AA.VV	Autores Varios
AENOR	Asociación Española de Normalización y Certificación
apds.	Apartados
art.	Artículo
arts.	Artículos
CE	Constitución Española
CES	Consejo Económico y Social
Cfr.	*Confer*
CGA	Consejo General de la Abogacía
CGPJ	Consejo General del Poder Judicial
CNMC	Comisión Nacional de los Mercados y la Competencia
CNMV	Comisión Nacional del Mercado de Valores
Coord.	Coordinador
Coords.	Coordinadores
CP	Código Penal
Dir.	Director
Dirs.	Directores
Ed.	Editor
Eds.	Editores
ENAC	Entidad Nacional de Acreditación
ET	Estatuto de los Trabajadores
FGE	Fiscalía General del Estado
FJ	Fundamento Jurídico
ISO	International Standard Organization
LECrim	Ley de Enjuiciamiento Criminal
LO	Ley Orgánica
LOFPP	Ley Orgánica de Financiación de Partidos Políticos
LOPDGDD	Ley Orgánica de Protección de Datos Personales y Garantía de los Derechos Digitales.
LOPJ	Ley Orgánica del Poder Judicial
LORC	Ley Orgánica de Represión del Contrabando
LOPP	Ley Orgánica de Partidos Políticos
LSP	Ley de Seguridad Privada
núm.	Número
OCDE	Organización para la Cooperación y el Desarrollo Económico
ONG	Organización No Gubernamental
ONU	Organización de Naciones Unidas
op. cit.	*Opus citatum*

p.	Página
pp.	Páginas
RAE	Real Academia Española
RSP	Reglamento de Seguridad Privada
SEPBLAC	Servicio Ejecutivo de la Comisión de Prevención del Blanqueo de Capitales e Infracciones Monetarias
STC	Sentencia del Tribunal Constitucional
STS	Sentencia del Tribunal Supremo
ss.	Siguientes
SSTC	Sentencias del Tribunal Constitucional
SSTS	Sentencias del Tribunal Supremo
STEDH	Sentencia del Tribunal Europeo de Derecho Humanos
TC	Tribunal Constitucional
TEDH	Tribunal Europeo de Derechos Humanos
TFUE	Tratado de Funcionamiento de la Unión Europea
TRLSC	Texto Refundido de la Ley de Sociedades de Capital
TS	Tribunal Supremo
UE	Unión Europea
Vid.	*Vide*
vol.	Volumen

INTRODUCCIÓN

La incorporación en 2010 del régimen de responsabilidad penal de las personas jurídicas supuso una auténtica revolución de nuestro tradicional sistema penal, poniendo en jaque las hasta entonces infranqueables estructuras dogmáticas que venían siendo utilizadas. Novedad a la que el legislador español sumó en 2015 la inclusión de los modelos de organización y gestión (*compliance programs*) como causa de exención (o atenuación) de la responsabilidad penal de las personas morales.

Con todo, pasados ya unos años, y con una prolija producción bibliográfica sobre la materia, el foco debe ser puesto en aquellos aspectos que sigan planteando problemas sin resolver o sobre los que la jurisprudencia todavía no haya dictado un número de pronunciamientos suficientes como para conformar un cuerpo doctrinal uniforme que tomar como referencia.

Por ello, es el momento de descender del plano meramente teórico al práctico, para tratar de aplicar esos elementos, pautas y criterios que, por exigencia del art. 31 bis 2 a 5 CP, deben estar presentes en el programa de cumplimiento penal con el que cuente la persona jurídica, principalmente, para: a) tratar de evitar o minimizar el riesgo de que en su seno se cometan delitos; o, b) para lograr, llegado el caso, una exención/atenuación de responsabilidad penal.

De entre esos aspectos a los que acabamos de referirnos, en el presente trabajo hemos optado por centrarnos en los canales de denuncia y las investigaciones internas corporativas. Y lo hemos hecho, como podrá observarse, tratando de exprimir al máximo (hasta los límites que el principio de legalidad soporta) la actual regulación que el Código Penal alberga respecto de los modelos de organización y gestión. Tal selección de temas (ambos) no es caprichosa, sino que se ha visto auspiciada por dos elementos recientes que consideramos merecen una especial atención por nuestra parte: por un lado, en cuanto a los canales de denuncias, dos importantes referencias legislativas como son la Directiva UE 2019/1937 y el Proyecto de Ley reguladora de la protección de las personas que informen sobre infracciones normativas y de lucha contra la corrupción; y, por otro lado, en cuanto a las investigaciones internas, la existencia de ciertas resoluciones judiciales que se han pronunciado (in)directamente sobre los límites que deben observarse en la realización de tales pesquisas.

En definitiva, la presente obra nace con la vocación de proporcionar una serie de pautas a tener en cuenta a la hora de diseñar, implantar y gestionar un canal de denuncias en el seno tanto de aquellas entidades del sector privado sujetas a responsabilidad penal como de aquellas otras que (estando o no sometidas a tal régimen) queden igualmente obligadas a adoptar tales mecanismos en cumplimiento de una disposición legal. Y, como complemento de lo anterior, se expondrán aquellos criterios que, entendemos, debieran regir las posibles indagaciones internas que se lleguen a decretar como consecuencia de las comunicaciones efectuadas a través del canal de denuncias; o, a raíz de haber descubierto por otras vías determinados comportamientos "sospechosamente" irregulares. Todo ello, sin perder de vista que ambos mecanismos se enmarcan en un régimen de responsabilidad más amplio, a cuyas disposiciones haremos sobrada referencia en todo aquello que les afecte.

Así también, debemos advertir desde el inicio que (en general) el sistema de exención/atenuación de responsabilidad relativo a los compliance presenta más sombras que luces (y los dos temas que aquí se abordan no son una excepción), por lo que, más allá de tratar de dar respuesta a todas las cuestiones que se planteen, nos permitiremos plantear nuevos interrogantes o señalar aspectos controvertidos pendientes de resolver.

Por último, aunque en este trabajo la mayoría de referencias sean al papel que desempeñan tanto los canales de denuncia como las investigaciones internas en el marco de los programas de cumplimiento penales, no puede obviarse que éstos se integran habitualmente dentro lo que se denomina "sistemas de gestión de compliance"; esto es, de un marco global que constituye una política más amplia de cumplimiento (con múltiples y variados horizontes).

Primera parte

RESPONSABILIDAD PENAL DE LAS PERSONAS JURÍDICAS Y MODELOS DE ORGANIZACIÓN Y GESTIÓN: INCIDENCIA SOBRE LOS CANALES DE DENUNCIA Y LAS INVESTIGACIONES CORPORATIVAS

Capítulo I

EL MODELO DE ATRIBUCIÓN DE RESPONSABILIDAD PENAL A LAS PERSONAS JURÍDICAS PREVISTO EN EL CÓDIGO PENAL ESPAÑOL

1. EL CRITERIO DE LA PERSONALIDAD JURÍDICA

En el sistema de responsabilidad penal que albergan los arts. 31 bis y ss. CP, debe advertirse que la cuestión de la personalidad jurídica se presenta como un elemento crucial en él. En este sentido, el art. 31 bis 1 CP refiere a un tipo de responsabilidad penal exclusiva para **personas jurídicas**, por lo que será *conditio sine qua non* para aplicar tal modelo que el ente colectivo de que se trate deba poseer personalidad jurídica. De modo que, el régimen jurídico aplicable para aquellas entidades que carezcan de personalidad jurídica será el del art. 129 CP.

La mayoría de autores han coincidido en afirmar que el art. 31 bis CP refiere a un concepto de persona jurídica estrictamente formal[1]. Por tanto, a efectos penales, solo aquellas organizaciones que ostenten personalidad jurídica (en la forma prevista en la ley) podrán quedar sujetas a dicho régimen jurídico, salvo aquellas que expresamente quedan excluidas por el art. 31 quinquies CP.

---

1 Entre otros, CERVELLÓ DONDERIS, V.: "Consecuencias accesorias", en BOIX REIG, J. (Dir.): *Diccionario de Derecho penal económico*, Madrid, Iustel, 2017, p. 188. MUÑOZ CONDE, F. y GARCÍA ARÁN, M.: *Derecho penal. Parte general*, Valencia, Tirant lo Blanch, 2015, p. 680. BACIGALUPO SAGESSE, S.: "El modelo de imputación de la responsabilidad penal de los entes colectivos", en ZUGALDÍA ESPINAR, J. M. y MARÍN DE ESPINOSA CEBALLOS, E. B. (Coords.): *Aspectos prácticos de la responsabilidad criminal de las personas jurídicas*, Cizur Menor, Thomson Reuters-Aranzadi, 2013, p. 75. Y ROMA VALDÉS, A.: *Responsabilidad penal de las personas jurídicas. Manual sobre su tratamiento penal y procesal*, Alcobendas, Rasche, 2012, p. 30. En contra de este criterio, *vid.* LEÓN ALAPONT, J.: "¿A qué «partido político» imputar y eventualmente condenar?", *Revista Penal*, núm. 40, 2017, p. 148 y ss. Y bibliografía allí citada.

Así las cosas, como resume la Fiscalía General del Estado, en su Circular 1/2016, cabría establecer una triple clasificación de personas jurídicas[2]:

1) Aquellas que operan con normalidad en el mercado y a las que propia y exclusivamente se dirigen las disposiciones sobre los modelos de organización y gestión de los apartados 2 a 5 del art. 31 bis. Mejor o peor organizadas, son penalmente imputables.

2) Las sociedades que desarrollan una cierta actividad, en su mayor parte ilegal.

A ellas se refiere la regla 2ª del art. 66 bis como las utilizadas "instrumentalmente para la comisión de ilícitos penales. Se entenderá que se está ante este último supuesto siempre que la actividad legal de la persona jurídica sea menos relevante que su actividad ilegal". El precepto las deja claramente dentro del círculo de responsabilidad de las personas jurídicas y, en la medida en que tienen un mínimo desarrollo organizativo y cierta actividad, aunque en su mayor parte ilegal, son también imputables.

3) Finalmente solo tendrán la consideración de personas jurídicas inimputables aquellas sociedades cuyo "carácter instrumental exceda del referido, es decir que lo sean totalmente, sin ninguna otra clase de actividad legal o que lo sea solo meramente residual y aparente para los propios propósitos delictivos". Frecuentemente, este tipo de sociedades suele emplearse para un uso único. En esta categoría se incluyen también aquellas sociedades utilizadas para un uso finalista, como mero instrumento para la tenencia o titularidad de los fondos o activos a nombre de la entidad, a modo de velo que oculta a la persona física que realmente posee los fondos o disfruta del activo.

En este sentido, la STS (Sala Segunda) 154/2016, de 29 de febrero, afirmaba que *"la sociedad meramente instrumental, o "pantalla", creada exclusivamente para servir de instrumento en la comisión del delito por la persona física, ha de ser considerada al margen del régimen de responsabilidad del artículo 31 bis, por resultar insólito pretender realizar valoraciones de responsabilidad respecto de ella, dada*

---

2 Circular de la Fiscalía General del Estado 1/2016, de 22 de enero, sobre la responsabilidad de las personas jurídicas conforme a la reforma del Código Penal efectuada por Ley Orgánica 1/2015, pp. 28-29.

la imposibilidad congénita de ponderar la existencia de mecanismos internos de control y, por ende, de cultura de respeto o desafección hacia la norma, respecto de quien nace exclusivamente con una finalidad delictiva que agota la propia razón de su existencia" (FJ, 11). Si bien, a continuación, se desdecía en estos términos: "*No obstante, a la vista de los preceptos correspondientes y en concreto de lo dispuesto en el art. 66 bis, acreditado ese carácter exclusivamente ilícito de su actividad y la comisión del delito contra la salud pública por su representante, de acuerdo con lo razonado por la Audiencia, resulta en este caso procedente, por razones de utilidad, mantener la imposición de la pena de disolución, por otra parte de carácter esencialmente formal puesto que, cumplida y agotada la "misión" delictiva para la que fue realmente constituida, su existencia en la práctica perdió ya sentido, junto con la de multa que, obviamente, será de, cuando menos, muy difícil ejecución"* (FJ, 11).

COMENTARIO: a nuestro juicio, si la totalidad (o prácticamente la totalidad) de la actividad de la empresa es ilícita la solución debiera ser otra: la de calificar ésta como organización criminal (570 bis 1 CP); y, proceder a su disolución (art. 570 quater. 1 CP).

Por último, otros supuestos en que, a juicio de la FGE, procede la exclusiva imputación de la persona física eran advertidos por la Circular 1/2011. Se trata de aquellos en que existe una identidad absoluta y sustancial entre el gestor y la persona jurídica, de manera que sus voluntades aparecen en la práctica totalmente solapadas o en que resulta irrelevante la personalidad jurídica en la concreta figura delictiva, evitando así una doble incriminación que resultaría contraria a la realidad de las cosas y podría vulnerar el principio *non bis in idem*[3].

Así, por ejemplo, en la STS (Sala Segunda) 36/2022, de 20 de enero, se entendió que no se había vulnerado el principio *ne bis in idem* en un supuesto en que se condenó al administrador único de la sociedad y a ésta como persona jurídica por no ser aquél socio de la misma (FJ, 6 y 7).

---

3 Circular de la Fiscalía General del Estado 1/2011, de 1 de junio, relativa a la responsabilidad penal de las personas jurídicas conforme a la reforma del código penal efectuada por ley orgánica número 5/2010, p. 19.

Por el contrario, la STS (Sala Segunda) 264/2022, de 18 de marzo, ratificaba la no condena de una sociedad (unipersonal) al ser el socio único: el *único* administrador y empleado de la misma. Señalándose que *"estamos ante una sociedad instrumental, que si bien formalmente es una persona jurídica, materialmente carece del suficiente desarrollo organizativo para ser diferenciada de la persona física, sin que pueda por ende serle de aplicación el art. 31 bis; no sólo ya por la inviabilidad de implantación de los programas de cumplimiento normativo (vid. STS 534/2020, de 22 de octubre); sino muy especial y previamente por el desvelamiento declarado en sentencia de la forma societaria, que hace inoponible su existencia como ente diferenciado de su administrador"* (FJ, 9).

COMENTARIO: en nuestra opinión, el criterio estrictamente formal por el que el legislador penal se ha decantado para atribuir responsabilidad a las "personas jurídicas" impide que por más coincidencia que se de entre los titulares o propietarios de la sociedad y quienes hayan cometido el hecho delictivo, jamás pueda afirmarse que unos y otros son los mismos sujetos que sufren por partida doble la/s consecuencia/s jurídica/s previstas. Esto es, en sentido técnico no cabría apreciar un supuesto de *bis in idem*. El art. 31 ter 1 CP parece estar pensando precisamente en este supuesto; y, por ello, consciente de la coincidencia (o confusión) patrimonial que puede darse en determinadas formas societarias, considera que "*cuando como consecuencia de los mismos hechos se impusiere a ambas la pena de multa, los jueces o tribunales modularán las respectivas cuantías, de modo que la suma resultante no sea desproporcionada en relación con la gravedad de aquéllos*". Esto es, la obligación ("modularán") de dividir la multa que correspondería a uno de los sujetos (si aplicásemos la regla del *ne bis in idem*) entre dos. Y, así, que el impacto penológico sea el mismo. Ahora bien, lo que en nuestra opinión no permite el art. 31 ter 1 CP es una exclusión de responsabilidad de la persona jurídica en estos casos. Y, ello es así porque la multa no es la única pena que puede imponerse a la persona jurídica. En cambio, si no exigiéramos responsabilidad a la sociedad, no podría imponerse alguna de las otras penas contempladas en el art. 33.7 CP, aun cuando sí se diesen los presupuestos.

La STS (Sala Segunda) 747/2022, de 22 de julio, insiste en la misma solución que la anteriormente citada. Aquí queremos destacar uno de sus párrafos en los que se alude a la cláusula prevista en el art. 31 ter 1 CP, señalándose que: "*Pero esa compensación solo aparece cuando el delito cometido por la persona física lleva también aparejada pena de multa. Ante otras penalidades (pena única de prisión) no se evitará una indisimulable doble sanción: la prevista para la persona física que, además, se vería materialmente sometida a una pena de multa a través de la persona jurídica de la que es titular. No cabría compensación alguna para aliviar la realidad del castigo bimembre que en definitiva recaerá sobre la misma persona, la única que ha intervenido en el delito. La consecuencia a la que se llegaría de asumir otra perspectiva sería concebir la comisión por el responsable penal de determinados delitos mediante una persona jurídica de su exclusiva titularidad como una suerte de subtipo agravado en que la respuesta penal no es una sanción incrementada sino una doble penalidad*" (FJ, 8).

COMENTARIO: a lo ya dicho por nuestra parte en el anterior comentario quisiéramos añadir que la decisión de constituir un determinado tipo de sociedad mercantil es un acto absolutamente libre y voluntario. Y, sí, puede que algunas formas concretas no sean muy atractivas por las consecuencias penales que pueden llegar a producirse. Pero, eso ya no es de nuestra incumbencia. Como ya dijimos, el criterio de la personalidad jurídica no puede obviarse; y, la renuncia a la persecución penal en esas situaciones no tiene, en nuestra opinión, cobertura legal, pues, no hay identidad de sujeto y, en consecuencia, no habría vulneración del principio *ne bis in idem*. Si decidimos apartarnos del criterio formal de personalidad jurídica que nos brinda el CP entonces tendremos que ocultar la existencia del art. 129 CP y dar cabida, en consonancia, a la posibilidad de exigir responsabilidad penal a través del art. 31 bis CP a entes que formalmente carezcan de personalidad. Pero, eso sería ir en contra de la ley ¿no?

2. LA EXISTENCIA DE UN DELITO

Como bien establece el art. 31 bis 1 CP, a la persona jurídica se la hace responsable de delitos. En este sentido, debemos manifestar que la principal finalidad de los canales de denuncia (y las posteriores investigaciones internas) deberá ser la de detección y averiguación de conductas (al menos) con tintes delictivos. Y ello, básicamente, por dos motivos: 1) porque otro tipo de irregularidades o incumplimientos no van a propiciar su condena penal ex art. 31 bis CP; y, 2) porque sin delito no hay tampoco responsabilidad penal para la persona jurídica (es el primer presupuesto que debe concurrir para, en su caso, declarar la responsabilidad penal del ente colectivo)[4]. Aun así, cabría

---

[4] Remarca este aspecto la STS 506/2018, de 25 de octubre.

recordar que: 1) no todos los delitos del Libro II del Código Penal son atribuibles a una persona jurídica; 2) aun siendo uno de los delitos incluidos en el "catálogo", ello no implica que automáticamente la persona jurídica pueda resultar condenada sin necesidad de acreditar nada más; y, 3) que en la valoración de las medidas o controles específicos implantados (y en funcionamiento), el juicio de idoneidad (formal) versa sobre "delitos de la misma naturaleza" (art. 31 bis 2. 1° CP).

Con todo, si bien como hemos remarcado éste será el objetivo primordial de todo canal de denuncias (y de las investigaciones corporativas que se puedan desarrollar) existen otro conjunto de finalidades que no pueden obviarse. Así, a título de ejemplo, podríamos citar las siguientes: a) denuncia e indagación de conductas que pudieren desencadenar en otro tipo de responsabilidad para la persona jurídica distinta a la penal (por ejemplo: civil, administrativa, etc.); b) que se trate de comportamientos "irregulares" pero que no supongan infracción de norma alguna; c) de incumplimientos de algunos de los protocolos o medidas del compliance; d) trasgresiones del "código ético"; e) comunicación de brechas (fallos) que se detecten en el sistema de compliance; f) plantear propuestas de mejora del compliance; g) advertir de nuevos riesgos delictivos; h) informar de una posible destrucción de pruebas; o, i) alertar e informar en procesos de transformación, fusión, absorción, o escisión, de hechos que posiblemente extendiesen o diseminasen la responsabilidad penal a los entes fruto o resultado de esas operaciones (art. 130.2 CP).

Ahora bien, a efectos de lograr la exención o atenuación de responsabilidad penal de la persona jurídica, cuando lo que se está examinando es si el programa de prevención de delitos cumple o no con el requisito 4° del art. 31 bis 5 CP, lo importante será acreditar que, si se recibió una denuncia relacionada con los hechos que se le imputan a la persona jurídica, se dio curso a tal comunicación y, en su caso, se hubiere iniciado la oportuna pesquisa en sede corporativa. En este sentido, consideramos que el hecho de que la persona jurídica haya dado trámite a otro tipo de comunicaciones (no sobre conductas delictivas) o sobre posibles conductas delictivas, pero, que no son las traídas a colación en el actual proceso, no debería tenerse en cuenta a tales efectos. Esto es, no se examina el grado en que la persona jurídica es un "buen ciudadano corporativo" (en términos generales o abstractos) para aplicar o no tal exención (o, en su caso, atenuación de responsabilidad penal) sino en el caso de autos (en concreto).

Por último, simplemente resaltar que, en el ámbito de la evaluación de riesgos (*risk mapping*), si bien dicha operación parte de una previa identificación de las actividades que desarrolla la persona jurídica (art. 31 bis 5. 1° CP), el riesgo se mide en torno a la probabilidad de que tales actuaciones deriven en la comisión de determinados delitos (de los atribuibles a una persona moral y para cada uno de los cuales se deberán haber establecido controles específicos en atención a cada tipo de actividad desplegada).

2.1. Listado de delitos (numerus clausus)

Como ya hemos adelantado, el legislador español optó a la hora de atribuir responsabilidad penal a las personas jurídicas por un sistema tasado, en consecuencia, no todo tipo de infracciones pueden ser imputadas a una persona moral[5]. De forma que, tan sólo pueden responder por los siguientes delitos:

- Tráfico ilegal de órganos (art. 156 bis CP, en relación con el art. 156 bis 7 CP).
- Delitos contra la integridad moral (art. 173.1 CP párrafo cuarto, en relación con párrafos 1 a 3).
- Trata de seres humanos (art. 177 bis, en relación con el art. 177 bis 7 CP).
- Acoso sexual (art. 184.5 CP, en relación con apartados 1 a 4).

---

[5] Particularmente, sobre las distorsiones que provoca el haber optado por un sistema cerrado de delitos atribuibles a una persona jurídica, *vid.* MATALLÍN EVANGELIO, A.: "Mecanismos de prevención de futuras zoonosis: la responsabilidad penal de las personas jurídicas en los delitos contra la biodiversidad", en CUERDA ARNAU (Dir.); PERIAGO MORANT (Coord.): *De animales y normas. Protección animal y derecho sancionador*, Valencia, Tirant lo Blanch, 2021, pp. 277 y ss. Así también, se destaca que en la elección del catálogo de delitos el legislador español no siempre ha seguido la normativa europea. En este sentido, MATALLÍN EVANGELIO, Á.: "Mapas delictivos, delitos contra la biodiversidad y responsabilidad penal de las personas jurídicas: una reforma necesaria del Código Penal", *Revista de Derecho Penal y Criminología*, núm. 28, 2022, pp. 381-429.

- Prostitución, explotación sexual y corrupción de menores e incapaces, pornografía infantil (arts. 187, 188 y 189 bis CP, en relación con el art. 189 ter CP).
- Descubrimiento y revelación de secretos y allanamiento informático (arts. 197, 197 bis y 197 ter CP, en relación con el art. 197 quinquies CP).
- Estafas (arts. 248, 249, 250 y 251 CP, en relación con el art. 251 bis CP).
- Alzamiento de bienes y frustración de la ejecución (arts. 257, 258 y 258 bis CP, en relación con el art. 258 ter CP).
- Insolvencias punibles (arts. 259, 259 bis, 260 y 261 CP, en relación con el art. 261 bis CP).
- Daños informáticos (arts. 264, 264 bis y 264 ter CP, en relación con el art. 264 quater CP).
- Propiedad intelectual (arts. 270, 271 y 271 CP, en relación con el art. 288 CP).
- Propiedad industrial (arts. 273, 274, 275, 277 CP, en relación con el art. 288 CP).
- Mercado y consumidores (arts. 278, 279, 280, 281, 282, 282 bis, 283, 284, 285, 285 bis, 285 ter, 285 quater y 286 CP, en relación con el art. 288 CP).
- Corrupción en los negocios (arts. 286 bis, 286 ter y 286 quater CP, en relación con el art. 288 CP).
- Blanqueo de capitales (art. 301 CP, en relación con el art. 302.2 CP).
- Financiación ilegal de partidos políticos (art. 304 bis CP, en relación con el art. 304 bis 5 CP).
- Delitos contra la Hacienda Pública, Seguridad Social y Fraude de Subvenciones (arts. 305, 306, 307, 307 ter, 308 y 310 CP, en relación con el art. 310 bis CP).
- Delitos contra los derechos de los ciudadanos extranjeros (art. 318 bis CP, en relación con el art. 318 bis 5 CP).
- Delitos contra la ordenación del territorio y el urbanismo (art. 319 CP, en relación con el art. 319.4 CP).

- Delitos medioambientales (arts. 325, 326, 326 bis, 330 CP, en relación con el art. 328 CP.
- Delitos relativos a la energía nuclear y radiaciones ionizantes (art. 343 CP, en relación con el art. 343.3 CP).
- Delitos de riesgo provocados por explosivos y otros agentes (art. 348 CP, en relación con el art. 348.3 CP).
- Delitos contra la salud pública I: fabricación y venta de sustancias ilegales, alteración de productos, dopaje, falsificación de medicamentos, adulteración de alimentos y aguas, etc. (arts. 359, 360, 361, 361 bis, 362, 362 bis, 362 ter, 362 quinquies, 363, 364 y 365 CP, en relación con el art. 366 CP).
- Delitos contra la salud pública II: tráfico de drogas (arts. 368 y 369 CP, en relación con el art. 369 bis CP).
- Falsificación de moneda y efectos timbrados (art. 386 CP, en relación con el art. 386.5 CP).
- Falsificación de tarjetas de crédito y débito y cheques de viaje (arts. 399 bis, en relación con el art. 399 bis 1 CP).
- Cohecho y soborno de funcionario extranjero (arts. 424 y 427 CP, en relación con el art. 427 bis CP).
- Tráfico de influencias (arts. 429 y 430 CP, en relación con el art. 430 CP).
- Malversación de caudales públicos (arts. 432, 433, 433 bis, 434, 435, en relación con el art. 435.5 CP).
- Provocación a la discriminación, odio o violencia contra determinados colectivos (art. 510 CP, en relación con el art. 510 bis CP).
- Terrorismo (arts. 571, 572, 573, 573 bis, 574, 575, 576, 577, 578, 579, 579 bis bis, 580 CP, en relación con el art. 580 bis CP).
- Contrabando (art. 2, apds. 1 a 5 de la LO 12/1995, de 12 de diciembre, de Represión del Contrabando, en relación con el art. 2.6 LORC).

2.2. *Significado de la expresión "delitos" (cometidos por...)*

El primer aspecto sobre el que debe recaer nuestra atención es el relativo a si cabe condenar a la persona jurídica solo por acciones o también por omisiones llevadas a cabo por alguna de las personas físicas enumeradas en el art. 31 bis 1 CP. A este respecto, se ha señalado que cabe contemplar tanto unas como otras[6]. Y, en el caso concreto de la omisión, ésta no sólo debe circunscribirse a la propia sino también a la impropia (comisión por omisión)[7].

Igualmente, la responsabilidad penal de las personas jurídicas se prevé tanto para delitos dolosos como imprudentes[8]. Si bien, cabe matizar que esta última posibilidad queda limitada a un número muy reducido de supuestos:

- insolvencias punibles (art. 259.3 CP, en relación con el art. 261 bis CP)

---

6 FEIJÓO SÁNCHEZ, B.: "Las características básicas de la responsabilidad penal de las personas jurídicas en el Código Penal español", en BAJO FERNÁNDEZ, M.; FEIJÓO SÁNCHEZ, B. y GÓMEZ-JARA DÍEZ, C.: *Tratado de responsabilidad penal de las personas jurídicas*, Cizur Menor, Thomson Reuters-Aranzadi, 2016, p. 70. BOLDOVA PASAMAR, M. Á.: "La responsabilidad penal de las personas jurídicas", en ROMEO CASABONA, C. M.; SOLA RECHE, E. y BOLDOVA PASAMAR, M. Á. (Coords.): *Derecho penal. Parte general*, Granada, Comares, 2016, p. 357. Y DEL ROSAL BLASCO, B.: "Responsabilidad penal de las personas jurídicas: títulos de imputación y requisitos para la exención", en MORILLAS CUEVA, L. (Dir.): *Estudios sobre el Código Penal reformado*, Madrid, Dykinson, 2015, p. 93.

7 GÓMEZ TOMILLO, M.: *Introducción a la responsabilidad penal de las personas jurídicas*, Cizur Menor, Thomson Reuters-Aranzadi, 2015, pp. 122-124. Y ZUGALDÍA ESPINAR, J. M.: "La responsabilidad criminal de las personas jurídicas en el Derecho penal español (análisis de la cuestión tras la reforma operada por la LO 1/2015, de 30 de marzo)", en ZUGALDÍA ESPINAR, J. M. y MARÍN DE ESPINOSA CEBALLOS, E. B. (Dirs.): *La responsabilidad criminal de las personas jurídicas en Latinoamérica y en España*, Cizur Menor, Thomson Reuters-Aranzadi, 2015, p. 225.

8 FEIJÓO SÁNCHEZ, B.: "Las características...", *op. cit.*, p. 70. QUINTERO OLIVARES, G.: "La reforma del régimen de responsabilidad penal de las personas jurídicas", en QUINTERO OLIVARES, G. (Dir.): *Comentario a la reforma penal de 2015*, Cizur Menor, Thomson Reuters-Aranzadi, 2015, p. 82. Y ZUGALDÍA ESPINAR, J. M.: "La responsabilidad criminal de las personas...", *op. cit.*, p. 226.

- blanqueo de capitales (art. 301.3 CP en relación con el art. 302.2 CP)
- contra los recursos naturales y el medio ambiente (art. 331 CP, en relación con el art. 328 CP)
- delitos contra la salud pública: fabricación y venta de sustancias ilegales, alteración de productos, dopaje, falsificación de medicamentos, adulteración de alimentos y aguas, etc. (art. 367 CP, en relación con el art. 366 CP).
- financiación del terrorismo (art. 576.4 CP en relación con el art. 580 bis CP)
- contrabando (art. 2.5 LORC, en relación con el art. 2.6 LORC)

Por otro lado, los delitos previstos en el sistema de *numerus clausus* podrán ser cometidos tanto en grado de consumación como de tentativa (acabada e inacabada)[9]. Respecto de esta última, cabría advertir que la evitación del resultado gracias a la recepción de una denuncia y posterior actuación neutralizadora por parte de la persona jurídica, no permitirá la impunidad de la conducta. Esto es así porque estaríamos ante el supuesto contemplado en el art. 16.1 CP; esto es, la no producción del resultado se debería a una "causa independiente de la voluntad del

---

9 PALMA HERRERA, J. M.: "Presupuestos jurídico-penales de la responsabilidad penal de los entes corporativos y del sistema de «compliances»", en PALMA HERRERA, J. M. y AGUILERA GORDILLO, R.: *Compliances y responsabilidad penal corporativa*, Cizur Menor, Thomson Reuters-Aranzadi, 2017, p. 30. ORTIZ DE URBINA GIMENO, I.: "Responsabilidad penal de las personas jurídicas. Cuestiones materiales", en AYALA GÓMEZ, I. y ORTIZ DE URBINA GIMENO, I. (Coords.): *Penal económico y de la empresa 2016-2017*, Madrid, Francis Lefebvre, 2016, p. 174. FEIJÓO SÁNCHEZ, B.: "Las características...", *op. cit.*, p. 71. DOPICO GÓMEZ-ALLER, J.: "Imputación de responsabilidad penal a la persona jurídica", en MOLINA FERNÁNDEZ, F. (Coord.): *Penal 2017*, Madrid, Francis Lefebvre, 2016, p. 374. BOLDOVA PASAMAR, M. Á.: "La responsabilidad...", *op. cit.*, p. 357. DEL ROSAL BLASCO, B.: "Responsabilidad penal...", *op. cit.*, p. 93. GÓMEZ TOMILLO, M.: *Introducción..., op. cit.*, pp. 197-199. GÓMEZ MARTÍN, V.: "Artículo 31 bis", en CORCOY BIDASOLO, M. y MIR PUIG, S. (Dirs.): *Comentarios al Código Penal. Reforma LO 1/2015 y LO 2/2015*, Valencia, Tirant lo Blanch, 2015, p. 181. Y MORILLAS CUEVA, L.: "La cuestión de la responsabilidad penal de las personas jurídicas", *Anales de Derecho*, núm. 29, 2011, p. 29. A este respecto, la STS 827/2016, de 3 noviembre, confirmó la condena a una mercantil por delito de estafa procesal en grado de tentativa.

autor". Eso sí, la relevancia de tener instaurados estos mecanismos de reporte de conductas aparentemente delictivas cobra un especial protagonismo precisamente en el ámbito de la tentativa (cuando no llega a producirse el resultado). En consecuencia, este tipo de alertas, aunque no consigan evitar la responsabilidad penal de la persona jurídica por la tentativa (punible), sí tienen un impacto beneficioso en la disminución de la respuesta penológica y de la responsabilidad civil a la que la persona jurídica deba hacer frente en caso de ser condenada.

PRECISIÓN: no obstante lo anterior, cabría recordar que, en virtud del art. 16 CP, la tentativa puede quedar impune en dos supuestos: a) cuando el propio sujeto evite voluntariamente la consumación del delito, bien desistiendo de la ejecución ya iniciada, bien impidiendo la producción del resultado (apartado segundo); o, b) cuando en un hecho intervengan varios sujetos, aquél o aquéllos desistan de la ejecución ya iniciada, e impidan o intenten impedir, seria, firme y decididamente, la consumación (apartado tercero). En este sentido, la duda que nos asalta es la siguiente: ¿podría equipararse la comunicación efectuada por el propio infractor (poniendo en conocimiento de la persona jurídica los hechos) a "impedir la producción del resultado"? A nuestro juicio, la cuestión debe resolverse en sentido positivo. Esto es, entendemos que en tal caso existiría una clara voluntad por parte del "propio sujeto" de evitar el resultado (lo único que a través de un medio como la denuncia). Ello supondría que la tentativa no se castigara y, por ende, la persona jurídica no tuviere responsabilidad penal alguna.

2.3. Cuestiones de autoría y participación

La persona jurídica también responderá cuando la responsabilidad de la persona física lo sea a título de participación (inducción, cooperación necesaria y complicidad) y no solo de autoría (directa, mediata o coautoría)[10]. Ello puede conducir a que el "tercero" que materialmente ejecuta la conducta delictiva descrita en el tipo penal sea un individuo ajeno a la persona jurídica[11].

---

10 PALMA HERRERA, J. M.: "Presupuestos...", *op. cit.*, p. 30. ORTIZ DE URBINA GIMENO, I.: "Responsabilidad...", *op. cit.*, p. 174. FEIJÓO SÁNCHEZ, B.: "Las características...", *op. cit.*, p. 71. DEL ROSAL BLASCO, B.: "Responsabilidad penal...", *op. cit.*, p. 93. GÓMEZ MARTÍN, V.: "Artículo 31 bis", *op. cit.*, p. 181. Y MORILLAS CUEVA, L. "La cuestión...", *op. cit.*, p. 29.

11 *Cfr.* MIR PUIG, S.: *Derecho Penal. Parte general (9ª edición a cargo de Víctor Gómez Martín)*, Barcelona, Reppertor, 2011, p. 841.

2.4. Actos preparatorios punibles

En línea con lo apuntado por ORTIZ DE URBINA GIMENO, también cabrá declarar la responsabilidad penal de la persona moral cuando el sujeto que la ocasiona ha realizado algún acto preparatorio punible (conspiración, proposición y provocación)[12]. Ello, que a nuestro juicio parece razonable, ha despertado, sin embargo, serias reticencias en la doctrina[13].

Tales actos punibles solo se comprenden en los siguientes delitos:

- tráfico ilegal de órganos (art. 156 bis 8 CP).
- trata de seres humanos (art. 177 bis 8 CP)
- estafas (art. 269 CP)
- delitos relativos al mercado y a los consumidores: arts. 284 a 285 bis CP (art. 285 quater CP)
- blanqueo de capitales (art. 304 CP)
- tráfico de drogas (art. 373 CP)
- terrorismo (art. 579.3 CP).

2.5. Prescripción del delito

Cuestión sustancial donde las haya es la de la prescripción del delito, pues, efectivamente, si el delito ha prescrito no podrá exigirse responsabilidad penal alguna (al haberse extinguido). En este sentido, una vez recibida la posible denuncia a través de los cauces institucionales de la persona jurídica, deberá valorarse si la posible infracción puede o no haber prescrito (conclusión a la que se puede llegar quizás de forma más fiable tras haber llevado a cabo la correspondiente investigación interna)[14]. Aquí la peculiaridad estriba en determinar si lo

---

12 ORTIZ DE URBINA GIMENO, I.: "Responsabilidad...", *op. cit.*, p. 174

13 *Vid.*, por todos, FEIJÓO SÁNCHEZ, B.: "Las características...", *op. cit.*, p. 71.

14 *Vid.*, en este sentido, BALLESTEROS SÁNCHEZ, J: "Pautas y recomendaciones técnico-jurídicas para la configuración de un canal de denuncias eficaz en organizaciones públicas y privadas. La perspectiva española", *Derecho PUCP*, núm. 85, 2020 diciembre-mayo, pp. 66-67. El citado autor da especial importancia al hecho de que no se eliminen los datos o pesquisas desarrolladas hasta el momento de prescripción del delito.

que prescribe es el delito de la persona física; si cabe hablar de prescripción de un delito "de la persona jurídica"; si son la misma cosa; o, si existe una única prescripción para ambas.

Por parte de determinado sector doctrinal, se ha sostenido que para el plazo de prescripción de los delitos en el caso de las personas jurídicas deberá atenderse a la pena señalada para éstas y no a las contempladas para las personas físicas. De ahí que afirmen, a tenor del último párrafo del art. 131.1 CP, que los delitos prescribirán para las personas jurídicas a los cinco años[15].

PRECISIÓN: Este es el plazo establecido para a aquellos delitos que contengan penas distintas a la de prisión e inhabilitaciones de hasta cinco años. Con todo, de seguir esta postura, en el supuesto del art. 424.3 CP (cohecho activo relacionado con procedimientos de contratación, de subvenciones o de subastas convocados por las Administraciones o entes públicos) se prevé la inhabilitación del art. 33.7. f) CP por un tiempo de cinco a diez años. De forma que, en este caso, el plazo de prescripción sería, en virtud de lo dispuesto en el tercer párrafo del art. 131.1 CP, de diez años y no de cinco. Por el contrario, de forma sorprendente, se ha entendido que el plazo de prescripción de cinco años sería aplicable en cualquier caso[16].

Ahora bien, no consideramos que sea ésta la interpretación que quepa hacer. A este respecto, coincidimos plenamente con DEL MORAL GARCÍA cuando afirma que, dado que estamos ante un modelo de heterorresponsabilidad, "lo congruente es estar a las penas señaladas para la persona física: esas son las que fijarán el plazo de prescripción del delito"[17]. En esta línea se sitúa también GONZÁLEZ CUSSAC, para quien existen cuatro razones que avalarían esta tesis: 1) que los plazos del art. 131 CP originariamente están pensados para la responsabilidad de las personas físicas, no de las personas jurídicas; 2)

---

15 *Vid.*, por todos, FEIJÓO SÁNCHEZ, B.: "La responsabilidad penal de las personas jurídicas", en DÍAZ-MAROTO Y VILLAREJO, J.: (Dir.): *Estudios sobre las reformas del Código Penal (operadas las LO 5/2010, de 22 de junio, y 3/2011, de 28 de enero)*, Cizur Menor, Thomson Reuters-Aranzadi, 2011, p. 136.

16 De esta opinión, MAZA MARTÍN, J. M.: *Delincuencia electoral y responsabilidad penal de los partidos políticos*, Las Rozas, La Ley-Wolters Kluwer, 2018, p. 340.

17 DEL MORAL GARCÍA, A.: "Responsabilidad penal de partidos políticos", en AA.VV.: *La responsabilidad penal de las personas jurídicas*, Madrid, Fiscalía General del Estado, 2018, p. 75.

que el ordenamiento, al no introducir una previsión expresa para las personas morales en esta materia, no permite que el intérprete cree un régimen distinto; 3) que la normativa procesal toma como referencia para establecer la competencia la gravedad del delito cometido por la persona física; y, 4) que esta opción se acomoda mejor al modelo legal, es decir, que parte como presupuesto de la infracción realizada por la persona física[18]. Nos remitimos, pues, a las reglas previstas en los apartados primero, segundo y cuarto del art. 131 CP[19]. Con carácter general, los plazos de prescripción previstos en dicho precepto se computarán desde el día en que se haya cometido la infracción punible (art. 132.1 CP). Entiéndase, desde el día en que la **persona física** llevó a cabo la conducta delictiva[20].

---

18 GONZÁLEZ CUSSAC, J. L.: *Responsabilidad penal de las personas jurídicas y programas de cumplimiento*, Valencia, Tirant lo Blanch, 2020, p. 269.

19 El apartado primero del art. 131 CP establece que *"los delitos prescriben: a los veinte años, cuando la pena máxima señalada al delito sea prisión de quince o más años. A los quince, cuando la pena máxima señalada por la ley sea inhabilitación por más de diez años, o prisión por más de diez y menos de quince años. A los diez, cuando la pena máxima señalada por la ley sea prisión o inhabilitación por más de cinco años y que no exceda de diez. A los cinco, los demás delitos, excepto los delitos leves y los delitos de injurias y calumnias, que prescriben al año"*. El apartado segundo refiere, por su parte, a que *"cuando la pena señalada por la ley fuere compuesta, se estará, para la aplicación de las reglas comprendidas en este artículo, a la que exija mayor tiempo para la prescripción"*. Por otro lado, el apartado cuarto reza así: *"en los supuestos de concurso de infracciones o de infracciones conexas, el plazo de prescripción será el que corresponda al delito más grave"*.

20 Llegados a este punto, sorprende que quienes sostienen que el Código Penal español alberga un modelo de autorresponsabilidad, también tomen como referencia para el inicio del cómputo de la prescripción el hecho punible cometido por la persona física, pues, acorde a sus postulados, tendría que ser el "hecho propio" de la persona jurídica quien marcare el *dies a quo*. Ahora bien, en tal caso, ¿cuándo se entendería realizado éste? Evidentemente, los problemas que se suscitan en torno a esta cuestión son numerosos y de difícil solución. Por ello, consideramos que la prescripción del delito es uno de los principales argumentos que vienen a darnos la razón a quienes consideramos que el modelo previsto en nuestro Código Penal no es otro que el de "transferencia" o vicarial. Obsérvese, en este sentido, la clara contradicción en la que incurre, por ejemplo, RAGUÉS I VALLÉS cuando defiende la existencia de un plazo de prescripción propio de las personas jurídicas (de cinco años) y, a continuación, afirma que los defectos organizativos "son irrelevantes penalmente hasta que no se concretan en la comisión de un delito por parte de una persona física". *Cfr.* RAGUÉS I VALLÉS, R.: "Prescripción y responsabilidad penal de las personas jurídicas", en SUAREZ

Cuestión distinta es, como veremos seguidamente, que luego ese plazo pueda correr de manera independiente para la persona física o jurídica, pues, puede que se haya interrumpido para una y no para otra[21]. Esto es, puede que el delito haya prescrito para la persona jurídica, pero no para la persona física que cometió el delito, y viceversa.

PRECISIÓN: A este respecto, el art. 132.2 CP establece que la prescripción se interrumpirá en dos situaciones: 1) cuando al incoar la causa o con posterioridad, se dicte resolución judicial motivada en la que se le atribuya su presunta participación en un hecho que pueda ser constitutivo de delito; y, 2) cuando, dentro del plazo de seis meses desde que se presentó la querella o se formuló denuncia ante un órgano judicial, se dictara contra el querellado o denunciado, o contra otra persona implicada en los hechos, resolución judicial motivada en la que se le atribuya su presunta participación en un hecho que pueda ser constitutivo de delito.

Imaginemos que un partido político ha recibido de una empresa una donación de 300.000 euros (art. 304 bis 1 CP). El plazo de prescripción del delito cometido por la persona física es de cinco años, pues, para ésta se prevé una pena de multa del triplo al quíntuplo de su valor. Al cuarto año se imputa sólo al partido porque no se ha podido identificar de ningún modo a la persona física que recibió supuestamente la donación (por tanto, únicamente se interrumpe para el partido el plazo de prescripción). De forma que, si, por ejemplo, al sexto año se pretende imputar a esa persona física (una vez identificada) diríamos que para ella sí ha prescrito el delito.

PRECISIÓN: Con todo, en este supuesto, si se hubiere podido identificar a la persona física que supuestamente incurrió en delito al menos "*mediante datos que permitan concretar posteriormente dicha identificación en el seno de la organización*" también para ella se hubiere interrumpido el plazo de prescripción y el delito no habría prescrito (art. 132.3 CP)[22].

LÓPEZ, J.M.; BARQUÍN SANZ, J.; BENÍTEZ ORTÚZAR, I. F.; JIMÉNEZ DÍAZ, M. J. y SAINZ-CANTERO CAPARRÓS, J. E. (Dirs.): *Estudios penales y criminológicos. En homenaje al Prof. Dr. Dr. H. C. Mult. Lorenzo Morillas Cueva. Volumen I*, Madrid, Dykinson, 2018, pp. 563 y 566.

21 LEÓN ALAPONT, J.: *La responsabilidad penal de los partidos políticos*, Valencia, Tirant lo Blanch, 2019, pp. 556-557.

22 El citado precepto (introducido por la LO 5/2010, de 22 de junio, por la que se modifica la Ley Orgánica 10/1995, de 23 de noviembre, del Código Penal) vino a recoger una consolidada jurisprudencia del Tribunal Supremo que abogaba por

Pero, pensemos ahora en el caso contrario: en el cuarto año se imputa sólo a la persona física supuestamente responsable. Y, en el sexto año, se quiere imputar también al partido. En este contexto, llegaríamos a la conclusión de que el delito no habría prescrito para la persona física, pero, sí para la formación política.

PRECISIÓN: Aquí, aun cuando el partido quedare identificado de manera indeterminada, no resultaría aplicable la previsión del art. 132.3 CP, pues, dicha regla "permite efectuar una identificación inconcreta de los individuos de la organización o grupo, no de la organización o grupo en sí"[23].

3. PERSONAS FÍSICAS QUE ORIGINAN LA RESPONSABILIDAD PENAL DE LA PERSONA JURÍDICA

La responsabilidad penal de la persona jurídica solo nace cuando alguno de los delitos previstos en el listado antes mencionado es cometido por determinadas personas físicas. A este respecto, el Código Penal diferencia claramente dos niveles de sujetos: a) representantes legales, autorizados para tomar decisiones en nombre de la persona jurídica, y quienes ostenten facultades de organización y control; y, b) quienes estén sometidos a la autoridad de los anteriores. Pues bien, éste sería el segundo filtro que toda recepción de denuncia (y, en su caso, posterior indagación) debería pasar: que se compruebe que siendo la

---

tal interpretación. *Vid.*, entre otras, SSTS 2/1998, de 29 de julio; 867/2002, de 29 de julio y 1387/2004, de 27 diciembre. Como expresara QUINTERO OLIVARES, "era precisa una indicación legal que advirtiera de que el procedimiento se ha de dirigir contra persona identificada o fácilmente identificable". *Vid.* QUINTERO OLIVARES, G.: "La nueva regulación de la prescripción del delito", en ÁLVAREZ GARCÍA, F. J y GONZÁLEZ CUSSAC, J. L. (Coords.): *Comentarios a la reforma penal de 2010*, Valencia, Tirant lo Blanch, 2010, p. 174. No obstante, dicho precepto ha sido objeto de fuertes críticas por determinado sector doctrinal. *Vid.*, por todos, GÓMEZ MARTÍN, V.: *La prescripción del delito*, Montevideo-Buenos Aires, B d F, 2016, pp. 174-179.

23 *Vid.* Circular de la Fiscalía General del Estado 1/2011, de 1 de junio, relativa a la responsabilidad penal de las personas jurídicas conforme a la reforma del código penal efectuada por ley orgánica número 5/2010, p. 100. En igual sentido, RAGUÉS I VALLÉS, R.: "Prescripción y...", *op. cit.*, pp. 369-370. Y ZUGALDÍA ESPINAR, J. M.: *La responsabilidad criminal de las personas jurídicas, de los entes sin personalidad y sus directivos*, Valencia, Tirant lo Blanch, 2013, p. 162.

conducta supuestamente delictiva (y de las atribuibles a una persona jurídica) haya sido perpetrada por una de tales personas físicas.

3.1. Primer nivel: sujetos enunciados en la letra a) del art. 31 bis 1 CP

Respecto de los **representantes legales**, la primera nota que cabría hacer es que la representación legal de una persona jurídica variará naturalmente dependiendo del tipo de entidad ante la que estemos: una empresa, una asociación, una fundación, un partido político, un sindicato, etc. Y, si bien el concepto de "representación legal" es un concepto jurídico extendido y utilizado en numerosos ámbitos, ello no siempre tiene un significado unívoco según la clase de persona jurídica de que se trate. Así, por poner un ejemplo, en el caso concreto de una formación política, el art. 3.2 k) LOPP sí emplea exactamente dicho término. Pero, por el contrario, como remarca GONZÁLEZ CUSSAC, se trata de un concepto que no se ajusta exactamente a los términos de la legislación mercantil española en materia de sociedades, que se refiere a *representantes orgánicos* y a *representantes voluntarios*. Así, "la discusión en el ámbito penal puede surgir respecto a algunas clases de representantes voluntarios como apoderados singulares o los colaboradores independientes del empresario, que plantean la duda de si pueden considerarse representantes legales a efectos del art. 31 bis. El mismo interrogante se extiende a las personas que realizan actos en nombre de la sociedad en fase de formación (art. 37 Ley 31/2014 de Sociedades de Capital)"[24].

Por todo ello, lo relevante será que se trate de individuos que tengan conferidos *poderes generales* para representar al ente en todo aquello que comprende su objeto social[25]. En definitiva, el representante legal tiene que ser una persona física que tenga la capacidad (el

---

24 GONZÁLEZ CUSSAC, J. L.: "Responsabilidad penal de las personas jurídicas: arts. 31 bis, ter, quáter y quinquies", en GONZÁLEZ CUSSAC, J. L. (Dir.): *Comentarios a la Reforma del Código Penal de 2015 (2ª edición)*, Valencia, Tirant lo Blanch, 2015, p. 167.

25 AGUILERA GORDILLO, R.: *Manual de Compliance Penal en España*, Cizur Menor, Thomson Reuters-Aranzadi, 2022, p. 344. Y PALMA HERRERA, J. M.: "Presupuestos…", *op. cit.*, p. 30.

poder) suficiente como para vincular jurídicamente o comprometer a la persona moral frente a terceros en cualquier ámbito (manifestación externa de la "voluntad" social). A este respecto, dado que, como se ha apuntado, debe tratarse de una representación que se extienda a la generalidad de los actos comprendidos en el objeto social de la persona jurídica, como apunta FERNÁNDEZ TERUELO, dicho objeto social será aquél que se delimite en los estatutos[26]. Si bien, en relación con determinado tipo de personas jurídicas, puede que haya que acudir a otro tipo de fuentes regulatorias para delimitar dicho "objeto social"[27] o que éste se desprenda de la naturaleza concreta del ente.

En cualquier caso, este tipo de representación debe ser general y no puede quedar limitada a determinados actos[28]. Ello significa, pues, que el poder de representación deberá abarcar indefectiblemente cualquier tipo de actuación que vaya dirija a dar cumplimiento a los fines que constituyan el objeto social de la persona jurídica. Por este motivo, entendemos que aquellos sujetos que cuenten con un poder especial de representación para cumplir un mandato específico, realizar una gestión concreta específica o desempeñar unas tareas definidas, etc. (representantes voluntarios) quedarían excluidos de esta categoría.

En otro orden de cosas, que el Código Penal hable de representación "legal" no implica que solo esté haciendo referencia a aquella que viene impuesta, de forma obligatoria, por la ley[29]. Esto es, aquella en la que es la propia norma la que recoge en quién debe recaer tal figura. Éste sería el caso, por ejemplo, de las sociedades de capital, cuya representación le corresponde (en virtud del art. 233 TRLSC) a los administradores. Así pues, puede ser una representación por de-

26 FERNÁNDEZ TERUELO, J.: "Regulación vigente: exigencias legales que permiten la atribución de responsabilidad penal a la persona jurídica y estructura de imputación (CP art. 31 bis 1, 2 inciso 1º y 5º), en JUANES PECES, Á. (Dir.): *Responsabilidad penal y procesal de las personas jurídicas*, Madrid, Francis Lefebvre, 2015, p. 75.

27 Este sería, por ejemplo, el caso de los partidos políticos cuyo "objeto social" viene dado por lo dispuesto en el art. 6 CE (complementándose con lo dispuesto en la LOPP y la LOFPP).

28 *Cfr.* BLANCO CORDERO, I.: *El delito de blanqueo de capitales*, Cizur Menor, Thomson Reuters-Aranzadi, 2015, p. 1005.

29 DEL ROSAL BLASCO, B.: "Responsabilidad...", *op. cit.*, p. 90.

legación[30]. A título ilustrativo, en el caso concreto de una formación política, el art. 3.2 k) LOPP se limita a señalar que en los estatutos del partido debe constar quien asume tal representación legal (pudiendo otorgarse a una persona física o un órgano). Ello supone, en consecuencia, que sea el partido quien libremente designe a ese "representante legal". En consecuencia, la característica principal de la representación legal es que ésta descansa exclusivamente sobre un poder **formal** para vincular jurídicamente al ente frente a terceros[31].

Con todo, este tipo de representantes no debe confundirse con aquellos que la persona jurídica designe para su representación en el proceso penal (art. 786 bis LECrim) aunque, naturalmente, puede haber casos en que la misma persona llegue a desempeñar ambas facetas. En este sentido, nada impide que la representación en sede judicial de la persona jurídica sea asignada por esta misma al representante legal (como podría asignarse al *compliance officer*, a un abogado, etc.).

En último lugar, nada obsta para que la representación legal recaiga en una persona física, en varias (órgano colegiado) o, incluso, en otra persona jurídica.

En relación a las **personas autorizadas para tomar decisiones en nombre de la persona jurídica**, cabe señalar que éstas podrán obrar tanto individualmente como en calidad de miembros de un órgano (colegiadamente). Sin embargo, el Código Penal no especifica a qué tipo de autorización se refiere. En este sentido, entendemos que aquélla abarcará tanto la que sea expresa como tácita (presunta)[32]. Esta última se dará cuando la persona tome decisiones en nombre de la organización con la aquiescencia de ésta, a pesar de que no haya como tal una habilitación formal para ello, por tanto, cuando se trate de una actuación "de facto". Desde nuestro punto de vista, tiene lógica que así sea, pues, de lo contrario, bastaría a la persona moral con recurrir a este tipo de subterfugios para eludir su responsabilidad penal[33]. En consonancia con lo

---

30 GÓMEZ TOMILLO, M.: *Introducción..., op. cit.*, p. 100.

31 *Idem.*

32 Así se ha defendido por parte de la Fiscalía. *Vid.* Circular de la Fiscalía General del Estado 1/2016, de 22 de enero, sobre la responsabilidad de las personas jurídicas conforme a la reforma del Código Penal efectuada por Ley Orgánica 1/2015, p. 16.

33 En este sentido, GÓMEZ TOMILLO, M.: *Introducción..., op. cit.*, p. 102.

anterior, en nuestra opinión, el término "persona autorizada" abarcaría también al *administrador de hecho* cuando la autorización no fuere formal. Lo relevante en este tipo de sujetos "autorizados" a tomar decisiones es que, en todo caso, sea de una forma u otra, también tengan la facultad de obligar jurídicamente a la persona moral frente a terceros. Si bien, cuando no haya un respaldo "formal" de actuación, dicha capacidad será meramente aparente, pues, en realidad, externamente ese poder de obligación de la persona jurídica lo estaría ejerciendo quien formalmente sí quede revestido de ella (aunque no en la práctica).

PRECISIÓN: Otra cosa sería que la persona jurídica lograse demostrar que la persona que cometió el delito actuó eludiendo fraudulentamente los modelos de organización y prevención de que se dispusiera, lo cual podría ocasionar —de darse el resto de condiciones que exige el art. 31 bis 2 CP— la exención de responsabilidad del ente. Piénsese al respecto que una de las finalidades que se persigue precisamente con la conducta fraudulenta (mediante el engaño) es que la organización no llegue a tener conocimiento de la misma.

Quedaría entonces por aclarar en qué se diferencia una persona con capacidad para tomar decisiones en nombre de la persona jurídica con respecto de aquella otra que ostente su representación legal, pues, esta última también es una persona con potestad decisoria. La distinción estriba, en primer lugar, en que la representación legal sólo puede ser formal. Sin embargo, como acabamos de ver, esta condición no se exige en el caso de una persona autorizada para tomar decisiones, quien puede serlo sin necesidad de que así se haya establecido en cualquier clase de documento o título formal. Y, en segundo lugar, el ámbito decisorio de la persona "autorizada" puede extenderse tanto a la generalidad de los actos que pueda llevar a cabo la persona jurídica como a una parte de los mismos (sin embargo, esto último no se concibe en el caso de la representación legal).

Por lo que respecta a las **personas que dentro de la organización tengan facultades de organización y control**, debe repararse en el hecho de que, efectivamente, el tenor literal del precepto alude conjuntamente a una y otra faceta. De ahí que, como advierta ORTIZ DE URBINA GIMENO, para no vaciar de contenido la letra b) del art. 31 bis 1 CP deberán reunirse ambas facultades: la de organización y la de control[34].

---

[34] ORTIZ DE URBINA GIMENO, I.: "Responsabilidad...", *op. cit.*, p. 175.

No obstante, al igual que otros autores[35], consideramos que en realidad puede hablarse tanto de personas que gocen de potestad organizativa como de control (indistintamente), pues, el elemento que permitirá trazar la frontera con respecto de los "subordinados" será que las personas con facultades de organización y gestión tengan verdaderamente poder de mando o dirección (que no dependan de otras).

Ahora bien, cierto es que esas facultades de organización y control pueden ser desempeñadas por los representantes legales de la persona jurídica y las personas autorizadas a tomar decisiones en su nombre, por ello, entendemos que se trata de una "cláusula de cierre" que va dirigida a quienes sin estar comprendidos en tales categorías tienen en la organización (formal o materialmente) "poderes de gobierno o fiscalización interna de bienes y personal"[36]. De forma que se tratará de individuos cuyos actos o decisiones tendrán más bien una eficacia o proyección *ad intra*. Por tanto, aquí no estaríamos ante sujetos que jurídicamente pudieran comprometer a la persona moral frente a terceros, sino cuya capacidad decisoria se vería limitada al ámbito interno.

Con todo, a efectos de declarar la responsabilidad penal de la persona jurídica en virtud del art. 31 bis 1 a) CP, poco importa en qué categoría ubiquemos a los sujetos en liza. Si bien dicho ejercicio resulta ineludible, lo relevante será que el sujeto o sujetos en cuestión puedan encajarse en una de las tres figuras que establece ese precepto. En este contexto cobran importancia las palabras de GÓMEZ TOMILLO, para quien "la estricta acotación de unas y otras categorías desde la perspectiva del Derecho penal carece de excesiva relevancia jurídica, en la medida en que el Código Penal equipara la capacidad de todas ellas para comprometer penalmente a la persona jurídica en cuyo seno desempeñan su actividad. Lo que sí tiene importancia es

---

35 Así, entre otros, SILVA SÁNCHEZ, J. M.: *Fundamentos del Derecho penal de le Empresa*, Madrid, Edisofer, 2016, p. 369. GÓMEZ TOMILLO, M.: *Introducción..., op. cit.*, p. 105. ZUGALDÍA ESPINAR, J. M.: "La responsabilidad criminal de las personas...", *op. cit.*, p. 224. Y BACIGALUPO SAGESSE, S.: "Artículo 31 bis, ter, quater, quinquies", en GÓMEZ TOMILLO, M. (Dir.): *Comentarios prácticos al Código penal. Tomo I*, Cizur Menor, Thomson Reuters-Aranzadi, 2015, p. 474.

36 *Cfr.* GÓMEZ TOMILLO, M.: *Introducción..., op. cit.*, p. 105.

encontrar el límite inferior entre ellos y sus subordinados, toda vez que, en este último caso, se requiere un elemento adicional, cual es el incumplimiento de los deberes de supervisión, vigilancia y control de su actividad"[37].

En último lugar, algún autor, como FERNÁNDEZ TERUELO, ha señalado que las personas referidas (representantes legales, personas con potestad decisoria y con capacidad organizativa y de control) tienen que ostentar poderes de supervisión, vigilancia y control[38]. Sin embargo, discrepamos de esta afirmación dado que esa es una condición que, en modo alguno, exige el art. 31 bis 1 a) CP, y sí, en cambio, la letra b) de dicho precepto cuando alude a que el delito cometido por un "subordinado" debe haberse producido por un incumplimiento grave de los deberes de supervisión, vigilancia y control por parte de aquéllos. Dicho de otro modo, al tratarse de obligaciones que sólo se proyectan sobre los subordinados[39], éstas no pueden exigirse en el caso de delitos cometidos por alguna de las personas de la letra a) ya que, naturalmente, no todas ellas tienen porqué contar con personas "a su cargo".

3.2. Segundo nivel: sujetos enunciados en la letra b) del art. 31 bis 1 CP

El art. 31 bis 1 b) CP alude a *quienes estén sometidos a la autoridad de las personas físicas mencionadas en el párrafo anterior*, por lo que *a priori* podríamos concluir que el precepto excluye la posibilidad de asignar responsabilidad penal a la persona jurídica cuando el "subordinado" quede sometido a la autoridad de un órgano. Sin embargo, no hay que olvidar que los cargos a los que se refiere la letra a) del art. 31 bis 1 CP pueden ser ejercidos también colegiadamente[40]. Debiéndose precisar, una vez más, que las personas que conformen dicha categoría no tienen por qué presentar una vinculación formal con

37 *Ibid.*, p. 100.
38 FERNÁNDEZ TERUELO, J.: "Regulación...", *op. cit.*, p. 76.
39 SILVA SÁNCHEZ, J. M.: *Fundamentos...*, *op. cit.*, p. 369.
40 Corregimos, pues, la posición mantenida con anterioridad en LEÓN ALAPONT, J.: *La responsabilidad...*, *op. cit.*, p. 299.

la organización[41]. Por ello, nada obsta para que el "subordinado" sea una persona externa a la entidad (en el sentido de que no se requerirá que sea miembro de ésta), esto es, lo realmente determinante será que exista tal sometimiento a la autoridad de alguno de los "directivos" de la misma.

Ahora bien, ciertamente, no basta con que sean personas sujetas a cualquier tipo de influencia[42]. A este respecto, se señala que debe tratarse de individuos que tengan la obligación de acatar indicaciones, instrucciones u órdenes provenientes de las personas enumeradas en la letra a) del art. 31 bis 1 CP[43]. Además, a nuestro juicio, no cabe hablar de un sometimiento genérico sino específico, esto es, que se traduzca en el cumplimiento de una serie de obligaciones concretas por parte del subordinado. Por su parte, GÓMEZ TOMILLO recalca que no podrán ser personas con capacidad de dirección social o supervisión sobre otros, sino más bien "meros ejecutores de decisiones ajenas"[44].

Lo decisivo en estos casos será, pues, que tales personas queden integradas en cualquier ámbito de la organización o de las actividades de la persona jurídica[45] y que operen bajo la dirección y control de

---

41 Alude a esa no necesaria vinculación formal del subordinado con respecto de la persona jurídica la Fiscalía General del Estado en su Circular 1/2016, de 22 de enero, sobre la responsabilidad de las personas jurídicas conforme a la reforma del Código Penal efectuada por Ley Orgánica 1/2015, p. 24.

42 FEIJÓO SÁNCHEZ, B.: "Las características...", *op. cit.*, p. 80.

43 *Cfr.* SÁNCHEZ MELGAR, J.: "Aproximación a la responsabilidad penal de las personas jurídicas: nuevos modelos de imputación", en ZUGALDÍA ESPINAR, J. M. y MARÍN DE ESPINOSA CEBALLOS, E. B. (Coords.): *Aspectos prácticos de la responsabilidad criminal de las personas jurídicas,* Cizur Menor, Thomson Reuters-Aranzadi, 2013, p. 50.

44 GÓMEZ TOMILLO, M.: *Introducción..., op. cit.*, pp. 106-107.

45 *Vid.* en este sentido, con referencias al ámbito societario, BOLDOVA PASAMAR, M. Á.: "La responsabilidad penal..., *op. cit.* p. 358. En términos similares, GÓMEZ MARTÍN, V.: "Artículo 31 bis", *op. cit.*, p. 183. PALMA HERRERA, J. M.: "El papel de los *compliance* en un modelo vicarial de responsabilidad penal de la persona jurídica", en PALMA HERRERA, J.M. (Dir.): *Procedimientos operativos estandarizados y responsabilidad penal de las personas jurídicas*, Madrid, Dykinson, 2014, p. 202. Y Circular de la Fiscalía General del Estado 1/2016, de 22 de enero, sobre la responsabilidad de las personas jurídicas conforme a la reforma del Código Penal efectuada por Ley Orgánica 1/2015, p. 25.

alguna de las personas descritas en la letra a) del art. 31 bis 1 CP[46]. Debiéndose dar, en consecuencia, entre unos y otros, una relación de dependencia[47], que a juicio de algún autor ha de ser "directa"[48]. Lo que entendemos no exige el Código Penal, en ningún caso, es que tal relación de subordinación sólo pueda darse a nivel vertical y no horizontal. Y tampoco que el sometimiento "a la autoridad de" tenga que quedar formalizado, sino que éste puede ser ejercido "de facto". En definitiva, lo relevante será que el subordinado que cometa el delito esté sometido a la "jerarquía"[49] o dominio del ente.

Así, una de las confusiones a las que con mayor facilidad se presta este precepto es la de entender que en el concepto de subordinados solo quedan incluidos los trabajadores. En primer lugar, un alto directivo de una empresa también es un trabajador. Por tanto, no se trata tanto de centrar la atención en la categoría profesional, puesto o condición que se ostente en el seno de la persona jurídica sino las facultades que desempeñen. En este sentido, una persona de la letra

---

46 Así, por ejemplo, GONZÁLEZ SIERRA, P.: *La imputación penal de las personas jurídicas*, Valencia, Tirant lo Blanch, 2014, p. 252. PÉREZ ARIAS, J.: *Sistema de atribución de responsabilidad penal a las personas jurídicas*, Madrid, Dykinson, 2014, p. 81. ZUGALDÍA ESPINAR, J. M.: *La responsabilidad criminal..., op. cit.*, p. 79. Y DÍEZ RIPOLLÉS, J. L.: "La responsabilidad penal de las personas jurídicas. Regulación española", *InDret*, núm. 1, 2012, p. 22.

47 *Cfr.* TORO PEÑA, J. A.: *La persona jurídica en el proceso penal*, Madrid, Dykinson, 2012, p. 78. Y MORALES PRATS, F.: "La responsabilidad penal de las personas jurídicas (arts. 31 bis., 31.2 supresión, 33.7, 66 bis., 129, 130.2 CP)", en QUINTERO OLIVARES, G. (Dir.): *La reforma penal de 2010: análisis y comentarios*, Cizur Menor, Thomson Reuters-Aranzadi, 2010, p. 67.

48 FERNÁNDEZ TERUELO, J.: "Regulación...", *op. cit.*, p. 77. En contra, Circular de la Fiscalía General del Estado 1/2016, de 22 de enero, sobre la responsabilidad de las personas jurídicas conforme a la reforma del Código Penal efectuada por Ley Orgánica 1/2015, p. 23. Para la Fiscalía, los supuestos de delegación de funciones "no deben servir de excusa" para que las personas de la letra a) del art. 31 bis 1 CP desatiendan los deberes de supervisión, vigilancia y control que les competen.

49 HERNÁNDEZ DÍAZ, L.: "El nuevo artículo 31 bis del Código Penal: exigencias legales (explícitas e implícitas) que permiten la atribución de responsabilidad penal a la persona jurídica", en DE LA CUESTA ARZAMENDI, J. L. (Dir.): *Responsabilidad Penal de las Personas Jurídicas*, Cizur Menor, Thomson Reuters-Aranzadi, 2013, p. 115. Y Circular de la Fiscalía General del Estado 1/2011, de 1 de junio, relativa a la responsabilidad penal de las personas jurídicas conforme a la reforma del código penal efectuada por ley orgánica número 5/2010, p. 46.

a) puede ser ubicada también en la letra b) cuando quede, a su vez, sometida a la autoridad de otra persona de las de la letra a). Basar en estos casos la imputación de la persona jurídica en uno u otro nivel dependerá de que la persona física en cuestión tenga o no autonomía en la toma de decisiones, o que se acaten y materialicen por orden de un superior.

Por último, otra cuestión de interés es la relativa al hecho de que el art. 31 bis 1 b) CP permita interpretar que las personas sometidas "a la autoridad de" puedan ser tanto físicas como jurídicas. Piénsese, a este respecto, en una empresa de *marketing* a la que se le encomienda el diseño de una determinada campaña promocional de un producto: en caso de que aquélla fuere condenada por un delito que favoreciera a la persona jurídica que ha hecho el encargo, ¿podría afirmarse que la empresa de *marketing* quedara sometida a la autoridad de algún responsable de la persona jurídica por mucho que de éste hubiera recibido algún tipo de directriz, etc.? A nuestro modo de ver, difícilmente ello sería posible, dado que la exigencia de que el subordinado tenga que ser una persona que quede "integrada" en cualquier ámbito de la organización o de sus actividades lo impedirá. Así lo entendemos, más allá del debate que pudiera suscitarse en torno a si, en tales supuestos, cupiera entender que la mencionada empresa actuara "en el ejercicio de actividades sociales" de la contratante, por cuenta de ésta, o si también sobre ésta debían recaer las obligaciones de supervisión, vigilancia y control a las que se alude en el propio precepto. Cuestión distinta sería, por ejemplo, que se tratara de empresas que pertenecie-sen a un mismo grupo (holding) o de una misma unión temporal de empresas (UTE) o fórmula jurídica similar en la que esa dependencia podría ser más evidente y, sobre todo, constatable.

4. CIRCUNSTANCIAS QUE DEBEN CONCURRIR PARA QUE LA CONDUCTA DELICTIVA LLEVADA A CABO POR LA PERSONA FÍSICA PUEDA TRASLADARSE A LA PERSONA JURÍDICA: "HECHOS DE CONEXIÓN"

Como dijimos, el Código Penal establece una doble vía de imputación en su art. 31 bis 1. Así, mientras que cuando el delito ha sido cometido por alguna de las personas mencionadas en la letra a) éstas han tenido que actuar en nombre o por cuenta de la persona jurídica y en su beneficio directo o indirecto; en el caso de la letra b) se exige no solo que el delito se haya cometido en el ejercicio de actividades sociales y por cuenta y en beneficio directo o indirecto de la persona jurídica sino, además, que éste se deba a un incumplimiento grave de los deberes de supervisión, vigilancia y control que recaen sobre los sujetos de la letra a).

Debiéndose advertir que los criterios de imputación previstos tanto en la letra a) como b) del art. 31 bis 1 CP son acumulativos, lo que significa que de no darse alguno de ellos se romperá el vínculo normativo que permite sustentar la declaración de responsabilidad penal de la persona jurídica.

Así las cosas, estos denominados "hechos de conexión" vendrían a erigirse en el tercer filtro que toda recepción de denuncia (y, en su caso, posterior indagación) debería superar: que se compruebe que siendo la conducta supuestamente delictiva (y de las atribuibles a una persona jurídica), y habiendo sido perpetrada por alguna de las personas físicas descritas en los apartados anteriores, se haya realizado en las circunstancias que veremos a continuación.

4.1. Actuar "en nombre" o "por cuenta de"

Con carácter preliminar, antes de adentrarnos en el significado que cobran ambas expresiones, debe resolverse la cuestión de si en el art. 31 bis 1 a) CP el requisito de actuar en nombre o por cuenta de la persona jurídica se exige respecto de todas las personas físicas que se incluyen en dicho precepto. Tal interrogante se plantea dada la confusa redacción del tenor literal que menciona al inicio uno y otro término, para referirse luego a que las personas autorizadas a tomar decisiones lo hagan "en nombre" de la persona jurídica, pareciendo no precisar dicha exigencia en el caso de aquellos que ostenten facultades organizativas o de control[50]. No obstante, consideramos que la persona jurídica será responsable, *ex* art. 31 bis 1 a) CP, de los delitos cometidos por cualquiera de las personas físicas en él indicadas, tanto si éstas actúan en su nombre como si lo hacen por cuenta de aquella.

---

50 Así lo señala GONZÁLEZ CUSSAC, J. L.: "Responsabilidad...", *op. cit.*, p. 168.

Pues bien, a juicio de la mayoría de autores[51], las expresiones "en nombre" o "por cuenta" son sinónimas, esto es, no habría diferencia entre ellas. Sin embargo, tal interpretación debe ser rechazada de plano (por lo que más adelante se dirá), aunque lleven razón estos autores al afirmar que ambas locuciones refieren a que la persona física al cometer el delito lo haga en el marco de las competencias que les han sido conferidas[52].

Por el contrario, para otro sector doctrinal (al que nos adherimos) se trata de dos títulos de actuación diferenciados.

Para POLAINO NAVARRETE, actúa "en nombre" del ente moral quien aparentando ostentar la voluntad del mismo "se muestra en el tráfico jurídico «como si» fuera la propia persona jurídica y, por tan-

---

51 *Vid.*, entre otros, FERNÁNDEZ TERUELO, J.: "Responsabilidad penal de las personas jurídicas: Requisitos comunes a los criterios de transferencia o conexión o doble vía de imputación [art. 31 bis 1. apartados a) y b)]", en MATALLÍN EVANGELIO (Dir.), *Compliance y prevención de delitos de corrupción*, Valencia, Tirant lo Blanch, 2018, p. 49. DOPICO GÓMEZ-ALLER, J.: "Imputación...", *op. cit.*, p. 368. FEIJÓO SÁNCHEZ, B.: "Los requisitos del art. 31 bis 1", en BAJO FERNÁNDEZ, M.; FEIJÓO SÁNCHEZ, B. y GÓMEZ-JARA DÍEZ, C.: *Tratado de responsabilidad penal de las personas jurídicas*, Cizur Menor, Thomson Reuters-Aranzadi, 2016, pp. 78-79. ZUGALDÍA ESPINAR, J. M.: "La responsabilidad criminal de las personas...", *op. cit.*, p. 225. BACIGALUPO SAGESSE, S.: "Artículo 31 bis...", *op. cit.*, p. 475. DEL ROSAL BLASCO, B.: "Responsabilidad penal...", *op. cit.*, p. 98. DE LA CUESTA ARZAMENDI, J. L.: "Responsabilidad penal de las personas jurídicas en el Derecho español", en DE LA CUESTA ARZAMENDI, J. L. (Dir.): *Responsabilidad penal de las personas jurídicas*, Cizur Menor, Thomson Reuters-Aranzadi, 2013, p. 66. DÍAZ GÓMEZ, A.: "El modelo de responsabilidad criminal de las personas jurídicas tras la LO 5/2010", *Revista Electrónica de Ciencia Penal y Criminología*, núm. 13-08, 2011, p. 3. MORILLAS CUEVA, L. "La cuestión...", *op. cit.*, p. 29. DE LA MATA BARRANCO, N. J.; BILBAO LORENTE, M. y ALGORTA BORDA, M.: "La atribución de responsabilidad penal de las personas jurídicas y su exención: instrumentos de prevención en el seno corporativo", *La Ley Penal*, núm. 87, 2011, p. 3. GÓMEZ-JARA DÍEZ, C.: *Fundamentos modernos de la responsabilidad penal de las personas jurídicas*, Montevideo-Buenos Aires, B d F, 2010, p. 485. Y NIETO MARTÍN, A.: "La responsabilidad penal de las personas jurídicas tras la reforma de 2010", *Revista Xuridica Galega*", núm. 63, 2009, p. 58.

52 Para FEIJÓO SÁNCHEZ, quedarían abarcados "tanto los supuestos en los que el delito se ha cometido en el ámbito de las competencias específicas asignadas en la organización", como también "cuando se haya cometido simplemente con ocasión del ejercicio de tales competencias". *Vid.* FEIJÓO SÁNCHEZ, B.: "Los requisitos...", *op. cit.*, p. 79.

to, fuera ésta la que actuara". Mientras que el que actúa por cuenta "se comporta por sí y en su propio nombre pero «a costo de» la persona jurídica, con el cargo de gastos, costes o perjuicios a la misma"[53]. DÍEZ RIPOLLÉS entiende que el sujeto actuará "en nombre de" cuando su comportamiento se ajuste a la política o directivas previamente marcadas por la persona jurídica, y se comportará "por cuenta" de aquélla "si persigue los intereses de ésta determinados autónomamente en el marco de sus funciones sociales", aun cuando contradiga la política o directivas de la misma[54]. Según GÓMEZ TOMILLO, con la expresión "en nombre de" se estaría haciendo referencia a aquellos casos en los que "el sujeto actúa, u omite hacerlo, dentro de lo que es su competencia aparente". Por el contrario, cuando la ley se refiere a la actuación "por cuenta" de la persona jurídica "supone una actuación dentro de lo que es realmente su ámbito competencial"[55]. Llegándose a sostener por otros autores que "en nombre" debería ser entendido como en el ejercicio de las funciones representativas, y "por cuenta" en interés de la persona jurídica[56].

Con todo, consideramos que ninguna de las anteriores interpretaciones logra explicar nítida o suficientemente la distinción entre ambos conceptos. Por ello, en línea con lo afirmado por la Fiscalía, entendemos que las nociones "en nombre" y "por cuenta" aluden "al

---

53 POLAINO NAVARRETE, M.: *Lecciones de Derecho Penal. Parte General*, Madrid, Tecnos, 2016, p. 41.

54 DÍEZ RIPOLLÉS, J. L.: "La responsabilidad penal...", *op. cit.*, p. 21. Suscribe también tal interpretación, BOLDOVA PASAMAR, M. Á.: "La introducción de la responsabilidad penal de las personas jurídicas en la legislación española", *Estudios Penales y Criminológicos*, vol. 33, 2013, p. 241.

55 GÓMEZ TOMILLO, M.: "Imputación objetiva y culpabilidad en el Derecho penal de las personas jurídicas. Especial referencia al sistema español", *Revista Jurídica de Castilla y León*, núm. 25, 2011, p. 62.

56 GONZÁLEZ-CUELLAR SERRANO, N. y JUANES PECES, A.: "La responsabilidad de las personas jurídicas y su enjuiciamiento en la reforma de 2010. Medidas a adoptar antes de su entrada en vigor", *Diario La Ley*, núm. 7501, 2010, p. 7. Coincide en parte con esta postura PALMA HERRERA, cuando afirma que la persona física actúa *en nombre* de la jurídica cuando ejerce funciones de representación, mientras que lo hace *por cuenta* de aquélla cuando se trata de tareas gestión, directivas, organizativas, de control, etc. *Vid.* PALMA HERRERA, J. M.: "Presupuestos...", *op. cit.*, pp. 37-39.

contenido formal y material del mandato"[57] que asumen las personas físicas en el seno de la persona jurídica. Así, mientras que la expresión "en nombre" se trataría de un concepto formal, el término "por cuenta" tendría un sentido más bien material[58]. Pues bien, partiendo de tales ideas diremos que el sujeto actuará "en nombre" de la persona jurídica cuando ejerza las competencias que formalmente le han sido asignadas, y lo hará "por cuenta" de éste cuando actúe dentro de un concreto ámbito competencial que, aun no habiéndose establecido formalmente, haya sido igualmente definido por la persona moral. Esta es la exégesis que, por otro lado, más se aproxima al contenido que cobran ambas expresiones en Derecho Mercantil. Allí, se entiende que actúa *en nombre* del empresario o sociedad quien lo hace en virtud de poderes formalmente concedidos, mientras que actúa *por cuenta* del empresario o sociedad quien careciendo de tales poderes obra en su interés bien por orden de su comitente o sin su oposición, o cuando éste aprueba su gestión en términos expresos o por hechos positivos[59].

Empero, como puede observarse, en la dicción del art. 31 bis 1 b) CP desaparece la mención al actuar "en nombre de" y sólo se alude al actuar "por cuenta de"[60]. Sin embargo, a nuestro parecer, ello no significa ni que el subordinado no pueda actuar en nombre de la persona jurídica (por lo que acabamos de explicar) ni que cuando aquél cometa el delito "en nombre" de la persona moral no se genere para éste responsabilidad penal. Resultaría incomprensible que así fuera ya que lo relevante a efectos de fundar su hipotética condena será que la persona física actúe dentro del ámbito competencial que le corresponda, con independencia de si tales facultades han sido predeterminadas

---

57 Circular de la Fiscalía General del Estado 1/2011, de 1 de junio, relativa a la responsabilidad penal de las personas jurídicas conforme a la reforma del código penal efectuada por ley orgánica número 5/2010, p. 40.

58 En este sentido, RAGUÉS I VALLÈS, R.: *La actuación en beneficio de la persona jurídica como presupuesto para su responsabilidad penal*, Madrid, Marcial Pons, 2017, pp. 28-32. Y GONZÁLEZ SIERRA, P.: *La imputación…*, *op. cit.*, pp. 266-267.

59 *Cfr.* ROJO, Á.: "La representación en el Derecho Mercantil", en URÍA, R. y MENÉNDEZ, A.; *et al.*: *Curso de Derecho Mercantil. TomoI*, Madrid, Civitas, 2001, pp. 215-218. *Vid.* también, BROSETA PONT, M. y MARTÍNEZ SANZ, F.: *Manual de Derecho Mercantil. Volumen I*, Madrid, Tecnos, 2018, p. 120.

60 No llegándose a comprender por qué el Código Penal prescinde en este caso de tal cláusula.

formalmente o no. Queremos con ello decir que el legislador parece haber pretendido evitar con la fórmula "por cuenta de" cualquier laguna de punibilidad, y no lo contrario, que es lo que *a priori* podría deducirse del tenor literal de la letra b) del art. 31 bis 1 CP.

Cuestión distinta será que el delito cometido por alguna de las personas físicas descritas en el apartado primero del art. 31 bis CP se haya producido por una extralimitación en sus funciones, supuesto éste que excluiría la responsabilidad penal de la persona jurídica[61]. Aunque no de forma automática, debiéndose estar al caso concreto[62]. Así, si se acreditare que la "extralimitación" (actuación fuera de sus competencias) es "permitida", "tolerada" o "consentida" por la entidad en cuestión —tras tener conocimiento de ella—, no podrá alegarse como causa que rompa tal conexión normativa.

4.2. El significado de la expresión actuar "en beneficio directo o indirecto"

La primera incógnita que debe ser despejada es la relativa al significado que en el art. 31 bis 1 CP cobra la expresión **actuar en** beneficio de la persona jurídica. En este sentido, dos son las interpretaciones que se han propuesto: entender que se trata de un elemento subjetivo

61 Así lo afirman, con referencia a las personas jurídicas (en general), ZUGALDÍA ESPINAR, J. M.: "La responsabilidad criminal de las personas...", *op. cit.*, p. 225. BACIGALUPO SAGESSE, S.: "Artículo 31 bis...", *op. cit.*, p. 475. GÓMEZ MARTÍN, V.: "Artículo 31 bis", *op. cit.*, pp. 181-182. DE LA CUESTA ARZAMENDI, J. L.: "Responsabilidad...", *op. cit.*, pp. 66-67. JAÉN VALLEJO, M.: "Características del sistema de responsabilidad penal de las personas jurídicas", en ZUGALDÍA ESPINAR, J. M. y MARÍN DE ESPINOSA CEBALLOS, E. B. (Coords.): *Aspectos prácticos de la responsabilidad criminal de las personas jurídicas*, Cizur Menor, Thomson Reuters-Aranzadi, 2010, p. 107. Y DE LA MATA BARRANCO, N. J.; BILBAO LORENTE, M. y ALGORTA BORDA, M.: "La atribución...", *op. cit.*, p. 3.

62 En esta línea parece apuntar la Fiscalía General del Estado cuando expresa que "*no es posible limitar a priori y rígidamente la capacidad de responder de la persona jurídica al perímetro restringido y estricto de las atribuciones del gestor, órgano unipersonal o colectivo, de hecho o de derecho que haya actuado, por cuanto ello implicaría crear de inicio una amplia zona de irresponsabilidad penal que debe ser objeto de valoración casuística*". *Vid.* Circular de la Fiscalía General del Estado 1/2011, de 1 de junio, relativa a la responsabilidad penal de las personas jurídicas conforme a la reforma del código penal efectuada por ley orgánica número 5/2010, p. 40.

del tipo o bien una cualidad objetiva de la acción. Veamos, a continuación, en qué se concretan una y otra. Para un sector doctrinal, la actuación en beneficio de la persona jurídica constituye un elemento subjetivo específico que debe concurrir en la conducta típica de la persona física: la persona física que ha cometido el delito debe haberlo hecho a sabiendas de que es un modo idóneo de lograr un provecho para la entidad[63], esto es, "que la actuación esté inspirada en una intencionalidad finalista del autor de conseguir un beneficio para la persona jurídica"[64], a pesar de que no sea su único objetivo[65].

A nuestro juicio, tal exégesis debe ser desechada, pues, como tuvo ocasión de señalar la Fiscalía:

> *"si el legislador hubiera querido otorgarle este sentido, probablemente hubiera optado por expresiones tales como con la intención de beneficiar, o para beneficiar. La apelación a un elemento subjetivo así definido conllevaría además serias dificultades de prueba, no estando claras por otra parte las razones por las que los motivos del sujeto deban elevarse a la categoría de factor decisivo para la determinación de la responsabilidad de la organización para la que trabaja"*[66].

Piénsese además que, de seguir tal tesis, bastaría para declarar la responsabilidad penal de la persona jurídica con el *animus* de la persona física de beneficiar a aquélla, aun cuando la acción no pudiera objetivamente producir tal provecho o finalmente no se llegare a lograr el beneficio. Y, viceversa, que de darse alguna de estas circunstancias, pero no la voluntad del individuo de querer beneficiar al ente, la persona jurídica quedaría exenta de responsabilidad.

Por todo ello, consideramos que lo más adecuado es interpretar que cuando el Código Penal exige que la conducta delictiva se lleve

---

63 Así, GARCÍA ARÁN, M.: "Artículo 31 bis", en CÓRDOBA RODA, J. y GARCÍA ARÁN, M. (Dirs.): *Comentarios al Código Penal. Parte General*, Madrid, Marcial Pons, 2011, p. 390.

64 En este sentido, por ejemplo, GIMENO BEVIÁ, J.: *Compliance y proceso penal. El proceso penal de las personas jurídicas*, Cizur Menor, Thomson Reuters-Aranzadi, 2016, p. 124.

65 ORTIZ DE URBINA GIMENO, I.: "Responsabilidad penal...", *op. cit.*, p. 175.

66 Circular de la Fiscalía General del Estado 1/2011, de 1 de junio, relativa a la responsabilidad penal de las personas jurídicas conforme a la reforma del código penal efectuada por ley orgánica número 5/2010, p. 42.

a cabo «en beneficio directo o indirecto» de la persona jurídica, está requiriendo la objetiva tendencia de la acción a conseguirlo. Se precisaría pues, la constatación de la idoneidad *ex ante* de la conducta de la persona física para que la persona jurídica obtuviese alguna clase de beneficio asociado a aquélla[67]. Siendo indiferente que el beneficio que con la conducta se pudiera alcanzar fuere a corto o largo plazo[68]. Pudiendo ser este beneficio tanto directo como indirecto (a través, por ejemplo, de un tercero interpuesto).

Incluso, podrá atribuirse responsabilidad penal a la persona jurídica aun cuando la persona física haya actuado en su exclusivo interés o en el de terceros ajenos a la misma, siempre que el beneficio pueda alcanzar a aquélla, debiéndose valorar entonces la idoneidad de la conducta para que la persona jurídica llegare a conseguir alguna clase de ventaja asociada a ésta[69].

Por lo demás, adviértase que sólo esta interpretación resulta compatible con la posibilidad de atribuir delitos imprudentes a la persona jurídica, pues, si la expresión "en beneficio" se concibiera como elemento subjetivo difícilmente podría imputarse delitos que no fueran dolosos[70].

Ahora bien, **¿exige el Código Penal que el beneficio se obtenga finalmente para condenar a la persona jurídica?** A este respecto GÓMEZ-JARA DÍEZ señala que "la ley española parece inclinarse por la exclusión de responsabilidad penal en caso de que el provecho no se ha producido, si bien interpretaciones alternativas son plausibles"[71]. Por su parte, GUTIÉRREZ MUÑOZ, afirma rotundamente que "no se

---

67 LEÓN ALAPONT, J.: *La responsabilidad...*, *op. cit.*, p. 316.

68 GÓMEZ TOMILLO, M.: *Introducción...*, *op. cit.*, p. 116.

69 SÁNCHEZ MARTÍN, M. Á.: *Responsabilidad penal de las personas jurídicas. Plan de prevención de riesgos penales y código ético de conducta*, Cizur Menor, Thomson Reuters-Aranzadi, 2017, p. 96.

70 De opinión contraria a la nuestra, GONZÁLEZ CUSSAC, J. L.: "Responsabilidad penal de las personas jurídicas y delito de blanqueo de dinero", en ABEL SOUTO, M. y SÁNCHEZ STEWART, N. (Coords.): *V Congreso sobre prevención y represión del blanqueo de dinero*, Valencia, Tirant lo Blanch, 2018, p. 345. Para este autor, se presenta especialmente problemática la compatibilidad del binomio "en beneficio directo o indirecto" con la estructura del delito imprudente. Señala este autor que la atribución de un delito en su modalidad imprudente dependerá de la estructura que presente cada tipo penal.

71 GÓMEZ-JARA DÍEZ, C.: *Fundamentos...*, *op. cit.*, p. 487.

puede plantear la atribución de responsabilidad penal a las personas jurídicas si éstas no han obtenido un beneficio con el hecho delictivo"[72]. En nuestra opinión, y en la de otros autores, no se excluye la responsabilidad de la persona jurídica "cuando el delito cometido no ha llegado a producir beneficio para ésta"[73] o éste "no se verifique realmente"[74]. Por tanto, no se precisa que éste concurra "real y efectivamente"[75]. Solo así, si entendemos que no es necesario que el beneficio llegue a conseguirse, se puede explicar que la persona jurídica responda en los casos de delito intentado e imprudente. Por otro lado, tradicional y generalmente, la partícula "en" refiere a una característica de la conducta típica cual es su tendencia o finalidad y, en consecuencia, no precisa la efectiva consecución de aquélla. Así sucede, por ejemplo, con la cláusula *"obrar en defensa de la persona o derechos propios o ajenos"* (art. 20.4 CP), alzarse con los bienes propios *"en perjuicio"* de los acreedores (art. 257.1. 1º CP) o ejecutar actos de profanación *"en ofensa de los sentimientos religiosos legalmente tutelados"* (art. 524 CP).

Con todo, todavía no hemos hecho alusión al **concepto de beneficio** al que se refiere el art. 31 bis 1 CP. Pues bien, de forma mayoritaria, tanto doctrina[76], Fiscalía[77], como el propio Tribunal Supremo[78]

---

72 GUTIÉRREZ MUÑOZ, C.: *El estatuto de la responsabilidad penal de las personas jurídicas: aspectos de Derecho material*, Tesis, Barcelona, Universidad Autónoma, 2016, p. 126.

73 *Vid.*, por todos, DOPICO GÓMEZ-ALLER, J.: "Imputación...", *op. cit.*, p. 368. En igual sentido, Circular de la Fiscalía General del Estado 1/2011, de 1 de junio, relativa a la responsabilidad penal de las personas jurídicas conforme a la reforma del código penal efectuada por ley orgánica número 5/2010, p. 43. Circular de la Fiscalía General del Estado 1/2016, de 22 de enero, sobre la responsabilidad de las personas jurídicas conforme a la reforma del Código Penal efectuada por Ley Orgánica 1/2015, p. 18. Y STS 154/2016, de 29 de febrero (FJ.13).

74 DEL ROSAL BLASCO, B.: "Responsabilidad penal...", *op. cit.*, p. 99.

75 PALMA HERRERA, J. M.: "Presupuestos...", *op. cit.*, p. 44.

76 *Vid.*, por todos, ZUGALDÍA ESPINAR, J. M.: "La responsabilidad criminal de las personas...", *op. cit.*, p. 225.

77 Circular de la Fiscalía General del Estado 1/2011, de 1 de junio, relativa a la responsabilidad penal de las personas jurídicas conforme a la reforma del código penal efectuada por ley orgánica número 5/2010, p. 43. Y Circular de la Fiscalía General del Estado 1/2016, de 22 de enero, sobre la responsabilidad de las personas jurídicas conforme a la reforma del Código Penal efectuada por Ley Orgánica 1/2015, p. 17.

78 STS 154/2016, de 29 de febrero (FJ. 13).

han venido a coincidir en que "aunque el beneficio habitualmente se confundirá con el lucro, el Código Penal impone un concepto amplio que va más allá de lo «valuable» en términos económicos"[79]. En este sentido, se ha considerado que la expresión abarca también "la evitación de perjuicios, ventajas frente a competidores o el ahorro de costes. Se puede tratar, incluso, de beneficios no mensurables económicamente o de carácter material (beneficios para la imagen corporativa, evitar una investigación, etc.)"[80]. Se trata, en general, de "todo tipo de beneficios estratégicos, intangibles o reputacionales"[81], "por difícil que pueda resultar su traducción a euros"[82].

No obstante, algunos autores han apuntado que hay situaciones en las que va a ser difícil concretar este concepto de beneficio directo o indirecto, por ejemplo, en los delitos cometidos por personas jurídicas (como, por ejemplo, los partidos políticos) cuyo fin social no es el ánimo de lucro[83]. Sin embargo, como señala la Fiscalía: *"que existan determinadas entidades cuyo objeto social no persigue intereses estrictamente económicos no impide que éstas obtengan un beneficio"*[84].

COMENTARIO: algún autor, como RAGUÉS I VALLÈS, ha propuesto la supresión de dicha cláusula del art. 31 bis 1 CP alegando que la persona jurídica debería ser castigada "por aquellas infracciones más graves de los deberes de evitar que las personas físicas que actúan en su esfera de organización cometan delitos en el desempeño de sus funciones que perjudiquen gravemente los intereses de otras personas o los intereses colectivos", y no solo cuando con

79 VELASCO NÚÑEZ, E. y SAURA ALBERDI, B.: *Cuestiones prácticas sobre responsabilidad penal de la persona jurídica y compliance. 86 preguntas y respuestas*, Cizur Menor, Thomson Reuters-Aranzadi, 2016, p. 27.

80 FEIJÓO SÁNCHEZ, B.: "Los requisitos...", *op. cit.*, pp. 82-83.

81 Circular de la Fiscalía General del Estado 1/2016, de 22 de enero, sobre la responsabilidad de las personas jurídicas conforme a la reforma del Código Penal efectuada por Ley Orgánica 1/2015, p. 17.

82 Circular de la Fiscalía General del Estado 1/2011, de 1 de junio, relativa a la responsabilidad penal de las personas jurídicas conforme a la reforma del código penal efectuada por ley orgánica número 5/2010, p. 43.

83 *Cfr.* NIETO MARTÍN, A.: "El artículo 31 bis del Código Penal y las reformas sin estreno", *Diario La Ley*, núm. 8248, 2014, p. 2.

84 Circular de la Fiscalía General del Estado 1/2016, de 22 de enero, sobre la responsabilidad de las personas jurídicas conforme a la reforma del Código Penal efectuada por Ley Orgánica 1/2015, p. 17.

tales actuaciones delictivas se pudiera ver beneficiada la persona jurídica[85]. Cierto es que la cláusula "en beneficio de" se trata de un elemento restrictivo que permite limitar la intervención del *ius puniendi* en este ámbito, sin embargo, si de lo que se trata es de tutelar bienes jurídicos relevantes no se entiende por qué esa protección solo se confiere cuando la actuación delictiva pudiera beneficiar o acabe beneficiando a la persona jurídica. Por ello, aun cuando no compartamos con dicho autor que el requisito de actuar "en beneficio de" deba ser suprimido, sí consideramos que debiera añadirse el matiz propuesto por éste, de forma que se trataría de hacer responder penalmente a la persona jurídica por actuaciones llevadas a cabo tanto en su beneficio como, en su caso, en perjuicio de los intereses colectivos o de otras personas.

4.3. Haber cometido el delito "en el ejercicio de actividades sociales"

Esta circunstancia, que solo se exige concurra en la actuación de quienes en la persona jurídica estén sometidos a la autoridad de las personas físicas que describe el art. 31 bis 1 a) CP, significa que "el acto debe estar directamente relacionado con el tipo de tareas propias de la persona jurídica"[86]. A mayor abundamiento, DEL ROSAL BLASCO señala que dicha referencia hay que interpretarla en el sentido de que "el hecho sea cometido en el ejercicio de la actividad de la persona jurídica, en la esfera, contexto social o seno de la persona jurídica, dentro de su marco estatutario o infringiendo los deberes que son propios de la persona jurídica"[87]. En definitiva, consiste en desvincular la responsabilidad de la persona moral en aquellos casos en que se trate de "hechos delictuosos propios de la esfera o ámbito privado del individuo y que la persona jurídica no tiene porqué regular"[88].

---

85 RAGUÉS I VALLÈS, R.: *La actuación…*, *op. cit.*, p. 158.

86 ZUGALDÍA ESPINAR, J. M.: *La responsabilidad criminal…*, *op. cit.*, p. 81. En sentido similar, VELASCO NÚÑEZ y SAURA ALBERDI entienden que dicha expresión hace referencia a las actividades normales o propias de la persona jurídica. *Vid.* VELASCO NÚÑEZ, E. y SAURA ALBERDI, B.: *Cuestiones prácticas…*, *op. cit.*, p. 25.

87 DEL ROSAL BLASCO, B.: "Responsabilidad penal…", *op. cit.*, p. 100. En términos parecidos, RAGUÉS I VALLÈS, R.: *La actuación…*, *op. cit.*, p. 32. PALMA HERRERA, J. M.: "Presupuestos…", *op. cit.*, p. 39. Y GUARDIOLA LAGO, M. J.: *Responsabilidad penal de las personas jurídicas y alcance del art. 129 del Código Penal*, Valencia, Tirant lo Blanch, 2004, p. 60.

88 GONZÁLEZ SIERRA, P.: *La imputación…*, *op. cit.*, p. 268.

4.4. *Incumplimiento grave de los deberes de supervisión, vigilancia y control*

Cuando el art. 31 bis 1 b) CP establece que las personas jurídicas serán también responsables penalmente de los delitos cometidos por quienes estén sometidos a la autoridad de las personas físicas mencionadas en el párrafo anterior, lo hace condicionándolo a que hayan podido realizar los hechos *"por haberse incumplido gravemente por aquéllos los deberes de supervisión, vigilancia y control de su actividad atendidas las concretas circunstancias del caso"*.

Pues bien, inmediatamente después, la primera cuestión que se nos plantea es ¿cuáles son esos deberes? o, mejor dicho, ¿quién es el responsable de fijarlos?[89]. A este respecto, algunos autores[90] han señalado que esas medidas de supervisión, vigilancia y control son las que se incluyen en el art. 31 bis 2 CP[91]. Sin embargo, olvidan éstos que tal artículo regula las condiciones que deben concurrir para que

---

89 Así lo destacan MUÑOZ CUESTA, J. y RUIZ DE ERENCHUN ARTECHE, E.: *Cuestiones prácticas sobre la reforma penal de 2015*, Cizur Menor, Thomson Reuters-Aranzadi, 2015, p. 43.

90 FERNÁNDEZ TERUELO, J.: "Regulación...", *op. cit.*, p. 78. Y DEL ROSAL BLASCO, B.: "Responsabilidad penal...", *op. cit.*, p. 103. En esta misma línea se posiciona la Fiscalía cuando considera que: *"la dificultad de identificar los concretos deberes de control que personalmente son exigibles a las personas físicas constituía otro reproche al modelo. (...) Los novedosos modelos de organización y gestión vendrían a corregir esta limitación, mediante la rigurosa identificación de las obligaciones de vigilancia y control que atañen a cada individuo". Vid.* Circular de la Fiscalía General del Estado 1/2016, de 22 de enero, sobre la responsabilidad de las personas jurídicas conforme a la reforma del Código Penal efectuada por Ley Orgánica 1/2015, p. 21.

91 A saber: 1ª) que el órgano de administración haya adoptado y ejecutado con eficacia, antes de la comisión del delito, modelos de organización y gestión que incluyen las medidas de vigilancia y control idóneas para prevenir delitos de la misma naturaleza o para reducir de forma significativa el riesgo de su comisión; 2ª) que la supervisión del funcionamiento y del cumplimiento del modelo de prevención implantado haya sido confiada a un órgano de la persona jurídica con poderes autónomos de iniciativa y de control o que tenga encomendada legalmente la función de supervisar la eficacia de los controles internos de la persona jurídica; 3ª) que los autores individuales hayan cometido el delito eludiendo fraudulentamente los modelos de organización y de prevención y 4ª) que no se haya producido una omisión o un ejercicio insuficiente de sus funciones de supervisión, vigilancia y control por parte del órgano al que se refiere la condición 2.ª

la persona jurídica quede exenta de responsabilidad y, además, solo para cuando el delito es cometido por una de las personas físicas de la letra a) del art. 31 bis 1 CP (a lo sumo la remisión debería ser al art. 31 bis 4 CP)[92]. En cualquier caso, como sostiene GONZÁLEZ CUSSAC, no se trata de ejercer los deberes de supervisión, vigilancia y control conforme a los códigos internos de buen gobierno de la persona jurídica, sino conforme al ordenamiento jurídico[93]. Por tanto, de poco servirán (más que de mera referencia) las directrices que sobre este aspecto haya decidido incluir la persona jurídica en su *compliance program*[94]. Ahora bien, lo anterior presupone que la normativa extrapenal "describe y gradúa con precisión los diferentes niveles de obligaciones de control, vigilancia y supervisión"[95], y esto no siempre se cumple. Así pues, todo parece indicar que, en estos casos, será el juez quien "elucubre" sobre las medidas pertinentes que hubieran evitado la comisión del delito por parte del subordinado, para así compararlas con las que realmente había adoptado la persona jurídica (si es que lo hizo)[96].

Por otro lado, el incumplimiento de las mismas debe ser tachado de "grave". En este sentido, se ha resaltado que se trata de un término "pendiente de valoración y sumamente flexible, abierto e indeterminado. Es decir, muy inseguro"[97]. Algún autor, como DEL ROSAL

---

92 En este sentido apunta DOPICO GÓMEZ-ALLER, J.: "Imputación...", *op. cit.*, p. 373.

93 GONZÁLEZ CUSSAC, J. L.: "Responsabilidad...", *op. cit.*, p. 173. En sentido parecido, DÍEZ RIPOLLÉS, J. L.: *Derecho penal español. Parte general*, Valencia, Tirant lo Blanch, 2016, p. 270.

94 Piénsese, además, que cabe la posibilidad de que se cumplan los deberes de supervisión, vigilancia y control establecidos en el modelo de organización y gestión, pero, que éstos hayan sido fijados incorrectamente. En Italia, se considera que este supuesto (de un "mal" *compliance*) no excluye bajo ningún concepto la responsabilidad de la persona jurídica por mucho que su elaboración haya sido encargada a un tercero (en este caso cabe reclamar contra aquél en vía civil). *Vid.*, sobre esta última cuestión, INSINGA, L. G. y PISANI, P.: "La responsabilità civile del costruttore del modello e dei componenti dell'organismo di vigilanza quale *enforcement* a sostegno dell'operatività del sistema previsto dal d.lgs. 231/2001", *Rivista 231*, núm. 2, 2016, p. 275.

95 GONZÁLEZ CUSSAC, J. L.: "Responsabilidad...", *op. cit.*, p. 170.

96 En esta línea parece apuntar BLANCO CORDERO, I.: *El delito...*, *op. cit.*, p. 1016.

97 GONZÁLEZ CUSSAC, J. L.: "Responsabilidad...", *op. cit.*, p. 170.

BLASCO, ha entendido que "habrá que distinguir entre las distintas fases y contenidos que un programa de prevención tiene (diseño, implantación, ejecución, verificación, revisión, modificación, etc.) para definir algunos de sus componentes como esenciales y calificar las omisiones, al respecto, como graves"[98]. Nosotros, sin embargo, consideramos, como GÓMEZ TOMILLO, que "es un elemento puramente normativo que sólo puede ser dotado de contenido valorativamente en contacto con las circunstancias del caso concreto"[99]. Y ello conduce indefectiblemente a que "su concreción se abandone enteramente al criterio del juez penal"[100], lo cual resulta altamente criticable. En cualquier caso, no debe tratarse de una simple omisión del deber de vigilancia[101]. Por último, si bien la expresión *"atendidas las concretas circunstancias del caso"* ha sido interpretada por algún autor como una cláusula que impide que la responsabilidad penal de la persona jurídica "se genere de forma automática"[102], o que hace referencia a la posibilidad de exención de la misma[103], nosotros entendemos que se trata de una alusión a que la valoración del incumplimiento grave de los deberes de supervisión, vigilancia y control debe quedar circunscrita al caso del delito concreto que se impute a la persona jurídica[104]. En este sentido, como señala PALMA HERRERA, la gravedad del incumplimiento puede obedecer: a) la propia inexistencia de un *compliance program*; b) a la adopción de un modelo de organización y gestión deficitario; o, c) a la inadecuada labor de vigilancia a pesar de la idoneidad del *compliance*[105].

Respecto de la distinción entre las tres actividades (supervisar, vigilar y controlar), apunta GÓMEZ TOMILLO, ésta carece de trascendencia práctica por referirse a aspectos muy similares[106]. Así,

---

98 DEL ROSAL BLASCO, B.: "Responsabilidad penal...", *op. cit.*, p. 103.

99 GÓMEZ TOMILLO, M.: *Introducción...*, *op. cit.*, p. 108.

100 GONZÁLEZ CUSSAC, J. L.: "Responsabilidad...", *op. cit.*, p. 178. Y BLANCO CORDERO, I.: *El delito...*, *op. cit.*, p. 1016.

101 AYALA DE LA TORRE, J. M.: *Compliance*, Madrid, Francis Lefebvre, 2016, p. 73.

102 FERNÁNDEZ TERUELO, J.: "Regulación...", *op. cit.*, p. 79.

103 ORTIZ DE URBINA GIMENO, I.: "Responsabilidad...", *op. cit.*, p. 177.

104 BLANCO CORDERO, I.: *El delito...*, *op. cit.*, p. 1016.

105 PALMA HERRERA, J. M.: "Presupuestos...", *op. cit.*, p. 50.

106 GÓMEZ TOMILLO, M.: *Introducción...*, *op. cit.*, p. 109.

supervisar equivale a "ejercer la inspección superior en trabajos realizados por otros", controlar es "comprobar, inspeccionar, fiscalizar, intervenir" y vigilar supone "velar sobre alguien o algo, o atender exacta y cuidadosamente a él o ello"[107]. Igualmente, cabe señalar que el incumplimiento grave de tales deberes puede ser directo o bien indirecto (a través de la cadena de delegaciones prevista en el interior de la persona jurídica)[108], pues, el debido control "se ejercita también a través de la delegación"[109]. Como señala la Fiscalía, la delegación de funciones no exime de responsabilidad, por lo que la supervisión, vigilancia y control son deberes que "competen personalísimamente" a las personas físicas mencionadas en la letra a) del art. 31 bis 1 CP[110].

En otro orden de cosas, coincidimos con SILVA SÁNCHEZ cuando afirma que "si, pese a haberse omitido el debido control, en las circunstancias del caso su cumplimiento no habría logrado evitar el hecho del subordinado, entonces no se genera responsabilidad de la persona jurídica"[111]. No obstante, para GÓMEZ TOMILLO, "no parece aceptable la exigencia de verificación de que con el debido control se hubiese impedido el resultado con una probabilidad rayana en la certidumbre"[112].

En último lugar, cabe incidir en que el Código solo alude a que la persona jurídica será penalmente responsable cuando el incumplimiento sea "grave", por lo que "los incumplimientos menos graves o leves deben quedar extramuros de la responsabilidad penal de los

---

107 *Idem.*

108 BLANCO CORDERO, I.: *El delito...*, *op. cit.*, p. 1016.

109 LASCURAÍN SÁNCHEZ, J. A.: "La delegación como mecanismo de prevención y de generación de deberes penales", en NIETO MARTÍN, A. (Dir.): *Manual de cumplimiento penal en la empresa*, Valencia, Tirant lo Blanch, 2015, p. 177.

110 Circular de la Fiscalía General del Estado 1/2016, de 22 de enero, sobre la responsabilidad de las personas jurídicas conforme a la reforma del Código Penal efectuada por Ley Orgánica 1/2015, p. 23.

111 SILVA SÁNCHEZ, J. M.: *Fundamentos...*, *op. cit.*, p. 334. También, FEIJÓO SÁNCHEZ, B.: "Los requisitos...", *op. cit.*, p. 86. Parece acoger esta tesis GÓMEZ RIVERO cuando señala que "es preciso que la falta o carencia de control determine causalmente la actuación delictiva de la concreta persona física". *Vid.* GÓMEZ RIVERO, C.: "La responsabilidad penal de las personas jurídicas", en GÓMEZ RIVERO, C. (Dir.): *Nociones Fundamentales de Derecho Penal. Parte General*, Madrid, Tecnos, 2015, p. 373.

112 GÓMEZ TOMILLO, M.: *Introducción...*, *op. cit.*, p. 109.

entes colectivos"[113] siendo, por tanto, atípicos[114]. En cambio, para un sector doctrinal[115], con el que no coincidimos, los incumplimientos que no revistan el carácter de grave también son punibles en virtud del art. 66 bis 2 que establece que *"cuando la responsabilidad de la persona jurídica, en los casos previstos en la letra b) del apartado 1 del artículo 31 bis, derive de un incumplimiento de los deberes de supervisión, vigilancia y control que no tengan carácter grave, estas penas tendrán en todo caso una duración máxima de dos años"*[116].

---

113 STS 221/2016, de 16 de marzo (FJ. 5).

114 MAGRO SERVET, V.: *Guía práctica sobre responsabilidad penal de empresas y planes de prevención (compliance)*, Las Rozas, La Ley-Wolters Kluwer, 2017, p. 91. ORTIZ DE URBINA GIMENO, I.: "Responsabilidad...", *op. cit.*, p. 177. DOPICO GÓMEZ-ALLER, J.: "Determinación de las penas aplicables a las personas jurídicas", en MOLINA FERNÁNDEZ, F. (Coord.): *Penal 2017*, Madrid, Francis Lefebvre, 2016, p. 623. FEIJÓO SÁNCHEZ, B.: "Los requisitos...", *op. cit.*, p. 88. AYALA DE LA TORRE, J. M.: *Compliance*, *op. cit.*, p. 73. Y GONZÁLEZ CUSSAC, J. L.: "Responsabilidad...", *op. cit.*, p. 178. También la Fiscalía comparte este criterio, *vid.* Circular de la Fiscalía General del Estado 1/2016, de 22 de enero, sobre la responsabilidad de las personas jurídicas conforme a la reforma del Código Penal efectuada por Ley Orgánica 1/2015, p. 22.

115 PÉREZ MACHÍO, A. I.: *La responsabilidad penal de las personas jurídicas en el Código Penal español. A propósito de los programas de cumplimiento normativo como instrumentos idóneos para un sistema de justicia penal preventiva*, Granada, Comares, 2017, p. 163. DÍEZ RIPOLLÉS, J. L.: *Derecho penal...*, *op. cit.*, p. 270. BOLDOVA PASAMAR, M. Á.: "La responsabilidad...", *op. cit.*, p. 358. ZUGALDÍA ESPINAR, J. M.: "La responsabilidad criminal de las personas...", *op. cit.*, p. 232. FERNÁNDEZ TERUELO, J.: "Regulación...", *op. cit.*, p. 78. MELENDO PARDOS, M. y NÚÑEZ FERNÁNDEZ, J.: "Lección 38. Personas jurídicas y responsabilidad penal", en GIL GIL, A.; LACRUZ LÓPEZ, J. M.; MELENDO PARDOS, M. y NÚÑEZ FERNÁNDEZ, J.: *Curso de Derecho Penal. Parte General*, Madrid, Dykinson, 2015, pp. 1097-1098. BORJA JIMÉNEZ, E.: "Reglas generales de aplicación de las penas (arts. 66, 66 bis, 70 y 71)", en GONZÁLEZ CUSSAC, J. L. (Dir.): *Comentarios a la Reforma del Código Penal de 2015 (2ª edición)*, Valencia, Tirant lo Blanch, 2015, pp. 279-280. Y MUÑOZ CUESTA, J. y RUIZ DE ERENCHUN ARTECHE, E.: *Cuestiones...*, *op. cit.*, p. 44.

116 El precepto hace referencia a las penas de suspensión de actividades; clausura de locales y establecimientos; prohibición de realizar en el futuro las actividades en cuyo ejercicio se haya cometido, favorecido o encubierto el delito; inhabilitación para obtener subvenciones y ayudas públicas, para contratar con el sector público y para gozar de beneficios e incentivos fiscales o de la Seguridad Social; intervención judicial para salvaguardar los derechos de los trabajadores o de los acreedores.

Para finalizar, queremos advertir, como hace FERNÁNDEZ TERUELO, que las medidas de supervisión, vigilancia y control a las que alude el art. 31 bis 1 b) CP no deben confundirse con las medidas que el *compliance* establezca para la prevención de los concretos delitos[117].

La primera razón que aducimos es que los deberes de supervisión, vigilancia y control, son parte del título de imputación en el caso de que el delito lo cometan personas de la letra b) del art. 31 bis 1 CP. Así, recuérdese que el citado precepto alude a que la persona jurídica será responsable *de los delitos cometidos, en el ejercicio de actividades sociales y por cuenta y en beneficio directo o indirecto de las mismas, por quienes, estando sometidos a la autoridad de las personas físicas mencionadas en el párrafo anterior, han podido realizar los hechos* ***por haberse incumplido gravemente por aquéllos los deberes de supervisión, vigilancia y control*** *de su actividad atendidas las concretas circunstancias del caso*. Por el contrario, el establecimiento de medidas para la prevención de delitos se trata de una condición que los programas de cumplimiento penal deben incorporar para su eficacia eximente/atenuante.

La segunda razón es que las medidas de supervisión, vigilancia y control a las que se refiere el art. 31 bis 1 b) CP van dirigidas exclusivamente a los subordinados, mientras que las medidas del *compliance* van dirigidas a ambas.

La tercera razón repara en el hecho de que la naturaleza de los "deberes" es distinta a la de los controles implantados en el *compliance* para la prevención de los respectivos delitos. Así, el contenido de las obligaciones de supervisión, vigilancia y control tiene que ser normativo[118]. Por lo que habrá que recurrir a aquellas normas extrapenales de carácter administrativo, mercantil o civil que establezcan:

---

117 FERNÁNDEZ TERUELO, J. G.: "Responsabilidad penal de las personas jurídicas: el contenido de las obligaciones de supervisión, organización, vigilancia y control referidas en el art. 31 bis 1. b) del Código Penal español", *Revista Electrónica de Ciencia Penal y Criminología*, núm. 21-03, 2019, p. 15.

118 Como sostiene GONZÁLEZ CUSSAC, no se trata de ejercer los deberes de supervisión, vigilancia y control conforme a los códigos internos de buen gobierno de la persona jurídica, sino conforme al ordenamiento jurídico. *Vid.*, GONZÁLEZ CUSSAC, J. L.: "Responsabilidad...", *op. cit.*, p. 173

1) obligaciones genéricas (para la gestión en general); y, 2) obligaciones específicas (regulación sectorial)[119]. Por el contrario, el establecimiento de mecanismos de control tendentes a la evitación o reducción del riesgo penal es de carácter voluntario y, en todo caso, se trata de medidas dictadas por la propia organización (aun cuando se sigan determinados estándares como la UNE 19601:2017).

La cuarta razón estriba en que en el caso de la letra b) del art. 31 bis 1 CP se exige que el incumplimiento de tales obligaciones revista el carácter de "grave", mientras que el enjuiciamiento de las medidas de control contempladas en los programas de cumplimiento no lo es con arreglo a ese canon de mayor o menor gravedad, sino de idoneidad y de "acreditación parcial" o total para lograr la exención o atenuación.

Por último, tampoco deben confundirse los deberes de supervisión, vigilancia y control que se predica de los sujetos que se encuentran en una posición apical con respecto de los subordinados, con la función de supervisión, vigilancia y control que debe ejercer el órgano de cumplimiento (*compliance officer*).

5. AUTONOMÍA DE LA RESPONSABILIDAD PENAL DE LA PERSONA JURÍDICA FRENTE A LA INEXISTENCIA DE CONDENA DE LA PERSONA FÍSICA (ART. 31 TER CP)

El artículo 31 ter del Código Penal establece que:

> *"1. La responsabilidad penal de las personas jurídicas será exigible siempre que se constate la comisión de un delito que haya tenido que cometerse por quien ostente los cargos o funciones aludidas en el artículo anterior, aun cuando la concreta persona física responsable no haya sido individualizada o no haya sido posible dirigir el procedimiento contra ella. (...)*
>
> *2. La concurrencia, en las personas que materialmente hayan realizado los hechos o en las que los hubiesen hecho posibles por no haber ejercido el debido control, de circunstancias que afecten a la culpabilidad del acusado (...), o el hecho de que dichas personas hayan fallecido o se hubieren sustraído a la acción de la justicia, no excluirá ni modificará la responsabilidad penal de las personas jurídicas (...)".*

---

119 FERNÁNDEZ TERUELO, J. G.: "Responsabilidad...", *op. cit.*, pp. 5-7.

En los párrafos transcritos, el art. 31 ter CP recoge lo que se ha venido a denominar "reglas de perseguibilidad". Las mismas aluden a una serie de circunstancias bajo las cuales es posible hacer responder penalmente a la persona jurídica sin necesidad de que lo haga el sujeto que ha cometido el delito. De ahí que se predique la "autonomía" (que no independencia) de la responsabilidad penal de la persona jurídica frente a la de la persona física. Y esto es sumamente importante en relación con el objeto de este trabajo por cuanto ello evidencia que no importa tanto a quién se denuncie (o investigue) como el qué se denuncia (o qué se investiga).

Entre estas reglas se encuentra el hecho de que **no haya sido posible dirigir el procedimiento contra la persona física**. A este respecto, algún autor ha señalado (*sensu contrario*) que "podría quizás afirmarse que, cuando sí se haya podido dirigir el procedimiento contra ésta —pero por los motivos que sea no se ha dirigido— no será posible declarar la responsabilidad penal de las personas jurídicas"[120]. Sin embargo, consideramos que dicha interpretación es desde un punto de vista gramatical insostenible, pues, ni se ajusta al tenor literal del precepto, ni cabe deducirla de éste. Además, no se corresponde con el espíritu que encierra tal artículo, que no es otro que el de exceptuar aquellas situaciones que impedirían exigir responsabilidad penal al ente, y no al revés, pues, no se regula en él (ni en ningún otro apartado) como causa de exclusión de la responsabilidad penal de la persona moral el hecho de que no se dirija el procedimiento contra la persona física aun cuando fuera posible.

Así, se podrá dirigir el procedimiento contra la persona jurídica aun cuando la persona física se hubiera sustraído a la acción de la justicia (como sucederá en situaciones de rebeldía). De hecho, el art. 840 LECrim permite, incluso, que el procedimiento pueda dirigirse contra el investigado (persona física) que se encuentre ausente (aunque sólo hasta el momento en que se declare conclusa la instrucción).

---

120 GÓMEZ-JARA DÍEZ, C.: "El sistema de imputación de responsabilidad penal de las personas jurídicas", en BANACLOCHE PALAO, J.; ZARZALEJOS NIETO, J. y GÓMEZ-JARA DÍEZ, C.: *Responsabilidad penal de las personas jurídicas. Aspectos sustantivos y procesales*, La Ley-Wolters Kluwer, Las Rozas, 2011, p. 76.

Por otro lado, la **muerte de la persona física** que haya cometido el delito tampoco obstará para declarar la responsabilidad penal de la persona moral. En cambio, el Código Penal guarda silencio acerca de si sucede lo mismo de concurrir **otras causas de extinción de la responsabilidad**. Así, *el indulto* de la persona física no conduciría a proclamar la irresponsabilidad penal de la persona jurídica, ya que éste "no es más que la *remisión o exclusión total o parcial de la pena*"[121] y no recae sobre el delito[122]. Solución también válida para los casos de *prescripción de la pena*, la cual refiere únicamente a la imposibilidad de su ejecución[123]. En igual sentido cabría pronunciarse respecto del *perdón del ofendido*, pues, que éste extinga la responsabilidad criminal de la persona física no significa que se extienda automáticamente a la persona jurídica. Téngase en cuenta que el perdón suele basarse, en la práctica, en la obtención de una indemnización extrajudicial suficiente o en la existencia de promesas resarcitorias al respecto[124], de forma que, puede que tal "acuerdo" sólo se haya alcanzado con la persona física. En cuanto a la *remisión definitiva de la pena impuesta a la persona física* conforme a lo dispuesto en los apartados 1 y 2 del artículo 87 CP, tampoco impedirá esta circunstancia que la persona moral acabe siendo condenada.

Sin embargo, siguiendo la tesis de algún autor, la responsabilidad penal del ente sí quedaría "excluida" de haber prescrito —para la persona física— el delito[125]. Por el contrario, a nuestro juicio, como ya vimos, ello no tiene por qué ser así en todo caso, pues no siempre la *prescripción del delito para la persona física* conllevará la prescripción del delito para la persona jurídica[126].

---

121 COBO DEL ROSAL, M. y VIVES ANTÓN, T. S.: *Derecho penal. Parte general*, Valencia, Tirant lo Blanch, 1999, p. 864.

122 ORTS BERENGUER, E. y GONZÁLEZ CUSSAC, J. L.: *Compendio de Derecho Penal. Parte General*, Valencia, Tirant lo Blanch, 2019, p. 433.

123 MUÑOZ CONDE, F. y GARCÍA ARÁN, M.: *Derecho penal. Parte general*, Valencia, Tirant lo Blanch, 2015, p. 433.

124 Como señala MARTÍN RÍOS, M. P.: "Cuestiones procesales en torno al perdón del ofendido: estado de la cuestión tras la LO 15/2003 y la LO 5/2010", *Revista de Derecho y Proceso Penal*, núm. 24, 2010, p. 33.

125 *Cfr.* GÓMEZ MARTÍN, V.: "Artículo 31 ter", en CORCOY BIDASOLO, M. y MIR PUIG, S. (Dirs.): *Comentarios al Código Penal. Reforma LO 1/2015 y LO 2/2015*, Valencia, Tirant lo Blanch, 2015, p. 187.

126 *Vid. supra*, 2.5.

No hemos hecho alusión a otra causa de extinción como es la del *cumplimiento de la condena* puesto que, en este caso, la persona física sí responde penalmente y, precisamente, las reglas de perseguibilidad refieren a supuestos en los que puede declarase la responsabilidad penal de la persona jurídica sin que suceda lo mismo respecto de la persona física.

De igual forma, entendemos que la responsabilidad penal de la persona jurídica podrá decretarse aun cuando concurra en la persona física alguna de las **causas de exención previstas en el art. 20 CP.** Cierto es que el art. 31 ter CP no lo menciona directamente, sin embargo, en el apartado segundo de dicho precepto se alude a que las "circunstancias que afecten a la culpabilidad del acusado" no excluirán la responsabilidad penal de las personas jurídicas. En este sentido, y aun cuando dicha expresión no puede ser más desafortunada, pues, es una terminología que no emplea el propio Código Penal en ningún otro precepto, consideramos que tal cláusula es una remisión —en parte— a las causas de exención.

PRECISIÓN: No obstante, cabe señalar que no ha sido ésta la interpretación que ha llevado a cabo la Fiscalía del art. 31 ter 2 CP, la cual ha entendido (a nuestro juicio, de forma errónea) que cuando concurra alguna causa de justificación *"no habrá responsabilidad ni para la persona física ni para la jurídica"*[127]. Así las cosas, de seguir tal postura, la persona moral no vería excluida su responsabilidad si la persona física que comete el delito resulta ser inimputable (arts. 19 y 20. 1, 2 y 3 CP), actuase amparada por un estado de necesidad excusante (art. 20.5 CP) o bajo miedo insuperable (art. 20.6 CP), pero, sí en casos de legítima defensa (art. 20.4 CP); estado de necesidad justificante, esto es, cuando el conflicto se plantea entre bienes desiguales, que se traduce en el sacrificio del bien de inferior valor (art. 20.5 CP); y, cumplimiento de un deber o ejercicio legítimo de un derecho, oficio o cargo (art. 20.7 CP)[128].

---

127 Circular de la Fiscalía General del Estado 1/2016, de 22 de enero, sobre la responsabilidad de las personas jurídicas conforme a la reforma del Código Penal efectuada por Ley Orgánica 1/2015, p. 9.

128 Hemos seguido, en esta clasificación, el planteamiento hecho por ORTS BERENGUER y GONZÁLEZ CUSSAC respecto de las causas de "inimputabilidad", de justificación ("permisos fuertes"), y excusas ("permisos débiles"). *Vid.* ORTS BERENGUER, E. y GONZÁLEZ CUSSAC, J. L.: *Compendio..., op. cit.*, pp. 368 y 423.

La posible responsabilidad penal de la persona jurídica permanecería incólume también en caso de **absolución de la persona física** cuando ésta se produzca por falta de pruebas en su contra o porque se demuestre que no es la responsable de los hechos que se le imputan. Pero, siempre que quede acreditado, al menos indiciariamente, la existencia de unos hechos constitutivos de delito que puedan ser atribuidos a la persona moral.

Especialmente controvertida resulta la siguiente disposición: "***la responsabilidad penal de las personas jurídicas será exigible siempre que se constate la comisión de un delito que haya tenido que cometerse por quien ostente los cargos o funciones aludidas en el artículo anterior, aun cuando la concreta persona física responsable no haya sido individualizada***". Con esta cláusula se pretende hacer frente, claramente, a la llamada "irresponsabilidad organizada", esto es, cuando la persona jurídica se organiza de forma que resulta muy difícil identificar qué persona física llevó a cabo el hecho delictivo o si se daban todos los elementos objetivos y subjetivos para hacerla responder[129]. Pero, tal finalidad (que debe ser bien acogida) se ve empañada por su problemática traducción técnico-normativa y práctica.

En este sentido, algún autor ha manifestado que "difícilmente se puede concebir realmente un delito del que no se conoce su autor"[130]. Sin embargo, como afirma BACIGALUPO SAGESSE, "la acción u omisión de una (o varias) persona física como hecho de conexión existe aunque no haya podido ser identificada"[131]. Ahora bien, siendo cierto esto último, raramente podrá asegurarse que la persona física que ha cometido el delito es una de las mencionadas en el art. 31 bis 1 CP si no se conoce quién es ese individuo y, menos aún, si ha obrado en nombre o por cuenta de la persona jurídica. Lo contrario constituiría una presunción *iuris et de iure*. Con todo, del tenor literal del art. 31 ter 1 CP difícilmente puede extraerse otra conclusión que no sea la de que "bastará la sospecha («un delito que *haya tenido que cometer-*

---

129 ORTIZ DE URBINA GIMENO, I.: "Responsabilidad...", *op. cit.*, p. 179.

130 ZÚÑIGA RODRÍGUEZ, L.: "El sistema de sanciones penales aplicables a las personas jurídicas", en BERDUGO GÓMEZ DE LA TORRE, I. (Coord.): *Lecciones y materiales para el estudio del Derecho Penal. Tomo I. Introducción al Derecho penal*, Madrid, Iustel, 2010, p. 316.

131 BACIGALUPO SAGESSE, S.: "El modelo...", *op. cit.*, p. 81.

se») de que alguien perteneciente al ámbito de la persona jurídica, en virtud de su cargo o de su función, habría debido realizar el delito por ella o para ella"[132]. Si bien, como se enfatiza en la STS (Sala Segunda) 742/2018, de 7 de febrero de 2019, "una cosa es que se exija la «constatación» de la actuación de esos sujetos personas físicas y otra que sea un presupuesto la previa «condena» de las mismas" (FJ.2).

No obstante lo anterior, si bien no supone un obstáculo para la atribución a la persona moral de delitos dolosos que la persona física no quede identificada, pues, "el dolo sólo puede determinarse mediante la prueba indiciaria, es decir, que necesariamente debe deducirse mediante un juicio de inferencia de la conducta exteriorizada"[133], las cosas se presentan de forma diferente respecto de los delitos imprudentes. Así, para determinar si el sujeto ha infringido el deber de cuidado "debe confrontarse sus conocimientos, capacidades y demás circunstancias personales"[134], lo que, a nuestro juicio, resultará imposible si la concreta persona física responsable no ha sido individualizada o no ha sido posible dirigir el procedimiento contra ella.

En todo caso, de lo que no cabe duda es que el legislador ha pretendido, al menos, "dar solución a los casos en que la naturaleza material y jurídica del hecho no permite admitir que está al alcance de una persona física carente de poder dentro de la persona jurídica"[135]. E, igualmente, que el precepto cobra especial sentido "en el caso de acuerdos adoptados por órganos colegiados, en virtud de lo cual la responsabilidad podrá ser atribuida a la persona jurídica aun cuando no puedan determinarse (penalmente) las personas físicas que contribuyeron a la formación de la voluntad del órgano colegiado"[136].

---

132 BOLDOVA PASAMAR, M. Á.: "La introducción...", *op. cit.*, p. 238.

133 ORTS BERENGUER, E. y GONZÁLEZ CUSSAC, J. L.: *Compendio...*, *op. cit.*, p. 338.

134 *Ibid.*, p. 343.

135 QUINTERO OLIVARES, G.: "Art. 31 bis; art. 31 ter; art. 31 quater; y, art. 31 quinquies", en QUINTERO OLIVARES, G. (Dir.): *Comentarios al Código Penal español. Tomo I*, Cizur Menor, Thomson Reuters-Aranzadi, 2016, p. 405.

136 MARTÍNEZ-BUJÁN PÉREZ, C.: *Derecho penal económico y de la empresa. Parte general*, Valencia, Tirant lo Blanch, 2016, p. 601. Y CARBONELL MATEU, J. C. y MORALES PRATS, F.: "Responsabilidad penal de las personas jurídicas", en ÁLVAREZ GARCÍA, F. J y GONZÁLEZ CUSSAC, J. L. (Coords.): *Comentarios a la reforma penal de 2010*, Valencia, Tirant lo Blanch, 2010, p. 74.

6. BREVE MENCIÓN A LOS SUPUESTOS DE NO EXTINCIÓN DE LA RESPONSABILIDAD PENAL DE LA PERSONA JURÍDICA (ART. 130.2 CP)

El art. 130.2 CP reza así:

> *"La transformación, fusión, absorción o escisión de una persona jurídica no extingue su responsabilidad penal, que se trasladará a la entidad o entidades en que se transforme, quede fusionada o absorbida y se extenderá a la entidad o entidades que resulten de la escisión. El Juez o Tribunal podrá moderar el traslado de la pena a la persona jurídica en función de la proporción que la persona jurídica originariamente responsable del delito guarde con ella.*
>
> *No extingue la responsabilidad penal la disolución encubierta o meramente aparente de la persona jurídica. Se considerará en todo caso que existe disolución encubierta o meramente aparente de la persona jurídica cuando se continúe su actividad económica y se mantenga la identidad sustancial de clientes, proveedores y empleados, o de la parte más relevante de todos ellos".*

El impacto que este precepto tiene sobre los canales de denuncia (y eventuales investigaciones internas que se puedan iniciar) se centra, a nuestro modo de ver, sobre todo, en algunos de los supuestos enumerados en el primer párrafo: *fusión, absorción o escisión de una persona jurídica*. En este sentido, como ya adelantamos al principio de este capítulo, dado que en tales casos la responsabilidad penal de la persona jurídica no se extingue, puede resultar de gran utilidad que a través del canal de denuncias se informe, antes (o después) de haber llevado a cabo alguna de las citadas operaciones, de posibles conductas delictivas que pudieran acarrear responsabilidad penal para el "nuevo" ente. Y, de igual modo, puede desarrollarse una investigación interna para tratar de recabar información relativa a este extremo. Las pretensiones pueden ser de dos tipos: 1) paralizar tales operaciones con la finalidad de que no se asuma la responsabilidad penal originada en la otra entidad; o, 2) para tratar de "exculparse" y volcar todos los esfuerzos en acreditar que la responsabilidad únicamente corresponde a la otra persona jurídica.

PRECISIÓN: No obstante, una vez acordada la traslación/extensión de la responsabilidad penal, la pena es susceptible de ser moderada por el Juez o Tribunal (si así lo estima) en función de la proporción que la persona jurídica originariamente responsable del delito guarde con la otra.

Por otro lado, debe repararse en el hecho de que, en contra de lo afirmado por algún autor[137], lo que la persona jurídica asume no es en exclusiva la pena. Obsérvese, pues, que el art. 130.2 CP refiere a que no se extingue **la responsabilidad penal**. Ello implicará que la persona jurídica fusionada, absorbida, escindida, etc., tendrá que hacer frente también a la posible responsabilidad civil que se derive del delito, el decomiso de los bienes de origen delictivo que se hubieren incorporado al patrimonio del partido sucesor, y el pago de las costas. Mención aparte merece la asunción o generación de antecedentes penales, sin duda, una de las consecuencias jurídicas más importantes que conlleva el régimen del art. 130.2 CP a efectos de la imposición de determinadas penas (art. 66 bis CP). En igual sentido, el Juez de Instrucción tendrá que pronunciarse sobre si, en relación con la nueva entidad, la adopción o mantenimiento de medidas cautelares resulta necesaria, idónea y proporcionada[138].

Con todo, a juicio de algún autor, como FEIJÓO SÁNCHEZ, "a pesar de la referencia genérica a las personas jurídicas, este apartado segundo del art. 130 tal y como se encuentra redactado sólo es aplicable en realidad a personas jurídicas titulares de organizaciones empresariales"[139]. Cierto es que los supuestos a los que refiere el párrafo primero del art. 130.2 CP quedan regulados en la Ley 3/2009, de 3 de abril, sobre modificaciones estructurales de las sociedades mercantiles[140], sin embargo, consideramos que, a efectos penales, deberá hacerse un esfuerzo por proporcionar unos conceptos autónomos de

---

137 CORTÉS BECHIARELLI, E.: "Límites a la extinción de la responsabilidad penal de la persona jurídica", en JUANES PECES, Á. (Dir.): *Responsabilidad penal y procesal de las personas jurídicas*, Madrid, Francis Lefebvre, 2015, p. 174.

138 En sentido parecido se manifiesta NEIRA PENA, aun cuando no con referencias específicas al caso de los partidos políticos. *Cfr.* NEIRA PENA, A. M.: *La instrucción de los procesos penales frente a las personas jurídicas*, Valencia, Tirant lo Blanch, 2017, p. 456.

139 FEIJÓO SÁNCHEZ, B.: "La extinción de la responsabilidad penal de las personas jurídicas", en BAJO FERNÁNDEZ, M.; FEIJÓO SÁNCHEZ, B. y GÓMEZ-JARA DÍEZ, C.: *Tratado de responsabilidad penal de las personas jurídicas*, Cizur Menor, Thomson Reuters-Aranzadi, 2016, p. 298.

140 Dicha ley tiene por objeto la regulación de las modificaciones estructurales de las sociedades mercantiles, consistentes en la transformación, fusión, escisión o cesión global de activo y pasivo, incluido el traslado internacional del domicilio social (art. 1).

transformación, fusión, absorción y escisión válidos para cualquier clase de persona jurídica que no tienen, además, por qué coincidir con los descritos en la citada norma. Sin perjuicio, claro está, de que las disposiciones contenidas en dicha ley sirvan de base u orientación para ello.

Así, el art. 23.1 de la Ley 3/2009, de 3 de abril, reza así: "*la **fusión** en una nueva sociedad implicará la extinción de cada una de las sociedades que se fusionan y la transmisión en bloque de los respectivos patrimonios sociales a la nueva entidad, que adquirirá por sucesión universal los derechos y obligaciones de aquéllas*".

Por su parte, el art. 23.2 de la Ley 3/2009, de 3 de abril, se refiere a la **absorción** como una clase de fusión. Su tenor literal dispone que "*si la fusión hubiese de resultar de la absorción de una o más sociedades por otra ya existente, ésta adquirirá por sucesión universal los patrimonios de las sociedades absorbidas, que se extinguirán, aumentando, en su caso, el capital social de la sociedad absorbente en la cuantía que proceda*".

Por otro lado, la escisión puede ser total o parcial. Según el art. 69 de la Ley 3/2009, de 3 de abril, "*se entiende por **escisión total** la extinción de una sociedad, con división de todo su patrimonio en dos o más partes, cada una de las cuales se transmite en bloque por sucesión universal a una sociedad de nueva creación o es absorbida por una sociedad ya existente, recibiendo los socios un número de acciones, participaciones o cuotas de las sociedades beneficiarias proporcional a su respectiva participación en la sociedad que se escinde*". Conforme al art. 70.1 de la Ley 3/2009, de 3 de abril, "*se entiende por **escisión parcial** el traspaso en bloque por sucesión universal de una o varias partes del patrimonio de una sociedad, cada una de las cuales forme una unidad económica, a una o varias sociedades de nueva creación o ya existentes, recibiendo los socios de la sociedad que se escinde un número de acciones, participaciones o cuotas sociales de las sociedades beneficiarias de la escisión proporcional a su respectiva participación en la sociedad que se escinde y reduciendo ésta el capital social en la cuantía necesaria*".

Capítulo II
PROGRAMAS DE CUMPLIMIENTO PENAL

1. EFICACIA EXIMENTE

La reforma del Código Penal de 2015 trajo consigo una importante novedad que revolucionó el régimen de responsabilidad penal de las personas jurídicas previsto en los arts. 31 bis y ss. CP. Se trataba de la posible exención de responsabilidad de los entes morales a través de los modelos de organización y gestión (*criminal compliance programs*). A partir de este momento, y a diferencia de lo que sucedía en 2010, las personas jurídicas podían quedar libres de responsabilidad por completo y ya no solo de forma atenuada[141].

Los arts. 31 bis 2 a 5 CP recogen los criterios que deben examinarse (y, por tanto, que deben concurrir) para dilucidar si la persona jurídica merece o no ser exonerada de forma plena (absoluta) de responsabilidad penal; esto es, cuando pueda acreditarse que ésta ha adoptado e implantado un modelo de organización y gestión (plan de prevención de delitos) que se adecue a las condiciones y requisitos que fija el Código penal en los preceptos mencionados[142].

---

141 *Vid.*, sobre esta circunstancia, VIDALES RODRÍGUEZ, C.: "Blanqueo, responsabilidad de las personas jurídicas y programas de cumplimiento", en GÓMEZ COLOMER, J. L. (Dir.): *Tratado sobre Compliance Penal. Responsabilidad Penal de las Personas Jurídicas y Modelos de Organización y Gestión*, Valencia, Tirant lo Blanch, 2019, pp. 425-426.

142 Recientemente, autores como SÁNCHEZ-VERA GÓMEZ-TRELLES y ALMODÓVAR PUIG han defendido que si los programas de cumplimiento penal pueden lo más (llegar a exonerar de responsabilidad penal a la persona jurídica) también pueden lo menos; y, esto último, a juicio del citado autor, implica que estos mecanismos deberían permitir la exoneración de la sociedad acusada de ser responsable civil subsidiaria. *Cfr.* SÁNCHEZ-VERA GÓMEZ-TRELLES, J. y ALMODÓVAR PUIG, B.: "La desobjetivización de la responsabilidad civil *ex delicto*: los programas de cumplimiento", *InDret*, n. 3, 2022, pp. 114 y ss. Por el contrario, a nuestro juicio, resulta clamoroso que no existe base legal para ello. En consecuencia, se trata claramente de una interpretación *contra legem*. Y, es que, si coincidimos en que la responsabilidad (penal) y la prevista en el art. 120.4º CP (civil) obedecen a parámetros distintos, resulta lógico sostener que una herramienta como los compliance prevista para exonerar de un tipo

1.1. Condiciones

El Código Penal establece en los arts. 31 bis 2 a 4 las condiciones (cumulativas) que deben concurrir (junto con los requisitos del art. 31 bis 5 CP) para poder eximir de responsabilidad penal a la persona jurídica. Y, lo hace, estableciendo un régimen diferenciado según el delito haya sido cometido por algunas de las personas físicas que se enumeran en la letra a) del art. 31 bis 1 CP; o, si ha sido perpetrado por algunas de las personas que se describen en la letra b) del art. 31 bis 1 CP.

1.1.1. Personas de la letra a)

El art. 31 bis 2 CP contempla las siguientes cuatro condiciones:

1) Que el órgano de administración haya adoptado y ejecutado con eficacia, antes de la comisión del delito, modelos de organización y gestión que incluyan las medidas de vigilancia y control idóneas para prevenir delitos de la misma naturaleza o para reducir de forma significativa el riesgo de su comisión.

Quien debe tomar la decisión de **adoptar** un programa de cumplimiento es "el órgano de administración" de la persona jurídica o, según el art. 31 bis 4 CP, la persona jurídica.

PRECISIÓN: Nótese que, en este último caso, ya no se alude a que sea el órgano de "administración" quien adopte y ejecute con eficacia el modelo, sino la persona jurídica. Sin embargo, ello no supone ni en el plano teórico ni en el práctico una auténtica diferencia, pues, en realidad, aun cuando el concepto de persona jurídica sea más amplio, puede afirmarse que el máximo órgano decisor de una persona jurídica encarna o se identifica con ésta.

Por tanto, es al máximo órgano decisor de la entidad a quien corresponde "aprobar" que se vayan a incorporar tales mecanismos de prevención de delitos. Si bien, nada obsta, naturalmente, para que pueda ser a instancias de algún departamento, etc.

Con todo, la condición primera del art. 31 bis 2 CP y el art. 31 bis 4 CP no sólo exigen para la validez del modelo que éste se haya adoptado, sino que se haya ***ejecutado con eficacia***. De forma que, un *com-*

---

de responsabilidad concreta no sirva para otra con una fundamentación totalmente distinta.

pliance cosmético no cumpliría dicho parámetro. Que la ejecución sea eficaz supone que el plan de cumplimiento se haya implementado en la práctica, ponerlo en funcionamiento, en definitiva, materializarlo. Por ello, no basta con contar con un *compliance* (sobre el papel) por perfecto que sea. Hay que verificar su aplicación diaria, actualizarlo, etc. En definitiva, la ejecución implica dar cumplimiento efectivo, como mínimo, a todos los aspectos que se mencionan en los arts. 31 bis 2 a 5 CP. En este sentido, junto al riesgo que conlleva adoptar un *compliance* única y exclusivamente formal (sin llegar a ejecutarlo), también debemos poner de manifiesto que igual de peligroso es adquirir uno que sea una réplica o copia de otro (un programa de cumplimiento de "corta y pega"). Así, por muchas que sean las semejanzas que existan entre la persona jurídica para la que el modelo se concibió y a la que se pretende extender, la confección de un plan de prevención de delitos es algo que precisa de un procedimiento *ad hoc* que reproduzca una imagen fidedigna de la realidad de una determinada organización.

De igual modo, para poder calificar de **eficaz** la ejecución del sistema de *compliance*, habrá que formar en materia de cumplimiento normativo a los implicados. Dicho de otra forma, no puede decirse que la tarea de adoptar un modelo de organización y gestión se haya concluido si quienes tienen que aplicarlo en el día a día no tienen ninguna indicación al respecto. Ahora bien, no hay que confundir formación con difusión (que es el mero hecho de "dar a conocer", no de instruir). Por tanto, desde nuestro punto de vista, no es suficiente con comunicar por *e-mail*, carta, anuncio o cualquier otra vía, cuál es el *compliance*[143].

La formación no sólo debe proporcionarse al inicio, esto es, cuando se vaya a implementar por primera vez el sistema de cumplimiento penal; sino también, ante modificaciones del mismo. En este sentido,

---

[143] Para PALMA HERRERA, la información y formación no son *conditio sine qua non* para que la adopción sea calificada de eficaz. *Cfr.* PALMA HERRERA, J. M.: "Presupuestos...", *op. cit.*, p. 65. Por el contrario, a nuestro juicio, son los dos elementos que permitirán al juez o Tribunal estimar que la adopción del modelo fue eficaz. *Vid.* LEÓN ALAPONT, J.: "*Criminal compliance*: análisis de los arts. 31 bis 2 a 5 y 31 quater CP", *Revista General de Derecho Penal*, núm. 31, 2019, p. 12.

la clave es que la formación se imparta con carácter periódico (a modo de recordatorio). PUYOL MONTERO habla gráficamente de "entrenamiento permanente"[144]. Y, por descontado, también habrá que valorar la idoneidad de los planes de formación que se establezcan para cambiarlos cuando proceda.

En cuanto a las modalidades, se ha señalado que la forma más correcta de impartir la formación es la presencial: a través de jornadas, cursos, seminarios, etc.[145]. Con todo, estimamos oportuno ofrecer más posibilidades como la formación *on-line* (*e-learning*), o semipresencial (se pueden proporcionar materiales/guías, a la vez que se compagina con sesiones prácticas). Eso sí, lo ideal es que sean grupos reducidos (no muy numerosos)[146].

Se ha indicado también que la misión formativa debiera corresponder al *compliance officer*[147]. Por el contrario, no consideramos que ello tenga que ser así, ni que sea lo más oportuno. Quizás, lo mejor sería contar con la presencia de quienes redactaron el programa de cumplimiento. En todo caso, quienes finalmente asuman dicha tarea, y aunque el *compliance* sea algo técnico, habrá que explicarlo de la forma más comprensible posible. De igual modo, habrá que procurar que la formación no se convierta sólo en una cuestión teórica; sino que, sobre todo, debe tener un contenido práctico. Asimismo, deberá adaptarse a la capacidad y niveles de responsabilidad de los diferentes destinatarios.

Entre los objetivos de estos planes formativos, como destaca NIETO MARTÍN, cabría citar los siguientes[148]:

1) El más evidente y principal: explicar el funcionamiento del modelo.

---

144 PUYOL MONTERO, J.: *Criterios prácticos para la elaboración de un código de compliance*, Valencia, Tirant lo Blanch, 2016, p. 28.

145 Así, por ejemplo, MARTÍNEZ PUERTAS, L. y PUJOL CAPILLA, P.: *Guía para prevenir la responsabilidad penal de la empresa*, Cizur Menor, Thomson Reuters-Aranzadi, 2015, p. 71.

146 *Ibid.*, p. 72.

147 *Idem.*

148 NIETO MARTÍN, A.: "Código ético, evaluación de riesgos y formación", en NIETO MARTÍN, A. (Dir.): *Manual de cumplimiento penal en la empresa*, Valencia, Tirant lo Blanch, 2015, p. 162.

2) Forma de trasmitir valores: de contrarrestar las malas prácticas que pueda haber instaladas en la entidad y reafirmar el cumplimiento con la legalidad.
3) Forma de participar en la confección del programa de cumplimiento y en su mejora.

Como por otro lado apunta BAJO ALBARRACÍN, se trata de que cada uno de los miembros de la organización entienda cuál es su contribución a la gestión del sistema, el cumplimiento de sus funciones y lo que representa para la organización y para él el incumplimiento[149]. En definitiva, que el conocimiento sobre el funcionamiento y las obligaciones de *compliance* se transforme en un cambio de actitud o mentalidad sobre las formas de hacer las cosas (conforme a la legalidad).

En concreto, respecto de las competencias a adquirir, la Norma UNE 19601:2017 establece, en su apartado 7.4, que la organización debe proporcionar formación a su personal en las siguientes materias:

a) la política de *compliance* penal, el resto del sistema de gestión de *compliance* penal y los procedimientos asociados con él, y de su obligación de cumplir con los requisitos asociados con todo ello.
b) el riesgo penal y el perjuicio, tanto para el personal como para la organización, en el supuesto de su materialización.
c) las circunstancias en las cuales, en el desempeño de su trabajo, se puede materializar un riesgo penal, y cómo reconocer dichas circunstancias.
d) cómo pueden ayudar a prevenir y detectar riesgos penales, evitando su materialización y reconociendo los factores de riesgo principales.
e) su contribución a la eficacia del sistema de gestión de *compliance* penal, incluyendo los beneficios derivados de una mejora del *compliance* penal y de reportar posibles delitos o no conformidades.
f) las implicaciones y consecuencias potenciales de no conformidades relativas a los requisitos establecidos, tanto por la política de *compliance* penal, como por el resto del sistema de gestión de *compliance* penal.

---

149 BAJO ALBARRACÍN, J. C.: *Sistemas de gestión compliance. Guía práctica para el compliance officers*, Madrid, Centro de Estudios Financieros, 2017, p. 205.

g) cómo y a quién deben reportar sus dudas y preocupaciones en esta materia.

Por otro lado, el proceso de formación en *compliance* puede dividirse en las siguientes etapas o fases:

1ª. Sensibilización/concienciación: respecto del sistema de responsabilidad penal de las personas jurídicas, la repercusión de la incorporación de dichos mecanismos de prevención, la idea de cultura de cumplimiento, etc.

2ª. Explicación de las medidas/controles establecidos (*estricto sensu*).

3ª. Advertencia sobre:

   a) La existencia de un *compliance officer* y su potestad de supervisión, vigilancia y control;

   b) La obligación de informar de irregularidades, así como de la existencia del canal de denuncias (fomento de su uso y garantías); y,

   c) Régimen sancionador: posibilidad de imposición de sanciones "disciplinarias", con independencia de la responsabilidad (civil, administrativa, penal) en que se pueda incurrir.

4ª. Adhesión expresa (firma) por parte de cada sujeto a los principios, valores y mecanismos de *compliance* que la persona jurídica haya instaurado en su seno.

5ª. Certificar la formación impartida: lo deseable sería que esto lo hiciera alguien externo a la organización.

Por último, solo nos quedaría hacer mención a la necesidad de que la formación impartida quede debidamente registrada. En este sentido, se señala que "los programas de formación no solo van a ser útiles para los empleados y para la buena marcha de la empresa sino también serán de utilidad cuando la empresa incurra en algún ilícito. En esos casos concretos, si se llegara a juicio, será de un incalculable valor para el juez acreditar todos los medios que la empresa ha puesto con la finalidad de evitar la comisión del delito en cuestión. Es fundamental dejar constancia de todas las actividades formativas de cualquier tipo que haya organizado la empresa, especificando su objetivo, finalidad y al tipo de trabajadores que han participado y la ficha completa (con una reseña de su preparación) de los que la han impartido. También, se deberá detallar el material que se haya entregado haciendo alusión a las prácticas que se hayan realizado una vez impartida la teoría. Cuanto más detallados sean los programas formativos que a empresa ha llevado a cabo, más posibilidades existen de que el juzgador tome conciencia de la preocupación de la empresa por evitar estos temas (...)"[150].

Ahora bien, sobre todo, la primera condición del art. 31 bis 2 CP incide en que la adopción y ejecución eficaz se lleve a cabo *"antes de la comisión del delito, modelos de organización y gestión que incluyen las medidas de vigilancia y control idóneas para prevenir delitos de la misma naturaleza o para reducir de forma significativa el riesgo de su comisión"*. Dicho de otro modo, tales medidas precisan someterse a un "juicio de idoneidad". Así, como sostiene GONZÁLEZ CUSSAC, el **juicio sobre la idoneidad de las medidas** discurre en tres planos: temporal, formal y material[151]. Al estudio de cada uno de ellos dedicaremos las siguientes líneas.

i) Temporal

El dato de que el modelo se hubiere adoptado y ejecutado con anterioridad a la comisión del delito es importante por cuanto establece la diferencia con la atenuante del art. 31 quater CP (adopción del programa de cumplimiento con posterioridad a la comisión del delito).

Ahora bien, ¿cómo obtiene el juez la certeza de que el *compliance* se había adoptado y ejecutado antes de la comisión del delito?

1) *Sobre la adopción:*

   a) Una de las posibilidades, entendemos, sería a través de la comprobación de la fecha en que el correspondiente órgano de la persona jurídica hubiere acordado dotarse de tales programas.

   b) Por otro lado, podría recurrirse a la constatación de la fecha de aprobación por el órgano pertinente de la persona jurídica del documento de *compliance*.

---

150 MARTÍNEZ PUERTAS, L. y PUJOL CAPILLA, P.: *Guía para..., op. cit.*, p. 76.

151 GONZÁLEZ CUSSAC, J. L.: "La eficacia eximente de los programas de prevención de delitos", *Estudios Penales y Criminológicos*, vol. XXXIX, 2019, p. 609 y ss.

c) Si el *compliance* ha sido elaborado por un experto ajeno a la persona jurídica, por una firma de abogados, etc...podría ser suficiente su declaración.

d) Podría recurrirse a un notario para dar fe sobre tales extremos (protocolizar el *compliance*).

Naturalmente, aunque entendamos que los medios arriba propuestos sean todos válidos, no puede negarse la distinta fuerza probatoria que unos y otros presentan. Así, por ejemplo, la presentación de un acta notarial puede reforzar más la convicción judicial que la exhibición de un mero documento mercantil.

Con todo, téngase en cuenta que, además, la adopción conlleva formar a los integrantes de la organización, y este aspecto también deberá quedar acreditado.

2) *Sobre la ejecución:*

a) Prueba documental: fecha de registro de las múltiples evidencias generadas por la organización.

b) Prueba pericial: de experto, empresa auditora, entidad certificadora, etc.

c) Recurso a la prueba testifical.

Pero, la pregunta que nos surge inmediatamente después es: ¿cómo va a exonerarse de responsabilidad penal a la persona jurídica si la prueba de que el *compliance* del que disponía no era idóneo es que finalmente el delito se produjo? A este respecto, cabe señalar que el Código Penal refiere a una idoneidad *ex ante*[152]. Dicho de otro modo, hay que examinar cómo es posible que, a pesar de que el modelo era el adecuado, a la postre el delito acabó cometiéndose, y si esto es posible. En este sentido, como veremos más adelante, en realidad el elemento clave que permite exonerar de responsabilidad a la persona jurídica (más allá de que existan medidas de control específicas, órgano de *compliance*, que éste último ejerza sus funciones y que el modelo cumpla los requisitos establecidos en el art. 31 bis 5 CP) es que *"los autores individuales hayan cometido el delito eludiendo fraudulentamente los modelos de organización y de prevención"*.

[152] GONZÁLEZ CUSSAC, J. L.: "Responsabilidad...", *op. cit.*, pp. 183-184.

ii) Formal

La premisa de la que debemos partir es que la prevención o reducción del riesgo de comisión es de delitos de la misma naturaleza que el cometido, que el enjuiciado (por el que se exige responsabilidad penal a la persona jurídica). No se trata, pues, de un juicio general al funcionamiento del *compliance*, sino acotado al objeto de un proceso penal[153]. Por tanto, consideramos que carece de razón ORTIZ DE URBINA GIMENO cuando expresa que "la exención de la persona jurídica es posible tanto demostrando diligencia debida en el caso concreto como, no dándose el supuesto anterior, atendiendo a su desempeño más general en materia de cumplimiento"[154]. El citado autor remite a los once criterios que formarían el concepto de "cumplimiento normativo" a tenor de lo dispuesto en la Nota del apartado 7.1 de la Norma UNE 19601:2017, a saber:

a) una política de *compliance* penal;
b) que se constate el respeto y la implementación activa por parte de la dirección de la política de *compliance* penal;
c) consistencia en el tratamiento de acciones similares, con independencia de la posición;
d) guiar, entrenar y predicar con el ejemplo;
e) realizar evaluaciones adecuadas a los potenciales empleados antes de su constatación;
f) un programa de iniciación u orientación adecuado que enfatice el *compliance* penal y los valores de la organización;
g) formación continua de *compliance* penal, incluyendo actualizaciones de la formación;
h) comunicación continua, abierta y adecuada sobre *compliance* penal;

---

153 GONZÁLEZ CUSSAC, J. L.: "La eficacia eximente...", *op. cit.*, pp. 619-620. En sentido similar, GALÁN MUÑOZ, A.: *Fundamentos y límites de la responsabilidad penal de las personas jurídicas tras la reforma de la LO 1/2015*, Valencia, Tirant lo Blanch, 2017, p. 139.

154 ORTIZ DE URBINA GIMENO, I.: "Cultura de cumplimiento y exención de responsabilidad de las personas jurídicas", *Revista Internacional Transparencia e Integridad*, núm. 6, 2018, p. 7 (nota a pie número 25).

i) sistemas de remuneración que valoren el logro de objetivos de *compliance* penal y parámetros clave de sistema de gestión de *compliance* penal;
j) reconocimiento visible de los logros en la gestión de *compliance* y en sus resultados; y,
k) medidas disciplinarias rápidas y proporcionadas en caso de conductas penales o no conformidades respecto de la política de *compliance* penal o el resto del sistema de gestión de *compliance* penal[155].

Como puede comprobarse, ninguno de los ítems a los que alude dicho estándar permite llevar a cabo una valoración sobre si la persona jurídica disponía de medidas concretas para prevenir o reducir delitos de la misma naturaleza que el cometido, que es lo que en puridad exige la condición primera del art. 31 bis 2 CP.

Tras esta aclaración, pasamos a exponer las diversas interpretaciones que, a nuestro juicio, cabe hacer de la expresión *"delitos de la misma naturaleza"* o *"de la naturaleza del que fue cometido"*.

Primera interpretación: mismos tipos de acción.

Con esta expresión, u otras como las que hacen referencia al "tipo de injusto", queremos hacer alusión a la descripción legal que el Código Penal (y leyes especiales) contienen de los elementos que deben concurrir para que una determinada conducta se considere ilícita, lo que, a su vez, permite distinguir unas de otras.

---

155 En sentido similar, GÓMEZ-JARA DÍEZ propone una serie de indicadores los cuales, a juicio de dicho autor, revelarían tal cultura de respeto a la legalidad: a) la política de *compliance* de la organización; b) los objetivos, fines, estructura y contenido del sistema de gestión de *compliance*; c) la asignación de roles y responsabilidades de *compliance*; d) el registro de las obligaciones de *compliance* relevantes; e) los registros de los riesgos de *compliance* y la priorización del tratamiento basada en el proceso de apreciación de riesgos de *compliance*; f) el registro de los incumplimientos y de los conatos de incumplimientos; g) los planes anuales de *compliance*; y, h) los registros personales, incluyendo, pero no limitado a, los registros de formación. *Vid.* GÓMEZ-JARA DÍEZ, C.: "La culpabilidad de la persona jurídica", en BAJO FERNÁNDEZ, M.; FEIJÓO SÁNCHEZ, B. y GÓMEZ-JARA DÍEZ, C.: *Tratado de responsabilidad penal de las personas jurídicas*, Cizur Menor, Thomson Reuters-Aranzadi, 2016, p. 219.

EJEMPLO: el art. 304 bis CP (financiación ilegal de partidos) castiga la recepción de donaciones anónimas, finalistas, revocables, de personas físicas (superiores a 50.000 euros anuales), de personas jurídicas, de gobiernos extranjeros (superiores a 100.000 euros), etc.
Entonces, si las medidas establecidas eran para evitar donaciones de personas jurídicas y el delito cometido es por recibir donaciones anónimas: no tendría cabida la exención.

Esta es, en nuestra opinión, la exégesis que mejor se ajusta al tenor literal de los arts. 31 bis 2. 1ª CP y 31 bis 4 CP. Así, como sostiene GONZÁLEZ CUSSAC, si la idoneidad formal es muy laxa, difícilmente se podrá satisfacer la siguiente condición de idoneidad material (a la que seguidamente aludiremos). Esto es, "al no ser exacta, sólo muy remotamente podrán ser consideradas eficaces las medidas adoptadas para prevenir un delito parecido pero no idéntico al previsto en el programa"[156].

Segunda interpretación: mismo apartado.

En esta ocasión, podría entenderse que aun cuando la conducta observada constituyera un tipo de acción distinto al que se quiso evitar, y para el cual sí se habían previsto los controles oportunos, la exención sería factible siempre que ambos estuvieren contemplados en el mismo apartado del mismo artículo.

EJEMPLO: el delito cometido es el de descubrimiento de secretos, sin embargo, los controles establecidos iban dirigidos a evitar vulneraciones de la intimidad. En este caso, la exención sería posible dado que ambos delitos están ubicados en el apartado primero del art. 197 CP.

Tercera interpretación: mismo artículo.

Aquí, la idoneidad formal desplegaría sus efectos con independencia del tipo de acción de que se trate y del apartado en el que se ubique, siempre que, eso sí, pertenecieran al mismo precepto legal (artículo).

EJEMPLO: el delito cometido es el del art. 278.2 CP (difusión, revelación o cesión de datos a terceros de los secretos empresariales descubiertos), cuando las medidas implantadas iban dirigidas sólo a evitar las conductas del art. 278.1 CP (descubrimiento de secreto empresarial): sí exención porque ambos quedan regulados en el mismo precepto (art. 278 CP).

---

156 GONZÁLEZ CUSSAC, J. L.: "La eficacia eximente...", *op. cit.*, pp. 609.

Cuarta interpretación: misma figura delictiva.

Esta categoría vendría a coincidir con la del *nomen iuris* de cada delito: estafa, cohecho, malversación, etc. Se trataría, por tanto, de hechos delictivos que pueden estar regulados en artículos distintos.

> EJEMPLO: el delito cometido es una estafa específica como la del art. 251 CP y, en cambio, se previeron medidas de control genéricas para el delito de estafa del art. 248 CP: sí exención porque se trata de estafas. En el caso del delito de cohecho, podría tratarse de un cohecho activo y haber previsto medidas de prevención del cohecho pasivo (arts. 419 y 424 CP, respectivamente).

Quinta interpretación: misma "clase" de delitos.

Se trataría de adoptar el concepto de "familias de delitos" que, naturalmente, no atiende a su ubicación sistemática en el Código Penal. Siendo una categoría no extraída directamente de la ley. Ello permitiría agrupar delitos de nombre distinto que compartiesen, aun cuando mínimamente, ciertos rasgos comunes.

> EJEMPLO: el delito cometido es cohecho, pero las medidas de control establecidas eran para prevenir el delito de malversación: sí exención porque ambos quedarían englobados en la categoría de delitos de "corrupción".

Si bien hemos señalado anteriormente que la primera interpretación es, a nuestro juicio, la que debiera seguirse, pensemos ahora en el siguiente ejemplo, a título ilustrativo: tras la oportuna cuantificación de los riesgos penales en un partido político, los resultados revelan que la organización presenta un riesgo muy elevado de recibir de donaciones de todo tipo, a excepción de las procedentes de gobiernos extranjeros que es muy bajo. Y, entonces, se establecen todo tipo de medidas para prevenir o evitar la recepción de cualquier clase de donación, pero, no se establece control alguno para prevenir o evitar donaciones de gobiernos extranjeros. ¿Qué sucede si finalmente el delito cometido es precisamente ese, para el que no se implantó medida alguna dada la calificación de riesgo muy bajo? Aquí entraría en juego, a nuestro parecer, el nivel de riesgo: habría que tener en cuenta que había sido calificado de muy bajo. Y, además, el partido sí implantó diversos mecanismos para evitar o prevenir las restantes modalidades de financiación ilegal.

Queremos decir con ello que, la interpretación del concepto "misma naturaleza" por la que hemos abogado más arriba, debe interpretarse de modo flexible (que no arbitrario) atendidas las concretas circunstancias del caso, para no abocar en una solución que pudiera ser desproporcionada.

iii) Material

La primera duda que debe despejarse en este contexto es el significado que cobra la expresión *"prevenir delitos o reducir significativamente el riesgo de su comisión"*. Huelga decir que prevenir y reducir son términos con significado distinto. Con todo, partiendo de la premisa de que no existe el riesgo cero y, en consecuencia, no hay control alguno que garantice esa prevención absoluta (se trata de una idoneidad relativa), el legislador alude a ambos tipos de medidas (de evitación y/o reducción del riesgo de comisión de delitos) consciente de que según el delito de que se trate habrá más posibilidades de reducir el riesgo (rayano a cero) o menos. Pero, fíjese que, en este último caso, no basta con cualquier nivel de reducción del riesgo, sino que tiene que ser "significativo", esto es, apreciable, notorio, considerable.

En este sentido, la cuantificación de la reducción del riesgo que quede plasmada en la matriz será la evidencia (el indicador) que acredite la proporción en que la persona jurídica ha reducido el riesgo tras la implantación de determinadas medidas.

Ahora bien: ¿debe fiarse el juez o tribunal de ese dato aportado, al fin y al cabo, por la propia persona jurídica, para la valoración de si la reducción es o no significativa? Lo lógico sería que recurriese a un examen externo para validar o contradecir la reducción que la persona jurídica alega haber conseguido. En este sentido, podría recurrir a la prueba pericial (dictamen de experto, de entidad certificadora, etc.).

Por otro lado, y este es el principal problema que plantean los programas de cumplimiento penal, habrá que dar respuesta a la siguiente pregunta: ¿cuándo calificar de idónea una medida? Esto es, ¿con base en qué parámetros o criterios el juez decide que una concreta medida sea idónea?

> *Primer déficit:* no existe normativa sectorial que de forma exhaustiva precise los controles específicos necesarios para evitar/reducir significativamente la comisión de cada uno de los delitos imputables a una persona jurídica: ni siquiera en ámbitos tan avanzados normativamente como en materia de prevención de blanqueo de capitales o medio ambiente.

Segundo déficit: las directrices y recomendaciones de organismos, tanto públicos como privados, que pueda haber en determinados ámbitos, no tienen la consideración de norma con rango legal.

Tercer déficit: las limitaciones propias de la prueba pericial de parte (certificaciones, auditorías, dictámenes de expertos, etc.).

En conclusión, como destaca GONZÁLEZ CUSSAC, la manifiesta inseguridad jurídica que provoca la valoración de este elemento –el de la idoneidad en sentido estricto— es la mayor dificultad que presentan los programas de cumplimiento penal[157]. Por ello, sin menospreciar la evidente ayuda que pueden suponer los diversos tipos de pericias existentes en este ámbito (especialmente si son solicitadas a instancia del propio juez o tribunal), éste debería recurrir para analizar la "idoneidad" de una concreta medida al siguiente triple juicio de:

- razonabilidad: pronóstico o expectativa sobre su efectividad/validez/aptitud.
- proporcionalidad: adecuación al riesgo (intensidad de la medida).
- suficiencia: si es bastante o requiere de alguna otra medida.

Por último, cabe resaltar que el art. 31 bis 4 CP no se refiere a modelos de organización y gestión que incluyan *las medidas de vigilancia y control **idóneas** para prevenir delitos de la misma naturaleza o para reducir de forma significativa el riesgo de su comisión*; sino que el modelo de organización y gestión *resulte **adecuado** para prevenir delitos de la naturaleza del que fue cometido o para reducir de forma significativa el riesgo de su comisión.*

Como GONZÁLEZ CUSSAC, entendimos en su momento que se trataba de una rebaja del estándar o nivel de exigencia en cuanto a la valoración de tales circunstancias[158]. Ahora, por el contrario, y coincidiendo con el cambio de parecer del citado autor, debemos abogar por un entendimiento unitario de «**idóneas**» y «**adecuado**». Pues, "en el uso común del lenguaje ambos términos poseen idéntico significado, en el sentido de apto, apropiado capacitado para prevenir o reducir"[159].

---

157 *Ibid.*, p. 624.

158 GONZÁLEZ CUSSAC, J. L.: "Responsabilidad...", *op. cit.*, pp. 190-191. LEÓN ALAPONT, J.: *La responsabilidad...*, *op. cit.*, p. 538.

159 GONZÁLEZ CUSSAC, J. L.: "Condiciones y requisitos para la eficacia eximente o atenuante de los programas de prevención de delitos", en GÓMEZ COLO-

2) Que la supervisión del funcionamiento y del cumplimiento del modelo de prevención implantado haya sido confiada a un órgano de la persona jurídica con poderes autónomos de iniciativa y de control o que tenga encomendada legalmente la función de supervisar la eficacia de los controles internos de la persona jurídica.

Se trata, por tanto, de configurar un órgano de cumplimiento que vele por la observancia de las directrices contenidas en el plan de prevención de delitos. En Italia, el Decreto Legislativo 231, de 8 de junio de 2001, relativo a *la disciplina de la responsabilidad administrativa de las personas jurídicas, empresas y asociaciones sin personalidad jurídica*, utiliza el término "órgano de vigilancia". La Norma UNE 19601:2017 se refiere a él como órgano de *compliance*.

i) Tipos

En primer lugar, el precepto alude a dos posibilidades:

a) crear o asignar a un órgano de la persona jurídica la supervisión del funcionamiento y del cumplimiento del modelo; o,
b) que la ley establezca a quien corresponde dicho cometido: como así sucede en la normativa sobre protección de datos, blanqueo de capitales, empresas de servicios de inversión, sociedades cotizadas, etc. En el caso de los partidos, no existe una previsión de este tipo, pues, no debe confundirse la figura del responsable de la gestión económico-financiera del partido (al cual el art. 14 bis LOFPP le asigna determinadas funciones) con la del *compliance officer*.

En segundo lugar, el citado precepto alude expresamente a que la supervisión del funcionamiento y del cumplimiento del modelo recaiga en un órgano, pero, como señala DE LA MATA BARRANCO, nada impide que éste sea de carácter unipersonal (*compliance officer*)[160].

MER, J. L. (Dir.): *Tratado sobre Compliance Penal. Responsabilidad Penal de las Personas Jurídicas y Modelos de Organización y Gestión*, Valencia, Tirant lo Blanch, 2019, p. 333.

160 DE LA MATA BARRANCO, N. J.: "El órgano de cumplimiento en la exención de responsabilidad penal de las personas jurídicas: indefiniciones y precisiones", en MATALLÍN EVANGELIO, Á. (Dir.): *Compliance y prevención de delitos de corrupción*, Valencia, Tirant lo Blanch, 2018, p. 460. Ésta es también la opinión de la Fiscalía General del Estado. *Vid.* Circular de la Fiscalía General del Estado

A continuación, enumeraremos algunas ventajas e inconvenientes que presentan ambas opciones:

a) Unipersonal. La unilateralidad en la toma de decisiones genera:
   - mayor agilidad
   - mayor capacidad de respuesta
   - menor control sobre la idoneidad de éstas

b) Colegiado. Las acciones consensuadas implican:
   - menor operatividad
   - mayor legitimidad
   - mayor nivel de confianza en sus actuaciones

Por otro lado, se especifica que el órgano sea *de la persona jurídica*. En consecuencia, no puede ser un órgano externo a ésta[161]. Dicho lo cual, nada obsta para que algunas de las funciones del órgano de cumplimiento se deleguen recurriendo a la contratación externa, así, por ejemplo, se puede recibir asesoramiento o apoyo externo de un experto. Esta es la postura de la Fiscalía General del Estado, para la que "*tampoco existe inconveniente alguno en que una gran compañía pueda recurrir a la contratación externa de las distintas actividades que la función de cumplimiento normativo implica. Carecería de sentido y restaría eficacia al modelo imponer a una multinacional la realización y control interno de todas las tareas que integran la función de cumplimiento normativo. Lo verdaderamente relevante a los efectos que nos ocupan es que la persona jurídica tenga un órgano responsable de la función de cumplimiento normativo, no que todas y cada una de las tareas que integran dicha función sean desempeñadas por ese órgano. Muchas de ellas incluso resultarán tanto más eficaces cuanto mayor sea su nivel de externalización, como ocurre por ejemplo con la formación de directivos y empleados o con los canales de denuncias, más utilizados y efectivos cuando son gestionados por una empresa externa, que puede garantizar mayores niveles de in-*

1/2016, de 22 de enero, sobre la responsabilidad de las personas jurídicas conforme a la reforma del Código Penal efectuada por Ley Orgánica 1/2015, p. 47.

161 De esta opinión, entre otros, DE LA MATA BARRANCO, N. J.: "El órgano de cumplimiento...", *op. cit.*, p. 465. Y DEL ROSAL BLASCO, B.: "Responsabilidad penal...", *op. cit.*, p. 120.

dependencia y confidencialidad". Si bien, como advierte AGUILERA GORDILLO, una excesiva "externalización" impediría considerar tal condición[162].

Por su parte, para BAUCELLS LADÓS, la externalización sería beneficiosa en unos entes como los partidos políticos: muy jerárquicamente estructurados y con muy elevadas dinámicas corporativistas[163].

En último lugar, lo recomendable sería, en la medida de lo posible, establecer distintos niveles dentro del órgano de cumplimiento, de forma que hubiera un *compliance officer* "jefe" y *compliance officers* "operadores". Esto sería especialmente útil en personas jurídicas de grandes dimensiones o con una estructura organizativa compleja.

ii) Composición

Como señala NIETO MARTÍN, si algo debe caracterizar a este órgano (en el caso específico de una formación política), aunque sería predicable *mutatis mutandis* del resto de personas jurídicas, es que "debe ser un verdadero contrapoder, un elemento de *check and balances*. Dado que sería incomprensible que los partidos políticos quedaran por debajo de las exigencias de «gobierno corporativo» que se les exigen a las entidades cotizadas, la solución más adecuada es que estuviera formado por personas totalmente ajenas a los órganos de dirección, sin ningún tipo de funciones ejecutivas. «Consejeros independientes» que no ocupen, ni hayan ocupado cargos relevantes en la formación o en la administración pública como consecuencia de su pertenencia a la formación política"[164]. En este sentido, para BAUCELLS LLADÓS, el responsable de cumplimiento normativo tiene que ser una persona no afiliada políticamente al partido para que, con

---

162 AGUILERA GORDILLO, R.: *Compliance Penal en España. Régimen de Responsabilidad Penal de las Personas Jurídicas. Fundamentación Analítica de Base Estratégica. Lógica Predictiva y Requisitos del Compliance Program Penal*, Cizur Menor, Thomson Reuters-Aranzadi, 2018, p. 173.

163 BAUCELLS LLADÓS, J.: "La responsabilidad penal de los partidos como personas jurídicas", en GARCÍA ARÁN, M. y BOTELLA, J. (Dirs.): *Responsabilidad jurídica y política de los partidos políticos*, Valencia, Tirant lo Blanch, 2018, p. 299.

164 NIETO MARTÍN, A.: "Prólogo", en MAROTO CALATAYUD, M.: *La financiación ilegal de los partidos políticos: un análisis político-criminal*, Madrid, Marcial Pons, 2015, p. 14.

criterios de contrastada experiencia y profesionalidad, pueda garantizarse su plena independencia de la estructura[165]. Incluso, en términos más generales, ONTIVEROS ALONSO recomienda que el *compliance officer* no sea un propio empleado de la entidad[166].

Como bien se acaba de apuntar, lo deseable sería que el órgano de vigilancia estuviera compuesto por personas totalmente "ajenas" a la persona jurídica. Con todo, no menos cierto es que los integrantes de cualquier tipo de ente son quienes mejor conocen su organización y funcionamiento. A este respecto, también cabría contemplar la presencia de algún miembro del gabinete jurídico de la persona jurídica en dicho órgano. Ahora bien, como se encarga de señalar la Fiscalía General del Estado, para conseguir los máximos niveles de autonomía, los modelos deben prever los mecanismos para la adecuada gestión de cualquier conflicto de interés que pudiera ocasionar el desarrollo de las funciones del oficial de cumplimiento[167].

Así, podrían distinguirse, principalmente, dos escenarios:

- Escenario 1 (incompatibilidad de funciones). Por ejemplo, cuando se ejerza una función como la de abogado de la organización o gerente y la de *compliance officer*: mientras que el abogado *in house* o el gerente pueden "mirar para otro lado" ante una irregularidad porque va a ser ventajoso para la persona jurídica, como oficiales de cumplimiento deben intentar atajar dicho incumplimiento con alguna actuación "correctiva"[168].
- Escenario 2 (composición viciada del órgano de cumplimiento). Así sucederá cuando, por ejemplo, en el órgano de vigilancia se integren miembros de la dirección de la organización, etc.

---

165 BAUCELLS LLADÓS, J.: "La responsabilidad…", *op. cit.*, p. 298.

166 ONTIVEROS ALONSO, M.: "Manual básico para la elaboración de un *criminal compliance program*", Ciudad de México, Tirant lo Blanch, 2018, p. 49.

167 Circular de la Fiscalía General del Estado 1/2016, de 22 de enero, sobre la responsabilidad de las personas jurídicas conforme a la reforma del Código Penal efectuada por Ley Orgánica 1/2015, p. 49.

168 DE LA MATA BARRANCO hace referencia a que la compatibilización del cargo de *compliance officer* con otras responsabilidades en la persona jurídica será posible siempre y cuando se sea capaz de distinguir cuándo se actúa en un ámbito y cuándo en otro. *Cfr.* DE LA MATA BARRANCO, N. J.: "Responsable de cumplimiento", en JUANES PECES, Á. (Dir.): *Compliance Penal*, Madrid, Francis Lefebvre, 2017, p. 78. Con todo, a nuestro juicio, esto en la práctica resulta difícil de aplicar.

Por otro lado, NIETO MARTÍN pone de relieve (en relación con las formaciones políticas) que "probablemente, la tendencia en muchos partidos puede ser la de convertir a las comisiones de garantías, u otros órganos similares, en este órgano de supervisión. (...) En qué medida esta elección es correcta, depende de si resulta creíble que las personas que integran estos órganos son capaces efectivamente de supervisar la actividad de los máximos responsables y cargos públicos de la organización. Un comité de supervisión elegido directamente por los afiliados entre personas de reconocido prestigio ajenas al partido, y con competencias profesionales en materia de cumplimiento, cumpliría mucho mejor esta función"[169]. En este punto, y si bien la opinión mantenida por el citado autor resulta bienintencionada, consideramos que lo habitual, incluso diríamos que lo razonable, es que el órgano de administración o el comité de *compliance* sea quien seleccione a los miembros del órgano de cumplimiento o *compliance officer*.

iii) Perfil

La Norma UNE 19601:2017 establece en su apartado 5.1.2.b) que el órgano de *compliance* debe demostrar:

- integridad y compromiso con *compliance penal*;
- habilidades de comunicación eficaz y de capacidad de influencia;
- capacidad y prestigio para que sus consejos y directrices tengan aceptación; y,
- competencia necesaria.

El *compliance officer* debe tener una formación y conocimientos eminentemente jurídicos, pues, debe conocer la normativa que ha de intentar hacer que se cumpla, especialmente la de índole penal. Aunque, naturalmente, podrá requerir de forma puntual asesoría externa de especialistas o consultar con quienes hayan diseñado el programa de cumplimiento. Pero, la función de supervisión del funcionamiento y del cumplimiento del modelo le obliga a tener otras habilidades, aptitudes y competencias. Entre esas otras aptitudes y/o habilidades, cabría destacar las de comunicación, coordinación, organización, autonomía,

169 NIETO MARTÍN, A.: "Prólogo", *op. cit.*, p. 14.

y liderazgo. A este respecto, téngase en cuenta que el *compliance officer* formará parte del entramado organizativo, por lo que tendrá que estar en contacto con responsables de otras áreas, empleados, etc.

En otro orden de cosas, los miembros integrantes del órgano de cumplimiento deben además contar con un historial profesional íntegro. Y poseer un conocimiento profundo del funcionamiento y la realidad de la organización.

Por otro lado, el oficial de cumplimiento debe ser alguien que tenga el respeto de la mayor parte de los miembros de la persona jurídica. En este sentido, debe tratarse de una persona cuya autoridad no sea discutida.

Y, en última instancia, el *compliance officer* deberá estar en constante proceso de formación y actualización profesional, sobre todo, para el conocimiento de nueva normativa, novedades en materia de gestión de *compliance programs*, etc.

Por último, aun cuando los miembros de la organización dispondrán del respectivo código de conducta, se les habrá proporcionado la formación necesaria, contarán con manuales, etc., el *compliance officer* puede actuar de "consejero". En el sentido que se puede recurrir a él para consultar determinadas actuaciones con la finalidad de no incurrir en incumplimientos/irregularidades; formular preguntas; plantear dudas; presentarle sugerencias de reforma de los controles establecidos, o del modelo en general; acciones de mejora; etc. Por tanto, no sólo adoptará un perfil "instigador", sino que también responderá a una función, si se quiere llamar así, "consultiva".

También, como señala DE LA MATA BARRANCO, puede existir un responsable u oficial de "ética", encargado del cumplimiento del Código Ético, pero, en ningún caso el Código Penal en la condición segunda del art. 31 bis 2 se refiere a éste[170].

iv) Garantías laborales

Naturalmente, para que el *compliance officer* pueda desarrollar su trabajo con toda tranquilidad, habrá que dotarlo de la necesaria protección laboral a través, al menos, de los siguientes mecanismos:

---

170 DE LA MATA BARRANCO, N. J.: "Responsable...", *op. cit.*, p. 74.

- estabilidad (duración del contrato).
- cobertura jurídica de la propia persona jurídica en caso de necesitarse.
- remuneración adecuada.

Con todo, como resulta evidente, no debemos olvidar que se le podrá despedir cuando incurra en alguno de los supuestos que contempla la normativa laboral.

v) Autonomía

La principal característica del órgano de vigilancia es que debe ser autónomo. Así lo exige la condición segunda del art. 31 bis 2 CP cuando alude a la existencia de un órgano *con poderes autónomos de iniciativa y control*. Como gráficamente resume DE LA MATA BARRANCO, ello implica[171]:

- capacidad para poder realizar actuaciones al margen incluso de intereses que pueda tener la persona jurídica ajenos a lo que sea la eficacia del modelo de organización y gestión adoptado;
- capacidad para actuar con criterios propios y deudores únicamente de la correcta ejecución de dicho modelo;
- capacidad para poder soportar presiones incluso del propio órgano de dirección;
- capacidad para prescindir de toda instrucción que se pueda recibir y que vaya en detrimento de una correcta supervisión; y,
- capacidad para actuar sin necesidad de autorizaciones expresas.

Con todo, el órgano de gobierno y la alta dirección (empleando la terminología de la UNE 19601:2017) deben estar informados sobre el desempeño del sistema de gestión de *compliance* y de su mejora continua. Por ello, el órgano de cumplimiento debe informar y responder ante el órgano de gobierno y la alta dirección. En este punto, se hace necesario conciliar la autonomía del *compliance officer* con la obligación de "rendir cuentas" ante el órgano u órganos de los que dependa. La forma de llevar a cabo esto último puede ser a través de informes periódicos, proporción de información concreta que se soli-

---

171 DE LA MATA BARRANCO, N. J.: "Responsable...", *op. cit.*, p. 81.

cite sobre determinados aspectos, comunicación de problemas que se puedan presentar, etc.

En definitiva, el *compliance officer* depende jerárquicamente de la persona u órgano que tenga la potestad de nombrarlo y destituirlo. Y también depende económicamente, pues, en función de los recursos que se le asignen podrá hacer más o menos. En consecuencia, su autonomía es funcional. Así las cosas, no puede afirmarse que el órgano de cumplimiento sea independiente, sino autónomo en sus actuaciones, que es una cosa bien distinta. No obstante, esa dependencia jerárquica puede lastrar o dificultar que, en la realidad, el órgano de cumplimiento sea autónomo, pero, deberá conseguirse que así sea a efectos de la exoneración[172]. Y, respecto de la dependencia financiera cabe resaltar que, sin una asignación adecuada de recursos, su autonomía funcional puede verse seriamente comprometida[173]. La UNE 19601:2017 establece en su apartado 5.1.2.c) que *"el órgano de compliance penal debe personificar la posición de máximo garante de la supervisión, vigilancia y control de las obligaciones de compliance penal en la organización, tanto hacia dentro como hacia fuera de la misma, por lo que debe disponer de suficientes recursos y contar con personal que tenga las competencias, estatus, autoridad e independencia adecuada"*.

Por último, advertir que para que la exigencia de autonomía se cumpla, el órgano de cumplimiento debe dirigir sus acciones de supervisión, vigilancia y control, no sólo hacia los subordinados, sino también hacia a los representantes legales, personas autorizadas a tomar decisiones en nombre de la persona jurídica, y con potestad de control y organización. En este sentido, y aun cuando cueste creer que ello sucederá en la realidad, así debe procurarse para que la organización pueda quedar exenta de responsabilidad penal.

vi) Registro de compliance officers

Existen propuestas, como la de MAGRO SERVET, referidas a la necesidad de crear un registro público de expertos en *compliance*, lo

---

[172] LEÓN ALAPONT, J.: "*Criminal compliance...*", *op. cit.*, p. 23.

[173] En esta línea, FRAGO AMADA, J. A.: "El paper compliance, su detección y el tratamiento procesal del mismo", en FRAGO AMADA, J. A.: *Actualidad Compliance 2018*, Cizur Menor, Thomson Reuters-Aranzadi, 2018, p. 326.

que sin duda resulta interesante por cuanto permitiría, entre otras cosas, objetivar que quienes ofreciesen los servicios de elaboración de *compliance programs* fueran profesionales altamente cualificados. Pero, además, en este ámbito, podemos destacar lo beneficioso de tal planteamiento para "garantizar" quiénes pudiesen ejercer de *compliance officers* con cierta solvencia[174]. Si se quiere, a nuestro modo de ver, la tesis de MAGRO SERVET presenta un importante déficit, y es que no consideramos que quepa hablarse de "experto en *compliance*" sin mayor distinción. En este sentido, creemos que lo más oportuno sería distinguir entre quienes estén en condiciones de confeccionar un plan de prevención de delitos, quienes vayan a actuar como oficiales de cumplimiento y, quienes vayan a emitir un dictamen pericial sobre estos sistemas de gestión.

vii) Órgano de vigilancia en personas jurídicas de pequeñas dimensiones

El art. 31 bis 3 CP permite que *"en las personas jurídicas de pequeñas dimensiones, las funciones de supervisión a que se refiere la condición 2.ª del apartado 2 podrán ser asumidas directamente por el órgano de administración"*. Entendiéndose que *"a estos efectos, son personas jurídicas de pequeñas dimensiones aquéllas que, según la legislación aplicable, estén autorizadas a presentar cuenta de pérdidas y ganancias abreviada"*.

A este respecto, el art. 258 de la Ley de Sociedades de Capital establece en su apartado primero que: *"podrán formular cuenta de pérdidas y ganancias abreviada las sociedades que durante dos ejercicios consecutivos reúnan, a la fecha de cierre de cada uno de ellos, al menos dos de las circunstancias siguientes: a) Que el total de las partidas de activo no supere los once millones cuatrocientos mil euros. b) Que el importe neto de su cifra anual de negocios no supere los veintidós millones ochocientos mil euros. c) Que el número medio de trabajadores empleados durante el ejercicio no sea superior a doscientos cincuenta. Las sociedades perderán la facultad de formular cuenta de pérdidas y ganancias abreviada si dejan de reunir, durante*

---

174 MAGRO SERVET, V.: "Hacia la creación del registro de expertos en programas de compliance", *Diario La Ley*, núm. 9362, 2019, p. 2.

dos ejercicios consecutivos, dos de las circunstancias a que se refiere el párrafo anterior”[175].

Con todo, y aun cuando la lógica de esta previsión responde a la escasa estructura organizativa y a la limitación de recursos presentes en este tipo de entidades, obsérvese que, de asumir directamente la función de supervisión y control el órgano de administración de la persona jurídica, la autonomía que debe predicarse de este tipo de órganos de vigilancia quedará seriamente comprometida. De ahí que, a la vez que comprensible, dicha previsión resulte un poco contradictoria[176].

Por último, advertir que existirán tipos de personas jurídicas que no estarán sujetas a determinadas obligaciones contables, o para las cuales no se prevea la posibilidad de presentar cuenta de pérdidas y ganancias abreviadas. En estos casos, la norma carecerá de virtualidad aplicativa salvo que, vía jurisprudencial, se vaya adaptando dicha previsión.

3) Que los autores individuales hayan cometido el delito eludiendo fraudulentamente los modelos de organización y de prevención.

Esta es, en realidad, la clave para entender todo el sistema de exención de responsabilidad penal de las personas jurídicas. Así, la comisión del delito pudo haberse producido porque: 1) la persona jurídica no se dotó de un programa de cumplimiento; 2) no se llevó a cabo una adecuada evaluación del mapa de riesgos; 3) las medidas adoptadas no fueron las adecuadas; o, 4) porque aun siendo idóneo el *compliance* se eludieron sus disposiciones. Con todo, para la exen-

---

175 Así también, por ejemplo, en el caso concreto de los partidos políticos, el Plan de Contabilidad Adaptado a las Formaciones Políticas (adaptado a la Ley Orgánica 3/2015, de 30 de marzo) establece que “*Las formaciones políticas podrán utilizar los modelos de cuentas anuales abreviados si a la fecha de cierre del ejercicio concurren las siguientes circunstancias: a) Que el total de las partidas de activo no supere los 1.000.000 euros. b) Que el importe de los recursos públicos y privados no supere los 2.000.000 euros*”. Sin embargo, a continuación, se establece una importante excepción: “*No podrá hacerse uso de esta facultad cuando la formación política perciba algún tipo de subvención pública de las previstas en el artículo 3 de la Ley Orgánica 8/2007 y, con arreglo a lo dispuesto en el artículo 16.Dos de dicha Ley, deba ser fiscalizada en todo caso por el Tribunal de Cuentas*”.

176 LEÓN ALAPONT, J.: *Compliance Penal. Especial referencia a los partidos políticos*, Valencia, Tirant lo Blanch, 2020, pp. 194-195.

ción, no bastará con que alguna de las personas físicas de las descritas en el art. 31 bis 1 a) y b) CP incumpla lo dispuesto en el modelo, sino que la elusión tiene que ser "fraudulenta". En este sentido, la Fiscalía General del Estado ha afirmado que "difícilmente podrá acreditarse que un programa es eficaz si puede ser quebrado sin la concurrencia de una conducta que comporte algún tipo de fraude"[177]. Así, como señala DOPICO GÓMEZ-ALLER, las medidas deben ser de una naturaleza tal que, si el autor quiere incumplirlas, deberá desarrollar una actividad fraudulenta de elusión; por lo que aquellas reglas que no presenten un elevado grado de dificultad para ser contravenidas no cumplirán con la exigencia legal: de ahí la importancia de que éstas constituyan auténticos mecanismos de vigilancia y control[178].

La elusión fraudulenta significa que, pese a la perfección de los modelos de control, los autores del hecho los burlaron con astucia o cualquier otra artimaña que ocultara sus actuaciones[179]; esto es, sirviéndose de algún tipo de ardid o maquinación[180]. De forma que pueda afirmase que el delito fue posible al fundarse en un artificio de cierta complejidad y entidad para esquivar las medidas de vigilancia y control[181]. En definitiva, que la conducta fuere indetectable. Ahora bien, como pone de relieve AGUILERA GORDILLO, la elusión fraudulenta puede llevarse a cabo no sólo a través de comportamientos activos sino también omisivos[182].

Por otro lado, se ha convenido en aplicar las exigencias jurisprudenciales del delito de estafa para saber el tipo de engaño (fraude) que requiere la exención[183]. Así, debe tratarse de un engaño bastante, esto es, suficiente y proporcionado para la consecución de los fines perseguidos; e, idóneo, relevante y adecuado para la consecución del

---

177 Circular de la Fiscalía General del Estado 1/2016, de 22 de enero, sobre la responsabilidad de las personas jurídicas conforme a la reforma del Código Penal efectuada por Ley Orgánica 1/2015, p. 42.

178 *Cfr*. DOPICO GÓMEZ-ALLER, J.: "Imputación...", *op. cit*., p. 369.

179 QUINTERO OLIVARES, G.: "Art. 31 bis...", *op. cit*., p. 397.

180 PALMA HERRERA, J. M.: "Presupuestos...", *op. cit*., p. 68.

181 AGUILERA GORDILLO, R.: *Compliance Penal...*, *op. cit*., pp. 142-143. En igual sentido, GONZÁLEZ CUSSAC, J. L.: "Responsabilidad...", *op. cit*., p. 187.

182 AGUILERA GORDILLO, R.: *Compliance penal...*, *op. cit*., pp. 147-148.

183 *Vid*., por todos, PALMA HERRERA, J. M.: "Presupuestos...", *op. cit*., p. 69.

objetivo que se pretenda con el fraude[184]. Con todo, cabe advertir, como hace GONZÁLEZ CUSSAC, que el engaño puede ser antecedente, coetáneo o posterior al acto[185].

Por último, como destaca PALMA HERRERA, la elusión fraudulenta del modelo denota la comisión dolosa del delito[186]. Así las cosas, ante la comisión de un delito imprudente, la persona moral no podría quedar exonerada de responsabilidad. En este sentido, "la mera posibilidad de comisión de un delito imprudente muestra la escasa eficacia del modelo de organización y gestión que no ha sido capaz de evitarlo"[187].

Con todo, el comportamiento fraudulento debe circunscribirse a la elusión de las medidas específicamente adoptadas para evitar el delito enjuiciado[188].

4) no se haya producido una omisión o un ejercicio insuficiente de sus funciones de supervisión, vigilancia y control por parte del órgano al que se refiere la condición 2.ª.

La primera distinción que debemos establecer al respecto es entre:

a) aquellas funciones que el oficial de cumplimiento debe cumplir, a efectos de la condición segunda del art. 31 bis 2 CP; y,
b) otras que puede tener asignadas.

En cuanto a las primeras, el Código Penal alude a ellas mínimamente.

Así, la condición segunda del art. 31 bis 2 CP establece que:

- cuando se trate de un órgano creado por la persona jurídica esté dotado de *poderes* (autónomos) *de iniciativa y control.*
- y en el otro supuesto, que tenga encomendada legalmente la *función de supervisar* la eficacia de los controles internos de la persona jurídica.

Y, por su parte, la condición cuarta del art. 31 bis 2 CP señala que:

---

184 En este sentido, AGUILERA GORDILLO, R.: *Compliance penal...*, *op. cit.*, pp. 143-144.

185 GONZÁLEZ CUSSAC, J. L.: "Responsabilidad...", *op. cit.*, p. 187.

186 PALMA HERRERA, J. M.: "Presupuestos...", *op. cit.*, p. 69.

187 AGUILERA GORDILLO, R.: *Compliance penal...*, *op. cit.*, p. 145.

188 GONZÁLEZ CUSSAC, J. L.: "La eficacia eximente...", *op. cit.*, p. 631.

- no se haya producido una omisión o ejercicio insuficiente de sus *funciones de supervisión, vigilancia y control* por parte del órgano al que se refiere la condición segunda

Dada la parquedad de dichos preceptos, la primera pregunta que nos surge es la siguiente: ¿esos artículos hacen alusión a funciones distintas, pues, el Código Penal no se refiere a ellas con los mismos términos? A nuestro juicio, la respuesta debe ser negativa. Y, en igual sentido, debemos pronunciarnos respecto de si la supervisión, vigilancia y control refieren a un mismo tipo de función o a distintas.

En segundo lugar, hay que exponer de qué forma se concretan esas obligaciones, dado que no existe un listado propiamente dicho en el Código Penal. Para ello, debemos partir de la siguiente premisa: a nuestro juicio, la supervisión, vigilancia y control lo es del cumplimiento de las medidas, mecanismos de prevención, prohibiciones, y obligaciones establecidas en el modelo de organización y gestión, y no de cualesquiera otros elementos que integren el programa de cumplimiento.

Así las cosas, consideramos que por tales cabría entender las siguientes:

- facultad para para suspender temporalmente o paralizar una determinada operación.
- para tener acceso a cualquier tipo de información.
- potestad para dar órdenes e instrucciones.
- supervisión de determinadas actividades.
- capacidad de fiscalización/inspección.
- recabar informes.
- requerir apoyo/colaboración de cualquier departamento o persona.
- y otras de naturaleza similar.

Como señala la UNE 19601:2017 en su apartado 5.1.2.e): *"el órgano de compliance penal debe ocupar una posición en la organización que le acredite para solicitar y recibir la colaboración plena de los demás órganos de la misma"*.

Por último, habría que mencionar una implícita a la labor de *compliance officer*: la de comunicar (reportar) al órgano responsable correspondiente los incumplimientos observados, tras haber llevado a cabo alguna de las acciones enunciadas arriba, para que se pueda actuar al respecto.

En cualquier caso, quisiéramos poner de manifiesto que *lege ferenda* deberían establecerse, en dicho precepto, unas funciones mínimas para su valoración a efectos eximentes[189]. Ello evitaría interpretaciones dispares y, sobre todo, contribuiría a dotar de mayor seguridad jurídica a un sistema de por sí plagado de incertidumbres.

En otro orden de cosas, la atribución de dichas funciones puede producirse de las dos siguientes formas:

1) de forma genérica (como hemos hechos más arriba); o,
2) estableciendo de forma detallada, para cada medida o control implantado, las concretas acciones de seguimiento (esto es algo prácticamente inabarcable o una tarea titánica si se prefiere; y, además, debe bastar con la primera opción).

La Fiscalía General del Estado, a nuestro juicio, de forma desacertada, ha realizado, en relación con las funciones que corresponden al órgano de vigilancia, la siguiente interpretación: "*El texto no establece el contenido de las funciones de supervisión del oficial de cumplimiento. Deberá participar en la elaboración de los modelos de organización y gestión de riesgos y asegurar su buen funcionamiento, estableciendo sistemas apropiados de auditoría, vigilancia y control* ***para verificar, al menos, la observancia de los requisitos que establece el apartado 5*** *del artículo pues un ejercicio insuficiente de sus funciones impedirá apreciar la exención, como establece la cuarta y última condición del apartado 2*"[190].

A este respecto, entendemos que la delimitación competencial (requisito 2º) y la dotación de recursos (requisito 3º) corresponde al "órgano de administración" de la persona jurídica (no al órgano de vigilancia). Y, por otro lado, funciones como la de identificar los riesgos penales (requisito 1º), sancionar (requisito 5º), y revisar el modelo (requisito 6º), no puede decirse que sean funciones de supervisión, vigilancia y control.

---

189 LEÓN ALAPONT, J.: "*Criminal compliance...*", *op. cit.*, p. 27.

190 Circular de la Fiscalía General del Estado 1/2016, de 22 de enero, sobre la responsabilidad de las personas jurídicas conforme a la reforma del Código Penal efectuada por Ley Orgánica 1/2015, p. 47.

La duda está en si la **gestión de las denuncias del canal** entra dentro de la condición segunda y cuarta del art. 31 bis 2 CP, esto es, si se trata de una función de supervisión, vigilancia y control, como así defienden algunos autores[191]. Sin embargo, si no se da curso a la denuncia, se archiva sin causa justificada, no se dan cuentas a los superiores de la existencia de la misma, etc., estimamos que esto debe valorarse a efectos del requisito cuarto del art. 31 bis 5 CP. Dicho de otro modo, cuando el oficial de cumplimiento recibe una denuncia, le da curso, y la comunica a los superiores, no ejerce una supervisión, vigilancia o control *sobre personas o acciones*. Por el contrario, sí cabría hablar de omisión o ejercicio insuficiente, a título ilustrativo, en casos como éste:

> EJEMPLO: a través del canal de denuncias, al *compliance officer* le llega la noticia de que un alto directivo de la empresa se va a reunir la semana próxima con un cargo político para ofrecerle una suculenta donación si, a cambio, consigue que se le adjudique a la mercantil determinados contratos públicos. Si el oficial de cumplimiento no trata de impedir que dicha reunión se produzca, o no lo comunica a los responsables de la empresa, entonces sí podría afirmarse que ha habido una omisión o ejercicio insuficiente de sus funciones.

Precisamente, la reacción que tenga/n la/s persona/s que se encargue/n de gestionar el canal de denuncia tras la recepción de una información con tintes delictivos puede constituir un foco de responsabilidad penal para éstas. Aunque no podamos detenernos a analizar con profundidad la cuestión que aquí se anuncia, sí plantearemos que dicha responsabilidad penal puede traer causa en una omisión, actitud pasiva u ocultamiento de los hechos denunciados o, en su caso, descubiertos[192].

Básicamente, los escenarios que podemos dibujar son dos:

a) Si el hecho "delictivo" todavía no se ha cometido y se tiene noticias de que se va a perpetrar.

---

191 *Vid.*, por ejemplo, AGUILERA GORDILLO, R.: *Compliance penal...*, *op. cit.*, pp. 311-312.

192 *Vid.* particularmente, sobre este tema, TURIENZO FERNÁNDEZ, A.: *La responsabilidad penal del compliance officer*, Madrid, Marcial Pons, 2021. LIÑÁN LAFUENTE, A.: *La responsabilidad penal del Compliance Officer*, Cizur Menor, Thomson Reuters-Aranzadi, 2019. Y GUTIÉRREZ PÉREZ, E.: "La figura del *compliance officer*. Algunas notas sobre su responsabilidad penal", *Diario La Ley*, núm. 8653, 2015, pp. 1-15.

b) Si el hecho "delictivo" ya ha sido cometido.

En el primero de los casos, coincidimos con otros autores en que, si la conducta de la persona consiste en no hacer nada ante la denuncia, incumpliendo los deberes específicos que detente en virtud de la posición de garante que pueda ostentar, ésta podría calificarse como conducta de *participación* en delito ajeno. Y, consecuentemente, dependiendo de cómo de trascendente sea considerada su aportación, aquélla podrá ser considerada cómplice o, incluso, cooperadora necesaria[193].

En el segundo de los casos, difícilmente la actitud de la persona podrá calificarse de encubrimiento, pues, el art. 451 CP exige una específica intervención posterior al delito y cuesta creer que la conducta más o menos omisiva a la que arriba hemos hecho referencia encaje con alguna de las formas activas descritas en dicho precepto[194].

Concretamente el art. 451 CP alude a:

> 1.º Auxiliar a los autores o cómplices para que se beneficien del provecho, producto o precio del delito, sin ánimo de lucro propio.
>
> 2.º Ocultar, alterar o inutilizar el cuerpo, los efectos o los instrumentos de un delito, para impedir su descubrimiento.
>
> 3.º Ayudar a los presuntos responsables de un delito a eludir la investigación de la autoridad o de sus agentes, o a sustraerse a su busca o captura, siempre que concurra alguna de las circunstancias siguientes:
>
> a) Que el hecho encubierto sea constitutivo de traición, homicidio del Rey o de la Reina o de cualquiera de sus ascendientes o descendientes, de la Reina consorte o del consorte de la Reina, del Regente o de algún miembro de la Regencia, o del Príncipe o de la Princesa de Asturias, genocidio, delito de lesa humanidad, delito contra las personas y bienes protegidos en caso de conflicto armado, rebelión, terrorismo, homicidio, piratería, trata de seres humanos o tráfico ilegal de órganos.
>
> b) Que el favorecedor haya obrado con abuso de funciones públicas. En este caso se impondrá, además de la pena de privación de libertad, la de inhabilitación especial para empleo o cargo público por tiempo de dos

---

193 AGUILERA GORDILLO, R.: *Manual de Compliance...*, op. cit., p. 453. Y DOPICO GÓMEZ-ALLER, J.: "Presupuestos básicos de la responsabilidad penal del "compiance officer" tras la reforma penal de 2015", en FRAGO AMADA, J. A. (Dir.): *Actualidad Compliance 2018*, Cizur Menor, Thomson Reuters-Aranzadi, 2018, pp. 220-221.

194 AGUILERA GORDILLO, R.: *Manual de Compliance...*, *op. cit.*, p. 453. Y DOPICO GÓMEZ-ALLER, J.: "Presupuestos básicos...", *op. cit*, pp. 221-223.

> a cuatro años si el delito encubierto fuere menos grave, y la de inhabilitación absoluta por tiempo de seis a doce años si aquél fuera grave.

El otro punto de conflicto se presenta en torno a la iniciación de **investigaciones internas**. A este respecto, debemos matizar que una investigación interna es un estadio superior (o fase posterior) a la supervisión, vigilancia y control. Dicho de otra forma, si de las acciones de supervisión, vigilancia y control, se detecta algún incumplimiento, entonces puede surgir la necesidad de iniciar una investigación interna (para esclarecer los hechos). Pero, esta decisión, no tiene ni por qué depender del *compliance officer*, ni su materialización tiene porqué ser de su competencia[195]. En cualquier caso, si el responsable de haber llevado a cabo dicha averiguación, o las personas que hubieren tenido conocimiento de sus resultados, hubieren adoptado alguna de las posiciones anteriormente comentadas, las conclusiones allí alcanzadas podrían ser igualmente trasladables *mutatis mutandis* a estos casos.

En todo caso, como ya advertimos en otro lugar, estas funciones de supervisión, vigilancia y control, que debe ejercer el órgano de vigilancia, no deben ser confundidas con los "deberes" de supervisión, vigilancia y control que tienen las personas de la letra a) del art. 31 bis 1 CP, con respecto de los subordinados.

Así las cosas, una vez se haya comprobado la autonomía del órgano de cumplimiento; que esté dotado de funciones de supervisión, vigilancia y control; y, que éstas se consideren adecuadas, habrá que entrar a valorar si ha habido omisión o ejercicio insuficiente de las mismas (como así precisa la condición cuarta del art. 31 bis 2 CP). Por *omisión* cabrá considerar cualquier abandono o desatención de las obligaciones del órgano de vigilancia. Mientras que por *ejercicio insuficiente* puede entenderse el ejercicio parcial o incompleto de sus atribuciones. No obstante, la vaguedad del término "insuficiente" conferirá al juez o tribunal un amplio margen discrecional en cuanto a la interpretación de esta circunstancia, por lo que habrá que estar al caso concreto[196]. A mayor abundamiento, el examen acerca de la posible omisión o ejercicio insuficiente de las funciones de supervisión, vigilancia y control, debe hacerse en relación con el delito cometido.

---

195 *Vid. infra*, V.

196 LEÓN ALAPONT, J.: *La responsabilidad...*, *op. cit.*, pp. 536-537.

Como destaca GONZÁLEZ CUSSAC, "no se trata de una evaluación del grado de funcionamiento general del órgano de supervisión, sino de su ejercicio respecto de la infracción enjuiciada"[197].

La omisión o ejercicio insuficiente puede deberse a:

1) la existencia de un *compliance officer* de paja (cuya existencia es simplemente formal, pero, en la práctica tiene órdenes de no actuar, etc.); o,
2) a la propia voluntad de éste (de ahí que sea importante hacer una buena selección de los miembros que integren dicho órgano, establecer unas condiciones laborales adecuadas, etc.).

Por último, la persona jurídica deberá llevar a cabo un registro de todas y cada una de las actuaciones que efectúe el *compliance officer*, a efectos de una posterior acreditación en juicio del cumplimiento de la condición cuarta del art. 31 bis 2 CP.

En cuanto a las otras funciones que se le pueden atribuir al órgano de vigilancia, pero cuyo incumplimiento, insistimos, no generará efecto alguno sobre la exención, podrían destacarse, entre otras, las siguientes:

- responder a consultas y cuestiones que se le planteen respecto del funcionamiento del modelo.
- la gestión del canal de denuncias.
- realizar investigaciones internas.
- la revisión del modelo.
- participación en el diseño del modelo, en la elaboración del mapa de riesgos.
- puesta en conocimiento del surgimiento de nuevos riesgos.
- la formación.
- desarrollo de políticas y programas que fomenten la necesidad de denunciar incumplimientos o prácticas irregulares.
- asesoramiento a los órganos directivos de la organización sobre aspectos concretos del *compliance*.
- sancionar comportamientos irregulares.
- gestión del sistema documental de *compliance*.

---

[197] GONZÁLEZ CUSSAC, J. L.: "La eficacia eximente...", *op. cit.*, p. 632.

Por su parte, la UNE 19601:2017 considera, en su apartado 5.1.2.a), que el órgano de *compliance* debe ser responsable de:

1) impulsar y supervisar de manera continua la implementación y eficacia del sistema de gestión de *compliance* penal en los distintos ámbitos de la organización.
2) asegurarse de que se proporcione apoyo formativo continuo a los miembros de la organización para garantizar que todos los miembros relevantes son formados con regularidad.
3) promover la inclusión de las responsabilidades de *compliance* penal en las descripciones de puestos de trabajo y en los procesos de gestión del desempeño (resultado medible) de los miembros de la organización.
4) poner en marcha un sistema de información y documentación de *compliance* penal.
5) adoptar e implementar procesos para gestionar la información, tales como las reclamaciones y/o comentarios recibidos en líneas directas, un canal de denuncias u otros mecanismos.
6) establecer indicadores de desempeño de *compliance* penal y medir el desempeño de *compliance* penal de la organización.
7) analizar el desempeño para identificar la necesidad de acciones correctivas.
8) identificar y gestionar los riesgos penales incluyendo los relacionados con los socios de negocio.
9) asegurar que el sistema de gestión de *compliance* penal se revisa a intervalos planificados.
10) asegurar que se proporcione a los empleados acceso a los recursos de *compliance*.
11) informar al órgano de gobierno sobre los resultados derivados de la aplicación del sistema de gestión de *compliance* penal.

La NOTA aclaratoria establece que el órgano de *compliance* debería, además:

- contribuir a la identificación de las obligaciones de *compliance* penal, con el apoyo de los recursos necesarios, y colaborar para que esas obligaciones se traduzcan en políticas, procedimientos y proceso viables.

- colaborar para que las obligaciones de *compliance* penal se integren en las políticas, procedimientos y procesos existentes.
- asegurar que hay un asesoramiento profesional adecuado para la adopción, implementación, mantenimiento y mejora continua del sistema de gestión de *compliance*.
- proporcionar asesoramiento objetivo a la organización en materias relacionadas con *compliance*.

Ahora bien, debemos reiterar que, este elenco de funciones a las que alude el citado estándar, no son en ningún momento a las que hacen referencia las condiciones segunda y cuarta del art. 31 bis 2 CP.

En cualquier caso, como indica NIETO MARTÍN, es aconsejable que las obligaciones del órgano de cumplimiento queden reflejadas en una especie de reglamento[198].

1.1.2. Personas de la letra b)

El art. 31 bis 4 CP establece que, si el delito fuera cometido por las personas indicadas en la letra b) del apartado 1, *"la persona jurídica quedará exenta de responsabilidad si, antes de la comisión del delito, ha adoptado y ejecutado eficazmente un modelo de organización y gestión que resulte adecuado para prevenir delitos de la naturaleza del que fue cometido o para reducir de forma significativa el riesgo de su comisión"*.

Aparentemente, el art. 31 bis 4 CP ya no contempla más condiciones cuando se trata de exonerar de responsabilidad a la persona jurídica por delitos cometidos por las personas física descritas en el art. 31 bis 1 b) CP. Sin embargo, no es así. En este sentido, también deberá concurrir la segunda condición prevista en el art. 31 bis 2 CP, esto es, la relativa a que *"la supervisión del funcionamiento y del cumplimiento del modelo de prevención implantado haya sido confiada a un órgano de la persona jurídica con poderes autónomos de iniciativa y de control o que tenga encomendada legalmente la función de supervisar la eficacia de los controles internos de la persona*

---

198 NIETO MARTÍN, A.: "La institucionalización del sistema de cumplimiento", en NIETO MARTÍN, A. (Dir.): *Manual de cumplimiento penal en la empresa*, Valencia, Tirant lo Blanch, 2015, p. 200.

jurídica". La justificación es la siguiente: el apartado quinto del art. 31 bis CP establece que los modelos de organización y gestión a que se refiere el art. 31 bis 4 CP deberán cumplir también los requisitos en él previstos. Y, entre ellos destaca la obligación de informar de posibles riesgos e incumplimientos al *organismo encargado de vigilar el funcionamiento y observancia del modelo de prevención*. Consecuentemente con lo anterior, si se exige la presencia de un órgano de vigilancia, también se requerirá que éste no omita o ejerza de forma suficiente sus funciones, de forma que también vendría a exigirse la condición cuarta contemplada en el art. 31 bis 2 CP[199].

En conclusión, la única condición que no se exige en el art. 31 bis 4 CP para la exención de responsabilidad penal de la persona jurídica es que se haya eludido fraudulentamente el modelo. Tiene sentido que así sea, dado que el delito se comete porque las personas físicas enunciadas en la letra a) del art. 31 bis 1 CP han incumplido gravemente los deberes de supervisión, vigilancia y control con respecto de aquellos contemplados en la letra b) de ese mismo artículo, no porque se eluda fraudulentamente el programa de cumplimiento penal[200].

1.2. Requisitos

El art. 31 bis 5 CP enumera el contenido mínimo que debe estar presente en todos los modelos de organización y gestión. Se trata de seis requisitos que deben cumplir todos los compliance, con independencia de que el delito haya sido cometido por las personas de la letra a) o b) del art. 31 bis 1 CP. Por tanto, se trata de unas exigencias comunes.

---

199 LEÓN ALAPONT, J.: *La responsabilidad...*, *op. cit.*, pp. 538-539. En igual sentido, FERNÁNDEZ TERUELO, J. G.: "El control de la responsabilidad penal de la persona jurídica a través de los modelos de cumplimiento: Las condiciones legales establecidas en el art. 31 bis 2 y ss. CP", en GÓMEZ COLOMER, J. L. (Dir.): *Tratado sobre Compliance Penal. Responsabilidad Penal de las Personas Jurídicas y Modelos de Organización y Gestión*, Valencia, Tirant lo Blanch, 2019, p. 208. Y Circular de la Fiscalía General del Estado 1/2016, de 22 de enero, sobre la responsabilidad de las personas jurídicas conforme a la reforma del Código Penal efectuada por Ley Orgánica 1/2015, p. 41.

200 LEÓN ALAPONT, J.: "*Criminal compliance...*", *op. cit.*, p. 29.

1.2.1. Identificación de las actividades en cuyo ámbito puedan ser cometidos los delitos que deben ser prevenidos

En puridad, lo que exige este primer requisito es que se "**identifiquen**" todas aquellas actividades que puedan generar un riesgo para la persona jurídica. Esto es, que puedan ocasionar su responsabilidad penal.

Así las cosas, aquí el Juez o Tribunal sólo debe valorar si esa identificación de actuaciones "peligrosas" ha sido correcta, esto es, que se corresponda con la realidad y que éstas puedan ser calificadas como tales.

De lo anterior se derivan dos importantes consecuencias:

1) Este requisito no exige que la persona jurídica deba adoptar medidas de control para neutralizar todas las actividades riesgosas que se hayan observado, sino simplemente que se localicen y definan las actividades que tienen riesgo de albergar conductas delictivas. En este sentido, si bien la organización ha podido detectar conductas peligrosas que pudieran ocasionar responsabilidad penal por varios delitos, ésta puede tomar la decisión de implantar controles solo sobre aquellas *a priori* con mayor riesgo. Pero, ésta será una circunstancia a valorar en sede de la condición 1ª del art. 31 bis 2 CP ("*para prevenir delitos* ***de la misma naturaleza*** *o para reducir de forma significativa el riesgo de su comisión*"), o del art. 31 bis 4 CP ("*para prevenir delitos* ***de la naturaleza del que fue cometido*** *o para reducir de forma significativa el riesgo de su comisión*").
2) Otros aspectos como la cuantificación del riesgo, su análisis, tratamiento, etc., pueden resultar de utilidad, en su caso, para examinar la idoneidad (material) de las medidas de control implantadas para **prevenir o reducir el riesgo** de comisión de delitos de la misma naturaleza o de la naturaleza del que fue cometido (arts. 31 bis 2 y 4 CP). Pero, no serán objeto de valoración en sede del art. 31 bis 5. 1º CP.

PRECISIÓN: aunque el Código Penal no exija que se cuantifique el riesgo, solo que se identifiquen *"las actividades en cuyo ámbito puedan ser cometidos los delitos que deben ser prevenidos"*, ello nos puede proporcionar una valiosísima información sobre:

- delitos que con mayor probabilidad se pueden cometer
- actividades que precisan de mayor control

- mecanismos de control adaptados a dichos riesgos
- establecimiento de prioridades: áreas de intervención prioritarias

En definitiva: no llevar a cabo dicha medición de riesgos comporta una clara pérdida de eficacia del modelo. Incluso, como señala CASANOVAS YSLA, "puede constituir un indicio de gestión negligente y cuestionar seriamente la capacidad de la organización y de sus responsables"[201].

Como enfatiza GONZÁLEZ CUSSAC, el *risk mapping* es una herramienta esencial para la autorregulación corporativa[202]. Así, podría afirmarse que constituye la base sobre la que pivota todo el sistema de *compliance*. Permite conocer los puntos débiles y amenazas de la persona jurídica, y gracias a este examen se pueden establecer de forma más certera los adecuados mecanismos específicos de control.

En este sentido, las **denuncias** recibidas a través del correspondiente canal pueden evidenciar, precisamente, una necesaria actualización del mapa de riesgos. Incluso, que se reporten hechos relacionados con actividades de las que no se tenga conocimiento o que se realicen a espaldas del órgano de dirección y/o administración de la persona jurídica.

Con todo, como señala ORTIZ DE URBINA GIMENO, la valoración de los riesgos en una persona jurídica no sólo puede acotarse a aquéllos que derivan de su actividad, sino que debe extenderse también a los riesgos derivados de la propia organización interna[203].

En este sentido, cabría citar, entre otros, los siguientes aspectos:

1) Tamaño: número de personas y/o estructura de la persona jurídica.
2) Forma de tomar las decisiones: más o menos transparente, más o menos centralizada, más o menos participativa.
3) Ámbito geográfico de actuación.

---

201 CASANOVAS YSLA, A.: "La norma UNE 19601 y los requisitos del Código Penal", en GÓMEZ-JARA DÍEZ, C. (Coord.): *Persuadir y Razonar: Estudios Jurídicos en Homenaje a José Manuel Maza Martín. Tomo II*, Cizur Menor, Thomson Reuters-Aranzadi, 2018, p. 903.

202 GONZÁLEZ CUSSAC, J. L.: "Condiciones y requisitos...", *op. cit.*, p. 341.

203 *Cfr.* ORTIZ DE URBINA GIMENO, I.: "Responsabilidad penal de las personas jurídicas y programas de cumplimiento empresarial («compliance programs»)", en GOÑI SEIN, J. L. (Dir.): Ética empresarial y códigos de conducta, Las Rozas, La Ley-Wolters Kluwer, 2011, p. 128.

4) Distribución competencial (concentración o dispersión del poder de decisión).

5) Políticas de selección del personal, promoción, remuneraciones.

En esta línea, como destaca LÓPEZ RODRÍGUEZ, "es obligatorio entender bien la organización y su «contexto» antes de proceder a gestionar los riesgos y para ello hay que tener en cuenta todos aquellos factores internos y externos que puedan afectar a la misma"[204]. Así, entre esos elementos externos podrían destacarse el contexto regulatorio, la situación económica, etc.

La propia Norma UNE 19601:2017 cita a título enunciativo (no limitativo) los siguientes factores (apartado 4.1):

a) el tamaño y la estructura de la organización.

b) las ubicaciones y sectores en los que opera la organización o prevé operar.

c) la naturaleza, escala y complejidad de las actividades de la organización y sus operaciones.

d) las entidades sobre las cuales ejerce control.

e) los miembros de la organización y los socios de negocio.

f) la naturaleza y extensión de las relaciones con funcionarios públicos.

g) las obligaciones y compromisos legales, contractuales o profesionales.

Con mayor nivel de detalle, y centrándose en el ámbito empresarial, CIGÜELA SOLA hace referencia a tres niveles de factores criminógenos[205]:

(i) **Nivel macro** (entorno socio-normativo o "externo"): en él se integran determinados condicionantes estructurales radicados más allá de la organización singular, habitualmente en el sector o mercado específico en el que la empresa opera, como también en un sentido más genérico en la propia sociedad o economía en su conjunto.

---

204 LÓPEZ RODRÍGUEZ, Ó.: "Gestión del riesgo de *Compliance* y su control", en PUYOL MONTERO, J. (Dir.): *Guía para la implantación del Compliance en la empresa*, Madrid, Wolters Kluwer, 2017 pp. 241.

205 CIGÜELA SOLA, J.: "*Compliance* más allá de la ciencia penal", *InDret*, núm. 4, 2019, pp. 7-8.

(ii) **Nivel meso** (organización): en él se integran aquellos factores criminógenos que radican en la propia organización en cuyo seno se habría cometido el delito, y tienen que ver en su mayoría con déficits en el desarrollo de su estructura organizativa o de su cultura corporativa, ya sean disfunciones en los sistemas de información y comunicación, déficits en la delimitación de las responsabilidades o la existencia de presiones e incentivos perversos hacia los empleados[206]:

– por **defectos en la estructura organizativa** se entienden aquellos relacionados con la distribución de funciones y de roles en la empresa, con los sistemas de comunicación e información, con los sistemas de control y prevención de riesgos, y todo aquello que podríamos identificar con su realidad más tangible.

– por **defectos en su cultura/s corporativa/s** se entiende todo lo que tiene que ver con las políticas, los valores, creencias y hábitos criminógenos, con las actitudes y creencias grupales y las dinámicas colectivas que han ido emergiendo de la interacción; en fin, todo aquello que podríamos identificar con la "filosofía" de la organización o con su realidad más intangible.

(iii) **Nivel micro** (individuos de la organización o entorno "interno"): en este nivel encontramos todos aquellos factores que afectan más directamente a cómo piensan, eligen y actúan los miembros de la organización.

Como resalta el citado autor, "el nivel más directamente conectado al *compliance* es el «meso», en la medida en que se trata de un mecanismo de prevención dirigido precisamente a modificar la esfera de organización de la propia empresa: tanto el «nivel macro» como el «micro» forman parte de aquello que la empresa no puede modificar directamente, pues depende de otros agentes sociales (estatales, sectoriales o individuales) sobre los que la empresa no tiene poder de disposición (la empresa no puede modificar las normas estatales, ni manipular directamente el carácter de sus miembros)"[207]. Así pues, "el diseño del programa de cumplimiento tiene que tener en cuenta los riesgos que provienen de esos entornos: tanto el funcionamiento del mercado o la competitividad externa como la personalidad propia de los directivos son datos relevantes a la hora de identificar los delitos a

206 *Ibid.* p. 11.
207 *Ibid.*, p. 8.

los que una organización está expuesta, y en ese sentido el análisis deberá abarcar los tres niveles, y los mecanismos de prevención deberán considerar la relación entre ellos"[208].

i) Obtención de información que refleje una imagen fidedigna de la actividad real de la persona jurídica

Para la elaboración del mapa de riesgos se precisará de cierta información acerca de la actividad de la persona jurídica. En este sentido, sin duda alguna, la principal herramienta que se emplea en estos casos es la entrevista. Nos pueden servir también los informes, en su caso, de auditorías anteriores y, en general, cualquier tipo de información que llegara por otras vías o cauces (institucionales o no). Y, naturalmente, se pueden utilizar también encuestas, con el ahorro de tiempo que ello genera: con todo, esto puede ser recomendable, quizás, con personas que no ocupen puestos de mucha responsabilidad. Además, es un sistema que carece de la espontaneidad de la que sí goza el método de la entrevista que, por otro lado, permite, incidir más en determinados aspectos, hacer aclaraciones al entrevistado, etc.

En cualquier caso, se opte por la herramienta que se opte, para la medición del riesgo resulta ineludible proceder a realizar un cribado que permita seleccionar sólo aquellas actividades que puedan comportar algún riesgo delictivo y separarlas de las que no.

Respecto de las entrevistas, deberán tenerse en cuenta las siguientes directrices:

A) Selección de los entrevistados.

La entrevista/encuesta debe abarcar la máxima disparidad posible de "perfiles". Por tanto, no sólo debe ir dirigida a personas que ostenten cargos de responsabilidad en la organización, sino que también deberá orientarse a cualquier integrante de la misma que pueda aportar información relevante al respecto.

B) Fijación del calendario de entrevistas.

Deberá establecerse la fecha, lugar y hora de las mismas. Lo recomendable es que la duración de éstas no debiera superar los treinta o cuarenta y cinco minutos (máximo). Y, previamen-

---

208 *Ibid.*, p. 9.

te, se les tendrá que comunicar a los seleccionados que se va a iniciar la ronda de entrevistas y el motivo (la elaboración del mapa de riesgos del *compliance*).

C) Desarrollo de la entrevista:

- La entrevista no puede convertirse en una especie de interrogatorio policial (no debe emplearse un tono inquisitivo). Hay que lograr un clima de máxima confianza para que los entrevistados sean sinceros, y transmitir la idea de que no se pretende descubrir delitos, sino evitar que en un futuro se cometan.
- La información que se necesita obtener es:
  i) cargo/responsabilidad que ostente el entrevistado y área o departamento al que pertenezca (competencia formal)
  ii) qué hace en la práctica (competencia material)
  iii) si la/s competencia/s es/son exclusiva/s o compartida/s
  iv) si tiene personas a su cargo y quiénes son.
  v) si se han observado comportamientos o actuaciones posiblemente delictivas o, cuanto menos, "irregulares".

  NOTA: esta información no sólo nos será útil para la confección del mapa de riesgos, sino que, a su vez, nos ayuda a conocer las posibles extralimitaciones en las que el entrevistado puede incurrir en el ejercicio de sus funciones; y, si éstas son consentidas o toleradas por la entidad. Esto es importante a efectos de diseñar la estrategia de defensa de la persona jurídica.

- Si bien hay que dejar que el entrevistado se exprese, es recomendable confeccionar previamente un listado de preguntas concretas sobre las actividades que se desarrollan (esto es especialmente útil, por ejemplo, en el caso de áreas especialmente problemáticas o sensibles).

ii) Registro de actividades

Como acertadamente apunta GARCÍA ALBERO, "con independencia del grado de riesgo lo determinante es la adopción de las medidas de control para evitar que aquella «posibilidad» se concrete en probabilidad y menos aún en efectivo delito. Esta constatación quita dramatismo al problema de la cuantificación del riesgo, a la que, insistimos, no obliga en rigor el Código Penal"[209]. En este sentido, suscribimos las palabras de dicho autor cuando se refiere a que "las divergencias sobre la valoración a que pueden conducir los distintos métodos —así como la inevitable discrecionalidad a la hora de asignar valor a los indicadores manejados— no deben llevar a alarma. En un escenario de crisis (delito) lo relevante será poder explicarle al juzgador cómo se identificó y valoró el riesgo y con qué criterios. Y cómo la articulación concreta del «modelo de organización y control» responde a ese diagnóstico"[210]. Esto es, hay que documentar los razonamientos que han llevado a esta clasificación de riesgos[211].

Pero no sólo eso, como indica NIETO MARTÍN, "es esencial que cada persona jurídica documente de la forma más completa posible su análisis de riesgos, la metodología que ha seguido, la periodicidad, los eventos que le deben llevar necesariamente a su revisión, etc."[212]. A este respecto, la propia Norma UNE 19601:2017 (apartado 6.2.5) especifica que *"la organización debe mantener información documentada de la identificación, análisis y evaluación de riesgos penales y de la metodología y criterios utilizados"*.

iii) Revisión del mapa de riesgos

En palabras de CASANOVAS YSLA, "la norma UNE 19601 remarca la importancia de actualizar periódicamente la evaluación de riesgos penales y, por eso, le otorga la ubicación y tratamiento de actividad a planificar. (...) La planificación se traduce en ejecutar el desarrollo de la evaluación tanto de manera programada como sobrevenida, por cambios en las circunstancias internas o externas de la organización"[213].

---

209 GARCÍA ALBERO, R.: "La medición del riesgo penal corporativo: principales problemas", en MORALES PRATS, F.; TAMARIT SUMALLA, J. M. y GARCÍA ALBERO, R. (Coords.): *Represión Penal y Estado de Derecho. Homenaje al Profesor Gonzalo Quintero Olivares*, Cizur Menor, Thomson Reuters-Aranzadi, 2018, p. 561.

210 *Ibid.*, p. 564.

211 MARTÍNEZ PUERTAS, L. y PUJOL CAPILLA, P.: *Guía para...*, *op. cit.*, p. 160.

212 NIETO MARTÍN, A.: "Cumplimiento normativo, criminología y responsabilidad penal de personas jurídicas", en NIETO MARTÍN, A. (Dir.): *Manual de cumplimiento penal en la empresa*, Valencia, Tirant lo Blanch, 2015, p. 85.

213 CASANOVAS YSLA, A.: "La norma UNE 19601...", *op. cit.*, p. 906.

El apartado 6.2.4 del citado estándar recoge que la evaluación del riesgo penal debe revisarse:

a) de manera regular, de modo que los cambios y la nueva información puedan ser adecuadamente considerados según la frecuencia definida por la organización.
b) en caso de cambios significativos en la estructura o actividades de la organización.
c) en caso de incumplimientos de *compliance* penal.
d) en caso de que aparezca jurisprudencia o se produzcan cambios legislativos relevantes.

Se trata pues, de una revisión específica, centrada exclusivamente en los riesgos, y no de forma generalizada en el *compliance*. No obstante, ambas pueden realizarse de forma conjunta.

1.2.2. Establecimiento de protocolos o procedimientos que concreten el proceso de formación de la voluntad de la persona jurídica, de adopción de decisiones y de ejecución de las mismas con relación a aquéllos

A nuestro juicio, el segundo requisito del art. 31 bis 5 CP exige determinar[214]:

1) **quién** toma y ejecuta las decisiones (delimitación competencial subjetiva, grado de responsabilidad, etc.);
2) **cómo** (de forma reglada/discrecional; unilateral/colegiada; de oficio/a instancias de...);
3) **dónde** (delimitación espacial: área, departamento, etc.);
4) **cuándo** (delimitación temporal); y,

---

[214] En términos similares, GONZÁLEZ CUSSAC, J. L.: "Condiciones y requisitos...", *op. cit.*, p. 342. AGUILERA GORDILLO, R.: *Compliance Penal...*, *op. cit.*, p. 281 y ss. SÁIZ PEÑA, C. A.: "Estrategias para la implantación de un programa de cumplimiento normativo", en JUANES PECES, Á. (Dir.): *Compliance Penal*, Madrid, Francis Lefebvre, 2017, pp. 33-34. Y SAURA ALBERDI, B.: "Diseño e implementación del plan de prevención de delitos en la empresa", en PÉREZ-CRUZ MARTÍN, A. J.: *Proceso penal y responsabilidad penal de personas jurídicas*, Cizur Menor, Thomson Reuters-Aranzadi, 2017, p. 298.

5) bajo qué **procedimiento** (iter).

Como apunta CASANOVAS YSLA, en términos organizativos, estos procedimientos pueden plasmarse, por ejemplo, en matrices RACI que ilustran el nivel de participación de diferentes sujetos en los procesos de toma de decisiones[215]:

R (*responsible*) señalar cuál de ellos desarrolla la tarea.

A (*accountable*) quién se responsabiliza y rinde cuentas por ella.

C (*consulted*) quién debe ser necesariamente consultado.

I (*informed*) quién debe ser simplemente informado.

Lo anterior debería favorecer, en principio, una identificación más rápida del sujeto **"denunciado"** y/o **"investigado"** dentro de la estructura organizativa (y así determinar si es o no alguna de las personas que puede originar la responsabilidad penal de la persona jurídica); de igual modo, permitiría examinar sus competencias (para concluir si la actuación fue "en nombre o por cuenta de...", en su beneficio..., etc.); y, comprobar si hubo o no una extralimitación en sus funciones (en sentido material, no solo formal).

1.2.3. Disponer de modelos de gestión de los recursos financieros adecuados para impedir la comisión de los delitos que deben ser prevenidos

Cuando la persona jurídica desarrolle su planificación presupuestaria, deberá contemplar una partida específica para el *compliance*. Ahora bien, no es suficiente con desembolsar una generosa cantidad solo en el instante de su confección. El plan de prevención fracasará estrepitosamente si luego no se destinan más recursos económicos para su implementación, ejecución, revisión, etc. En este sentido, cabe recordar que los arts. 31 bis 2 y 4 CP exigen que el modelo se ejecute eficazmente, de forma que, difícilmente esto podrá conseguirse si el programa de cumplimiento penal no está dotado de los recursos suficientes para su despliegue.

Claro está que el gasto/inversión de adoptar un *compliance* es elevado: no sólo hay que diseñarlo; implantarlo; gestionarlo diariamen-

---

215 CASANOVAS YSLA, A.: "La norma UNE 19601...", *op. cit.*, p. 906.

te; dotar de recursos económicos, técnicos y profesionales al órgano de cumplimiento; actualizarlo; sino incluso, puede que se externalicen determinados elementos (como el **canal de denuncias** o la realización de las **investigaciones internas**), se encarguen auditorías o se precise de asesoramiento externo. Pero, como advierte LLEDÓ BENITO, más caro puede resultar no hacerlo[216]. En este sentido, la persona jurídica deberá analizar si le conviene o asume el riesgo (coste de oportunidad). Naturalmente, el coste de un sistema de gestión de *compliance* variará en función del tamaño de la organización, del nivel de riesgo a la que esté expuesta, del número de profesionales que intervengan en el proceso de incorporación del modelo, de la fase en la que nos encontremos, etc.

Con todo, dotar de recursos económicos al *compliance* no es una cuestión que dependa de la voluntad de la persona jurídica, sino que se trata de una exigencia para cumplir con el requisito tercero del art. 31 bis 5 CP: "*dispondrán de modelos de gestión de los recursos financieros adecuados para impedir la comisión de los delitos que deben ser prevenidos*". Así es como, en nuestra opinión, debe interpretarse dicho precepto[217].

Por el contrario, otros autores han considerado que dicha cláusula significa que el *compliance* "habrá de prever formas que garanticen la trazabilidad de los pagos efectuados y recibidos, y que permitan así

---

216 LLEDÓ BENITO, I.: *Corporate compliance: la prevención de riesgos penales y delitos en las organizaciones penalmente responsables*, Madrid, Dykinson, 2018. p. 43.

217 LEÓN ALAPONT, J.: "*Criminal compliance...*", *op. cit.*, pp. 15-16. En igual sentido, CAMACHO VIZCAÍNO, A. y URÍA PRADO, Á.: "Los programas de prevención de delitos del artículo 31 bis del Código Penal", en CAMACHO VIZCAÍNO, A. (Dir.): *Tratado de Derecho Penal Económico*, Valencia, Tirant lo Blanch, 2019, p. 584. AYALA DE LA TORRE, J. M.: *Compliance*, *op. cit.*, p. 107. ETXEBERRIA BEREZIARTUA, E.: "Aspectos básicos de los planes «compliance»", *Diario La Ley*, núm. 9192, 2018, p. 9. VELASCO NÚÑEZ, E. y SAURA ALBERDI, B.: *Cuestiones prácticas...*, *op. cit.*, p. 41. GUTIÉRREZ PÉREZ, E.: "Los *compliance programs* como eximente o atenuante de la responsabilidad penal de las personas jurídicas. La «eficacia e idoneidad» como principios rectores tras la reforma de 2015", *Revista General de Derecho Penal*, núm. 24, 2015, p. 6. Y DE LA MATA BARRANCO, N. J.: "La exclusión de la responsabilidad penal de las personas jurídicas. Protocolos de prevención de delitos", en JUANES PECES, Á. (Dir.): *Responsabilidad penal y procesal de las personas jurídicas*, Madrid, Francis Lefebvre, 2015, p. 96.

acreditar la causa de los mismos y evitar pagos irregulares o la eventual constitución de cajas negras. Se trata, pues, de garantizar un sistema financiero interno ordenado, que permita controlar y valorar *ex post* cada una de las operaciones financieras que se lleven a cabo"[218].

A nuestro juicio, dicha exégesis resulta equivocada, puesto que el control de los recursos financieros ha de preverse para tratar de evitar delitos como el blanqueo de capitales, contra la hacienda pública, financiación de organizaciones criminales o terroristas, financiación ilegal de partidos políticos, delitos de corrupción como el cohecho, etc. En esos casos, el control de los recursos económicos deberá tomarse en consideración a la hora de elaborar las medidas concretas para prevenirlos. De lo contrario, no podrán tacharse de idóneas. Por tanto, la existencia de medidas de control de los recursos financieros deberá valorarse dentro de la condición primera del art. 31 bis 2 CP. Pero es que, además, ese "control financiero" del que hablan algunos autores parece más bien una medida destinada a evitar el delito de falsedad documental que, por cierto, no genera responsabilidad penal para la persona jurídica. Y, por si todavía cabía alguna duda, cabe incidir en que el requisito tercero del art. 31 bis 5 CP habla de recursos económicos "*adecuados para impedir la comisión de los delitos que deben ser prevenidos*", esto es, de todos aquellos que generan responsabilidad penal para una entidad, y no sólo aquéllos de contenido económico.

Existe una tercera interpretación, al respecto, de índole ecléctica. Así, para GÓMEZ-JARA DÍEZ, la cláusula refiere tanto a dotar de fondos al *compliance* como a prever un sistema de control de los recursos financie-

218 Así, COCA VILA, I.: "Los modelos de prevención de delitos como eximente de la responsabilidad «penal» empresarial en el ordenamiento jurídico español", en COCA VILA, I.; URIBE MANRÍQUEZ, A. R.; ATAHUAMAN PAUCAR, J. y REYNA ALFARO, L. (Coords.): *Compliance y responsabilidad penal de las personas jurídicas*, Ciudad de México, Flores, 2017, p. 133. En sentido coincidente, SAURA ALBERDI, B.: "Diseño e implementación…", *op. cit.*, p. 298. DOPICO GÓMEZ-ALLER, J.: "La responsabilidad penal de las personas jurídicas", en DE LA MATA BARRANCO, N. J.; DOPICO GÓMEZ-ALLER, J.; LASCURAÍN SÁNCHEZ, J. A. y NIETO MARTÍN, A.: *Derecho penal económico y de la empresa*, Madrid, Dykinson, 2018, p. 149. AGUILERA GORDILLO, R.: *Compliance Penal…*, *op. cit.*, pp. 291 y ss. Y PALMA HERRERA, J. M.: "Presupuestos…", *op. cit.*, pp. 57-58.

ros[219]. En esta línea, CASANOVAS YSLA alude a que en la Norma UNE 19601:2017 este requisito se aborda desde dos perspectivas[220]:

a) la del control financiero como herramienta de prevención de delitos.

> En la nota aclaratoria del apartado 8.3 *(Controles Financieros)* de dicho estándar se ponen como ejemplos:
>
> – existencia de una adecuada política de segregación de funciones.
> – circuitos de aprobación necesarios para la gestión de los recursos financieros.
> – implementación de sistemas de control y gestión de riesgos en el proceso de emisión de información financiera.
> – Realización de auditorías financieras.

b) la existencia de recursos financieros a disposición del órgano encargado de la supervisión del modelo (apartado 7.2).

> Según dicha Norma, el órgano de gobierno tiene la obligación de dotar al órgano de *compliance* penal de recursos financieros, materiales y humanos (apartado 5.5.1. c), mientras que la alta dirección tiene el deber de garantizar su disponibilidad (5.1.3.c).

En todo caso, el requisito tercero del art. 31 bis 5 CP no debe confundirse con el mero cumplimiento de las obligaciones contables que recaigan sobre la persona moral.

Ahora bien, como advierte GIMENO BEVIÁ, cuantificar el presupuesto necesario para entrar a considerar que se da este requisito es una labor altamente dificultosa[221]. Quizá, podría ayudar a restringir ese amplio margen valorativo del que en principio goza el juez para apreciar este requisito, una interpretación como la que propone GONZÁLEZ CUSSAC, de forma que, "en materia penal será determinante la dotación de recursos específicos para evitar la comisión de los delitos advertidos como factor de riesgo en el propio modelo y que tal como exige el texto, sean de «la misma naturaleza» que el enjuiciado"[222]. También, al respecto, como

[219] GÓMEZ-JARA DÍEZ, C.: "La culpabilidad...", *op. cit.*, p. 206.
[220] CASANOVAS YSLA, A.: "La norma UNE 19601...", *op. cit.*, p. 909.
[221] GIMENO BEVIÁ, J.: *Compliance y proceso...*, *op. cit.*, p. 281.
[222] GONZÁLEZ CUSSAC, J. L.: "Condiciones y requisitos...", *op. cit.*, p. 343.

apunta SERRANO ZARAGOZA, podría tenerse en consideración la capacidad económica que en el caso concreto exhiba la persona jurídica[223].

Por último, indicar que lo aconsejable sería hacer una auditoría o estudio previo para saber cuál es el presupuesto (inversión) que de forma aproximada la persona jurídica requeriría (arreglo a sus características) para que el *compliance* tuviera éxito. Y, con posterioridad, como señala FERNÁNDEZ TERUELO, lo ideal sería valorar, cuantificar y determinar si es suficiente la inversión realizada en el programa de prevención de delitos o, por el contrario, debe ser ampliada[224].

1.2.4. Imponer la obligación de informar de posibles riesgos e incumplimientos al organismo encargado de vigilar el funcionamiento y observancia del modelo de prevención

Este requisito se abordará de forma específica en el Capítulo V (por lo que nos remitimos a lo que allí se dirá).

1.2.5. Establecimiento de un sistema disciplinario que sancione adecuadamente el incumplimiento de las medidas que establezca el modelo

Este requisito se abordará de forma específica en el Capítulo VI (por lo que nos remitimos a lo que allí se dirá).

---

223 SERRANO ZARAGOZA, Ó.: "Régimen de deberes y responsabilidades de los administradores sociales tras la introducción del régimen de responsabilidad penal de las personas jurídicas en el derecho español", en RUIZ DE LARA, M. (Coord.): *Compliance penal y responsabilidad civil y societaria de los administradores*, Madrid, Wolters Kluwer, 2018, p. 40.

224 FERNÁNDEZ TERUELO, J. G.: "Requisitos de configuración de los programas de prevención de delitos (art. 31 bis CP y Norma UNE 19601)", en FRAGO AMADA, J. A. (Dir.): *Actualidad Compliance 2019*, Cizur Menor, Thomson Reuters-Aranzadi, 2019, pp. 201-202.

1.2.6. Verificación periódica del modelo y de su eventual modificación cuando se pongan de manifiesto infracciones relevantes de sus disposiciones, o cuando se produzcan cambios en la organización, en la estructura de control o en la actividad desarrollada que los hagan necesarios

El requisito sexto del art. 31 bis 5 CP se está refiriendo a dos aspectos diferentes: de un lado, a la **verificación** periódica del modelo; y de otro lado, a su eventual **modificación**.

Así pues, la "revisión" del modelo o, si se prefiere, su "actualización", puede producirse de dos formas:

1) **programada** (*verificación periódica*): sin necesidad de venir motivada por hechos especiales.
2) **sobrevenida** (*modificación*): ante el acontecimiento de determinados eventos.

En este caso, la modificación del modelo puede venir dada a raíz de la información recibida a través del canal de denuncias o, en su caso, de las conclusiones a las que se llegue tras la correspondiente investigación interna.

En consecuencia, la finalidad de unas y otras difiere sustancialmente:

1) **evaluación proactiva:** para identificar oportunidades de mejora que pudieran detectarse y anticiparse a posibles problemas que pudieran surgir en un futuro.
2) **evaluación reactiva:** respuesta a los fallos del modelo detectados (análisis de las causas, acciones de mejora, etc.) o ante cambios (factores tanto endógenos como exógenos) que así lo aconsejen.

En otro orden de cosas, huelga decir que, tanto la verificación del programa de cumplimiento como sus modificaciones, deberán documentarse para su posterior acreditación en sede judicial.

En las líneas que siguen, abordaremos, naturalmente, ambos aspectos, si bien debemos advertir que le dedicaremos mayor atención a la verificación del *compliance*.

A) Verificación

Como destaca CASANOVAS YSLA, la norma UNE 19601:2017 contempla una especie de **monitorización** del sistema de gestión, pues, aunque emplee el término "revisiones", éstas tienen por objeto la comprobación del correcto funcionamiento del modelo y el análisis de los resultados que arroja[225].

El citado estándar prevé un triple sistema de control de la eficacia de los sistemas de gestión:

- Evaluación por parte del órgano de compliance (apartado 9.3);
- Revisión de la *alta dirección* (apartado 9.4); y,
- Examen por parte del órgano de gobierno (9.5).

No obstante, consciente de lo que ello supone, la propia Norma advierte en su apartado 3.22 (nota 1) que: "*no todas las organizaciones, especialmente las pequeñas, tendrán un órgano de gobierno independiente de la alta dirección*".

Para la cita Norma, de este tipo de actividad surgirán los reportes (informes) que el órgano de *compliance* penal eleva a la alta dirección y al órgano de gobierno, así como las posibles memorias anuales resumiendo los contenidos más relevantes. En definitiva, de lo que se trata es de que se genere un sistema de comunicación que permita informar a los máximos responsables de la organización (y naturalmente a quienes entre éstos se ocupen de todo lo atinente a los sistemas de gestión) del estado en que se encuentre el funcionamiento del plan de prevención: acciones de seguimiento llevadas a cabo, acciones de mejora ejecutadas, acciones correctivas, cambios experimentados, etc.

i) Periodicidad

Como pone de relieve GONZÁLEZ CUSSAC, el tenor literal del art. 31 bis 5. 6º CP sólo requiere que las verificaciones del modelo sean periódicas, pero, no establece referencia alguna a plazos temporales. En consecuencia, "queda extremadamente abierta esta condición temporal"[226]. En todo caso, aunque el texto no especifique plazo

---

[225] *Cfr.* CASANOVAS YSLA, A.: "La norma UNE 19601...", *op. cit.*, p. 915.

[226] GONZÁLEZ CUSSAC, J. L.: "Condiciones y requisitos...", *op. cit.*, p. 345.

alguno de verificación, entendemos que un adecuado modelo de organización y gestión deberá contemplar expresamente dicho extremo[227].

Sin entrar en una guerra de cifras, sí consideramos oportuno apuntar tres posibles fórmulas para determinar dicha periodicidad:

1) Distinción entre periodicidad de la verificación de todos los componentes del *compliance* y del mapa de riesgos.

Como destaca CASANOVAS YSLA, estas revisiones del modelo no deben confundirse con las de evaluación de riesgos penales. No obstante, a pesar de ser actividades diferenciadas, lo habitual será desarrollarlas conjuntamente (la evaluación de riesgos penales y del sistema de gestión en su conjunto), por las sinergias que se derivan de ambos ejercicios[228].

A juicio de PUYOL MONTERO, el *compliance* en conjunto debe ser revisado con una periodicidad anual. Y el mapa de riesgos, cada tres[229].

2) Distinción entre periodicidad de las auditorías internas y de las externas.

En este sentido, para GÓMEZ-JARA DÍEZ, al margen de la "auditoría interna", debería encargase una de carácter externo o producirse la renovación de la certificación con carácter bianual[230].

3) Distinción entre verificaciones del modelo en personas jurídicas de mayor tamaño y en personas jurídicas de dimensiones reducidas.

En opinión de AGUILERA GORDILLO, podría estimarse que, con carácter general, el plazo de revisión fuera anual, mientras que en el caso de personas jurídicas de "dimensiones reducidas" el plazo de verificación debiera ampliarse por un tiempo que no superase los tres años[231].

---

227 *Vid.*, en este sentido, Circular de la Fiscalía General del Estado 1/2016, de 22 de enero, sobre la responsabilidad de las personas jurídicas conforme a la reforma del Código Penal efectuada por Ley Orgánica 1/2015, p. 45. Rectificamos, pues, la posición que mantuvimos, en una primera aproximación al tema, en LEÓN ALAPONT, J.: "*Criminal compliance*...", *op. cit.*, p. 20.

228 CASANOVAS YSLA, A.: "La norma UNE 19601...", *op. cit.*, p. 915.

229 PUYOL MONTERO, J.: *Criterios prácticos*..., *op. cit.*, pp. 37-38.

230 *Cfr.* GÓMEZ-JARA DÍEZ, C.: "La culpabilidad...", *op. cit.*, p. 215.

231 *Vid.* AGUILERA GORDILLO, R.: *Compliance penal*..., *op. cit.*, p. 320. Como indica PALMA HERRERA, parece que los estándares en materia de *compliance*

El referente sería el concepto de persona jurídica de dimensiones reducidas que marca el art. 31 bis 3 CP.

Por su parte, la Norma UNE 19601:2017, en su apartado 9.3 (nota 1), establece que *"la frecuencia de los informes dependerá de los requisitos de la organización, pero se recomienda que sea, al menos, anual"*.

ii) Responsable

El programa de cumplimiento deberá definir a quién corresponde llevar a cabo la verificación del mismo:

a) personal interno: *compliance officer* u otros (no cuando se "audite" su gestión).

b) tercero independiente a la organización: empresa auditora, entidad certificadora, etc.

Que la verificación/auditoría la realice alguien externo a la entidad, permitirá dotar de mayor "objetividad" a la prueba pericial que respecto de esta cuestión se presente en el juicio oral para acreditar tal extremo.

La Norma UNE 19601:2017, en su apartado 9.2 alude a que, para asegurar la objetividad y la imparcialidad de estos programas de auditoría, la organización se debe asegurar de que estas auditorías se llevan a cabo por:

- una función independiente o una persona en la organización específicamente designada para realizar este proceso;
- el órgano de *compliance* penal, excepto si el alcance de la auditoría incluye procedimientos o controles de cuya ejecución directa se ocupe el propio órgano de *compliance* penal;
- una persona apropiada de un departamento o función distinta del que está siendo auditado;
- una tercera parte apropiada; o,
- un grupo que comprenda cualquiera de lo definidos en los cuatro puntos anteriores.

---

fijan una periodicidad de verificación de entre uno a tres años. *Vid.* PALMA HERRERA, J. M.: "Presupuestos...", *op. cit.*, p. 63.

iii) Objeto

El art. 31 bis 5. 6º CP se limita a establecer que **el modelo** se verifique de forma periódica, sin concretar nada más. Sin embargo, resulta razonable entender que aquellos aspectos que deberán someterse a verificación son[232]:

1) El diseño del modelo.

2) El nivel de implantación.

3) El grado de ejecución.

Incluso, podríamos afirmar que también deberán contrastarse los propios mecanismos de revisión del *compliance*.

En general, la tarea de verificación deberá centrarse en todos y cada uno de los elementos que configuren el plan de prevención: medidas; mapa de riesgos; formación; órgano de vigilancia; delimitación competencial; dotación económica; **canal de denuncias**; **investigaciones internas**; régimen sancionador, etc.

De forma mucho más exhaustiva, el estándar UNE 19601:2017 se refiere, en la nota 2 de su apartado 9.1.2, a que el seguimiento del sistema de gestión de *compliance* penal típicamente incluye:

- eficacia de la información.
- eficacia de los controles, por ejemplo, a través de los resultados de análisis sobre una muestra significativa en función del análisis de riesgo realizado.
- asignación eficaz de responsabilidades para cumplir con las obligaciones de *compliance* penal.
- actualización de las obligaciones de *compliance* penal.
- eficacia en la gestión de deficiencias en los controles de *compliance* penal previamente identificados.
- casos en los que no se llevan a cabo, según lo previsto, inspecciones internas derivadas del sistema de gestión de *compliance* penal.

En la nota 3 del mismo apartado se alude a que el seguimiento del desempeño de *compliance* penal típicamente incluye:

---

[232] RUIZ-LLUCH MANILS, N.: "Revisiones periódicas y auditorias", en AA.VV: *Guía de implementación de compliance para pymes*, Madrid, World Compliance Association, 2019, p. 144-145.

- no conformidades y conatos (es decir, incidentes sin efectos adversos).
- casos en los que no se cumplen los requisitos derivados de la política de *compliance* penal y del resto del sistema de gestión de *compliance* penal.
- casos en los que no se alcanzan los objetivos de *compliance*.
- estado de la cultura de *compliance*.
- indicadores predictivos y reactivos establecidos en el apartado 9.6.1 de esta norma UNE.

Por último, la UNE 19601:2017, en la nota aclaratoria de su apartado 9.1.4, pone como ejemplos de recogida información los siguientes:

- informe *ad hoc* de no conformidades cuando aparecen o sean identificados.
- información obtenida en líneas directas, reclamaciones y otras fuentes, incluyendo el **canal de denuncias**.
- discusiones informales, talleres de trabajo y grupos temáticos.
- pruebas integrales y por muestreo.
- resultados de encuestas de percepción.
- observaciones directas, entrevistas formales, visitas a las instalaciones e inspecciones.
- auditorías y revisiones.
- consultas a las partes interesadas, peticiones de formación y opiniones recogidas durante la formación, especialmente las del personal.

iv) Mantenimiento vs. verificación

El lector debe tener presente que una cosa es verificar el modelo con una periodicidad prefijada (anual, bianual, etc.) y otra distinta hacer un mantenimiento constante y permanente del mismo.

En este sentido, como apunta PUYOL MONTERO, "si exclusivamente nos fijamos en la actualización del modelo, ello implicaría que durante el período intermedio entre su aprobación y dicha actualización, el sistema tal como se ha configurado probablemente no sería lo suficientemente flexible para adecuarse a los cambios, circunstancias, o evoluciones que hubiera tenido la persona jurídica durante ese período transitorio lo que determinaría que el modelo de *Compliance*, o al menos, en alguno de sus planteamientos se habría podido quedar obsoleto o trasnochado, no respondiendo ya de manera eficaz y efectiva (...)"[233].

De igual modo, como apunta BAJO ALBARRACÍN, tampoco debe confundirse la verificación/seguimiento con el control operacional: "el primero tiene en cuenta la globalidad del sistema y el segundo, un aspecto específico del sistema, una actividad, etc."[234].

v) Fases

En el proceso de verificación del programa de cumplimiento penal pueden destacarse, principalmente, tres fases:

1) Medición: constatar la realidad.
2) Análisis: comparación entre el "ser" y el "debe ser".
3) Evaluación: valoración sobre el resultado o conclusión del análisis y toma de decisión sobre la información compilada.

vi) Procedimiento

Si nos atenemos a la literalidad del art. 31 bis 5. 6º CP, pronto se observa que este precepto no recoge la herramienta a través de la cual materializar la verificación periódica del modelo. En este sentido, aunque el requisito sexto del art. 31 bis 5 CP no aluda a la auditoría, ésta constituye una herramienta básica para conocer el estado del *compliance*.

Por otra parte, a diferencia de cuando la auditoría se ejecuta sobre la base de un estándar como pueda ser la Norma UNE 19601:2017, si se toma como referencia estrictamente los criterios definidos en los arts. 31 bis 2 a 5 CP, no se dispondrá de indicaciones precisas sobre qué comprobar durante la realización de la auditoria, dada la excesiva inconcreción de sus términos. En este sentido, y aunque precisamente

---

233 *Cfr.* PUYOL MONTERO, J.: "El mantenimiento constante del modelo de *Compliance* y su actualización periódica", en PUYOL MONTERO, J. (Dir.): *Guía para la implantación del Compliance en la empresa*, Madrid, Wolters Kluwer, 2017, p. 281.

234 BAJO ALBARRACÍN, J. C.: *Sistemas...*, *op. cit.*, p. 181.

este trabajo pretende contribuir a disminuir ese grado de inseguridad, mientras que el legislador no desarrolle con mayor profundidad dichos aspectos, la auditoría se llevará a cabo según la interpretación que el auditor lleve a cabo de los extremos a los que aluden los arts. 31 bis 2 a 5 CP.

En todo caso, el procedimiento o metodología que se siga a la hora de llevar a cabo la verificación del modelo, deberá constar en el programa de cumplimiento.

Entrando ya en materia, como indica BAJO ALBARRACÍN, el procedimiento de auditoría puede resumirse de la forma que sigue[235]:

A) Preparación y planificación.

1. Definición del alcance (objeto) de la auditoría:
   - global (de todo el modelo); o,
   - parcial (limitada a determinados aspectos, circunscrita a un departamento, zona geográfica, etc.).
2. Recopilación de información:
   - descripción de las actividades de la organización.
   - estructura organizativa.
   - estructura de la función de *compliance* (*compliance officers*, comité de *compliance*, etc.).
   - imbricación territorial.
   - listado de documentos que componen el sistema.
3. Definición del equipo auditor.
4. Plan de auditoría: documento que define la estrategia, programación y características de la auditoría.
   - nombre y título de la auditoría.
   - identificación de la organización auditada.
   - propósito.
   - alcance.
   - documentos de referencia.

[235] BAJO ALBARRACÍN, J. C.: *Auditoría de sistemas de gestión. Compliance*, Cizur Menor, Thomson Reuters-Aranzadi, 2017, pp. 35 y ss.

- identificación del equipo auditor.
- calendario de auditoría.
- horarios.
- interlocutores de la organización.
- documentos que deben estar en disposición.
- recursos materiales necesarios.

B) Ejecución: trabajo de campo durante el cual se procede a recolectar los datos, información, evidencias objetivas, etc.

1. reunión inicial.
2. visita inicial a la organización.
3. búsqueda de evidencias.
4. reuniones diarias del equipo auditor.
5. reuniones diarias de información con miembros de la organización.
6. reunión final del equipo auditor.
7. reunión final con la organización.

C) Informe de auditoría: no solo recoge las conclusiones, sino un registro de todas las actuaciones desarrolladas.

Contenido:

1. alcance.
2. identificación del auditado.
3. identificación del equipo auditor.
4. interlocutores (participantes en la auditoría).
5. documentos de referencia:
   - externos: normas, legislación, reglamentos, códigos, etc.
   - internos: manual del sistema de gestión, procedimientos, códigos éticos, etc.
6. resultados (naturalmente este el elemento más importante).
7. cuantificación de resultados: cuando la auditoría se ha cuantificado, hay que identificar los criterios de cuantificación, los valores de referencia y los resultados, adjuntando en un anexo los gráficos que se aporten.

La Norma UNE 19601:2017, en su apartado 9.1.8, alude también al contenido del informe de auditoría:

a) cualquier materia relacionada con riesgos penales sobre los que la organización haya sido requerida por cualquier regulador o autoridad, incluida la judicial.
b) cambios en las obligaciones de *compliance* penal, en su impacto en la organización y las propuestas para cumplir con las nuevas obligaciones.
c) mediciones del desempeño de *compliance* penal, incluyendo las no conformidades y la mejora continua.
d) número y detalle de posible/s no conformidad/es y su análisis subsiguiente
e) acciones correctivas adoptadas.
f) información sobre la eficacia del sistema de gestión de *compliance* penal, sus logros y tendencias.
g) contactos y desarrollo de las relaciones con los reguladores.
h) resultados de las auditorías, así como de las actividades de seguimiento.

Sobre los sistemas de gestión de auditorías pueden consultarse las directrices contenidas en la Norma UNE-EN ISO 19011:2018 sobre *Directrices para la auditoría de los sistemas de gestión.*

B) Modificación del programa de cumplimiento

Como advertimos al inicio de este capítulo, el requisito sexto del art. 31 bis 5 CP no sólo refiere a la verificación periódica del modelo, sino que también exige su eventual modificación.

i) Causas

El citado precepto, prevé cuatro causas que deberán originar la modificación del plan de prevención de delitos:

a) infracciones relevantes de sus disposiciones.

Aun cuando quedará a criterio del juez o Tribunal considerar que la infracción es "relevante", entendemos que la modificación se deberá producir no solo ante infracciones graves, pues, el término relevante permite considerar cualquier infracción con una mínima entidad o trascendencia.

b) cambios en la organización.

Piénsese, a modo de ejemplo, en la creación de nuevos niveles de mando, remodelación de puestos orgánicos, ampliación de la estructura territorial, descentralización de la toma de decisiones, etc.

c) cambios en la estructura de control.

Consideramos que es una referencia velada a reestructuraciones en el sistema de vigilancia (órgano de cumplimiento).

d) cambios en la actividad desarrollada.

Por ejemplo, ante un cambio de objeto social, una ampliación de éste, etc.

En puridad, el requisito sexto del art. 31 bis 5 CP sólo alude a esas cuatro situaciones, sin embargo, coincidimos con la Fiscalía General del Estado cuando sostiene que las circunstancias descritas en este precepto no son una enumeración tasada[236]. Así pues, a las anteriores causas, cabría añadir, entre otras, las siguientes:

- cambios legislativos.
- comisión de delitos.
- condena de la persona jurídica.
- modificaciones del mapa de riesgos.

En definitiva, los programas de cumplimiento penal habrán de modificarse ante cualquier eventualidad que acontezca y ponga en riesgo su eficacia. Ahora bien, dado el tenor literal, consideramos conveniente que se introdujera una cláusula del tipo "*o cualquier otra circunstancia que así lo aconsejara*" para despejar cualquier tipo de duda interpretativa[237].

ii) Consideraciones generales

En primer lugar, debe tenerse en cuenta que la modificación no tiene por qué ser automática de darse las circunstancias mencionadas en el apartado anterior, solo (como reza el precepto) cuando la hagan

---

236 Circular de la Fiscalía General del Estado 1/2016, de 22 de enero, sobre la responsabilidad de las personas jurídicas conforme a la reforma del Código Penal efectuada por Ley Orgánica 1/2015, p. 45.

237 LEÓN ALAPONT, J.: "*Criminal compliance...*", *op. cit.*, p. 20.

necesaria. Por tanto, el juez tendrá que valorar si tras las infracciones o cambios hubiese sido necesario haber llevado a cabo una modificación del plan de prevención de delitos y si ésta se produjo. Se deberá estimar necesaria la reforma del modelo de organización y gestión cuando se pudiera comprometer el cumplimiento de las disposiciones de éste[238].

En segundo lugar, los procedimientos de modificación deberán quedar contemplados en el *compliance*, no bastando con que éstos se materialicen llegado el caso.

La modificación puede llevarse a cabo mediante:

1) Anexos que se van incorporando al programa de cumplimiento.
2) Manteniendo el modelo que contemple sólo la última actualización (en vigor).

En cualquier caso, se deben conservar cada una de las versiones anteriores, entre otras cosas, para acreditar el histórico de cambios que se hayan producido.

En tercer lugar, es de suma importancia que la fecha de entrada en vigor de la nueva actualización quede consignada de forma indubitada, pues, mientras tanto, la anterior versión del *compliance* seguirá plenamente vigente.

En cuarto lugar, las modificaciones que pueden hacerse al plan de prevención, especialmente cuando sean significativas, deberán conducir inexorablemente a un nuevo proceso de formación.

En quinto lugar, como exige todo proceso de cambio, el modelo deberá prever un régimen de transitoriedad para aquellas acciones que se hayan iniciado de conformidad con el modelo anterior pero que pervivan con el nuevo modelo (hasta su finalización).

Por último, huelga decir que las modificaciones deberán ser aprobadas por el órgano competente de la persona jurídica y que, una vez incorporadas, tendrá que analizarse su funcionamiento y efectividad.

---

238 LEÓN ALAPONT, J.: *La responsabilidad...*, *op. cit.*, p. 528.

2. EFICACIA ATENUANTE

El objeto de este apartado vendrá delimitado por la eficacia atenuante de los programas de prevención penal en sus dos vertientes: como compliance parcial (arts. 31 bis 2 a 5 CP) y como compliance adoptado con posterioridad a la comisión del delito (art. 31 quater d) CP).

2.1. *Acreditación parcial*

El art. 31 bis 2 *in fine* CP establece que *"en los casos en los que las anteriores circunstancias solamente puedan ser objeto de acreditación parcial, esta circunstancia será valorada a los efectos de atenuación de la pena"*. Y, por su parte, el art. 31 bis 4 *in fine* CP se refiere a que *"en este caso resultará igualmente aplicable la atenuación prevista en el párrafo segundo del apartado 2 de este artículo"*.

2.1.1. El término "acreditación"

Para un sector minoritario de la doctrina, "esta norma no se refiere, como debiera, a la materialidad del hecho (la insuficiencia del programa de cumplimiento), sino a la formalidad de su acreditación bastante en juicio, de modo que, si se hiciera una aplicación literal de la misma, una sentencia condenatoria que apreciara esta circunstancia eximente incompleta no debería declarar probado que el programa existía, pero no era suficientemente eficaz o no se implantó de manera adecuada, sino que no se ha probado que el programa existente fuera suficientemente adecuado y eficaz"[239].

Sin embargo, no consideramos que esa sea la interpretación que deba hacerse de la expresión **"acreditación parcial"**. No se trata, pues, de una cuestión de prueba más o menos plena. Como acertadamente señala la Fiscalía General del Estado, "la referencia a la «acreditación parcial» no significa que la existencia y aplicación de los mecanismos de control solo se haya probado parcialmente sino que no concurren

---

[239] PONCELA GARCÍA, J. A.: "La responsabilidad penal de las personas jurídicas", en GOENAGA OLAIZOLA, R. *et al.*: *La reforma del Código Penal a debate*, Bilbao, Publicaciones de la Universidad de Deusto, 2016, pp. 129-130.

todos los elementos y requisitos que indica el apartado, a la manera en que se ordena en la atenuante 1.ª del art. 21 CP. Dicho de otro modo, la acreditación parcial no implica una rebaja de las exigencias probatorias sino sustantivas, esto es, que el modelo presenta algunos defectos o que solo se ha acreditado que hubo cierta preocupación por el control, un control algo menos intenso del exigido para la exención plena de responsabilidad penal, pero suficiente para atenuar la pena"[240].

Así, para GONZÁLEZ CUSSAC, la razón de ser de ambos preceptos "solo encuentra acomodo en la acreditación de la existencia de un modelo de cumplimiento inadecuado o insuficiente, es decir, un modelo que solo parcialmente es eficaz para detectar y evitar la comisión de delitos"[241]. En este sentido, la atenuante aquí mencionada se podrá aplicar: 1) cuando no concurran algunas de las condiciones y requisitos; o, 2) cuando lo hagan en un grado inferior al exigido para la exención[242].

2.1.2. Objeto

Si reparamos en la dicción del art. 31 bis 2 *in fine* CP, éste refiere a que *"en los casos en los que* ***las anteriores circunstancias*** *solamente puedan ser objeto de acreditación parcial, esta circunstancia será valorada a los efectos de atenuación de la pena"*. Y, por su parte, el art. 31 bis 4 *in fine* CP expresa que *"****en este caso*** *resultará igualmente aplicable la atenuación prevista en el párrafo segundo del apartado 2 de este artículo"*.

Esas "circunstancias" **anteriores** a las que se alude en el último apartado del art. 31 bis 2 CP son las cuatro condiciones que ese precepto exige para la exención. Y lo mismo hay que decir respecto del

---

240 Circular de la Fiscalía General del Estado 1/2016, de 22 de enero, sobre la responsabilidad de las personas jurídicas conforme a la reforma del Código Penal efectuada por Ley Orgánica 1/2015, p. 46. El Consejo de Estado, en su Dictamen 358/2013, de 27 de junio, relativo al Anteproyecto de ley orgánica por la que se modifica la Ley Orgánica 10/1995, de 23 de noviembre, del Código Penal, apuntó en la misma dirección.

241 GONZÁLEZ CUSSAC, J. L.: "La eficacia eximente...", *op. cit.*, p. 188.

242 LEÓN ALAPONT, J.: "*Criminal compliance...*", *op. cit.*, p. 30.

art. 31 bis 4 *in fine* CP cuando emplea la expresión “en este caso”. Por ello, tenemos que plantearnos la siguiente pregunta: ¿significa ello que deba excluirse de dicha valoración los requisitos del art. 31 bis 5 CP? En puridad, ninguno de los dos artículos hace mención a ellos. Esto generaría dos tipos de posibles escenarios: 1) que, dándose las condiciones exigidas en los arts. 31 bis 2 y 4 CP (respectivamente), no tuviere consecuencia alguna el hecho de que el *compliance* no contara con alguno de los requisitos que establece el art. 31 bis 5 CP, o no de forma completa: la atenuación sólo se valoraría respecto de las condiciones. Y, 2) que la atenuación se otorgase en virtud de los arts. 31 bis 2 y 4 CP, pero, siempre que se dieran todos los requisitos del art. 31 bis 5 CP, de forma que el Código vendría a exigir, en todo caso (tanto para la exención como para la atenuación), la presencia de ese contenido mínimo obligatorio.

Por el contrario, en nuestra opinión, una interpretación sistemática y teleológica de estos preceptos nos lleva a concluir que también los requisitos enumerados en el apartado quinto del art. 31 bis CP deben ser tenidos en cuenta a la hora de enjuiciar si concurre o no dicha atenuación[243]. En cualquier caso, nos parece razonable sostener que, si no se dan todas y cada una de las condiciones y de los requisitos en su plenitud la exención de responsabilidad no será posible, será entonces cuando se abra la puerta a la atenuación en sus distintos grados. A este respecto, consideramos que el régimen de exención previsto en el Código Penal es más exigente de lo que algunos quieren hacer ver. No obstante, quizás, cabría establecer una pequeña excepción a lo anteriormente dicho. Y es que también podría apreciarse la exención absoluta de responsabilidad cuando se dieran todas la condiciones y requisitos aun cuando el “déficit” que presentara alguno de ellos fuera mínimo o irrelevante como para haber comprometido su eficacia preventiva.

A partir de aquí las combinaciones son múltiples. En primer lugar, habría que distinguir entre dos grandes bloques:

a) **número de condiciones y requisitos**: 1) que concurran todas las condiciones, pero no los requisitos; 2) que concurran todas las condiciones, pero sólo algunos requisitos; 3) que concurran

243 LEÓN ALAPONT, J.: *Compliance Penal...*, *op. cit.*, p. 275.

todos los requisitos, pero tan sólo algunas de las condiciones; y, 4) que concurran algunas condiciones y algunos requisitos.

b) **grado de plenitud:** 1) que concurran todas las condiciones y requisitos, pero no en el mismo grado que se exigiría para la exención; 2) que concurran todas las condiciones de forma absoluta, pero los requisitos en menor grado de exigencia; 3) que concurran todos los requisitos de forma plena, pero las condiciones de forma relativa; y, 4) que tanto las condiciones como los requisitos (en mayor o menor número) aparezcan en un nivel de exigencia inferior al exigible para la exención.

2.1.3. Condiciones

El Código Penal alberga, al menos formalmente, un doble nivel de exigencia en cuanto a la exención de responsabilidad penal según el delito haya sido cometido por una persona de las descritas en la letra a) del art. 31 bis 1 CP o una de las mencionadas en la letra b) de dicho precepto[244]. En consecuencia, también el régimen atenuatorio responde a esa doble lógica.

A) Art. 31 bis 2 CP

La **primera condición** conlleva dos exigencias. Una de ellas es la de *haber adoptado y ejecutado eficazmente el programa de cumplimiento*. Respecto de esta cuestión, habrá que valorar cuál ha sido el grado de implantación del compliance. Esto es, comprobar en qué medida se han incorporado los cambios necesarios en la estructura y organización de la persona jurídica para hacerlo posible; si se ha impartido formación suficiente a los miembros integrantes de la misma; el nivel de desarrollo de la "cultura de cumplimiento", esto es su extensión a

---

244 Así lo destacan especialmente GUISASOLA LERMA, C.: "Delitos contra bienes culturales: especial consideración a los programas de cumplimiento penal (*criminal compliance programs*) en el sector del mercado del arte", *Cuadernos de Política Criminal*, núm. 130, 2020, p. 28. Y FERNÁNDEZ HERNÁNDEZ, A.: "Los programas penales de organización y gestión (compliance) y su prueba", en GONZÁLEZ CUSSAC, J. L. (Dir.) y LEÓN ALAPONT, J. (Coord.): *Estudios Jurídicos en Memoria de la Profesora Doctora Elena Górriz Royo*, Valencia, Tirant lo Blanch, 2020, p. 318.

todos los departamentos, unidades de negocio, etc. En definitiva, contrastar hasta qué punto la persona jurídica ha hecho el esfuerzo por incorporar tales mecanismos.

La otra exigencia hace referencia a un triple aspecto: *el juicio de idoneidad*. El primero de ellos el de la *idoneidad temporal*. Es posible, pues, que el compliance se haya "adoptado" con fecha anterior a la comisión del delito, pero todavía no haberse "ejecutado", o no haberse puesto en funcionamiento de forma eficaz. Sin embargo, como señala GONZÁLEZ CUSSAC, aunque esta posibilidad existe desde un punto de vista gramatical, cabe pensar que, si no se ha ejecutado en absoluto o su implantación es todavía incipiente, será difícil que se cumplan siquiera parcialmente las otras tres condiciones del programa[245]. En cuanto a la *idoneidad formal*, se exige que las medidas sean idóneas para prevenir delitos de "la misma naturaleza" o "de la naturaleza del que fue cometido". A nuestro juicio, esto cabe interpretarlo como controles que tiendan a prevenir el mismo "tipo de acción". Con esta expresión, u otras como las que hacen referencia al "tipo de injusto", queremos hacer alusión a la descripción legal que el Código Penal (y leyes especiales) contienen de los elementos que deben concurrir para que una determinada conducta se considere ilícita, lo que, a su vez, permite distinguir unas de otras. Sirva de ejemplo el art. 304 bis CP (financiación ilegal de partidos), que castiga la recepción de donaciones anónimas, finalistas, revocables, de personas físicas (superiores a 50.000 euros anuales), de personas jurídicas, de gobiernos extranjeros (superiores a 100.000 euros), etc. Entonces, si las medidas establecidas eran para evitar donaciones de personas jurídicas y el delito cometido es por recibir donaciones anónimas: no tendría cabida la exención[246]. La cuestión es si cabría apreciar una atenuación en casos en que la identidad no fuere la aquí descrita. A nuestro juicio, ello no debiera ser posible. De forma que la atenuación solo pudiera valorarse en atención al grado de "calidad", oportunidad o "eficacia" de las medidas previstas. Por lo que respecta a la *idoneidad material*, éste es el elemento que más se presta a una posible atenuación, especialmente en su vertiente de idoneidad para "reducir

---

245 GONZÁLEZ CUSSAC, J. L.: *Responsabilidad Penal...*, *op. cit.*, p. 206.

246 LEÓN ALAPONT, J.: *Compliance Penal...*, *op. cit.*, p. 168.

de forma significativa" el riesgo de comisión de delitos. Ello porque, como apunta GONZÁLEZ CUSSAC, "en este caso se trata de valorar una magnitud expresada en probabilidades, y por ello susceptible de modulación y cuantificación. Así sucederá si el juez estima que el programa de cumplimiento adoptado y ejecutado es inadecuado o insuficiente, es decir, un modelo que solo parcialmente es eficaz para evitar la comisión de delitos o reducir el riesgo de su comisión en relación al delito de referencia"[247].

La **segunda condición** viene a exigir la creación de un órgano con poderes autónomos de iniciativa y de control que se encargue de la supervisión del funcionamiento y del cumplimiento del modelo. Así las cosas, la atenuación puede darse porque: 1) el órgano se haya creado, al menos formalmente, pero no ejerza sus competencias; 2) no se le ha dotado de la autonomía suficiente como para quedar apreciar la exención plena; o, 3) porque las funciones que le han sido asignadas no son de "iniciativa y control".

La **tercera condición** alude a que *"los autores individuales hayan cometido el delito eludiendo fraudulentamente los modelos de organización y de prevención"*. La elusión fraudulenta implica que, pese a la perfección de los modelos de control, los autores del hecho los burlaron con astucia o cualquier otra artimaña que ocultara sus actuaciones; esto es, sirviéndose de algún tipo de ardid o maquinación. De forma que pueda afirmase que el delito fue posible al fundarse en un artificio de cierta complejidad y entidad para esquivar las medidas de vigilancia y control. En definitiva, que la conducta fuere indetectable. Ahora bien, la elusión fraudulenta puede llevarse a cabo no sólo a través de comportamientos activos sino también omisivos. Por otro lado, se ha convenido en aplicar las exigencias jurisprudenciales del delito de estafa para saber el tipo de engaño (fraude) que requiere la exención. Así, debe tratarse de un engaño bastante, esto es, suficiente y proporcionado para la consecución de los fines perseguidos; e, idóneo, relevante y adecuado para la consecución del objetivo que se pretenda con el fraude. Con todo, cabe advertir que el engaño puede ser antecedente, coetáneo o posterior al acto. En cualquier caso, para modular el cumplimiento de dicha

---

[247] GONZÁLEZ CUSSAC, J. L.: *Responsabilidad Penal...*, *op. cit.*, p. 207.

condición habría que realizar una valoración de la clase de engaño y la suficiencia del mismo[248].

Por último, la **condición cuarta** señala que no se haya producido una omisión o ejercicio insuficiente de las funciones de supervisión, vigilancia y control del órgano encargado de velar por el cumplimiento del modelo. Entre esas funciones cabría citar, por ejemplo, las siguientes: facultad para para suspender temporalmente o paralizar una determinada operación; para tener acceso a cualquier tipo de información; potestad para dar órdenes e instrucciones; supervisión de determinadas actividades; capacidad de fiscalización/inspección; recabar informes; requerir apoyo/colaboración de cualquier departamento o persona; y otras de naturaleza similar. Asimismo, habría que mencionar una implícita a la labor de *compliance officer*: la de comunicar (reportar) al órgano responsable correspondiente los incumplimientos observados, tras haber llevado a cabo alguna de las acciones enunciadas arriba, para que se pueda actuar al respecto. Por omisión cabrá considerar cualquier abandono o desatención de las obligaciones del órgano de vigilancia. Mientras que por ejercicio insuficiente puede entenderse el ejercicio parcial o incompleto de sus atribuciones.

En un sentido estricto, en el momento en que se produjera una *omisión* de tales deberes, con independencia del tipo de "omisión" de que se trate, cabría afirmar que ya no es posible la exención de responsabilidad; y, si no hay omisión, entonces no habrá atenuación (porque habría exención). Con todo, entendemos que cabría admitir una interpretación más flexible que apostara por excluir de las omisiones aquellas que fueran mínimas o no supusieran un fallo o error que comprometiese la vigilancia del modelo. En este último caso es en el que podría intervenir la atenuación de responsabilidad. Con todo, algunos autores, como GONZÁLEZ CUSSAC, parecen mostrarse reticentes a esta interpretación[249].

En cuanto al *ejercicio insuficiente*, esta formulación parece plantearse en términos más abiertos. Lo cual conferirá al juez o tribunal un amplio margen discrecional en cuanto a la interpretación de esta circunstancia[250]. Así, como señala GONZÁLEZ CUSSAC, "esta mo-

---

248 *Ibid.*, p. 208.

249 *Ibid.*, pp. 208-209.

250 LEÓN ALAPONT, J.: *Compliance Penal...*, *op. cit.*, p. 189.

dalidad admite más fácilmente la modulación, en especial gracias al uso del término «insuficiente». De suerte que el juez posee facultad de medir el grado de suficiencia realmente ejercido, pudiendo apreciar la atenuante en supuestos de una débil aplicación de las funciones de supervisión y vigilancia"[251].

B) Art. 31 bis 4 CP

El citado precepto únicamente se refiere a que *"la persona jurídica quedará exenta de responsabilidad si, antes de la comisión del delito, ha adoptado y ejecutado eficazmente un modelo de organización y gestión que resulte adecuado para prevenir delitos de la naturaleza del que fue cometido o para reducir de forma significativa el riesgo de su comisión"*.

Aparentemente, el art. 31 bis 4 CP ya no contempla más condiciones cuando se trata de exonerar de responsabilidad a la persona jurídica por delitos cometidos por las personas física descritas en el art. 31 bis 1 b) CP. Sin embargo, no es así. En este sentido, también deberá concurrir la segunda condición prevista en el art. 31 bis 2 CP, esto es, la relativa a que "la supervisión del funcionamiento y del cumplimiento del modelo de prevención implantado haya sido confiada a un órgano de la persona jurídica con poderes autónomos de iniciativa y de control o que tenga encomendada legalmente la función de supervisar la eficacia de los controles internos de la persona jurídica". La justificación es la siguiente: el apartado quinto del art. 31 bis CP establece que los modelos de organización y gestión a que se refiere el art. 31 bis 4 CP deberán cumplir también los requisitos en él previstos. Y, entre ellos destaca la obligación de informar de posibles riesgos e incumplimientos al organismo encargado de vigilar el funcionamiento y observancia del modelo de prevención. Consecuentemente con lo anterior, si se exige la presencia de un órgano de vigilancia, también se requerirá que éste no omita o ejerza de forma suficiente sus funciones, de forma que también vendría a exigirse la condición cuarta contemplada en el art. 31 bis 2 CP[252].

---

[251] GONZÁLEZ CUSSAC, J. L.: *Responsabilidad Penal...*, *op. cit.*, p. 209.

[252] LEÓN ALAPONT, J.: *La responsabilidad penal...*, *op. cit.*, pp. 538-539. Y FERNÁNDEZ TERUELO, J. G.: "El control...", *op. cit.*, p. 208.

En conclusión, la única condición que no se exige en el art. 31 bis 4 CP para la exención de responsabilidad penal de la persona jurídica es que se haya eludido fraudulentamente el modelo. Tiene sentido que así sea, dado que el delito se comete porque las personas físicas enunciadas en la letra a) del art. 31 bis 1 CP han incumplido gravemente los deberes de supervisión, vigilancia y control con respecto de aquellos contemplados en la letra b) de ese mismo artículo, no porque se eluda fraudulentamente el programa de cumplimiento penal[253].

Por tanto, pueden darse por reproducidas todas las consideraciones que hicimos en el apartado anterior.

2.1.4. Requisitos

El **primer requisito** de los previstos en el art. 31 bis 5 CP consiste en haber llevado a cabo una *identificación de las actividades en cuyo ámbito puedan ser cometidos los delitos que deben ser prevenidos.* Así las cosas, aquí el Juez o Tribunal sólo debe valorar si esa identificación de actuaciones "peligrosas" ha sido correcta, esto es, que se corresponda con la realidad y que éstas puedan ser calificadas como tales. En este sentido, la atenuación tendrá lugar en aquellos supuestos en que esa identificación fuere incompleta, parcial o sesgada.

De lo anterior se derivan dos importantes consecuencias:

1) Este requisito no exige que la persona jurídica deba adoptar medidas de control para neutralizar todas las actividades riesgosas que se hayan observado, sino simplemente que se localicen y definan las actividades que tienen riesgo de albergar conductas delictivas. En este sentido, si bien la organización ha podido detectar conductas peligrosas que pudieran ocasionar responsabilidad penal por varios delitos, ésta puede tomar la decisión de implantar controles sólo sobre aquellas *a priori* con mayor riesgo. Pero, esta será una circunstancia a valorar en sede de la condición 1ª del art. 31 bis 2 CP ("*para prevenir delitos de la misma naturaleza o para reducir de forma significativa el riesgo de su comisión*"), o del art. 31 bis 4 CP ("*para prevenir*

253 LEÓN ALAPONT, J.: "*Criminal compliance...*", *op. cit.*, p. 29.

delitos de la naturaleza del que fue cometido o para reducir de forma significativa el riesgo de su comisión").

2) Otros aspectos como la cuantificación del riesgo, su análisis, tratamiento, etc., pueden resultar de utilidad, en su caso, para examinar la idoneidad (material) de las medidas de control implantadas para prevenir o reducir el riesgo de comisión de delitos de la misma naturaleza o de la naturaleza del que fue cometido (arts. 31 bis 2 y 4 CP). Pero, no serán objeto de valoración en sede del art. 31 bis 5. 1º CP.

El **segundo requisito** obliga a *establecer protocolos o procedimientos que concreten el proceso de formación de la voluntad de la persona jurídica, de adopción de decisiones y de ejecución de las mismas.* En consecuencia, habrá que estar, para valorar la atenuación de responsabilidad, al grado en que se han concretado los siguientes aspectos: 1) quién toma y ejecuta las decisiones (delimitación competencial subjetiva, grado de responsabilidad, etc.); 2) cómo (de forma reglada/discrecional; unilateral/colegiada; de oficio/a instancias de...); 3) dónde (delimitación espacial: área, departamento, etc.); 4) cuándo (delimitación temporal); y, 5) bajo qué procedimiento (iter). Por tanto, el hecho de que algunos de estos extremos no se den, o no estén bien delimitados podrían conducir, en su caso, a apreciar que el requisito no se cumple de forma plena.

El **tercer requisito** alude a la existencia de *modelos de gestión de los recursos financieros adecuados para impedir la comisión de los delitos que deben ser prevenidos.* Lo anterior implica contemplar una partida específica para el compliance. Ahora bien, no es suficiente con desembolsar una generosa cantidad solo en el instante de su confección. El plan de prevención fracasará estrepitosamente si luego no se destinan más recursos económicos para su implementación, ejecución, revisión, etc. Así pues, la apreciación de la atenuante dependerá en gran medida del juicio sobre la adecuación de los recursos económicos asignados para el compliance según el tipo de persona jurídica, actividad, tamaño, etc.

El **cuarto requisito** se refiere a *la obligación de informar de posibles riesgos e incumplimientos al organismo encargado de vigilar el funcionamiento y observancia del modelo de prevención*[254]. En este

---

254 Desarrollaremos con mayor detenimiento este aspecto en el Capítulo IV.

punto habrá que contrastar si se ha implantado un canal que permita poner en conocimiento de la persona jurídica las irregularidades que se observen, su grado de implantación real (uso), configuración, el nivel de acceso, su funcionamiento, el reporte de las denuncias al órgano competente, el inicio de un proceso de esclarecimiento de los hechos denunciados, etc. De forma que, la inexistencia de alguno de estos aspectos, los defectos que puedan apreciarse o las inobservancias que puedan llevarse a cabo (inacción) pueden mermar la eficacia eximente del canal de denuncias.

Por su parte, el **requisito quinto**, obliga a establecer *un sistema disciplinario que sancione adecuadamente el incumplimiento de las medidas que establezca el modelo*. Así las cosas, se hará necesario comprobar la existencia de tal régimen sancionador interno, la graduación y número de infracciones y sanciones previstas, el procedimiento para su imposición, la ejecución real de las mismas, etc.

En último lugar, el **requisito sexto** fija la necesidad de *realizar una verificación periódica del modelo y de su eventual modificación cuando se pongan de manifiesto infracciones relevantes de sus disposiciones,* o *cuando se produzcan cambios en la organización, en la estructura de control* o *en la actividad desarrollada que los hagan necesarios"*. La eficacia atenuante en esta ocasión dependerá de dos aspectos: 1) la forma, periodicidad, intensidad y alcance de la revisión/verificación del modelo; y, 2) los términos en que se ha materializado la modificación.

2.1.5. *Compliance* formal y atenuación de la responsabilidad penal

Un programa de cumplimiento puramente cosmético, no puede reputarse válido ni tan siquiera para atenuar la responsabilidad penal de la persona jurídica[255]. En consecuencia, la "acreditación parcial" no debe ser sobre el diseño del modelo de prevención, sino sobre su implementación y ejecución. En otras palabras, si la persona jurídica

---

[255] GALLEGO SOLER, J. I.: "*Criminal compliance* y proceso penal: reflexiones iniciales", en MIR PUIG, S.; CORCOY BIDASOLO, M. y GÓMEZ MARTÍN, V. (Dirs.): *Responsabilidad de la empresa y compliance. Programas de prevención, detección y reacción penal*, Montevideo-Buenos Aires, B de F, 2013, p. 199.

adopta un *compliance*, pero, ni lo implementa ni lo pone en funcionamiento, no podrá tomarse en consideración esta circunstancia tan siquiera a efectos de atenuación de la pena. En contra de este criterio, para GONZÁLEZ CUSSAC, si el programa de cumplimiento es adoptado, pero, no acaba ejecutándose, podría estimarse como atenuante[256].

2.1.6. Crítica al concepto de "acreditación parcial"

Como ha señalado FERNÁNDEZ TERUELO, "la principal característica es la indeterminación del límite a partir del cual se puede aplicar la atenuante"[257]. A nuestro juicio, la gran discrecionalidad que permite esta cláusula abierta, en principio, no es ni buena ni mala, pues, podría contribuir a una mayor proporcionalidad o respuesta más acorde a las concretas circunstancias del caso[258]. Pero ello, inexorablemente conduce a la mayor rigidez o laxitud con la que el Juez o Tribunal valore este elemento. Con todo, con independencia del criterio que guíe la determinación judicial, la estimación de la "acreditación parcial" como mera atenuante o como atenuante muy cualificada deberá quedar motivada; y, esto último, o directamente que no se considere apto para la atenuación, dependerá del mayor o menor número de déficits que el programa de cumplimiento presente.

Según nuestro criterio, en cuanto alguna de las condiciones o requisitos que establecen los arts. 31 bis 2, 4 y 5 CP dejasen de concurrir, automáticamente, la eficacia eximente del modelo debería desestimarse, optándose, desde ese momento, por la vía de la atenuación. Por el contrario, a juicio de GUTIÉRREZ PÉREZ, la no concurrencia de alguno de los requisitos enumerados en el art. 31 bis 5 CP no debería suponer la inaplicación automática de la exención de responsa-

---

256 GONZÁLEZ CUSSAC, J. L.: "La eficacia eximente...", *op. cit.*, p. 607.

257 FERNÁNDEZ TERUELO, J. G.: *Parámetros interpretativos del modelo español de responsabilidad penal de las personas jurídicas y su prevención a través de un modelo de organización o gestión (compliance)*, Cizur Menor, Thomson Reuters-Aranzadi, 2020, p. 205.

258 Por otro lado, huelga decir que la amplitud con la que se formula dicha cláusula no deja de estar en consonancia con la vaguedad del resto de elementos contemplados en los arts. 31 bis 2 a 5 CP.

bilidad[259]. No pudiendo compartir tal criterio, ya que el art. 31 bis 5 CP establece claramente que *"los modelos de organización y gestión a que se refieren la condición 1.ª del apartado 2 y el apartado anterior* ***deberán cumplir los siguientes requisitos*** *(...)"*. Por tanto, se entiende que el *compliance* debe contar con todos los elementos que se enuncian y no sólo con algunos de ellos[260].

La cuestión que acto seguido se suscita es la relativa a si, en el instante en que algún aspecto de alguna condición o requisito presente algún tipo de deficiencia, el modelo ya no será válido para la exención. A este respecto, lejos de adoptar una postura excesivamente rígida, estimamos que habría que comprobar la entidad de ese déficit: si compromete la idoneidad del *compliance*, si sólo existe ese o hay otros, a qué parte del modelo afecta la deficiencia, etc. De esta forma, entendemos, se da una respuesta más flexible que redunda en una aplicación más proporcional de esos preceptos.

Dicho de otro modo, como ya vimos, las combinaciones posibles que podrían dar lugar a la aplicación de la citada atenuante son varias:

1) concurrencia de las condiciones, pero, no de los requisitos.
2) concurrencia de los requisitos, pero, no de las condiciones.
3) concurrencia de todas las condiciones y sólo algunos de los requisitos.
4) concurrencia de todos los requisitos y sólo algunas de las condiciones.
5) concurrencia de algunas condiciones y de algunos requisitos.
6) concurrencia sólo de algunas condiciones.
7) concurrencia sólo de algunos requisitos.

En definitiva, debe insistirse en el amplio margen interpretativo del que gozará el Juez o Tribunal para considerar si cabe o no apreciar la mencionada atenuación y, en consecuencia, el grado en que deba atenuarse la responsabilidad penal de la persona jurídica.

---

259 GUTIÉRREZ PÉREZ, E.: "Los *compliance programs...*", *op. cit.*, p. 11.
260 LEÓN ALAPONT, J.: *La responsabilidad penal..., op. cit.*, p. 518.

2.1.7. ¿Atenuante o eximente incompleta?

Como destaca DEL MORAL GARCÍA, cuando solo se hayan acreditado parcialmente algunas de las condiciones y/o requisitos, "estaremos ante una atenuante que evoca las eximentes incompletas del art. 21, aunque su eficacia es la ordinaria de las atenuantes"[261]. Por tanto, dado que estamos ante una atenuante y no una eximente incompleta, habrá que estar a las reglas del art. 66.1 CP (por remisión del art. 66 bis CP) y no a lo previsto en el art. 68 CP[262]. Con todo, algunos autores se han mostrado favorables a calificar de eximentes incompletas las acreditaciones parciales del modelo y, en consecuencia, a aplicar la regla penológica del art. 68 CP[263].

DEL MORAL GARCÍA llega incluso a lanzar la siguiente reflexión: "no obstante no queda muy claro si es propiamente una atenuante o algo que debe ser valorado *a efectos de atenuación de pena* que es la fórmula literal del texto legislativo"[264]. En cierto modo, próxima a esta visión, GOENA VIVES sostiene que no son atenuantes en sentido estricto como las del art. 31 quater CP y, por tanto, no se les aplican las reglas del 66 bis CP, ni tampoco que puedan considerarse eximentes incompletas[265].

---

261 DEL MORAL GARCÍA, A.: "Responsabilidad Penal de Personas Jurídicas: notas con ocasión de la reforma de 2015", *Revista del Ministerio Fiscal*, núm. 0, 2015, p. 237.

262 GONZÁLEZ CUSSAC, J. L.: "La eficacia atenuante de los programas de prevención de delitos", en AA. VV (Dirs.): *Libro Homenaje al Profesor Diego-Manuel Luzón Peña*, Madrid, Reus, 2020, pp. 695-696. LEÓN ALAPONT, J.: *Compliance Penal...*, *op. cit.*, p. 277. FARALDO CABANA, P.: "Los *compliance programs* y la atenuación de la responsabilidad penal", en GÓMEZ COLOMER, J. L. (Dir.): *Tratado sobre Compliance Penal. Responsabilidad Penal de las Personas Jurídicas y Modelos de Organización y Gestión*, Valencia, Tirant lo Blanch, 2019, p. 171-174.

263 MAZA MARTÍN, J. M.: *Delincuencia electoral...*, *op. cit.*, pp. 310-311. ZUGALDÍA ESPINAR, J. M.: "La responsabilidad criminal de las personas...", *op. cit.*, p. 232.

264 DEL MORAL GARCÍA, A.: "Cuestiones Generales", en CAMACHO VIZCAÍNO, A. (Dir.): *Tratado de Derecho Penal Económico*, Valencia, Tirant lo Blanch, 2019, p. 529.

265 GOENA VIVES, B.: *Responsabilidad penal y atenuantes en la persona jurídica*, Madrid, Marcial Pons, 2017, pp. 349-350.

El apunte de DEL MORAL GARCÍA resulta sugerente por dos razones:

1) No se trataría tanto de rebajar la pena en la proporción que indica el art. 66.1 CP, sino de hacerlo en menor o mayor medida que la expresada en dicho precepto.
2) Desaparecería la imposibilidad de que determinadas penas no pudiesen ser rebajadas como marca el art. 66.1 CP dada su propia naturaleza o por carecer de límite temporal inferior.

Con todo, aunque estos dos posibles efectos derivados de tal interpretación —sin duda plausible— fueren beneficiosos, consideramos más importante, en aras de la seguridad jurídica, rechazar (aunque no con rotundidad) dicha alternativa exegética.

2.2. *Incorporación del* compliance *con posterioridad a la comisión del delito*

El art. 31 quater CP reza así:

> *"Sólo podrán considerarse circunstancias atenuantes de la responsabilidad penal de las personas jurídicas haber realizado, con posterioridad a la comisión del delito y a través de sus representantes legales, las siguientes actividades:*
>
> *a) Haber procedido, antes de conocer que el procedimiento judicial se dirige contra ella, a confesar la infracción a las autoridades.*
>
> *b) Haber colaborado en la investigación del hecho aportando pruebas, en cualquier momento del proceso, que fueran nuevas y decisivas para esclarecer las responsabilidades penales dimanantes de los hechos.*
>
> *c) Haber procedido en cualquier momento del procedimiento y con anterioridad al juicio oral a reparar o disminuir el daño causado por el delito.*
>
> ***d) Haber establecido, antes del comienzo del juicio oral, medidas eficaces para prevenir y descubrir los delitos que en el futuro pudieran cometerse con los medios o bajo la cobertura de la persona jurídica".***

2.2.1. Finalidad

El art. 31 bis 2. 1ª CP alude a que los modelos de organización y gestión incluirán las medidas de vigilancia y control idóneas ***para prevenir*** *delitos de la misma naturaleza* **o** ***para reducir de forma significativa*** *el riesgo de su comisión*. Y, en sentido similar, el art. 31 bis 4 CP refiere a la adopción y ejecución eficaz de modelos de organización y gestión que resulten adecuados ***para prevenir*** *delitos de la naturaleza del que fue cometido* ***o para reducir de forma significativa*** *el riesgo de su comisión.*

Sin embargo, el art. 31 quater d) CP habla de medidas eficaces ***para prevenir y descubrir*** *los delitos que en el futuro pudieran cometerse con los medios o bajo la cobertura de la persona jurídica.*

¿Significa ello que el establecimiento de un *compliance* tras la comisión de un delito responde a una finalidad distinta a la de los *compliance* adoptados con anterioridad a su comisión? ¿Difiere, en consecuencia, su contenido?

Antes de responder a la cuestión que aquí se plantea, debemos recordar que el tenor literal del vigente art. 31 quater d) CP es idéntico al que contenía el anterior art. 31 bis 4 d) CP en 2010, cuando todavía no existía la posibilidad de exonerar de responsabilidad penal a las personas jurídicas.

Pues bien, contestando a la pregunta que formulábamos, diremos que no[266]. Como señala la Fiscalía General del Estado, "si bien la detección de delitos no está expresamente incluida en la enunciación ni en los requisitos de los modelos de organización y gestión, forma parte, junto con la prevención, de su contenido esencial. Teniendo en cuenta que cualquier programa de prevención, por eficaz que sea, soportará un cierto riesgo residual de comisión de delitos, la capacidad de detección de los incumplimientos lucirá como un elemento sustancial de la validez del modelo (...)"[267]. En términos similares, NIETO MARTÍN considera que "los programas de cumplimiento no consisten solo en prevenir irregularidades, sino que su objetivo es también detectarlas y sancionarlas"[268].

En este sentido, la finalidad de "descubrir delitos" parece quedar implícitamente albergada en:

---

266 LEÓN ALAPONT, J.: *Compliance Penal...*, *op. cit.*, p. 280.

267 Circular de la Fiscalía General del Estado 1/2016, de 22 de enero, sobre la responsabilidad de las personas jurídicas conforme a la reforma del Código Penal efectuada por Ley Orgánica 1/2015, p. 53.

268 NIETO MARTÍN, A.: "Problemas fundamentales del cumplimiento normativo", en KUHLEN, L., MONTIEL, J. P., ORTIZ DE URBINA GIMENO, I. (Eds.): *Compliance y teoría del Derecho penal*, Madrid, Marcial Pons, 2013, p. 56.

1) El art. 31 bis 5. 4º CP, a través de la existencia de canales de denuncias y la apertura de investigaciones internas.
2) El art. 31 bis 5. 6º CP, cuando alude a la verificación de los modelos.

Aquí lo confuso es la inapropiada expresión "descubrir delitos", lo cual naturalmente no corresponde a la persona jurídica, sino a los cuerpos y fuerzas de seguridad del Estado y, en última instancia, a Jueces y Fiscales. Por ello, la citada expresión debe entenderse como la acción de disponer de mecanismos para detectar incumplimientos del modelo, que podrán acabar en:

- nada.
- mero incumplimiento del modelo.
- posible infracción administrativa.
- indicios de delito.

Incluso, debe tenerse presente que, una vez "descubierto" el delito, la persona jurídica no tiene porqué confesar, colaborar, etc.

La diferencia, por tanto, entre la eficacia eximente de los arts. 31 bis 2 y 4 CP y la atenuante del art. 31 quater d) CP estriba únicamente en un elemento temporal: la adopción del programa de cumplimiento con anterioridad a la comisión del delito o con posterioridad a ello.

2.2.2. Establecimiento: *dies ad quem*

El apartado d) del art. 31 quater CP fija un límite temporal para que dicha atenuante sea tomada en consideración: *antes del juicio oral*. Pero, inmediatamente después, nos surge la duda acerca del significado que cobra en este contexto la expresión "antes del juicio oral".

En nuestra opinión, para responder a esta pregunta habría que distinguir el momento preclusivo que se fija para la eficacia atenuante del *compliance*, del instante procesal previsto para proponer éste como prueba.

En este sentido, respecto del plano procesal, la LECrim no deja margen para la duda, pues, tratándose de un procedimiento ordinario, la defensa (la persona jurídica) deberá alegar en su escrito de calificación "provisional" (art. 652) la concurrencia de dicha atenuante. A este respecto, el art. 650 LECrim señala que "*el escrito de calificación se limitará a determinar en conclusiones precisas y numeradas: (...) 4.º Los hechos que resulten del sumario y que constituyan circunstancias atenuantes o agravantes del delito o eximentes de responsabilidad criminal*". Y, por su parte, el art. 656 LECrim establece que es en el escrito de calificación donde se propondrá la prueba. Si, por el contrario, nos encontramos ante un procedimiento abreviado, es el art. 784 1. I LECrim el que exige que sea en el escrito de defensa donde se enuncien las respectivas circunstancias atenuantes que se pretende sean consideradas. La diferencia con respecto del procedimiento ordinario estriba en que, si bien el art. 784. 1. II LECrim indica que sea en el escrito de defensa donde se proponga la prueba, el art. 786.2 LECrim permite hacer lo propio incluso en el acto del juicio oral siempre y cuando la prueba propuesta pueda practicarse allí mismo.

Sin embargo, las cosas no están tan claras desde el punto de vista sustantivo. Así, podría entenderse que "antes del juicio oral" significa con carácter previo al auto de apertura de juicio oral, pues, en puridad, desde una perspectiva estrictamente formal el juicio oral se inicia con dicha resolución[269]. Con todo, consideramos que, a efectos penales, la expresión "antes del juicio oral" debe interpretarse como antes de la celebración de la primera de las sesiones del juicio oral[270]. Considero que esta exégesis resulta más razonable y, sobre todo, es más favorable al "reo" (entiéndase a la persona jurídica), pues, sólo con la apertura del juicio oral se tiene la certeza de que el procedimiento sigue su curso[271] y, en consecuencia, es posible alegar la citada causa de atenuación. De lo contario, la persona jurídica podría haber hecho el esfuerzo de establecer un programa de cumplimiento "en vano" si, posteriormente, se procediese al sobreseimiento de la causa. Además, el art. 31 quater d) CP debe ser interpretado sistemáticamente junto

---

269 GIMENO SENDRA, V.: *Manual de Derecho Procesal Penal*, Madrid, Ediciones Jurídicas Castillo de Luna, 2018, p. 578.

270 AYALA DE LA TORRE, J. M.: *Compliance (2ª edición)*, Madrid, Francis Lefebvre, 2018, p. 112. Y CARBONELL MATEU, J. C. y MORALES PRATS, F.: "Responsabilidad penal...", *op. cit.* p. 77.

271 Más allá de que posteriormente pueda haber conformidad o se estime alguna de las cuestiones previas (artículos de previo pronunciamiento) que se denuncien.

con el art. 21. 5ª CP, donde se hace referencia a *"con anterioridad a la celebración del acto del juicio oral"*. De ahí que no quepa llegar a otra conclusión que no sea la aquí defendida.

En resumen, con independencia del momento procesal oportuno en que se deba alegar la concurrencia de dicha atenuante, el *compliance* deberá estar establecido de forma inaplazable —como fecha límite— antes de la primera de las sesiones del juicio, pues, en éste será donde se discuta sobre su idoneidad a efectos atenuantes.

Con todo, estimamos que, de *lege ferenda*, podría plantearse que el legislador reformase el art. 31 quater CP para que, al menos en el caso de la atenuante por adopción *ex post* de un *compliance*, ésta pudiera acreditarse en un momento posterior al establecido en la actualidad. Podría asumirse la fórmula del art. 31 quater b) CP: *Haber colaborado en la investigación del hecho aportando pruebas,* ***en cualquier momento del proceso****, que fueran nuevas y decisivas para esclarecer las responsabilidades penales dimanantes de los* hechos. De forma que, la citada atenuante pudiera hacerse valer hasta el momento de dictar sentencia o, incluso, producirse en fase de recurso, pues, si la resolución no es firme y se recurre, el proceso no habría finalizado todavía.

Naturalmente, esto exigiría una reforma de la LECrim, dada la actual limitación temporal respecto del momento en que debe ser propuesta la prueba. La única restricción que encontramos a este posicionamiento es que, en estos casos, sólo el juez o tribunal podría entrar a valorar esta circunstancia y, aun cuando podría solicitar una pericial, no habría debate posible entre las partes sobre este extremo, salvo que se articulara un mecanismo especial para ello.

2.2.3. Contenido

El art. 31 quater d) CP no proporciona una enumeración de los elementos que debiera contener, como mínimo, el plan de prevención de delitos, como sí hacen los arts. 31 bis 2 a 5 CP. Por ello, a continuación, expondremos aquellos aspectos esenciales que, a nuestro juicio, los *compliance post delicto* debieran recoger:

A) **Condición primera** (a modo y semejanza del art. 31 bis 2. 1ª CP)

- *Interpretación 1*: bastaría con que se estableciesen medidas para prevenir o reducir significativamente el riesgo de comisión de delitos "de la misma naturaleza" que el enjuiciado.
- *Interpretación 2*: habría que incluir medidas para prevenir o reducir significativamente el riesgo de comisión de cualquiera de los delitos en que la persona jurídica pudiera incurrir atendiendo a su actividad.

  Esta última, consideramos, es la interpretación por la que debiera optarse.

B) **Condición segunda**

Deberá establecerse un órgano de vigilancia (*compliance officer*) con las mismas características y funciones que las previstas en el art. 31 bis 2. 2ª CP.

C) No se podría exigir ya la ***elusión fraudulenta*** del modelo (art. 31 bis 2. 3ª CP), ni tampoco la ***omisión o ejercicio insuficiente*** de las funciones de supervisión, vigilancia y control del órgano de cumplimiento (art. 31 bis 2. 4ª CP).

Este es un programa de cumplimiento *ad futurum*. De forma que, no se puede enjuiciar ambos elementos dado que, bajo esta circunstancia, se parte del presupuesto de que en el momento de comisión del delito no habían instauradas *ex ante* medidas tendentes a la prevención del delito, y por tanto, no puede establecerse la debida comparación entre las obligaciones contenidas en el *compliance* y esa actuación fraudulenta de elusión de los controles o, en el segundo caso, de la omisión o ejercicio insuficiente de las funciones de supervisión, vigilancia y control del órgano de vigilancia.

D) **Requisitos:** los mismos que exige el art. 31 bis 5 CP

1) Identificación de las actividades en cuyo ámbito puedan ser cometidos los delitos que deben ser prevenidos.
2) Protocolos o procedimientos que concreten el proceso de formación de la voluntad de la persona jurídica, de adopción de decisiones y de ejecución de las mismas con relación a aquéllos.

3) Modelos de gestión de los recursos financieros adecuados para impedir la comisión de los delitos que deben ser prevenidos.
4) Obligación de informar de posibles riesgos e incumplimientos al organismo encargado de vigilar el funcionamiento y observancia del modelo de prevención.
5) Sistema disciplinario que sancione adecuadamente el incumplimiento de las medidas que establezca el modelo.
6) Verificación periódica del modelo y de su eventual modificación cuando se pongan de manifiesto infracciones relevantes de sus disposiciones, o cuando se produzcan cambios en la organización, en la estructura de control o en la actividad desarrollada que los hagan necesarios.

Con todo, aunque para atenuar la pena baste con que el programa de cumplimiento contenga dichos elementos esenciales, nada obsta para que su contenido pueda ampliarse. Es más, lo aconsejable sería que, una vez éste se haya empleado para lograr la citada atenuación, se completase de forma que fuere verdaderamente apto para evitar o prevenir una futura reiteración delictiva.

2.2.4. Alcance de la expresión "haber establecido"

El principal problema que plantea esta atenuante es si basta con **presentar** el modelo, esto es, su diseño; o, además, debe exigirse que la persona jurídica lo haya **adoptado y ejecutado** eficazmente.

1) **Primera hipótesis.** Es suficiente con adjuntar el plan de prevención de delitos.

   El argumento principal que podría emplearse a favor de esta concepción sería que ejecutar un modelo ajustado a las exigencias del código penal con anterioridad al inicio del juicio oral supondría una tarea ímproba dado el breve lapso de tiempo del que se dispondrá para ello.

   Con todo, pueden plantearse las siguientes objeciones:

   - si la persona jurídica es conocedora de la comisión de un delito, el *compliance* puede elaborarse desde el acontecimiento de dicho suceso y, hasta que se inicie un proceso penal y se otorgue la condición de investigada a ésta, puede transcurrir el tiempo suficiente como para haberlo podido implantar y haberlo puesto en funcionamiento en la práctica (repárese, por ejemplo, en los plazos de prescripción de los delitos que prevé el Código Penal).

- aunque la organización no fuere sabedora de la comisión de un delito en su seno, y no se enterase hasta que el procedimiento se dirigiera contra ella, por todos es conocido los plazos que la LECrim marca para la instrucción de los procesos y su posible ampliación, tiempo durante el cual podría implantarse el programa de cumplimiento. Es más, desde la adquisición del estatus de "investigada" hasta la celebración del juicio pueden pasar meses, incluso años.
- en última instancia, siempre cabrá cierto margen de discrecionalidad judicial para que la atenuación sea considerada simplemente como tal o como muy cualificada y, en esta valoración, podría tomarse en cuenta el tiempo del que la persona jurídica ha contado para adoptar y ejecutar estos mecanismos de control.

2) **Segunda hipótesis.** La simple entrega del *compliance* debería ser suficiente para obtener la citada atenuación. Mientras que la adopción y ejecución eficaz del mismo haría que la atenuante fuere considerada como muy cualificada.

   Sin embargo, a nuestro juicio, que la atenuante sea considerada como muy cualificada dependerá de la valoración conjunta sobre la "calidad" (idoneidad) del *compliance* no solo sobre el papel (desde un punto de vista formal), sino también del nivel de incorporación real en la práctica.

3) **Tercera hipótesis.** Hay que acreditar no sólo la elaboración del modelo, sino también su adopción y ejecución eficaz.

   En nuestra opinión, dado que se trata de un privilegio o —una última oportunidad— para atenuar la pena, no se puede rebajar el nivel de exigencia por cuanto la realidad es que en el momento de comisión del delito no se contaba con un modelo de organización y gestión. De forma que el legislador hubiera podido perfectamente prescindir de esta cláusula "cuasi redentora".

Además, el diccionario de la lengua española de la RAE se refiere a la acción de establecer, en su primera acepción, como "instituir" (expresión que no puede ser más gráfica). Por tanto, la expresión ***haber establecido*** debe interpretarse como sinónima de adoptar y ejecutar.

En sentido contrario, para BACIGALUPO ZAPATER "la aplicación de la atenuante se refiere a un programa de compliance que todavía no ha sido puesto en funcionamiento"[272].

2.3. *Aspectos comunes a ambas atenuantes*

Si bien, como habrá podido comprobarse, las diferencias entre uno y otro tipo de atenuantes son evidentes, a continuación, haremos referencia a una serie de aspectos que incumben a ambas.

2.3.1. ¿Numerus clausus?

El art. 31 quater CP señala que: "***Solo podrán considerarse*** *circunstancias atenuantes de la responsabilidad penal de las personas jurídicas (...) las siguientes actividades:*

a) Haber procedido, antes de conocer que el procedimiento judicial se dirige contra ella, a confesar la infracción a las autoridades.

b) Haber colaborado en la investigación del hecho aportando pruebas, en cualquier momento del proceso, que fueran nuevas y decisivas para esclarecer las responsabilidades penales dimanantes de los hechos.

c) Haber procedido en cualquier momento del procedimiento y con anterioridad al juicio oral a reparar o disminuir el daño causado por el delito.

d) Haber establecido, antes del comienzo del juicio oral, medidas eficaces para prevenir y descubrir los delitos que en el futuro pudieran cometerse con los medios o bajo la cobertura de la persona jurídica".

Entonces, si el citado precepto emplea el término "sólo": ¿por qué decimos que los arts. 31 bis 2 *in fine* y 31 bis 4 *in fine* CP permiten

---

[272] BACIGALUPO ZAPATER, E.: *Compliance y Derecho Penal*, Cizur Menor, Thomson Reuters-Aranzadi, 2011, p. 95.

atenuar la responsabilidad penal de las personas jurídicas? La respuesta es que las atenuantes contempladas en el art. 31 quater CP **son postdelictivas.** Y utiliza el adverbio "sólo" porque no cabe por ejemplo apreciar la atenuante de dilaciones indebidas ni la de análoga significación (que sí se encuentran recogidas en el art. 21 CP para las personas físicas)[273]. Por el contrario, en los arts. 31 bis 2 *in fine* y 31 bis 4 *in fine* CP se valora ***ex ante*** una "acreditación parcial" de las condiciones y requisitos que los programas de cumplimiento penal deben reunir.

2.3.2. Determinación de la pena

El art. 66 bis CP remite en la aplicación de las penas a determinadas reglas del art. 66.1 CP. Entre ellas, haremos alusión a las que contemplan la concurrencia de circunstancias atenuantes.

Así, la regla 1ª del art. 66.1 CP establece que "*cuando concurra sólo una circunstancia atenuante, aplicarán la pena en la mitad inferior de la que fije la ley para el delito*".

La regla 2ª refiere, por su parte, a que "*cuando concurran dos o más circunstancias atenuantes, o una o varias muy cualificadas, y no concurra agravante alguna, aplicarán la pena inferior en uno o dos grados a la establecida por la ley, atendidos el número y la entidad de dichas circunstancias atenuantes*".

Además, la regla 8ª permite que cuando los jueces o tribunales apliquen la pena inferior en más de un grado lo puedan hacer en toda su extensión.

Con todo, y aunque aparentemente dichas reglas abarcan cualquier pena del art. 33.7 CP, en la práctica, como destaca ROCA DE AGAPITO, sólo resultan aplicables en el caso de la multa, pues, la disolución carece de lapso temporal y el resto de penas del art. 33.7 CP no tienen fijado límite mínimo[274]. Como consecuencia de ello, no podrá procederse al cálculo de la "mitad inferior" de la pena o su

273 LEÓN ALAPONT, J.: *La responsabilidad penal…*, *op. cit.*, pp. 494-497.

274 ROCA DE AGAPITO, L.: "Sanciones penales a entes colectivos", en ROCA DE AGAPITO, L. (Dir.): *Las consecuencias jurídicas del delito*, Valencia, Tirant lo Blanch, 2017, p. 201.

rebaja "en uno o dos grados"[275]. Ahora bien, se trata de reglas que no sólo son de aplicación en el supuesto de la multa por cuotas, sino también, como nos recuerda FARALDO CABANA, cuando ésta sea proporcional[276]. Así lo consideró la Sala Segunda del Tribunal Supremo en su acuerdo no jurisdiccional de 22 de julio de 2008.

Acto seguido, la duda que nos surge es si, para el cálculo del resto de penas, la concurrencia de circunstancias atenuantes podrá ser tomada en consideración dada la imposibilidad de aplicar el art. 70 CP en tales casos. Al respecto, tres son las posibilidades que se presentan: 1) estimar que en tales otros supuestos no podrían apreciarse las atenuantes del art. 31 quater CP; 2) entender que ante tal situación bastaría con que el juez hiciera uso de la potestad que le confiere el art. 66 bis CP y no impusiera las citadas penas; o, 3) que las actuaciones atenuantes que se hubieran llevado a cabo tuviesen reflejo, según el criterio razonado del juez o tribunal, en una reducción del tiempo por el que se acordasen. A nuestro juicio, ésta última sería la interpretación por la que se debiera optar, si bien, de la misma cabría excepcionar la disolución por los motivos ya aducidos más arriba.

2.3.3. Duplicidad de atenuantes

A juicio de FARALDO CABANA, nada impide aplicar dos circunstancias atenuantes cuando, antes de la comisión del delito, la persona jurídica implantó un modelo ineficaz, pero, antes del juicio oral, lo mejora hasta el punto de que puede ser considerado eficaz[277].

Por el contrario, cabría recordar que la atenuante del art. 31 bis 2 *in fine* y 31 bis 4 *in fine* CP refiere a una valoración de la acreditación parcial ***ex ante*** (como sucede con la eximente). Y en el caso del art. 31 quater d) CP se trata de una atenuación **post delictiva,** de forma que, si lo que sucede es que una vez cometido el delito, el *compliance*

---

275 Salvo en determinados delitos de contrabando, así como en el caso los arts. 310 bis CP y 424.3 CP, que sí contienen límites temporales inferiores establecidos.

276 FARALDO CABANA, P.: "Las penas", en JUANES PECES, Á. (Dir.): *Responsabilidad penal y procesal de las personas jurídicas*, Madrid, Francis Lefebvre, 2015, p. 124.

277 FARALDO CABANA, P.: "Los *compliance programs...*", *op. cit.*, p. 1650.

se "mejora", esto es un aspecto que debe valorarse en relación con el requisito sexto del art. 31 bis 5 CP (no podrá tener efecto eximente un modelo que ante la comisión de un delito no es modificado/mejorado).

Por tanto, este mismo extremo no puede ser considerado, a su vez, para el juicio de idoneidad *ex ante* del *compliance* y para el juicio de idoneidad *ex post* del mismo.

A mayor abundamiento, el art. 31 quater CP estimamos no deja lugar a dudas: emplea el término "establecerán", por tanto, se trata de supuestos en los que en el momento de comisión del delito no existe un modelo de organización y gestión implantado[278].

2.3.4. Órgano encargado de la adopción y ejecución del modelo

La condición primera del art. 31 bis 2 CP exige que sea ***el órgano de administración*** quien haya adoptado y ejecutado con eficacia modelos de organización y gestión. Y, por su parte, el art. 31 bis 4 CP alude a que ***la persona jurídica*** quedará exenta de responsabilidad si ha adoptado y ejecutado eficazmente un modelo de organización y gestión.

Sin embargo, el art. 31 quater CP establece que *"sólo podrán considerarse circunstancias atenuantes de la responsabilidad penal de las personas jurídicas haber realizado, con posterioridad a la comisión del delito y* ***a través de sus representantes legales****, las siguientes actividades: (...)*

En consecuencia, para no hacer una interpretación *contra legem*, tal y como se desprende del tenor literal de dicho artículo, la atenuación por adopción de un programa de cumplimiento con posterioridad a la comisión de un delito, sólo podrá hacerse valer si ha sido llevada a cabo a través del representante legal de la persona jurídica.

---

[278] CASTILLEJO MANZANARES, R.: "Los principios probatorios y el *compliance*", en GÓMEZ COLOMER, J. L. (Dir.): *Tratado sobre Compliance Penal. Responsabilidad Penal de las Personas Jurídicas y Modelos de Organización y Gestión*, Valencia, Tirant lo Blanch, 2019, pp. 594-595. FERNÁNDEZ CASTEJÓN, E. B.: "El criminal compliance program como modelo de prevención: de la teoría a su aplicación en la práctica", *La Ley Penal*, núm. 138, 2019, p. 5.

Si bien, ello no comporta que el represente legal deba actuar a iniciativa propia a la hora de llevar a cabo las actividades atenuadoras de la responsabilidad penal, sino del máximo órgano decisor de la persona jurídica[279]. Y, por otro lado, el uso de la expresión *a través de sus representantes legales* "no obliga a que sean éstos los encargados de estimular las atenuantes, siendo posible que, contando fehacientemente con su intervención, se hagan valer de otras personas que actúen en su nombre"[280].

---

279 LEÓN ALAPONT, J.: *La responsabilidad penal...*, *op. cit.*, p. 498.

280 CORTÉS BECHIARELLI, E.: "Causas de la atenuación de la responsabilidad penal de las personas jurídicas; artículos 31 ter y quater CP", en JUANES PECES, Á. (Dir.): *Responsabilidad penal y procesal de las personas jurídicas*, Madrid, Francis Lefebvre, 2015, p. 105. ORTIZ DE URBINA GIMENO, I.: "Responsabilidad penal...", *op. cit.*, p. 189.

Capítulo III

LA DISCUSIÓN EN TORNO A LA NATURALEZA JURÍDICA DE LOS MODELOS DE ORGANIZACIÓN Y GESTIÓN Y SU UBICACIÓN SISTEMÁTICA EN EL RÉGIMEN DE RESPONSABILIDAD PENAL DE LAS PERSONAS JURÍDICAS: CONSECUENCIAS

1. ¿QUÉ DEBE PROBARSE, QUIÉN DEBE HACERLO Y CÓMO?

Que la cuestión probatoria reviste una especial trascendencia no es algo específico ni de este tema ni, tan siquiera, del Derecho penal. Pero, sí es cierto que en materia de responsabilidad penal de las personas jurídicas son muchas las controversias que se vienen suscitando (sobre todo a raíz de la introducción de los compliance), muchas de ellas aun sin resolver o cerradas en falso (esto es, no exentas de polémica). En particular, aunque abordemos el tema de forma general, nos interesa especialmente destacar las conclusiones a las que aquí se llegue en relación con la existencia de canales de denuncia, su configuración, su gestión, las acciones llevadas a cabo a raíz de la recepción de ciertas informaciones, el inicio de investigaciones internas, etc., y su introducción en el proceso.

1.1. Naturaleza jurídica de los programas de cumplimiento penal

Tradicionalmente, han venido contraponiéndose dos sistemas distintos de responsabilidad criminal de las personas morales: uno de "autorresponsabilidad" y otro de "heterorresponsabilidad". En el caso español, el art. 31 bis CP ha suscitado opiniones para todos los gustos, sobre todo, a raíz de la reforma operada en 2015. Con todo, la doctrina parece agruparse en torno a esos dos grandes modelos, si bien, como veremos seguidamente, dentro de cada uno existen distintas corrientes interpretativas.

A) Para un sector doctrinal, **no puede bastar con acreditar los presupuestos y hechos de conexión que prevé el art. 31 bis 1 CP**, pues, ello abocaría a declarar la inconstitucionalidad del modelo por responsabilidad objetiva, por infracción del principio de culpabilidad, del de personalidad de las penas, y *ne bis in idem*, entre otros.

1) *La tesis de la STS (Sala Segunda) 154/2016, de 29 de febrero (Ponente: José Manuel Maza Martín):*

i) la ausencia de medidas de vigilancia y control, *ex ante* idóneas, específicas respecto del delito concreto que se imputa a la persona jurídica (defecto de organización o "injusto" propio) debe contemplarse como un presupuesto más del art. 31 bis 1 CP, concretamente, como elemento (negativo) del tipo, esto es, como causa de atipicidad[281].

En la STS (Sala Segunda) 154/2016, de 29 de febrero, se declara abiertamente que *"la exoneración se basa en la prueba de la existencia de herramientas de control idóneas y eficaces cuya ausencia integraría el núcleo típico de la responsabilidad penal de la persona jurídica, complementario de la comisión del ilícito de la persona física"*. De forma que, *"a nuestro juicio la presencia de adecuados mecanismos de control lo que supone es la inexistencia misma de la infracción"*.

---

281 GÓMEZ-JARA DÍEZ, C.: "El injusto típico de la persona jurídica (tipicidad)", en BAJO FERNÁNDEZ, M.; FEIJÓO SÁNCHEZ, B. y GÓMEZ-JARA DÍEZ, C.: *Tratado de responsabilidad penal de las personas jurídicas*, Cizur Menor, Thomson Reuters-Aranzadi, 2016, p. 128. *Vid.*, en sentido similar, MAZA MARTÍN, J. M.: *Delincuencia electoral...*, *op. cit.*, p. 227 y ss. BAJO FERNÁNDEZ, M.: "Vigencia de la RPPJ en el derecho sancionador español", en BAJO FERNÁNDEZ, M.; FEIJÓO SÁNCHEZ, B. y GÓMEZ-JARA DÍEZ, C.: *Tratado de responsabilidad penal de las personas jurídicas*, Cizur Menor, Thomson Reuters-Aranzadi, 2016, p. 41. FEIJÓO SÁNCHEZ, B.: *El delito corporativo en el Código Penal español*, Cizur Menor, Thomson Reuters-Aranzadi, 2016, pp. 102-107. GONZÁLEZ SIERRA, P.: *La imputación...*, *op. cit.*, 2014, p. 218. Y DE LA CUESTA ARZAMENDI, J. L.: "Responsabilidad penal...", *op. cit.*, p. 71.

ii) Por lo que a la culpabilidad de la persona jurídica respecta, ésta descansa sobre la base de una cultura de incumplimiento de la legalidad[282].

El Tribunal Supremo establece en su sentencia 154/2016, de 29 de febrero, que: *"la determinación del actuar de la persona jurídica, relevante a efectos de la afirmación de su responsabilidad penal (...) ha de establecerse a partir del análisis acerca de si el delito cometido por la persona física en el seno de aquella ha sido posible, o facilitado, por la ausencia de una cultura de respeto al Derecho, como fuente de inspiración de la actuación de su estructura organizativa e independiente de la de cada una de las personas físicas que la integran, que habría de manifestarse en alguna clase de formas concretas de vigilancia y control del comportamiento de sus directivos y subordinados jerárquicos, tendentes a la evitación de la comisión por éstos de los delitos enumerados en el Libro II del Código Penal como posibles antecedentes de esa responsabilidad de la persona jurídica"*[283].

La postura mantenida en la citada sentencia, ha sido refrendada posteriormente por sucesivas resoluciones de la Sala Segunda del Tribunal Supremo. Así, entre otras, cabría citar las SSTS (Sala Segunda) 221/2016, de 16 de marzo (Ponente: Manuel Marchena Gómez); 516/2016, de 13 de junio y Auto de aclaración de 28 de junio corrigiendo la calificación de "vicarial" (Ponente: Andrés

---

282 GÓMEZ-JARA DÍEZ, C.: "Fundamentos de la responsabilidad penal de las personas jurídicas", en BAJO FERNÁNDEZ, M.; FEIJÓO SÁNCHEZ, B. y GÓMEZ-JARA DÍEZ, C.: *Tratado de responsabilidad penal de las personas jurídicas*, Cizur Menor, Thomson Reuters-Aranzadi, 2016, p. 107. *Vid.*, en sentido similar, BAJO FERNÁNDEZ, M.: "Vigencia...", *op. cit.*, p. 47. FEIJÓO SÁNCHEZ, B.: "Fortalezas, debilidades y perspectivas de la responsabilidad penal de las sociedades mercantiles", en ONTIVEROS ALONSO, M. (Coord.): *Responsabilidad penal de las personas jurídicas*, Valencia, Tirant lo Blanch, 2014, p. 176. GONZÁLEZ SIERRA, P.: *La imputación...*, *op. cit.*, p. 218. Y DE LA CUESTA ARZAMENDI, J. L.: "Responsabilidad...", *op. cit.*, p. 72.

283 La referida sentencia no concreta a qué se refiere cuando alude a que la persona jurídica posea una cultura de fidelidad al Derecho.

Martínez Arrieta); 583/2017, de 19 de julio (Ponente: Antonio Del Moral García); 668/2017, de 11 de octubre (Ponente: Manuel Marchena Gómez); 123/2019, de 8 de marzo (Ponente: Miguel Colmenero Menéndez); 234/2019, de 8 de mayo (Ponente: Eduardo de Porres Ortiz de Urbina); y, 165/2020, de 19 de mayo (Ponente: Julián Artemio Sánchez Melgar), entre otras.

Esta interpretación permite que, aun no existiendo medidas concretas para prevenir delitos "de la misma naturaleza" que el enjuiciado, la persona jurídica quede absuelta por sí tener la referida "cultura de cumplimiento".

2) *Quienes sostienen que, más allá de lo que pueda prever el art. 31 bis 1 CP, deberá quedar acreditado que no existan modelos de organización y gestión o éstos no cumplen con las exigencias que marca el Código Penal* para que pueda haber responsabilidad de la persona jurídica, pues, de lo contrario, no habrá hecho injusto[284].

   A diferencia de la tesis anterior, aquí no se distingue entre hecho injusto (o típico) y culpabilidad. Y la referencia es, exclusivamente, a la concurrencia o no de los parámetros que marca el Código Penal.

3) *Otro sector doctrinal entiende que para declarar penalmente responsable a una persona jurídica se requeriría:*

   i) la comisión de alguno de los delitos contemplados en el sistema de *numerus clausus*, por parte de alguna de las personas físicas que enumera el art. 31 bis 1 CP y, en las condiciones allí establecidas (**imputación objetiva**); y,

   ii) la existencia de un "defecto de organización" de la persona jurídica —ésta será su culpabilidad— reflejado en la ausencia de medidas dirigidas a la prevención de delitos en el seno de aquélla o, caso de haberlas, ante la inidoneidad o inobservancia de las mismas (**imputación subjetiva**)[285].

---

284 DE LA MATA BARRANCO, N. J.: "La exclusión…", *op. cit.*, p. 91.

285 En este sentido se han pronunciado, entre otros, MORALES HERNÁNDEZ, M. A.: "Los criterios jurisprudenciales para exigir responsabilidad penal a las perso-

No obstante, para otro importante sector de la doctrina, las actuaciones de determinadas personas físicas llevadas a cabo en el seno de una persona jurídica (bajo ciertas condiciones) pueden tenerse como propias de ésta. Dicho de otro modo, cuando son determinados individuos los que actúan en nombre o por cuenta de la persona moral (con una conducta activa u omisiva) puede decirse que es ésta la que lleva a cabo tales acciones u omisiones. Sin embargo, según dichos autores, su **culpabilidad** se predicaría en el momento en que incumpliese las obligaciones que le sean exigibles, es decir, por no actuar de otro modo cuando así se hubiera esperado jurídicamente (alejándose, en consecuencia, del criterio organizativo como principio rector de la culpabilidad de las personas jurídicas)[286].

4) *El compliance como causa supralegal de exención.*

A juicio de SILVA SÁNCHEZ, la imposición de penas aplicables a las personas jurídicas requiere constatar: 1) que en la comisión del delito por la persona física influyó un defecto de organización de la persona jurídica, que la favoreció. Para dicho autor se trata de determinar que el modo de estar organizada la persona jurídica haya generado un riesgo jurídicamente desaprobado y que éste se haya materializado en un resultado de favorecimiento de la actuación de la persona física y, en última instancia, en el resultado delictivo producido por ésta; 2) que el defecto de organización no haya sido corregido en el momento

---

nas jurídicas en el delito corporativo", *Revista de Derecho Penal y Criminología*, núm. 19, 2018, p. 368. ORTIZ DE URBINA GIMENO, I.: "Responsabilidad...", *op. cit.*, p. 173 y ss. AGUDO FERNÁNDEZ, E.; JAÉN VALLEJO, M. y PERRINO PÉREZ, Á.L.: *Derecho penal de las personas jurídicas*, Madrid, Dykinson, 2016, p. 45. ZUGALDÍA ESPINAR, J. M.: "La responsabilidad criminal de las personas...", *op. cit.*, p. 227 y ss. Y BACIGALUPO SAGESSE, S.: "Artículo 31 bis...", *op. cit.*, p. 475. En términos parecidos, CASTILLEJO MANZANARES, R.: "Los principios...", *op. cit.*, p. 590 y ss.

286 *Vid.*, en particular, MARTÍNEZ-BUJÁN PÉREZ, C.: *Derecho penal...*, *op. cit.*, pp. 612-615. DÍEZ RIPOLLÉS, J. L.: "La responsabilidad penal...", *op. cit.*, pp. 7 y 9. Y CARBONELL MATEU, J. C.: "Responsabilidad penal de las personas jurídicas: reflexiones en torno a su *dogmática* y al sistema de la reforma de 2010", *Cuadernos de Política Criminal*, núm. 101, 2010, pp. 13-26.

de dictar la resolución judicial; y, 3) que sea previsible que éste favorezca la comisión de nuevos delitos en el futuro[287].

No obstante, para SILVA SÁNCHEZ, ese "defecto de organización" o "déficit de autorregulación" no reflejaría la culpabilidad de la persona moral, pues, según éste las personas jurídicas no pueden ser destinatarias de juicios de reproche. Así, para el citado autor, "lo más que puede establecerse es, pues, una infracción diacrónica de deberes de cuidado (la generadora del estado de cosas antijurídico)"[288]. En definitiva, como destaca ARTAZA VARELA, la responsabilidad de la persona jurídica devendría por "no haber configurado adecuadamente su propio ámbito de organización, generando condiciones o factores de riesgo delictivos vinculados al mismo comportamiento colectivo y que han derivado en la promoción, favorecimiento o aseguramiento de una conducta delictiva en concreto por parte de uno de sus integrantes"[289].

Más recientemente, SILVA SÁNCHEZ[290] ha sostenido que "la literalidad de la regla de imputación de responsabilidad del art. 31 bis 1. CP precisa un complemento supralegal restrictivo. En concreto, requiere que sea posible constatar en la persona jurídica un estado de cosas peligroso de "favorecimiento" objetivo de la comisión del delito por parte del integrante individual que lo haya llevado a cabo". Para este autor, "si no se reduce el alcance de la regla del art. 31 bis 1. CP mediante este requisito supralegal, la atribución de responsabilidad a la persona jurídica acaba

---

287 SILVA SÁNCHEZ, J. M.: *Fundamentos…*, *op. cit.*, pp. 360-361. Parece acoger esta tesis, en parte, GALÁN MUÑOZ, para quien la responsabilidad penal de la persona jurídica se fundamentaría en la infracción del deber colectivo de control de riesgos que el citado precepto dirigiría a todos los entes dotados de personalidad jurídica. *Vid.* GALÁN MUÑOZ, A.: *Fundamentos y límites…*, *op. cit.*, p. 212. Próximo también a esta corriente, CARO CORIA, D. C.: "Imputación objetiva y compliance penal", *Revista General de Derecho Penal*, núm. 30, 2018, p. 24 y ss.

288 SILVA SÁNCHEZ, J. M.: *Fundamentos…*, *op. cit.*, pp. 358 y 364.

289 ARTAZA VARELA, O.: *La empresa como sujeto de imputación de responsabilidad penal. Fundamentos y límites*, Madrid, Marcial Pons, 2013, p. 334.

290 SILVA SÁNCHEZ, J. M.: "El compliance de detección como «eximente» supralegal para las personas jurídicas", en MARÍN DE ESPINOSA CEBALLOS, E. B. (Dir.): El Derecho penal en el siglo XXI. Liber Amicorum en honor al profesor José Miguel Zugaldía Espinar, Valencia, Tirant lo Blanch, 2021, p. 132.

basándose solo en dos factores. Por un lado, en la vinculación del delito con su actividad y, por el otro, en el discutible criterio de la obtención, real o posible, de un beneficio. Pero estos son criterios de pura heterorresponsabilidad que no justifican suficientemente la imposición de una sanción punitiva a la persona jurídica". Concluyendo que "la imposición de la sanción solo se puede justificar frente a la persona jurídica como organización económica si se constata —precisamente en su organización— un estado peligroso que favorece objetivamente el delito de la persona física".

A partir de aquí, SILVA SÁNCHEZ distingue entre dos "tipos" de *compliance*. Afirmando que disponer de un programa de compliance *inidóneo* ex ante **para la reducción** del riesgo delictivo, pero *idóneo* **para la detección de la tentativa y para la evitación pre-consumativa del delito individual**, debe dar lugar a la exención de responsabilidad[291].

Así, SILVA SÁNCHEZ plantea un triple escenario[292]:

- Que se **evite la consumación**. Entonces, aunque quepa la responsabilidad de la persona jurídica por tentativas de personas físicas, el hecho de que haya sido el programa corporativo de compliance el que haya evitado la consumación la exime de responsabilidad con base en el desistimiento.
- Que, disponiendo de un programa seriamente apto *ex ante* para detectar el delito individual y evitar su consumación, **no logre evitarla**. De nuevo, debe darse aquí una exención de responsabilidad de la persona jurídica en virtud de una interpretación sistemática *a fortiori* a partir del art. 16.3 CP.
- La tercera es que se disponga únicamente de un programa de compliance apto **para la detección de delitos ya consumados** y, partir de ahí, eventualmente colaborar con la administración de justicia. Este tercer caso se mueve ya en la lógica del llamado "desistimiento postconsumativo", es decir, del denominado comportamiento postconsumativo positivo. Como se observa, enlaza con el sistema de atenuantes del art. 31 quater CP.

---

291 *Ibid.*, p. 138.

292 *Idem.*

De forma que, en resumidas cuentas, a juicio de SILVA SÁNCHEZ, "la eximente de compliance apto **para la detección** no tiene la misma ubicación en el sistema de requisitos de responsabilidad de la persona jurídica que la posesión de un modelo de compliance idóneo ex ante **para la neutralización o reducción significativa del riesgo** de que una persona física cometa un delito. Esta es un caso de riesgo permitido. La eximente supralegal de compliance apto ex ante para la detección, en cambio, tiene su ubicación sistemática en la punibilidad y no en el riesgo-empresa permitido"[293].

B) Para otros autores, entre los que nos encontramos, **el art. 31 bis 1 CP (que recoge los criterios de imputación) no alude a los modelos de organización y gestión y, menos aún, que su ausencia o el incumplimiento de las condiciones y requisitos fijados en los arts. 31 bis 2 a 5 CP sea *conditio sine qua non* para declarar la responsabilidad penal de la persona jurídica**[294].

1) *En contra de su consideración como elemento (negativo) del tipo.*

Como evidencia GALÁN MUÑOZ, tal interpretación no se corresponde con el tenor de la ley[295]. En este sentido, para FERRÉ OLIVÉ, la penalización de la persona jurídica por no contar con un *compliance*, "supone atentar seriamente contra el principio de legalidad penal"[296]. Por otro lado, como señala GÓRRIZ ROYO, "el entendimiento de un *compliance* como causa de atipicidad difícilmente permite explicar el régimen de atenuación previsto en el art. 31 bis CP apartados 2 *in fine* y 4 *in fine*, pues así caracterizado, no se entiende cuándo el juez podría otorgar efectos atenuantes a la «acreditación parcial» que se alude en dichos preceptos"[297].

---

293 *Ibid.*, p. 139. La negrita es nuestra.

294 LEÓN ALAPONT, J.: "Los programas de cumplimiento penal como objeto de prueba", *Revista General de Derecho Procesal*, núm. 51, 2020, p. 8.

295 GALÁN MUÑOZ, A.: *Fundamentos y límites...*, *op. cit.*, p. 197.

296 FERRÉ OLIVÉ, J. C.: "Reflexiones en torno al *compliance* penal y a la ética en la empresa", *Revista Penal*, núm. 44, 2019, p. 74.

297 GÓRRIZ ROYO, E.: "Criminal compliance ambiental y responsabilidad de las personas jurídicas a la luz de la LO 1/2015, de 30 de marzo", *InDret*, núm. 4, 2019, p. 20.

En definitiva, como destaca FERNÁNDEZ TERUELO, "lo único que configura la tipicidad es la realización de alguno de los presupuestos del doble hecho de conexión, contenido en los apartados a) y b) del art. 31 bis CP"[298].

Especialmente crítico con la STS (Sala Segunda) 514/2016, de 29 de febrero, se ha mostrado GONZÁLEZ CUSSAC. Los argumentos que emplea este autor son los que, a continuación, se reproducen:

Primero, porque sentó una doctrina sustantiva que en absoluto estaba consensuada[299]. **Segundo**, porque no era necesario formularla en el caso enjuiciado[300]. **Tercero**, porque incurre en la siguiente inversión metodológica: de un dogma material se infiere todo el régimen jurídico, incluido el constitucional. **Cuarto**, porque su doctrina no deriva del texto de la ley, sino de una concepción dogmática previa. **Quinto**, porque los dogmas en los que fundamenta la responsabilidad, especialmente la noción "cultura de cumplimiento de la legalidad", es sumamente vaporoso y aboca a la incerteza de su contenido. **Sexto**, porque en lo relativo a la prueba y carga de la prueba en materia de eximentes ya existe una doctrina muy consolidada. Y **séptimo**, porque con el pretendido objetivo de salvaguardar garantías constitucionales paradójicamente se llega a un extremo difícilmente conciliable con las mismas[301].

En sentido parecido, a juicio de GÓMEZ TOMILLO, la tesis mayoritaria de la referida sentencia[302]:

Primero. Se trata de una construcción al margen de la ley. **Segundo**. Se trata de una construcción dogmática excesivamente ambigua o evanescente. **Tercero**. Presenta una clara

---

298 FERNÁNDEZ TERUELO, J. G.: "El control...", *op. cit.*, p. 197.

299 Debe resaltarse que, de los quince magistrados, siete suscribieron un voto particular común en contra de la interpretación mayoritaria.

300 Se trataba de un pronunciamiento *obiter dicta*.

301 GONZÁLEZ CUSSAC, J. L.: "La eficacia eximente...", *op. cit.*, p. 649.

302 GÓMEZ TOMILLO, M.: "Presunción de inocencia, carga de la prueba de la idoneidad de los «compliance programs» y cultura de cumplimiento", en FRAGO AMADA, J. A.: *Actualidad Compliance* 2018, Cizur Menor, Thomson Reuters-Aranzadi, 2018, pp. 210-211.

desconexión de los fines del Derecho penal que viene constituida por la tutela de bienes jurídicos. **Cuarto.** Se habría transitado de un Derecho penal del hecho a una especie de Derecho penal de autor. **Quinto.** Si lo injusto de las personas jurídicas consiste en una falta de cultura de cumplimiento, toda su responsabilidad podría reducirse a un único delito consistente, precisamente, en la ausencia de una organización eficazmente orientada a impedir la comisión de delitos o infracciones administrativas. **Sexto.** La ausencia de cultura de cumplimiento con lesión de bienes jurídicos coherentemente debería entenderse que excluye la antijuricidad, por lo que se cerraría el paso incluso a una potencial responsabilidad civil. **Séptimo.** Determina una excesiva restricción de las posibilidades sancionatorias, reducidas al ámbito de lo excepcional.

A nuestro juicio, lo más sorprendente es que la STS (Sala Segunda) 154/2016, de 29 febrero, alude a unas categorías (como su asociación de la ausencia de medidas control con el "injusto" y la cultura de respeto al Derecho con la "culpabilidad") que no se extraen de la ley, pues, la única distinción que el Código Penal establece es entre condiciones y requisitos. Es más, se puede decir que la citada resolución, y sus sucesivas, obvian la existencia de tales condiciones y requisitos, pues, ni tan siquiera ubican unos y otros en su clasificación bipartita.

En este sentido, puede afirmarse que el Tribunal Supremo se ha excedido de su función nomofiláctica, por cuanto la exégesis llevada a cabo sobre los criterios de imputación, consideramos, rebasa el tenor del artículo 31 bis CP y, por ende, carece de base legal. Adentrándose, por consiguiente, dicho Tribunal, en parcelas más propias (o exclusivas) del legislador, que es a quien compete la creación de normas (en este caso penales)[303].

El voto particular de la STS (Sala Segunda) 154/2016, de 29 de febrero, alude precisamente a esta cuestión cuando expresa que *"incorporar al núcleo del tipo un elemento tan*

303 LEÓN ALAPONT, J.: "*Criminal compliance…*", *op. cit.*, p. 7.

evanescente como la «ausencia de una cultura de respeto al derecho» no cumple con el principio de certeza, ínsito en el de tipicidad, que exige que los supuestos a los que la ley atribuya una responsabilidad penal aparezcan descritos en el texto legal con la mayor precisión posible, en todos los elementos que los definen. Criterio que, a nuestro entender, no respeta este presupuesto metalegal incorporado en la sentencia mayoritaria al art. 31 bis 1° CP, por su carácter abierto e indeterminado".

Por todo ello, suscribimos al cien por cien las palabras de DOLZ LAGO cuando sostiene que "resulta necesario que la jurisprudencia, si bien muy cerrada en sus tesis contrarias al sistema vicarial, sea crítica consigo misma y acabe de reconocer que se encuentra en este punto equivocada, en una muestra más de la sabiduría que la debe inspirar"[304]. Lo que se necesita es una jurisprudencia que aporte seguridad jurídica, no lo contrario.

2) *Defensa de la constitucionalidad del modelo previsto en el art. 31 bis 1 CP.*

Como resulta evidente, las personas jurídicas no pueden ser autoras materiales de ningún delito, por lo que no se tratará de exigir responsabilidad penal a éstas porque hayan cometido en primera persona un hecho antijurídico. No obstante, a pesar de que no se pueda prescindir del "lastre" que a fin de cuentas supone que la conducta delictiva la realice una persona física, ello no impide atribuir responsabilidad penal a la persona jurídica (siempre y cuando tal "atribución" se establezca conforme a parámetros exclusivamente normativos que resulten constitucionales).

Por ello, aun cuando resulta evidente que la responsabilidad penal de la persona moral siempre descansará en un hecho

---

304 DOLZ LAGO, M. J.: "Doctrina de la Fiscalía General del Estado sobre *Compliance*: Discordancias con la Jurisprudencia", en GÓMEZ COLOMER, J. L. (Dir.): *Tratado sobre Compliance Penal. Responsabilidad Penal de las Personas Jurídicas y Modelos de Organización y Gestión*, Valencia, Tirant lo Blanch, 2019, p. 155.

ajeno, no puede afirmarse que la misma y, por ende, el modelo de los arts. 31 bis y ss. CP, esconda automáticamente una responsabilidad de tipo objetivo o por hecho de otro, pues, a la persona jurídica única y exclusivamente se le pueden atribuir determinados hechos delictivos, cometidos por determinadas personas físicas y bajo determinados presupuestos[305]. De forma que, no se imputa a la persona jurídica un resultado lesivo cualesquiera sean las circunstancias en que éste se produzca.

Así las cosas, como señala GONZÁLEZ CUSSAC, "la conjunción de *presupuestos* y *hechos de conexión* ya descarta la tentación de una aplicación automática u objetiva de la responsabilidad penal a la persona jurídica"[306]. En definitiva, debemos proclamar que "el texto legal español contiene ya presupuestos y requisitos normativos que pueden justificar constitucionalmente la imposición de una pena a una persona jurídica"[307].

---

305 En este sentido, LEÓN ALAPONT, J.: *La responsabilidad penal...*, *op. cit.*, p. 289. GONZÁLEZ CUSSAC, J. L.: "El plano constitucional en la responsabilidad penal de las personas jurídicas", en MORALES PRATS, F; TAMARIT SUMALLA, J. M. y GARCÍA ALBERO, R. (Coords.): *Represión Penal y Estado de Derecho. Homenaje al Profesor Gonzalo Quintero Olivares*, Cizur Menor, Thomson Reuters-Aranzadi, 2018, pp. 571-573. Y NAVARRO CARDOSO, F.: "La responsabilidad penal de las personas jurídicas. Especial referencia a la situación en Brasil" en COUTO DE BRITO, A. (Coord.), *Direito penal e cidadania: parâmetros para um Código penal responsável*, São Paulo, Universidade Presbiteriana Mackenzie, 2019, pp. 54-55.

306 GONZÁLEZ CUSSAC, J. L.: "¿Sobre qué han de decidir los jueces penales?", en *Tratamiento penal de la persona jurídica*, Curso de Formación Continua de Fiscales (código FCO280VC), Centro de Estudios Jurídicos, Madrid, 24 a 26 de septiembre de 2018, p. 14.

307 *Vid*. GONZÁLEZ CUSSAC, J. L.: "El plano técnico-jurídico en la responsabilidad penal de las personas jurídicas", en CANCIO MELIÁ, M.; MARAVER GÓMEZ, M.; FAKHOURI GÓMEZ, Y.; GUÉRREZ TRICARICO, P.; RODRÍGUEZ HORCAJO, D. y BASSO, G. J. (Eds.): *Libro Homenaje al Profesor Dr. Agustín Jorge Barreiro (Vol. 1)*, Madrid, UAM Ediciones, 2019, p. 482. En esta línea, GÓRRIZ ROYO, E.: "Criminal Compliance...", *op. cit.*, pp. 15-16. Y GARCÍA-PANASCO MORALES, G.: "El sistema vicarial y la carga de la prueba sobre los programas de compliance en la responsabilidad penal de las personas jurídicas: hacia la superación de un desencuentro", *Diario La Ley*, núm. 9227, 2018, p. 5.

Por todo ello, como sostiene el citado autor, "en modo alguno puede interpretarse el precepto como un mecanismo de responsabilidad penal objetiva, sino que en todo caso deberá demostrarse la concurrencia de los requisitos legales de impregnación de la persona jurídica, que son los que permiten fundamentar su responsabilidad penal más allá de la responsabilidad individual de las personas naturales"[308]. Añade GONZÁLEZ CUSSAC que "la clave por tanto descansa en la exigencia de aquilatar la concurrencia de los requisitos específicos para poder efectuar la transferencia de responsabilidad, esto es, para poder fundamentarla en criterios constitucionalmente legítimos"[309].

De ahí que suscribamos íntegramente la advertencia hecha en la STS (Sala Segunda) 221/2016, de 16 de marzo (Ponente: Manuel Marchena Gómez): "*desde la perspectiva del derecho a la presunción de inocencia (...), el juicio de autoría de la persona jurídica exigirá a la acusación probar la comisión de un hecho delictivo por alguna de las personas físicas a que se refiere el apartado primero del art. 31 bis del CP, pero el desafío probatorio del Fiscal no puede detenerse ahí. Lo impide nuestro sistema constitucional*".

Efectivamente, una vez se determine que la persona física que ha cometido el delito (*numerus clausus*) pertenezca a alguna de las categorías mencionadas en los apartados a) y b) del art. 31 bis CP, deberá acreditarse que ésta ha actuado: 1) en nombre o por cuenta de la persona jurídica y en su beneficio directo o indirecto; o, 2) en el ejercicio de actividades sociales, por cuenta y en beneficio directo o indirecto de la persona jurídica y los hechos hayan podido realizarse por haberse incumplido gravemente por las personas del apartado a) los deberes de supervisión, vigilancia y control de su actividad atendidas las concretas circunstancias del caso. Lo que no alcanzamos

---

308 GONZÁLEZ CUSSAC, J. L.: "El modelo español de responsabilidad penal de las personas jurídicas", en GÓMEZ COLOMER, J. L.; BARONA VILAR, S. y CALDERÓN CUADRADO, P. (Coords.): *El Derecho Procesal español del siglo XX a golpe de tango*, Valencia, Tirant lo Blanch, 2012, p. 1047.

309 *Ibid.*, p. 1046.

a entender es porque el Tribunal Supremo recurre a otros parámetros distintos de éstos (que son los únicos que prevé la ley) para fundamentar la responsabilidad penal de la persona jurídica. De igual modo, también debemos rechazar las tesis de aquellos que encuentran "insuficiente" los criterios que el art. 31 bis 1 CP fija para exigir responsabilidad penal a la persona jurídica, considerando que son elementos que no justifican suficientemente la culpabilidad de la persona jurídica (según unos); o, la imposición de una pena a ésta (según otros). Y, todo ello, empleando un lenguaje más propio de la sociología que del Derecho, basado ¡claro está! en conceptos "extralegales" o "supralegales" (que no se encuentran en la ley).

Algunos autores, como BOLDOVA PASAMAR, han equiparado los denominados "hechos de conexión" (los previstos en el art. 31 bis 1 CP) con el concepto de "defecto de organización", señalando que éstos y no otros son los elementos constitutivos de la responsabilidad de la persona jurídica. Aquí, aun cuando el autor utiliza el término "defecto de organización" vemos como, en línea con nuestra tesis, lo que legitima la sanción a la persona jurídica es el cumplimiento de los criterios fijados por el art. 31 bis 1 CP (actuar en nombre o por cuenta, en su beneficio; o, en el caso de los subordinados, por no haberse ejercido el debido control)[310].

Concluyendo, el sistema de imputación que contempla el Código Penal en su art. 31 bis no puede reputarse inconstitucional. La inconstitucionalidad puede provenir, a lo sumo, de la aplicación que se haga de éste. Así lo expresa GONZÁLEZ CUSSAC: "los derechos fundamentales a la legalidad y presunción de inocencia pueden verse seriamente infringidos si se continúa aplicando automáticamente una transferencia de responsabilidad eludiendo acreditar todos y cada uno de los presupuestos exigidos en el art. 31 bis CP, o presumiendo su presencia sin una actividad probatoria suficiente"[311].

---

310 BOLDOVA PASAMAR, M. Á.: "Naturaleza jurídica de los programas de cumplimiento", *Revista General de Derecho Penal*, núm. 37, 2022, p. 27.

311 *Ibid.*, p. 1047. Así, el Tribunal Supremo advertía en su sentencia 514/2015, de 2 de septiembre, que *"ya se opte por un modelo de responsabilidad por el hecho*

La Fiscalía General del Estado ha asumido en gran parte tal interpretación. Así, como se encarga de remarcar ésta:

"partiendo de que el art. 31 bis establece un sistema de responsabilidad indirecta o vicarial conforme al cual el fundamento de la responsabilidad penal de la persona jurídica descansa en un hecho ajeno, y no en un hecho propio, la comisión del delito por las correspondientes personas físicas en las condiciones que exige el precepto determinará la transferencia de responsabilidad a la persona jurídica. Ello comporta que con el delito de la persona física nace también el delito de la persona jurídica la cual, no obstante, quedará exenta de pena si resulta acreditado que poseía un adecuado modelo de organización y gestión (...) de este modo, atañe a la persona jurídica acreditar que los modelos de organización y gestión cumplen las condiciones y requisitos legales y corresponderá a la acusación probar que se ha cometido el delito en las circunstancias que establece el art. 31 bis 1º"[312].

3) *Distinción entre el fundamento de la intervención penal y los criterios de imputación que deben concurrir para acordar la responsabilidad penal de una persona jurídica.*

Aun cuando hemos defendido en estas líneas que la atribución de responsabilidad penal a la persona jurídica debe partir de la acreditación de los elementos contenidos en el art. 31 bis 1 CP, estimamos oportuno reseñar que la ausencia de mecanismos de control o su imperfección puede aceptarse como justificación de la intervención penal, pero, en ningún caso su fundamento[313].

---

propio, ya por una fórmula de heterorresponsabilidad, parece evidente que cualquier pronunciamiento condenatorio de las personas jurídicas habrá de estar basado en los principios irrenunciables que informan el derecho penal". En sentido similar se expresa la STS 154/2016, 29 de febrero: "*...de manera que derechos y garantías constitucionales a los que se refieren los motivos examinados (...), como la tutela judicial efectiva, la presunción de inocencia, al juez legalmente predeterminado, a un proceso con garantías, etc. (...) ampararían también a la persona jurídica de igual forma que lo hacen en el caso de las personas físicas cuyas conductas son objeto del procedimiento penal y, en su consecuencia, podrían ser alegados por aquella como tales y denunciadas sus posibles vulneraciones*".

312 Circular de la Fiscalía General del Estado 1/2016, de 22 de enero, sobre la responsabilidad de las personas jurídicas conforme a la reforma del Código Penal efectuada por Ley Orgánica 1/2015, p. 56.

313 En sentido similar, FERRÉ OLIVÉ, J. C.: "Reflexiones en torno...", *op. cit.*, p. 74.

En esta dirección, el voto particular de la STS (Sala Segunda) 154/2016, de 29 febrero, apuntaba lo siguiente: "*(...) no cuestionamos que el fundamento último de la responsabilidad penal de las personas jurídicas se encuentre en la ausencia de medidas eficaces de prevención y control de su funcionamiento interno (...). Pero no compartimos que esta ausencia se pueda calificar, en la específica regulación vigente, como "el núcleo de la tipicidad" o como un elemento autónomo del tipo objetivo definido en el art. 31 bis 1º CP 2015 (...)*".

1.2. Distribución de la carga de la prueba

Si la discusión sobre el modelo teórico de responsabilidad penal de las personas jurídicas no es una cuestión baladí, pues, atañe a aquellos elementos que deben quedar probados para declarar la responsabilidad penal de la persona moral, menos lo es el debate acerca de a quién corresponde probar cada uno de los extremos previstos en el art. 31 bis CP. En este sentido, la naturaleza jurídica que se atribuya a los *compliance programs* condicionará la carga de la prueba sobre éstos y, en parte, también la del resto de aspectos (como seguidamente se verá).

A) La carga de la prueba corresponde a la acusación

Si se mantiene que **la (in)existencia de un plan de cumplimiento penal debe considerarse como un elemento más del tipo previsto en el art. 31 bis CP**, lo que resultaría inadmisible es una interpretación que comportase una inversión de la carga de la prueba, esto es, que recayese sobre la persona jurídica la demostración de gozar de tales mecanismos. De ahí que, quienes sostienen tales tesis, aboguen por esta solución: lo contrario supondría una vulneración del derecho de presunción de inocencia[314]. Con todo, para algún autor como MA-

---

314 *Vid.*, por todos, LASCURAÍN SÁNCHEZ, J. A.: "*Compliance*, debido control y unos refrescos", en ARROYO ZAPATERO, L. y NIETO MARTÍN, A. (Dirs.): *El derecho penal económico en la era compliance*, Valencia, Tirant lo Blanch, 2013, p. 122.

GRO SERVET, lo recomendable sería que fuese la propia persona jurídica la que alegase ostentar el debido *compliance*[315].

FEIJÓO SÁNCHEZ, para quien también la acusación es la que debe probar la tenencia de programas de cumplimiento penal, explica que la versión original del texto exigía expresamente, para la exclusión de la responsabilidad, que la persona jurídica probara la adopción de modelos de organización y gestión. Sin embargo, la versión definitiva que ha acabado siendo Derecho positivo ha eliminado dicha referencia a la exigencia de prueba por parte de la propia persona jurídica[316]. En esta modificación fue sin duda relevante el Dictamen del Consejo de Estado 358/2013, de 27 de junio, que decía lo siguiente:

> *"Resulta llamativo que un precepto penal prevea expresamente que la exención de responsabilidad se concederá 'si se prueba que' concurren ciertas condiciones (primer párrafo del apartado 2), y que solo será de aplicación una atenuante 'si las anteriores circunstancias solo pueden ser objeto de una acreditación parcial' (último párrafo del apartado 2). Por una parte, huelga decir que todo hecho de relevancia penal ha de ser objeto de la correspondiente acreditación; en consecuencia, el precepto debería limitarse a indicar que la persona jurídica podrá quedar exenta de responsabilidad penal 'si se cumplen las siguientes condiciones:...', en una redacción paralela a la más correcta del apartado 6 (...)".*
>
> *"Finalmente, y a mayor abundamiento, entiende el Consejo de Estado que esta deficiente redacción podría tener consecuencias indeseadas desde el punto de vista de la carga de la prueba que, con carácter general y dentro de los procesos penales, pesa sobre la acusación y se proyecta sobre la totalidad de los elementos de la conducta delictiva. En la redacción propuesta por el Anteproyecto, el artículo 31 bis.2 del Código Penal podría llevar a la conclusión de que, debido a que la existencia del programa de compliance se erige en una circunstancia obstativa de la responsabilidad penal de la persona jurídica, tan solo a ella le incumbe la carga material de la prueba de dicho hecho impeditivo, cuando en realidad la acreditación de tales extremos (la inexistencia del programa de compliance o su inaplicación) debería recaer sobre las partes acusadoras".*

---

315 MAGRO SERVET, V.: "Viabilidad de la pericial de compliance para validar la suficiencia del programa de cumplimiento normativo por las personas jurídicas", *Diario La Ley*, núm. 9337, 2019, p. 1.

316 FEIJÓO SÁNCHEZ, B.: "Réplica a Javier Cigüela. A la vez algunas consideraciones sobre las últimas novedades en materia de responsabilidad penal de las personas jurídicas: Circular de la Fiscalía General del Estado 1/2016 y Sentencias del Tribunal Supremo 154/2016, de 29 de febrero y 221/2016, de 16 de marzo", *InDret*, núm. 2, 2016, pp. 30-31.

Por su parte, la **STS (Sala Segunda) 154/2016, de 29 de febrero**, no genera más que confusión en materia de *onus probandi*. Fíjese en la argumentación que emplea[317]:

> En referencia a los modelos de organización y gestión: se trata de una ***"circunstancia de exención de responsabilidad*** *que, en definitiva, lo que persigue esencialmente no es otra cosa que posibilitar la pronta exoneración de esa responsabilidad de la persona jurídica, en evitación de mayores daños reputacionales para la entidad,* ***pero que en cualquier caso no debe confundirse con el núcleo básico de la responsabilidad de la persona jurídica, cuya acreditación por ello habrá de corresponder a la acusación,*** *en caso de no tomar la iniciativa la propia persona jurídica de la búsqueda inmediata de la exención corriendo con la carga de su acreditación como tal eximente".*
>
> *(...)* ***"Núcleo de la responsabilidad de la persona jurídica que, como venimos diciendo, no es otro que el de la ausencia de las medidas de control adecuadas para la evitación de la comisión de delitos,*** *que evidencien una voluntad seria de reforzar la virtualidad de la norma,* ***independientemente de aquellos requisitos, más concretados legalmente en forma de las denominadas 'compliances' o 'modelos de cumplimiento', exigidos para la aplicación de la eximente*** *que, además, ciertas personas jurídicas, por su pequeño tamaño o menor capacidad económica, no pudieran cumplidamente implementar (...)".*

De una primera lectura, podría deducirse que el Tribunal Supremo aboga por una distribución de la carga de la prueba diferente según la cual: la acreditación de la idoneidad de las medidas adoptadas en relación con el delito enjuiciado corresponde a la acusación; mientras que el examen de idoneidad sobre el modelo de cumplimiento en general corresponde a la defensa. Esta es la tesis defendida por GÓMEZ-JARA DÍEZ, quien sostiene que, mientras que el defecto organizativo debe ser acreditado por la acusación, la prueba de la existencia de una cultura de fidelidad al Derecho corresponde a la defensa[318].

Sin embargo, resulta perturbadora la siguiente afirmación, porque parece que el mencionado tribunal se contradice:

---

317 Destacamos en negrita y cursiva los aspectos más relevantes.

318 GÓMEZ-JARA DÍEZ, C.: *El Tribunal Supremo ante la Responsabilidad Penal de las Personas Jurídicas. El inicio de una larga andadura*, Cizur Menor, Thomson Reuters-Aranzadi, 2017, p. 91.

> *"Y si bien es cierto que, en la práctica, será la propia persona jurídica la que apoye su defensa en la acreditación de la real existencia de modelos de prevención adecuados*, *reveladores de la referida «cultura de cumplimiento» que la norma penal persigue*, ***lo que no puede sostenerse es que esa actuación pese, como obligación ineludible, sobre la sometida al procedimiento penal, ya que ello equivaldría a que, en el caso de la persona jurídica no rijan los principios básicos de nuestro sistema de enjuiciamiento penal*** *(...)"*.

Con esta aseveración, el Tribunal Supremo parece no estar distinguiendo entre la carga de la prueba del defecto de organización y de la falta de cultura de respeto al Derecho, por lo que cabe entender que ambos deberán ser demostrados por la acusación.

Por su parte, la **STS (Sala Segunda) 221/2016, de 16 de marzo**, destacaba que:

> *"(...) lo que debería estar fuera de dudas es que el estatuto procesal de la persona jurídica, como venimos insistiendo, no puede dibujarse con distinto trazo en función del anticipado criterio que se suscriba respecto de la naturaleza de su responsabilidad penal o, incluso, en relación con las causas que harían excluir esa responsabilidad y a las que se refieren los apartados 2 y 3 del art. 31 bis. En efecto, ya se califiquen esas causas obstativas de la responsabilidad penal de las personas jurídicas como subsistema de circunstancias eximentes, ya se predique de ellas la condición de excusas absolutorias, de causas de exclusión de la culpabilidad o, como ha llegado a sostenerse, elementos negativos del tipo, la controversia sobre la etiqueta dogmática no puede condicionar el estatuto procesal de las personas colectivas como sujeto singular y diferenciado de la imputación penal.*
>
> *En efecto, de hacerlo así se estaría olvidando que, sea cual fuere el criterio doctrinal mediante el que pretenda explicarse la responsabilidad de los entes colectivos, ésta no puede afirmarse a partir de la simple acreditación del hecho delictivo atribuido a la persona física. La persona jurídica no es responsable penalmente de todos y cada uno de los delitos cometidos en el ejercicio de actividades sociales y en su beneficio directo o indirecto por las personas físicas a que se refiere el art. 31 bis 1 b). Sólo responde cuando se hayan "... incumplido gravemente de los deberes de supervisión, vigilancia y control de su actividad, atendidas las circunstancias del caso". Los incumplimientos menos graves o leves quedan extramuros de la responsabilidad penal de los entes colectivos. La pregunta es obvia: ¿puede sostenerse que el desafío probatorio que asume el Fiscal no incluye la acreditación de que ese incumplimiento de los deberes de supervisión es grave?*
>
> *En definitiva,* ***en la medida en que el defecto estructural en los modelos de gestión, vigilancia y supervisión constituye el fundamento de la responsabilidad del delito corporativo, la vigencia del derecho a la***

> ***presunción de inocencia impone que el Fiscal no se considere exento de la necesidad de acreditar la concurrencia de un incumplimiento grave de los deberes de supervisión.*** *Sin perjuicio de que la persona jurídica que esté siendo investigada se valga de los medios probatorios que estime oportunos —pericial, documental, testifical— para demostrar su correcto funcionamiento desde la perspectiva del cumplimiento de la legalidad".*

A nuestro juicio, la citada resolución incurre en dos graves errores: 1) restar importancia a la naturaleza jurídica asignada a los programas de cumplimiento para así desvincular la carga de la prueba de tal aspecto y exigir en todo caso que es a la acusación a quien compete probar si el compliance cumple o no con los criterios fijados por el Código Penal; y, 2) equiparar los deberes de supervisión, vigilancia y control (a los que solo alude el art. 31 bis 1 b) CP) con los propios mecanismos de compliance. Respecto de esta última cuestión, ¡claro que a la acusación le corresponde probar que (en el caso de que el delito haya sido cometido por parte de una persona física de las enumeradas en la letra b) del art. 31 bis 1 CP) el incumplimiento de los deberes de supervisión, vigilancia y control sea grave (por constituir un elemento del tipo)! Pero, el supuesto "fundamento del delito corporativo" al que algunos aluden es otra cosa bien distinta.

Por otro lado, cabe destacar que, la tesis de que la carga de la prueba de los *compliances* debe ser asumida por la acusación, ha sido también recogida por **quienes conciben la "culpabilidad" de la persona jurídica en términos de "defecto de organización"**[319]. Incluso, también, por aquellos que sostienen que los planes de prevención de delitos operan como **excusa o semiexcusa absolutoria** que afecta al merecimiento de pena[320].

En último lugar, debe advertirse que la polémica en torno a esta cuestión tampoco queda zanjada en el proyectado nuevo Código Procesal Penal, habiéndose perdido claramente una excelente oportunidad para ello (fuere en un sentido o en otro)[321].

---

319 Así, por ejemplo, CASTILLEJO MANZANARES, R.: "Los principios...", *op. cit.*, p. 598 y ss.

320 En este sentido, GÓRRIZ ROYO, E.: "Criminal Compliance...", *op. cit.*, p. 21.

321 Así lo pone de manifiesto PLANCHADELL GARGALLO, A. "Compliance y prueba. Otra vuelta de tuerca a los principios de la prueba", en BARONA VILAR, S. (Ed.): *Justicia poliédrica en periodo de mudanza*, Valencia, Tirant lo Blanch, 2022, pp. 188-189.

B) La carga de la prueba corresponde a la defensa

DE LA MATA BARRANCO, incluso, aun cuando entiende que la existencia de un *compliance* arreglo a los criterios del art. 31 bis 2 a 5 CP implica la **ausencia de hecho injusto**, sostiene que la carga de la prueba respecto de este extremo debe corresponder a la persona jurídica[322].

También para algunos autores que defienden la **"culpabilidad" de la persona moral basándose en la idea de "defecto de organización"**, la carga de la prueba debe recaer en la defensa[323].

Por otro lado, la calificación de los programas de cumplimiento como **excusa absolutoria** que opera como causa de exclusión personal de la punibilidad, ha sido sostenida también por la Fiscalía General del Estado, sin embargo, la conclusión a la que se llega es que la carga de la prueba debe pesar sobre la persona jurídica:

> *"(...) partiendo de que el art. 31 bis establece un sistema de responsabilidad indirecta o vicarial conforme al cual el fundamento de la responsabilidad penal de la persona jurídica descansa en un hecho ajeno, y no en un hecho propio, la comisión del delito por las correspondientes personas físicas en las condiciones que exige el precepto determinará la transferencia de responsabilidad a la persona jurídica. Ello comporta que con el delito de la persona física nace también el delito de la persona jurídica la cual, no obstante, quedará exenta de pena si resulta acreditado que poseía un adecuado modelo de organización y gestión. La construcción remite inequívocamente a la punibilidad y a sus causas de exclusión. Concurrentes en el momento en el que la persona física comete el delito y transfiere la responsabilidad a la persona jurídica, los modelos de organización que cumplen los presupuestos legales operarán a modo de excusa absolutoria, como una causa de exclusión personal de la punibilidad y no de supresión de la punibilidad, reservadas estas últimas causas para comportamientos post delictivos o de rectificación positiva, como los contemplados en las circunstancias atenuantes del art. 31 quater. De este modo, atañe a la persona jurídica acreditar que los modelos de organización y gestión cumplen las condiciones y requisitos legales y corresponderá a la acusación probar que se ha cometido el delito en las circunstancias que establece el art. 31 bis 1º"*[324].

---

322 DE LA MATA BARRANCO, N. J.: "La exclusión...", *op. cit.* pp. 89 y 91.

323 De este parecer, MORALES HERNÁNDEZ, M. A.: "Los criterios...", *op. cit.*, p. 367.

324 Circular de la Fiscalía General del Estado 1/2016, de 22 de enero, sobre la responsabilidad de las personas jurídicas conforme a la reforma del Código Penal efectuada por Ley Orgánica 1/2015, p. 56.

No obstante, la naturaleza jurídica otorgada a los programas de cumplimiento, es variada. Así, a la calificación como causa de exclusión de la punibilidad, se suman otras como las de **causa de exclusión de la culpabilidad**[325], **causa de inexigibilidad, eximente procedimental**[326], etc.

Con todo, la realidad es que el Código Penal rehúye de cualquier artificio dogmático. Prueba de ello es que éste sólo se refiere a cuatro grandes grupos de supuestos, que conducirían a la absolución, con las siguientes fórmulas:

a) "están exentos de las penas" (art. 454 CP), "quedará exenta de pena" (arts. 177 bis 11 CP y 354. 2 CP), "quedará exento de pena" (arts. 218. 2 CP, 225 bis 4 CP, 426 CP, 462 CP, 480 CP, 496 CP y 504 CP), "quedará exento de toda pena" (art. 207 CP).

b) "están exentos de responsabilidad criminal" (arts. 20 CP y 268.1 CP), "quedarán exentos de responsabilidad criminal" (art. 16.2 CP), "quedará exento de responsabilidad criminal (art. 307 ter 3 CP).

c) "quedará exenta de responsabilidad" (arts. 31 bis 2 y 4 CP), "quedará exento de responsabilidad" (art. 210 CP).

d) "salvo que" (arts. 305. 1 CP, 307. 1 CP, 308. 1 CP).

Así las cosas, de lo dicho hasta el momento, podemos establecer las siguientes consideraciones provisionales:

1) Ya hemos defendido que no estamos ante una causa de atipicidad.

2) Podría sostenerse que no es una causa de exclusión de la pena, porque el art. 31 bis 2 y 4 CP dicen literalmente: "quedará exenta de responsabilidad", y no de pena. Y, por tanto, ésta sí sería una distinción pretendida por el legislador.

   Pero es que, por ejemplo, el art. 207 CP (calumnias) habla de exención **de pena**, y el art. 210 CP (injurias) habla de exención **de responsabilidad**; cuando ambos preceptos regulan la misma exención (*exceptio veritatis*).

---

325 Voto particular de la STS 154/2016, de 29 de febrero.

326 SILVA SÁNCHEZ, J. M.: *Fundamentos...*, *op. cit.*, p. 402.

3) Para no perdernos en un debate estéril, a efectos prácticos (de aplicación del Código Penal), más allá de la puesta de etiquetas a los *compliance programs* lo importante es que se cumplan los requisitos que se exijan para la **exención de responsabilidad** (en palabras del Código Penal) y determinar a quién corresponde la prueba de los mismos.

En este sentido, como afirma FERNÁNDEZ TERUELO, "sólo una vez acreditada la presencia de los elementos del injusto con todos sus requisitos, podrá valorarse, el posible efecto exoneratorio –total o parcial— derivado de la previa implantación y cumplimiento (eficaz) de unos específicos esquemas organizativos de prevención de delitos que se determinan en los apartados 2, 3, 4 y 5 del art. 31 bis (...)"[327]. En consecuencia, como destaca GONZÁLEZ CUSSAC, dado que el texto legal equipara, en su configuración, a las condiciones de los arts. 31 bis 2 y 4 CP con las circunstancias eximentes y atenuantes, "debe aplicarse la doctrina general ya existente, consolidada y conocida"[328]. Así pues, a nuestro juicio, queda meridianamente claro que los programas de cumplimiento penal merecen la consideración de **eximentes o atenuantes**, según el caso, y, en consecuencia, como no podría ser de otro modo, su prueba corresponde a la persona jurídica que pretende hacerse valer de tales efectos[329]. De modo que a la acusación únicamente le correspondería acreditar la concurrencia de los elementos contemplados en el art. 31 bis 1 CP.

No se trataría, por tanto, de que la carga de la prueba tuviese que recaer sobre la defensa porque en caso de exigir tal pretensión a la

---

[327] FERNÁNDEZ TERUELO, J. G.: "El control...", *op. cit.*, p. 197.

[328] GONZÁLEZ CUSSAC, J. L.: "La eficacia eximente...", *op. cit.*, p. 654.

[329] LEÓN ALAPONT, J.: "*Criminal compliance...*", *op. cit.*, p. 11. Así lo ha entendido la mayoría de autores. *Vid.*, entre otros, BOLDOVA PASAMAR, M. Á.: "Naturaleza jurídica...", *op. cit.* p. 30. FERNÁNDEZ HERNÁNDEZ, A.: "Los programas penales...", *op. cit.*, pp. 322 y 330. GÓMEZ TOMILLO, M.: "Presunción de inocencia...", *op. cit.*, p. 206. GARCÍA-PANASCO MORALES, G.: "El sistema vicarial...", *op. cit.*, p. 5. DEL MORAL GARCÍA, A.: "Eficacia de los programas de cumplimiento", en JUANES PECES, Á. (Dir.): *Compliance Penal*, Madrid, Francis Lefebvre, 2017, p. 283. Y FARALDO CABANA, P: "Medidas para contener la culpabilidad en los delitos imputables a las empresas", en JUANES PECES, Á. (Dir.): *Compliance Penal*, Madrid, Francis Lefebvre, 2017, pp. 133.

acusación ello escondería en el fondo una *probatio diabolica*. Ni tampoco, porque la persona jurídica estuviera en mejores condiciones de acreditar las exigencias del Código Penal.

Como sostiene la más ilustre doctrina procesalista, para obtener una sentencia absolutoria, la defensa tiene la carga de la prueba de los hechos impeditivos, extintivos o excluyentes[330]. En este sentido, es doctrina reiterada del Tribunal Supremo[331] y del Tribunal Constitucional[332] que el *onus probandi* de las eximentes corresponde a la defensa.

En línea con lo aquí mantenido, el voto particular de la STS (Sala Segunda) 514/2016, de 29 de febrero, expresaba lo siguiente:

> *"(...) Los presupuestos específicos de la responsabilidad penal de las personas jurídicas o elementos del tipo objetivo a que se refiere la sentencia mayoritaria, vienen expresamente definidos por el Legislador en los párrafos a) y b) del párrafo 1° del art. 31 bis CP, y estos son los que deben ser probados por la acusación, y expresamente reflejados en el relato fáctico de la sentencia, para permitir la subsunción jurídica adecuada (...).*
>
> *(...) no apreciamos razón alguna que justifique alterar las reglas probatorias aplicables con carácter general para la estimación de circunstancias eximentes, imponiendo que en todo caso corresponda a la acusación la acreditación del hecho negativo de su no concurrencia (...)*
>
> *(...) Constituye una regla general probatoria, consolidada en nuestra doctrina jurisprudencial, que las circunstancias eximentes, y concretamente aquellas que excluyen la culpabilidad, han de estar tan acreditadas como el hecho delictivo. En cuanto pretensiones obstativas de la responsabilidad, y una vez acreditada la concurrencia de los elementos integradores del tipo delictivo objeto de acusación, corresponde a quien las alega aportar una base racional suficiente para su apreciación, y en el caso de que no se constate su concurrencia, la consecuencia no es la exención de responsabilidad penal sino la plena asunción de la misma (...)*
>
> *(...) Sin perjuicio de todas las matizaciones que puedan hacerse a esta doctrina general, y que estimamos que no corresponde ahora desarrollar,*

---

330 Así, por ejemplo, MORENO CATENA, V.: "El desarrollo del juicio oral", en MORENO CATENA, V. y CORTÉS DOMÍNGUEZ, V.: *Derecho Procesal Penal*, Valencia, Tirant lo Blanch, 2019, p. 428. Y GIMENO SENDRA, V.: *Manual...*, *op. cit.*, p. 596.

331 Entre las más significativas pueden destacarse las SSTS 531/2007, de 18 de junio y 336/2009, de 2 de abril.

332 A título ilustrativo cabe citar las SSTC 36/1996, de 11 de marzo y 87/2001, de 2 de abril.

consideramos que no procede constituir a las personas jurídicas en un modelo privilegiado de excepción en materia probatoria, imponiendo a la acusación la acreditación de hechos negativos (la ausencia de instrumentos adecuados y eficaces de prevención del delito), sino que corresponde a la persona jurídica alegar su concurrencia, y aportar una base racional para que pueda ser constatada la disposición de estos instrumentos. Y, en todo caso, sobre la base de lo alegado y aportado por la empresa, deberá practicarse la prueba necesaria para constatar la concurrencia, o no, de los elementos integradores de las circunstancias de exención de responsabilidad prevenidas en los párrafos segundo o cuarto del art. 31 bis, en el bien entendido de que si no se acredita la existencia de estos sistemas de control la consecuencia será la subsistencia de la responsabilidad penal (...)".

De ahí que se concluya con una afirmación apodíctica que compartimos: "*(...) Por ello nos causa preocupación, en la medida en que puede determinar un vaciamiento de la responsabilidad penal de las personas jurídicas, e incluso su impunidad, la propuesta de inversión del sistema ordinario de prueba en esta materia (...)*".

Por último, DEL MORAL GARCÍA, aun cuando se posiciona a favor de considerar los *compliances* como eximentes y, en consecuencia, la carga de la prueba de los programas de cumplimiento corresponde a la defensa, introduce un matiz a considerar: "si hay dudas respecto de la plena satisfacción de todas las exigencias contenidas en el art. 31 bis (en relación con los modelos de organización y gestión) no procede su condena, sino su absolución"[333]. El citado autor, se muestra en contra de la clásica jurisprudencia a tenor de la cual, las eximentes, atenuantes o demás hechos excluyentes de la responsabilidad penal para ser apreciadas han de estar "tan acreditadas como el hecho mismo". Alude a que ese axioma está diluyéndose ya en la jurisprudencia (cita SSTS 639/2016, de 14 de julio; 802/2016, de 26 de octubre y 335/2017, de 4 de abril). En igual sentido, para NEIRA PENA, si el juzgador tiene dudas razonables acerca de la concurrencia de la exi-

---

333 DEL MORAL GARCÍA, A.: "Eficacia...", *op. cit.*, pp. 284-285. En igual sentido, GONZÁLEZ CANO, I.: "La prueba sobre la infracción de los deberes de supervisión, vigilancia y control. Especial consideración de los programas de cumplimiento penal", en GÓMEZ COLOMER, J. L. (Dir.): *Tratado sobre Compliance Penal. Responsabilidad Penal de las Personas Jurídicas y Modelos de Organización y Gestión*, Valencia, Tirant lo Blanch, 2019, p. 891. Y CASTILLEJO MANZANARES, R.: "Los principios...", *op. cit.*, p. 604.

mente, en virtud del derecho a la presunción de inocencia y del principio *in dubio pro reo*, procederá dictar una sentencia absolutoria[334].

Como resulta evidente, la persona jurídica debe condenarse "más allá de toda duda razonable". Por tanto, si esa "duda razonable" se plantea en relación con ciertos aspectos del art. 31 bis 1 CP (si es una de las personas físicas que transfieren la responsabilidad; si actuaba en nombre o por cuenta; o en beneficio directo o indirecto; en el ejercicio de actividades sociales; o, si ha habido un incumplimiento grave) deberá absolverse. Pero, a nuestro modo de ver, si existen dudas sobre la eficacia eximente de los planes de prevención de delitos, lo que procede es la atenuación (por acreditación parcial del modelo) de su responsabilidad, no su exculpación absoluta. Esto es, el hecho de que exista algún resquicio que nos impida asegurar con casi absoluta certeza que el programa de cumplimiento no reúne plenamente todas las condiciones y requisitos exigidos por el Código Penal no debería conllevar a la absolución, pues, para estos casos, el art. 31 bis 2 y 4 CP contempla literalmente la atenuación de responsabilidad. Eso sí, también en estos supuestos deberá acreditarse más allá de toda duda razonable los déficits del compliance que sustentarían que aun con una rebaja de pena la persona jurídica sería condenada.

PRECISIÓN: este debería ser, a nuestro juicio, el estándar probatorio que debería utilizarse en relación con la acreditación del grado de adecuación de los modelos de organización y gestión con respecto de los criterios que marca el Código Penal. Rebajar el grado de exigencia recurriendo a otros parámetros como el criterio más laxo de la "regla de la prueba clara y convicente" (*clear and convincing evidence*) no nos parece una solución admisible[335].

La primera de las reglas (por la que abogamos) dificulta a la defensa su exoneración (si se entiende que corresponde a ésta la prueba del modelo) y, en su caso, a la acusación el hecho de acreditar que el modelo no cumple con lo dispuesto en el Código Penal (si se sostiene la tesis contraria). Por el contrario, recurriendo a la otra regla, tanto para la defensa como para la acusación las cosas se presentarían de forma más sencilla (tanto en uno como en otro sen-

---

334 NEIRA PENA, A. M.: *La defensa penal de la persona jurídica. Representante defensivo, rebeldía, conformidad y compliance como objeto de prueba*, Cizur Menor, Thomson Reuters-Aranzadi, 2018, pp. 330-331 y 335.

335 A favor de este planteamiento, LASCURAÍN SÁNCHEZ, J. A.: "¿Cuánto hay que probar el incumplimiento?, *Almacén de Derecho*, 14 de febrero de 2020. Disponible en: https://almacendederecho.org/cuanto-hay-que-probar-el-incumplimiento [Consulta: 30 de marzo de 2022].

tido). Con todo, esta mayor facilidad no puede utilizarse, en nuestra opinión, para renunciar a un estándar probatorio más exigente y, en consecuencia, más garantista y respetuoso con los principios constitucionales en los que se basa nuestro sistema penal.

C) Propuesta ecléctica

i) según la persona física que haya cometido el delito

Algunos autores han propuesto seguir un modelo como el previsto en Italia en los arts. 6 y 7 del Decreto legislativo 231/2001, de 8 de junio. Así, por ejemplo, para NEIRA PENA, en el caso de que el delito fuera cometido por una de las personas enumeradas en la **letra a) del art. 31 bis 1 CP**, cabría establecer una presunción *iuris tantum* y, en consecuencia, tendría que ser la persona jurídica quien para quedar exenta de responsabilidad debiera acreditar la existencia de medidas de *compliance*. Por el contrario, cuando el delito fuere cometido por personas de la **letra b) del art. 31 bis 1 CP**, sería a la acusación a quien correspondería demostrar que se omitieron los deberes de control, etc[336].

En nuestra opinión, aun cuando se trata de una interpretación plausible, consideramos que no puede ser aceptada. En este sentido, lleva razón la citada autora cuando afirma que la acusación en el caso de la letra b) del art. 31 bis 1 CP tiene que demostrar que hubo *"incumplimiento grave de los deberes de supervisión, vigilancia y control"* por parte de las personas citadas en la letra a) de dicho apartado. Pero, eso no supone que tenga que probar la existencia de un sistema de *compliance*, lo cual es infinitamente más amplio y una cosa bien distinta.

A una solución inversa a la planteada más arriba llega PÉREZ GIL, para quien, cuando el delito fuese cometido por sujetos en una posición apical, debiera ser la acusación quien tuviera que correr con la carga de la prueba; mientras que, en el caso de los subordinados, tendría que ser la defensa[337].

---

336 *Cfr.* NEIRA PENA, A.M.: "La prueba en el proceso penal frente a las personas jurídicas", en PÉREZ-CRUZ MARTÍN, A. J.: *Proceso penal y responsabilidad penal de personas jurídicas*, Cizur Menor, Thomson Reuters-Aranzadi, 2017, pp. 287-288. De este parecer, GONZÁLEZ CANO, I.: "La prueba...", *op. cit.*, pp. 890-893.

337 *Cfr.* PÉREZ GIL, J.: "Carga de la prueba y sistemas de gestión de compliance", en GÓMEZ COLOMER, J. L. (Dir.): *Tratado sobre Compliance Penal. Responsabilidad Penal de las Personas Jurídicas y Modelos de Organización y Gestión*, Valencia, Tirant lo Blanch, 2019, p. 1080.

ii) la propuesta de SILVA SÁNCHEZ

Como vimos, según este autor[338], "el estado de cosas peligroso de favorecimiento de delitos de los integrantes de la entidad es un elemento positivo supralegal fundamentador de la responsabilidad de la persona jurídica (que estructuralmente resulta próximo a la apreciación en ella de una participación objetiva). **La existencia de ese estado de cosas peligroso tiene que ser probada por la acusación más allá de toda duda razonable**, al igual que los demás vínculos entre el hecho delictivo individual y la persona jurídica que requiere explícitamente la ley" (la negrita es nuestra).

Sin embargo, siguiendo los postulados de SILVA SÁNCHEZ, "siempre que exista tal estado peligroso de favorecimiento y los demás vínculos legalmente requeridos, todavía hay otro elemento que debe tomarse en consideración para decidir sobre la responsabilidad de la persona jurídica". Según él, que "el riesgo existente sea precisamente un riesgo «no permitido» (por ausencia de un programa adecuado de compliance)". De ahí que, "la *defense* consistente en sostener que el estado de cosas peligroso de la persona jurídica está condicionadamente permitido —esto es, la afirmación de que la entidad cuenta con un programa adecuado de compliance— constituye, por tanto, una defensa afirmativa. La *defense* que afirma que el riesgo de la persona jurídica estaba permitido es, a su vez, una eximente vinculada a la existencia de unas disposiciones y procedimientos formales, a los que el Derecho positivo les atribuye la naturaleza de condiciones de la permisión del riesgo representado por la persona jurídica. Como tal defensa afirmativa, **la prueba de la existencia de las condiciones (procedimentalizadas) de permisión del riesgo representado por la persona jurídica le corresponde a la defensa**" (la negrita es nuestra).

1.3. Medios de prueba: especial mención a las certificaciones

Como señala la STS (Sala Segunda) 221/2016, de 16 de marzo, los medios de prueba habituales para acreditar la existencia de modelos

338 SILVA SÁNCHEZ, J. M.: "El debate sobre la prueba del modelo de compliance: una breve contribución", *InDret*, núm. 1, 2020, editorial, p. V.

de organización y gestión son: la prueba documental, la pericial y la testifical.

A) Documental

Como señala NEIRA PENA, "a pesar de su innegable utilidad, la aportación documental del programa en cuestión no puede ser considerada suficiente para verificar la efectividad del mismo. Esta insuficiencia se debe a que, la eficacia del programa se deriva, no sólo de su configuración genérica, sino también de su efectiva y concreta implementación en la estructura del ente. Por lo tanto,(...) no basta con el establecimiento abstracto de un conjunto de declaraciones programáticas sobre el compromiso de la entidad con la cultura de cumplimiento del Derecho, ni siquiera con la previsión de prevenciones y controles concretos, sino que exige la efectiva implementación o puesta en práctica de tales controles y la adaptación de la actividad del ente (...) a las reglas o protocolos diseñados y preordenados a neutralizar, en la medida de lo jurídicamente exigible, los riesgos delictivos propios de su desempeño"[339]. De ahí que resulte esencial el registro y archivo documental de toda la actividad de *compliance*. En especial, por ser el tema que aquí nos trae, lo atinente a las comunicaciones recibidas a través de los canales de denuncia, su tramitación, resolución, acciones adoptadas, etc.; y, de igual modo, hacer lo propio con respecto del desarrollo de investigaciones internas, conclusiones alcanzadas, etc.

Que el plan de prevención de delitos conste por escrito no es una exigencia del Código Penal, pero, de esta forma: a) se facilita la acreditación de su existencia; y, b) se favorece su conocimiento, difusión, ejecución y actualización[340]. En igual sentido, permite la verificabilidad de las actuaciones (trazabilidad); la documentación de las "operaciones" (actuaciones); y, la constancia documental de los controles (registro de que se lleven a cabo). En definitiva, que el *compliance* esté protocolizado posibilita acreditar cronológicamente la existencia real y el contenido del modelo.

---

339 NEIRA PENA, A.M.: "La prueba...", *op. cit.*, p. 284.

340 BACHMAIER WINTER, L.: "Responsabilidad penal de las personas jurídicas: definición y elementos de un programa de *compliance*", *Diario La Ley*, núm. 7938, 2012, p. 4.

La UNE 19601:2017 establece en su apartado 6.1 que la organización debe determinar la manera de generar evidencias de cumplimiento en el momento de realizar los controles o revisiones y su gestión propia o por terceros de forma inalterable e íntegra para su posible presentación en futuros procedimientos judiciales que afecten a la organización.

Con mayor nivel de detalle, el citado estándar recoge en su Anexo C la información documentada mínima necesaria en un sistema de gestión de *compliance* penal:

a) El alcance del sistema de gestión de *compliance* penal.

b) La política de *compliance* penal.

c) Procedimientos para la delegación de facultades.

d) La identificación, el análisis y la evaluación de riesgos penales, así como la metodología y criterios utilizados.

e) Los objetivos de *compliance* penal.

f) Estándar común y publicado de comportamiento con el que la organización se compromete.

g) La evidencia de la competencia existente o adquirida en relación con el personal de *compliance*.

h) Procedimientos para la diligencia debida con los miembros de la organización.

i) La información acerca de la formación y otros recursos disponibles para mejorar su conocimiento en el ámbito del *compliance* penal.

j) La información que la organización ha determinado como necesaria para a eficacia del sistema de gestión de *compliance* penal.

k) La información documentada de origen externo que la organización ha considerado como necesaria para la planificación y operación del sistema de gestión de *compliance* penal.

l) La considerada necesaria para disponer de evidencias que soporten que los procesos, procedimientos y controles se han llevado a cabo según lo planificado.

m) Procedimientos de diligencia debida realizados.

n) Procedimientos para entidades bajo control.

ñ) Procedimientos para incumplimientos e irregularidades.

o) Procedimientos para la investigación de incumplimientos e irregularidades.

p) La evidencia de los resultados del seguimiento y medición, así como los informes de prevención.

q) La evidencia de la implementación del programa de auditoría y de los resultados de las auditorías.

r) La evidencia de los resultados de las revisiones realizadas por el órgano de *compliance* penal.

s) La evidencia de los resultados de las revisiones realizadas por la alta dirección.

t) La evidencia de los resultados de las revisiones realizadas por el órgano de gobierno.

B) Pericial

La confianza en el conocimiento experto, al menos en términos probatorios, parece dotar de mayor "objetividad" la valoración sobre la idoneidad de los programas de cumplimiento penal. Por ello, este tipo de prueba puede ser la más recurrida. Con todo, debe advertirse que no debería ser el único medio en el que personas jurídicas y jueces hicieran descansar sus estimaciones. Tanto la prueba documental como la testifical deben coadyuvar a tal fin.

i) Tipos de pericia y limitaciones.

Las tres principales formas en que puede presentarse la pericia son las siguientes:

a) certificación de entidad habilitada para ello.

b) auditoría de empresa externa.

c) dictamen emitido por profesional (persona física).

No obstante, todas ellas presentan una serie de **limitaciones** que pasamos a describir a continuación:

1) Temporal. La validez de la pericial quedará condicionada por la fecha en que se practicó, por tanto, aporta información sobre una foto fija del modelo. En consecuencia, habrá que indagar si ha sucedido algún evento en la organización desde entonces que hubiera hecho ineficaz —o mermado la

eficacia— del *compliance*. Quizás, el ejemplo más evidente sea el de la verificación-modificación del plan de prevención (requisito sexto del art. 31 bis 5 CP).

Incluso, en el caso concreto de la certificación por entidad acreditada para ello, aun cuando la certificación del modelo siga vigente en el momento de aportarse en juicio, ello no implica que el sistema de *compliance* se encuentre en el mismo estado que cuando se emitió la certificación (o ésta fue renovada). En este sentido, podríamos decir, si se me permite la expresión, que la "pegatina" puede despegarse. O sea, que ni la vigencia de la certificación es *per se* garantía de su idoneidad.

2) El alcance de la pericia. La fiabilidad de esta prueba dependerá de que se ciña a comprobar sólo alguno o varios de los siguientes elementos:
   - *el diseño formal* (sobre el papel): que la confección del *compliance* sea la adecuada conforme a los parámetros que se tomen de referencia para elaborar la pericia.
   - *el grado de implementación*: que efectivamente los mecanismos de *compliance* estén implantados, la persona jurídica haya procedido a realizar los cambios organizativos oportunos, etc.
   - *el grado de ejecución/cumplimiento* de las directrices del modelo: funcionamiento real.

3) El nivel de concreción.

   El juicio de idoneidad sobre el programa de cumplimiento penal (condiciones y requisitos) requiere mayormente de una comparación con respecto del "delito enjuiciado". En cambio, puede, incluso resulta razonable, que la pericia (en cualquiera de sus manifestaciones) no llegue a ofrecer información sobre este aspecto.

EJEMPLO: el simple dato de que la persona jurídica disponía de un canal de denuncias, y la constatación de su uso al existir denuncias en curso, no acredita el requisito del art. 31 bis 5. 4º CP. Habrá que comprobar si se recibió una denuncia sobre la concreta conducta finalmente delictiva, si se tramitó, se dio respuesta, se acordó iniciar algún tipo de averiguación, se realizó alguna acción correctiva o sancionadora, etc.

En este sentido, como apunta NIETO MARTÍN, la certificación resulta más bien útil para acreditar lo que él denomina idoneidad "en abstracto" del modelo: si ha existido formación, si el canal de denuncias funciona, si se imponen sanciones disciplinarias, si los procedimientos generalmente se aplican, la revisión y adaptación periódica del programa, etc.[341].

Pero, al final, de lo que se trata es de constatar la existencia de medidas de prevención para hechos "de la misma naturaleza". Y no una comprobación generalista sobre la "arquitectura" o "armazón" del modelo.

La anterior afirmación tampoco puede conducir a pensar que solo deba valorarse la idoneidad de las concretas medidas establecidas en el modelo para la prevención de la conducta delictiva que se atribuye a la persona jurídica[342]. Lo que sucede es que, en algunos casos, esa idoneidad "en abstracto" se sobreentenderá.

EJEMPLO: si en la persona jurídica no hubiera establecido un canal de denuncias no podríamos entrar a debatir si, en el caso que nos ocupa, hubo denuncia, se gestionó, se resolvió, se acordó llevar a cabo algún tipo de comprobación interna, se sancionó (en su caso), incluso si ello produjo una modificación del modelo. O, naturalmente, tampoco cabrá debatir sobre si en un determinado caso se sancionó un incumplimiento del modelo si la organización no contase con un régimen sancionador establecido previamente.

4) Objeto de "pericia". Adecuación a:

- *estándares (UNE 19601:2017)*: al fin y al cabo, se trata de "una" interpretación de lo que dispone el Código Penal en consonancia con lo que disponen otros estándares/normas sobre sistemas de gestión, de auditoría, sobre gestión de riesgos, etc.

  Una de las más empleadas es la **Norma UNE 19601:2017** sobre *"Sistemas de gestión de compliance penal. Requisitos con orientación para su uso"*, que fue elaborada por el

---

341 NIETO MARTÍN, A.: "Problemas fundamentales...", *op. cit.*, p. 44.

342 De ahí que pueda hablarse de una idoneidad del modelo "en abstracto" y otra "en concreto". *Vid.* LEÓN ALAPONT, J.: "*Criminal compliance...*", *op. cit.*, p. 13.

comité técnico CNT 307 *Gestión de riesgos* de **AENOR**. La Asociación Española de Normalización y Certificación, es una asociación privada sin ánimo de lucro, reconocida legalmente en España como organismo nacional de normalización conforme a lo establecido en el Reglamento de la Infraestructura para la Calidad y la Seguridad Industrial, aprobado por el Real Decreto 2200/1995 y en el Reglamento (UE) 1025/2012 sobre Normalización Europea.

Como nos recuerda CASANOVAS YSLA, el nivel de exigencia y concreción de la norma UNE 19601:2017 sobrepasa los establecido en el Código Penal, incorporando una serie de buenas prácticas reconocidas en la esfera internacional pero no presentes en el art. 31 bis CP. Por ello, la falta de cumplimiento de todos sus requisitos no siempre implicará el incumplimiento de las exigencias de la normativa española ni, por lo tanto, agotará las posibilidades de defensa de la persona jurídica para exonerar su responsabilidad criminal[343]. Ahora bien, para la certificación del *compliance* sí deben darse todos los requisitos exigidos en el citado estándar.

Por otro lado, debe saberse que sólo pueden ser Entidades Certificantes de la UNE 19601:2017 aquellas acreditadas por la **ENAC** (Entidad Nacional de Acreditación)[344]. Entre ellas se encuentra la propia AENOR. Respecto de esta cuestión, las empresas que aspiren a ser entidades certificantes, deberán tener presentes la UNE 165019:2018 sobre "*Sistemas de gestión de compliance penal. Requisitos para los organismos que realizan la auditoría y la certificación de sistemas de gestión de compliance penal conforme a la Norma UNE 19601*"[345].

---

343 CASANOVAS YSLA, A.: "La norma UNE 19601...", *op. cit.*, pp. 915-916.

344 *Vid.*, sobre este particular, BONATTI BONET, F.: "Claves para introducirse en la certificación de sistemas de gestión de compliance penal", en FRAGO AMADA, J. A.: *Actualidad Compliance 2018*, Cizur Menor, Thomson Reuters-Aranzadi, 2018, pp. 145-146 y 155-156.

345 Esta nueva norma complementa a la norma internacional UNE-EN ISO/IEC 17021-1:2015 que es la referencia para la acreditación de las entidades de cer-

Con todo, existen otro tipo de estándares que, sin abordar el compliance desde una perspectiva netamente penal también gozan de un número considerable de adeptos. Así, a título ilustrativo, podríamos citar la UNE-ISO 37301:2021 sobre "*Sistemas de gestión del compliance. Requisitos con orientación para su uso*". Y, más concretamente, en el ámbito que aquí abordamos, la UNE-ISO 37002:2021 sobre "*Sistemas de gestión de la denuncia de irregularidades. Directrices*". Si bien, por ejemplo, esta última no es certificable.

PRECISIÓN: No obstante, ante la confianza ciega que la mayoría de autores tienen depositada en las certificaciones expedidas por las entidades acreditadas para ello, en nuestro caso, el reparo es máximo. No porque mostremos recelo de las mismas, sino porque tan sólo deben ser valoradas como un elemento más de prueba y, en consecuencia, darles la importancia que merecen. En igual sentido, no llegamos a entender la influencia que entidades privadas como, por ejemplo, AENOR, tienen cada vez más en el ámbito "normativo" y, muestra de ello es, el sector compliance. Por tanto, sin despreciar en modo alguno la importante labor que estas entidades realizan, consideramos que se les da un protagonismo sobredimensionado, pues, al fin y al cabo, no son ni legislador, ni jueces, ni parte de la Administración Pública.

---

tificación de sistemas de gestión y en ella se establecen los requisitos adicionales que deben cumplir las certificadoras para poder acreditar específicamente su actividad de certificación de sistemas de gestión de compliance penal conforme a la norma UNE 19601. La aprobación de la nueva UNE 165019 significa el acuerdo y consenso entre partes interesadas sobre cómo debe realizarse tal certificación conseguido a través de un proceso de normalización oficial. El grupo de trabajo de UNE responsable de la elaboración de la norma, presidido por ENAC, ha contado con representantes de organismos de certificación, bufetes de abogados y otras entidades del sector algunos de los cuales ya formaron parte del equipo que desarrolló la norma UNE 19601. Hasta la publicación de esta nueva norma, la evaluación y acreditación por parte de ENAC de la competencia técnica de una entidad de certificación de sistemas de gestión de compliance penal se venía realizando tomando como criterio de referencia la norma UNE-EN ISO/IEC 17021-1:2015 complementada en alguno de sus apartados con el CEA-ENAC-23 (Criterios específicos de acreditación para la certificación de sistemas de gestión de compliance penal según la norma UNE 19601). A partir de ahora ENAC adoptará la norma UNE 165019 como criterios adicionales de acreditación para la certificación de UNE 19601 por lo que ha procedido a anular el documento CEA-ENAC-23.

- *otras interpretaciones* sobre el significado de los arts. 31 bis 2 a 5 CP.

  Obsérvese que, en ambos casos, van a ser interpretaciones sobre lo que el Código Penal exige en los citados preceptos, pues, aunque algunos se horroricen por el nivel de "reglamentación" que exhiben los arts. 31 bis 2 a 5 CP, todos sus términos son ambiguos. De hecho, esto es lo que criticamos especialmente. De forma que, o habrá que esperar a futuros pronunciamientos judiciales que vayan delimitando cada una de las condiciones y requisitos a los que el Código Penal alude, o habrá que detallar mucho más los parámetros que éste fija en la actualidad.

5) Falta de imparcialidad.

   Si la pericial es de parte, y sin dudar de la profesionalidad de quien la elabore, huelga explicar por qué la imparcialidad de la pericia puede ponerse en tela de juicio. En este sentido, MATUS ACUÑA compara las certificaciones con una suerte de Bula papal. En el sentido de que la certificación es "susceptible de ser comprada al precio puesto por el vendedor" aun sin haber hecho méritos para merecerla. Dicho de otra forma: dado que la persona jurídica adquiere el estatus de cliente frente a la certificadora, esto, evidentemente, puede comprometer su imparcialidad[346].

ii) Valor probatorio

Como ha puesto de relieve la doctrina, el papel que se debe otorgar a la prueba pericial (en general) y, concretamente, a las certificaciones, no es otro que el de un elemento más de juicio a tener en cuenta por el Juez o Tribunal, pues, la valoración sobre la concurrencia de cada uno de aspectos exigidos en los arts. 31 bis 2 a 5 CP es competencia exclusiva de los órganos judiciales[347]. En esta dirección, para la Fiscalía General del Estado

---

346 MATUS ACUÑA, J. P.: "La certificación de los programas de cumplimiento", en ARROYO ZAPATERO, L. y NIETO MARTÍN, A. (Dirs.): *El derecho penal económico en la era compliance*, Valencia, Tirant lo Blanch, 2013, p. 151.

347 *Vid.*, entre otros, FERRÉ OLIVÉ, J. C.: "Reflexiones en torno...", *op. cit.*, p. 77. LEÓN ALAPONT, J.: "*Criminal compliance...*", *op. cit.*, pp. 35-36. MAGRO

"las certificaciones sobre la idoneidad del modelo expedidas por empresas, corporaciones o asociaciones evaluadoras y certificadoras de cumplimiento de obligaciones, mediante las que se manifiesta que un modelo cumple las condiciones y requisitos legales, podrán apreciarse como un elemento adicional más de su observancia pero en modo alguno acreditan la eficacia del programa, ni sustituyen la valoración que de manera exclusiva compete al órgano judicial"[348].

Como consecuencia de lo anterior, como resalta NIETO MARTÍN, "en tanto en cuanto el juez continúa sujeto al principio de libre valoración de la prueba, tampoco las certificaciones ayudan a remediar el problema de la falta de seguridad jurídica de los programas de cumplimiento"[349]. Y, como advierte GÓMEZ TOMILLO, "no por el hecho de no tener acreditado el sistema de *compliance* automáticamente debería excluirse la posibilidad de atenuar o excluir la responsabilidad (...)"[350].

A juicio de DEL MORAL GARCÍA, "se exagera en la literatura la importancia del peritaje en esta materia. No me cabe duda de que en ocasiones, en especial en empresas con actividades complejas o muy especializadas, puede ser útil el auxilio de peritos. Pero la valoración final ha de ser judicial: el tribunal no puede abandonar su decisión sobre la eficacia *ex ante* del programa a uno o varios peritos"[351].

La propia UNE 19601:2017 (en la Introducción) advierte que *"en el caso de la legislación española, el cumplimiento de esta*

SERVET, V.: "Viabilidad...", *op. cit.*, p. 8. Y GÓMEZ TOMILLO, M.: "Presunción de inocencia...", *op. cit.*, p. 207.

348 Circular de la Fiscalía General del Estado 1/2016, de 22 de enero, sobre la responsabilidad de las personas jurídicas conforme a la reforma del Código Penal efectuada por Ley Orgánica 1/2015, p. 52.

349 NIETO MARTÍN, A.: "Introducción", en ARROYO ZAPATERO, L. y NIETO MARTÍN, A. (Dirs.): *El derecho penal económico en la era compliance*, Valencia, Tirant lo Blanch, 2013, pp. 24-25.

350 GÓMEZ TOMILLO, M.: "Presunción de inocencia...", *op. cit.*, p. 208.

351 DEL MORAL GARCÍA, A.: "*Compliance* en la doctrina de la Sala Segunda del Tribunal Supremo: Presente y perspectivas", en GÓMEZ COLOMER, J. L. (Dir.): *Tratado sobre Compliance Penal. Responsabilidad Penal de las Personas Jurídicas y Modelos de Organización y Gestión*, Valencia, Tirant lo Blanch, 2019, p. 704.

norma UNE no asegura la exoneración o atenuación automática de la responsabilidad penal de la persona jurídica. No obstante, esta norma ayuda a las organizaciones a desarrollar sistemas de gestión de compliance penal con contenidos razonables para prevenir, detectar y gestionar conductas ilícitas generando así la cultura organizativa del cumplimiento de la legalidad que pueda fundamentar, en última instancia, la exoneración de su responsabilidad. De igual modo, su contenido también podría aspirar a servir de referencia para los tribunales de justicia y demás operadores jurídicos a la hora de facilitarles el establecimiento de criterios para valorar el cumplimiento por parte de las personas jurídicas u otras organizaciones de las exigencias previstas en la legislación penal".

Para CASANOVAS YSLA, "nuestro ordenamiento jurídico otorga capacidades a Jueces y Magistrados para valorar las circunstancias de cada caso, por lo que el certificado de conformidad con los requisitos del estándar español no garantiza la exoneración o atenuación automática de la responsabilidad penal de la persona jurídica, según aclara la propia Introducción de dicho texto". Sin perjuicio de lo anterior, "la norma UNE, aunque no otorga garantía absoluta de evitación de delitos ni conlleva la exención de responsabilidad criminal, su contenido constituye un sólido referente para que los operadores jurídicos evalúen la diligencia de las organizaciones y sus responsables en materia de prevención, detección y gestión de riesgos penales"[352].

iii) Creación de un organismo certificador público o con potestades públicas.

Como señala AYALA DE LA TORRE, la propia finalidad del *compliance* hace necesario crear bien una entidad u organismo público, bien uno privado con potestades públicas que den un «sello» acreditativo de que la empresa es cumplidora, pues esa es, como decimos, la finalidad del *compliance*. De este modo, "la existencia de esa entidad certificante facilitaría las cosas en el proceso judicial y dotaría al sistema de mayor seguridad ju-

352 CASANOVAS YSLA, A.: "La norma UNE 19601...", *op. cit.*, p. 895.

rídica (algo reclamado por las empresas) habida cuenta de que solo sería preciso acreditar en el proceso que la compañía se ha ajustado en su comportamiento a los parámetros que recoge el *compliance guide*. (...) Y más aún cuando se trate de certificados emitidos y expedidos por entidades certificadoras acreditadas, lo que dará mayor tranquilidad a la compañía"[353].

Por su parte, FERRÉ OLIVÉ ve especialmente necesaria, para los partidos políticos, la certificación por parte de entidades acreditadas independientes de la idoneidad de tales modelos habida cuenta de la actividad de la organización[354].

Sin ser partidarios o detractores de tales propuestas, sin duda justificadas, estimamos que poseer un certificado, incluso de un organismo público, no debería suponer, de forma automática, que el proceso debiera archivarse o eximirse de responsabilidad a la persona jurídica. Será un elemento, si se quiere, más fiable, pero, en ningún caso debería tener un valor absoluto de certeza.

C) Testifical

Naturalmente, cualquier miembro integrante de la persona jurídica (directivos, empleados, etc.), y también los terceros con los que ésta se relacione, podrán prestar declaración en calidad de testigos para aportar su testimonio sobre cualquier aspecto del *compliance* cuando éste constituya, al menos en parte, el objeto de la prueba.

Y, por otro lado, como apunta GONZÁLEZ CANO, las personas que hayan intervenido o participado en el diseño, implementación o ejecución del *compliance* como expertos podrán considerarse testigos-peritos. Pero, no ostentar la condición de perito (en sentido estricto), lo cual sólo puede predicarse "de quien no tenga relación con los hechos debatidos o controvertidos en el proceso"[355].

Este puede convertirse, pues, en un medio de prueba idóneo para contrastar si, en la realidad, las informaciones obtenidas o proporcionadas por la persona jurídica respecto de la adecuación del modelo de cumplimiento a las exigencias marcadas por el Código Penal son cier-

---

353 AYALA DE LA TORRE, J. M.: *Compliance*, *op. cit.*, p. 109.

354 FERRÉ OLIVÉ, J. C.: "Reflexiones en torno...", *op. cit.*, pp. 70-71.

355 GONZÁLEZ CANO, I.: "La prueba...", *op. cit.*, pp. 882-883.

tas (más allá de lo que diga "un papel"). Así pues, en relación con los canales de denuncia y las investigaciones internas, los testigos podrán corroborar si efectivamente el canal estaba disponible para efectuar comunicaciones, si se había informado de su existencia y condiciones de uso, si se dio curso a la denuncia, si se llevó a cabo alguna actuación al respecto para aclarar los hechos, si se adoptaron posteriores medidas a raíz de lo sucedido (cambios en el plan de prevención, imposición de sanciones, etc.), entre otros muchos aspectos. O, justo lo contrario, desmentir algunos de tales extremos.

2. OTRAS IMPLICACIONES

2.1. Sobreseimiento (archivo)

Como indica ABEL SOUTO, la interpretación acerca de la naturaleza de los *compliance* como causa de atipicidad permitiría que no se llegara a abrir la causa penal o que, de producirse su apertura, quedara sobreseída en un estadio muy temprano de las diligencias de investigación, por no ser el hecho penalmente relevante[356]. Sin embargo, a nuestro juicio, el momento procesal para valorar la concurrencia de las condiciones y requisitos de los modelos de organización y gestión debiera ser el juicio oral[357]. Ni la naturaleza de la fase de investigación permite entrar a valorar que concurran las exigencias del Código Penal, ni menos aún que éstas puedan quedar acreditadas en dicha fase procesal.

En este sentido, como manifiesta GÓMEZ TOMILLO, "excedería de las posibilidades del juez de instrucción excluir la responsabilidad de la entidad sin un pleno examen contradictorio de la totalidad de factores que determinaron la comisión del delito imputable a la persona jurídica"[358]. Para JIMENO BULNES, "no parece así inicialmente

---

356 Sobre este particular, ABEL SOUTO, M.: "Antinomias de la reforma penal de 2015 sobre programas de prevención que eximen o atenúan la responsabilidad criminal de las personas jurídicas", en MATALLÍN EVANGELIO, Á. (Dir.): *Compliance y prevención de delitos de corrupción*, Valencia, Tirant lo Blanch, 2018, pp. 23-24.

357 LEÓN ALAPONT, J.: "*Criminal compliance...*", *op. cit.*, p. 11. Así también, GÓRRIZ ROYO, E.: "Criminal Compliance...", *op. cit.*, p. 21.

358 GÓMEZ TOMILLO, M.: "Presunción de inocencia...", *op. cit.*, pp. 211-212.

posible su actuación en calidad de eximentes/atenuantes en el curso de la fase de instrucción ante la exigencia del art. 640 LECrim de una «indudable» exención de responsabilidad para que opere el sobreseimiento libre, lo cual difícilmente podrá ser, siquiera en principio, aplicable para tales modelos de gestión"[359]. Cuestión distinta sería que, naturalmente, se inadmitiere la querella o se archivara la causa por no concurrir los presupuestos y hechos de conexión del art. 31 bis 1 CP[360].

Con todo, a juicio de algunos autores, como por ejemplo LLEDÓ BENITO, "si se cumplen en fase de instrucción los requisitos para apreciar la eximente, consideramos que nada impediría al Juez Instructor acordar el sobreseimiento libre respecto de la persona jurídica, conforme al art. 637.3 LECrim"[361]. En esta línea, DEL MORAL GARCÍA expresa que "no debe existir inconveniente alguno para que si en fase de instrucción se llega a la estimación de la existencia de un programa de cumplimiento con eficacia excluyente de la responsabilidad penal de la empresa, se aparte a ésta del procedimiento, prosiguiéndose éste exclusivamente frente a las personas físicas responsables"[362].

En opinión de NEIRA PENA, "tratándose de una circunstancia compleja y de difícil apreciación, su acreditación deberá realizarse, como regla general, en el marco del juicio oral, por lo tanto, tras la correspondiente imputación y acusación formal, ante la imposibilidad de que conste, inequívocamente, de forma previa a la práctica de las pertinentes pruebas"[363]. Sin embargo, señala que "si terminada la instrucción, se desprende, claramente, del material recopilado, que la entidad ha puesto toda la diligencia debida en la evitación del delito

---

359 JIMENO BULNES, M.: "La responsabilidad penal de las personas jurídicas y los modelos de compliance: un supuesto de anticipación probatoria", *Revista General de Derecho Penal*, núm. 32, 2019, p. 52. En igual sentido, SÁNCHEZ MELGAR, J.: "La carga de la prueba en materia de responsabilidad penal de las personas jurídicas: de la cuadratura del círculo a la reconciliación", *Práctica Penal: Cuaderno Jurídico*, núm. 87, 2017, p. 19.

360 LEÓN ALAPONT, J.: "*Criminal compliance...*", *op. cit.*, p. 11.

361 LLEDÓ BENITO, I.: *Corporate compliance...*, *op. cit.*, p. 61.

362 DEL MORAL GARCÍA, A.: "*Compliance* en la doctrina...", *op. cit.*, pp. 702-703.

363 NEIRA PENA, A. M.: *La instrucción...*, *op. cit.*, p. 78

y que ha cumplido con todos los requisitos que el Código Penal exige para que quede exenta de responsabilidad, la defensa de la entidad o, incluso, el Ministerio Fiscal, como garante de la legalidad, deberían solicitar el sobreseimiento libre (art. 637.3º LECrim)"[364]. La citada autora considera, incluso, que no se debiera abrir procedimiento alguno contra la persona jurídica de haber adoptado ésta sistemas de *compliance*[365].

Con todo, lo cierto es que, más allá del debate doctrinal, la jurisprudencia parece mostrarse más partidaria de archivar la causa en fase de instrucción ante la presencia de programas de cumplimiento penal. En este sentido, aunque ya hemos manifestado que, a nuestro juicio, se trata de una interpretación absolutamente errónea, el nivel de comprobación exigido en torno a los elementos del compliance puede hacer "más razonable" que se acabe produciendo dicho sobreseimiento para la persona jurídica. Pero, lamentablemente, esto último es lo que no siempre sucede.

Así, por ejemplo, la Sala de lo Penal de la Audiencia Nacional ratificaba en su Auto 405/2021, de 8 de julio, el archivo decretado por el Juzgado Central de Instrucción nº 6 respecto de la mercantil **INDRA** Sistemas S.A. En el citado caso, la empresa estaba siendo investigada por un presunto delito de cohecho del art. 417 bis CP por supuestos pagos a proveedores del Partido Popular de Madrid asociados a adjudicaciones ilegales de contratos públicos (pieza separada 9). El Ministerio Fiscal sostuvo, en nuestra opinión, de manera muy acertada, que la norma contiene una *circunstancia eximente* de la responsabilidad criminal y que, por ello, *en nuestro sistema procesal corresponde ser aplicada por el órgano judicial de enjuiciamiento*, que no por el órgano instructor, como ocurrió en el caso analizado. Por el contrario, en la citada resolución se sostiene que tal circunstancia de exención de la responsabilidad penal ha sido situada por la jurisprudencia más en sede de tipicidad (como vimos). De forma que, coherentemente con esta idea, en el Auto señalado se apunta a que *"se ha acreditado la real existencia de un sistema de cumplimiento normativo en el seno de Indra Sistemas S.A. que permitía prevenir y reaccionar frente al delito*

---

364 *Ibid.*, p. 59.

365 *Ibid.*, p. 61.

de cohecho que provisionalmente se venía achacando a la entidad, que mostró su eficacia con la expulsión de los empleados que, siempre con el carácter provisorio que define los resultaos de la instrucción, presuntamente cometieron los hechos falsarios, defraudatorios y depredatorios que son objeto de investigación" (FJ, 2). Añadiéndose que obran en autos el programa de cumplimiento y los informes de auditoría y certificaciones de expertos independientes elaborados por las entidades DLA Piper y Aenor.

En contraste con el anterior ejemplo, el Juzgado Central de Instrucción nº 6 acordaba también en Auto de 29 de julio de 2021 el sobreseimiento de la causa en la que estaban siendo investigadas **CAIXABANC** S.A. y **REPSOL** S.A. (caso "Villarejo", pieza separada 21). Pero, al menos, en esta ocasión, el archivo estaba apuntalado sobre los elementos que a continuación mencionaremos (FJ, 2).

Respecto de CAIXABANC, trascribimos por su grado de detalle, lo recogido en el citado Auto:

> *"Respecto a los controles habidos en la entidad bancaria para evitar la comisión de delitos destaca que en la actividad que desarrolla la entidad se identifican los delitos de cohecho y de descubrimiento y revelación de secretos con anterioridad a la comisión de los hechos que se investigan.*
>
> *En este sentido, puso de manifiesto que existen multitud de controles y normas vigentes en la entidad en la fecha de los hechos y que eran conocidos por los empleados.*
>
> *El representante especialmente designado hizo especial mención a la **investigación interna** llevada a cabo, con una búsqueda universal en los servidores de la compañía, habiendo aportado la compañía toda la información relevante.*
>
> *Finalmente confirmó que la entidad cuenta con un Modelo de Prevención de Delitos en vigor desde junio de 2011 y que cuenta con un **canal de denuncias**, prevé sanciones, investigaciones internas, un órgano competente y autónomo, así como actividades formativas para empleados y directivos de la entidad. Dicho programa se actualiza y mejora de manera continua.*
>
> *El día 28 de julio de 2021 CAIXABANK, S.A. ha aportado al procedimiento numerosa documentación en acreditación de la existencia en la entidad de una cultura de cumplimiento normativo y de controles destinados a prevenir los delitos investigados —todos ellos manifestados en la comparecencia del representante especialmente designado—:*
>
> *• El Modelo de Prevención de Delitos de 29/06/2011 y sus versiones posteriores de 2012, 2017 y 2018.*

• *El Código Ético y principios de actuación de la entidad de 27/09/2011, aprobado por el Consejo de Administración, y sus versiones de los años 2013, 2016, 2019 y 2021.*

• *La Matriz de riesgos penales y controles de 29/06/2011 y sus actualizaciones de 2012, 2016, 2019, 2020 y 2021.*

• *El plan estratégico de formación de 2011 a 2014 y las circulares informativas difundidas desde la entrada en vigor del Código Penal.*

• ***Certificado de número de denuncias tramitadas en los años 2011 y 2012, así como la creación del Canal de Consultas y Denuncias.***

• *El sistema disciplinario de la entidad.*

• ***La política de investigaciones internas** en sus versiones de los años 2013 y 2017.*

• *El órgano de la función de cumplimiento, habiendo aportado su estatuto de 2007, y posteriores modificaciones de su normativa de los años 2012, 2017 y 2020.*

• *Asimismo, la entidad ha obtenido la certificación de su Modelo por parte de AENOR conforme a las normas UNE 19601:2017 "Sistema de Gestión de Compliance Penal" e ISO 37001:2017 "Sistema de Gestión de Antisoborno".*

• *Respecto a los controles específicos para la prevención de los delitos investigados, se ha aportado la siguiente normativa:*

o *En relación con la prevención de la comisión en el seno de la persona jurídica de un delito de descubrimiento y revelación de secretos:*

– *Políticas globales corporativas: Código Ético, Código de Conducta Telemático y Política de Seguridad de la Información.*

– *Normas internas que regulan la operativa: Norma 47 de tratamiento y confidencialidad de los datos personales, Norma 66 de seguridad informática, Norma 111 de archivo, prescripción y destrucción de la documentación y Norma 137 de cumplimiento normativo.*

– *Controles y procedimientos operacionales: ISO 27001/2 sobre la seguridad de la información, existencia de un Comité LOPD y auditorías periódicas, y existencia de un Comité de Seguridad de la Información.*

o *En relación con la prevención de la comisión en el seno de la persona jurídica de un delito de cohecho:*

– *Políticas globales corporativas: Código Ético y Política de Admisión de Clientes.*

– *Normas internas que regulan la operativa: Norma 26 de Gastos de empleados y viajes corporativos, Norma 53 de Alfabético, Norma 87 del modelo de gestión presupuestaria, Norma 91 de Gastos generales y compras y Norma 137 de cumplimiento normativo.*

– *Controles y procedimientos operacionales: Matriz de límites en la concesión de operaciones de activo, existencia de un Comité de créditos, control presupuestario, control de los límites concedidos por línea y por propuesta de aprobación (aplicación IPC) o necesidad de documen-*

tación contractual (SGP), procedimientos internos en la contratación de proveedores de bienes o servicios, y control centralizado de préstamos a partidos políticos y necesidad de información sobre dichos préstamos a la Administración Pública. Asimismo, limitación cuantitativa a pagos en efectivo relacionados con gastos de empleados, prohibición de obsequios a funcionarios y prohibición de gastos no justificados o razonables sometidos a auditoría.

Asimismo, en contestación al oficio de 23 de diciembre de 2019 se habría aportado documentación acreditativa de la existencia del Modelo y la ***investigación interna*** *realizada.*

Dicho de otro modo, antes de la entrada en vigor de la Ley Orgánica 5/2010, de 22 de junio, de reforma de Código Penal, CAIXABANK contaría en su organización con una cultura de respeto al derecho, habiendo adoptado todo tipo de manuales, códigos y políticas para evitar la comisión de delitos en su seno; y realizando actividades formativas entre todos sus empleados y directivos.

A la vista de la documentación aportada, CAIXABANK, S.A., ha sido capaz de acreditar que, en el momento de los hechos investigados, ***contaba con un modelo de organización y gestión para la prevención de delitos que cumplía en la fecha de los hechos investigados con los requisitos esenciales de un modelo de prevención penal corporativo, de conformidad con el tenor del artículo 31 bis del Código Penal en vigor en dichas fechas*****".**

En cuanto a REPSOL, en la señalada resolución se recogen los siguientes extremos:

"Que la compañía cuenta con controles para evitar la contratación de un funcionario público, y que ya desde 2005 tienen implantados un programa de cumplimiento que contenía, en esa fecha, normativa anticorrupción, y que a fecha de los hechos investigados contaba REPSOL, S.A. con un programa eficaz para prevenir delitos.

Mediante el escrito RG 30722/2021, de 27/07/2021, la defensa de REPSOL, S.A. presentó un informe de 27 de julio de 2021, elaborado por un tercero independiente, la consultora KPMG, que analiza las medidas implantadas por la Compañía en el ámbito de la prevención de delitos corporativos, cultura ética y cumplimiento normativo.

Si bien no se aporta la concreta documentación, en dicho informe se concluye que REPSOL, S.A. ya había adoptado medidas de debido control en materia ética y de cumplimiento antes de la entrada en vigor de la Ley Orgánica 5/2010, de 22 de junio, de reforma del Código Penal.

Asimismo, tras la entrada en vigor de dicha norma, REPSOL, S.A. habría implementado en el primer semestre del año 2011, esto es, antes de los hechos objeto de investigación, un programa de prevención de delitos. Dicho Programa fue auditado por un externo el 20 de mayo de 2011 que concluyó que "no se apreciaban aspectos significativos no sometidos a controles".

El Modelo de cumplimiento normativo instaurado en la entidad, contaba ya en 2011 con un órgano de la función de cumplimiento, mapa o matriz de riesgos penales, políticas procedimientos y controles, ***canal de denuncia****, sistema disciplinario y monitorización del mismo.*

En concreto, para mitigar el riesgo de la comisión de un delito de cohecho REPSOL contaría con 72 controles y para mitigar el riesgo de la comisión de un delito de descubrimiento y revelación de secretos 69 controles.

Finalmente, desarrolla las actualizaciones de dicho Modelo en los años sucesivos a través de una verificación y actualización periódica del programa.

Asimismo, en contestación al oficio de 23 de diciembre de 2019 se habría aportado documentación acreditativa de la existencia del Modelo y la ***investigación interna*** *realizada.*

En definitiva, REPSOL, S.A., ha sido capaz de acreditar que, ***en el momento de los hechos investigados, contaba con un modelo de prevención penal adecuado y con controles eficaces para la prevención de los delitos investigados****".*

Pues bien, a pesar de que resulta innegable que en este caso el sobreseimiento estaba más fundado, la Sala de lo Penal de la Audiencia Nacional en su Auto 51/2022, de 7 de febrero, revocaba dicho archivo empleando la argumentación que de forma resumida se expone a continuación:

Sobreseimiento respecto de REPSOL (FJ, 3):

"El auto recurrido descarta que se dé el fundamento porque considera que REPSOL, antes de la comisión de los hechos presuntamente delictivos objeto de la presente causa, diseñó e implantó un modelo de prevención, sometido en su ejecución a la supervisión de un órgano autónomo, que resultó idóneo para evitar delitos como los que son objeto de la presente causa, o para reducir significativamente el riesgo de su comisión. Como se ha señalado, estas conclusiones se extraen de la declaración de la representante específicamente designada por REPSOL y de la documentación aportada, entre la que figura un informe de KPMG que, sin embargo, no ha sido acompañado de los documentos que lo sustentan, y un informe de un responsable del área de cumplimiento normativo de REPSOL. Sin embargo, asiste la razón a las acusaciones recurrentes cuando alegan que la instrucción no puede darse por finalizada, en lo que a la responsabilidad penal de REPSOL concierne, sin haber practicado dichas diligencias de declaración y sin haberse aportado la documentación de soporte del informe de KPMG, porque tales diligencias, teniendo rela-

ción con el objeto de la controversia —es decir, la determinación de si el modelo de prevención establecido por aquella compañía era adecuado para evitar la comisión de los delitos que se atribuyen a personas físicas pertenecientes a su organización o para reducir de manera significativa el riesgo de que tales infracciones se cometieran—, son necesarias para un adecuado esclarecimiento —en el plano provisional e indiciario propio de esta fase procesal— de la posible responsabilidad penal de REPSOL, pudiendo determinar el sentido de la decisión que se adopte al respecto, sin que su práctica resulte imposible o suponga una demora relevante. Buena prueba de la necesidad de estas diligencias es que la defensa de REPSOL, basándose en los informes de cuyos autores solicitan los recurrentes la declaración, niega que los hechos alegados por estos como irregularidades en el proceso de contratación de CENYT, constituyan en alguno de los supuestos irregularidad alguna o que tengan relevancia, otros que sí pueden serlo, como indicios de deficiencias del sistema de prevención de delitos y de su control. A ello debe unirse lo ya señalado de la valoración de dichos informes en el auto recurrido y la alusión en dicha resolución a la falta de especificación por las acusaciones de deficiencias estructurales en el modelo de prevención, como base de la conclusión de la idoneidad de ese modelo y, por lo tanto, del sobreseimiento. Puesto que la consecuencia de la valoración de las diligencias de instrucción efectuada en la resolución recurrida es el cierre de la instrucción respecto de la persona jurídica investigada, lo que implica eliminar la posibilidad de ejercer contra aquella la acción penal para las acusaciones apelantes, y estas no han intervenido, o han tenido una limitada intervención en aquellas diligencias, el respeto del derecho a la tutela judicial efectiva de las partes recurrentes constituye una razón más, añadida a la pertinencia, posibilidad y necesidad de las diligencias anteriormente mencionadas, para que deban estas practicarse, como paso previo a una evaluación del conjunto de lo actuado, con vistas a adoptar alguna de las resoluciones previstas en el art. 779.1 de la Ley de Enjuiciamiento Criminal. En consecuencia, los recursos deben ser estimados y revocado sobreseimiento, a fin de que se practiquen las referidas diligencias".

Sobreseimiento respecto de CAIXABANC (FJ, 4):

"El sobreseimiento acordado en el auto recurrido se basa en que, a juicio del instructor, no hay fundamento para ello porque, en virtud de lo declarado por el representante especialmente designado por la persona jurídica y de la documentación aportada por esta, se acredita que esta, antes de que los hechos de posible entidad delictiva fuesen cometidos por la persona o personas físicas de su organización, se había diseñado e implantado un modelo adecuado de prevención de infracciones de esa naturaleza. Sin embargo, sin perjuicio de la controversia existente respecto al alcance y valoración de alguno de los pasos del proceso de contratación

que ahora nos ocupa, los extremos destacados por las acusaciones recurrentes revelan indicios de incumplimientos —en su momento, habrá de verse si son suficientes— de las normas de CAIXABANK, lo que, a su vez, podría ser revelador de deficiencia sen el modelo de prevención, especialmente en los aspectos relacionados con el control. Por otro lado, además de en las razones ya expresadas, el auto recurrido basa el sobreseimiento en la falta de especificación por las acusaciones de los fallos estructurales en que aprecian en el modelo, lo que resulta plenamente coherente con las específicas reglas de distribución de la carga de la prueba en el proceso penal, derivadas de las exigencias del principio de presunción de inocencia. Ahora bien, basándose el auto recurrido, para acordar el sobreseimiento, en una valoración del modelo de prevención de CAIXABANK que tiene como una de sus fuentes principales la declaración del representante designado por la compañía, es indudable la procedencia de la declaración testifical del responsable del área de cumplimiento normativo, interesada por las acusaciones recurrentes, ya que siendo una diligencia pertinente, por referirse a los hechos investigados, posible, sin que sea esperable que su práctica pueda demorar significativamente la tramitación, y con virtualidad para influir en la valoración del modelo de prevención, permite preservar el derecho a la tutela judicial efectiva de las apelantes, lo que, dada su posición de partes acusadoras, conlleva disponer de un acceso suficiente a las fuentes de prueba para que puedan especificar, con el debido fundamento, las quiebras en el modelo referido, si es que estas hubiesen existido. En definitiva, la diligencia ha de ser practicada con carácter previo a una valoración del conjunto de lo actuado, con vistas a adoptar alguna de las resoluciones previstas en el art. 779.1 de la Ley de Enjuiciamiento Criminal, por lo que, sin abordar la procedencia de la declaración de la Sra. Rocío, al haber sido objeto de una impugnación autónoma, hemos de estimar las impugnaciones formuladas contra el sobreseimiento acordado respecto de CAIXABANK".

2.2. *Adopción de medidas cautelares*

El art. 33.7 *in fine* CP establece que *"la clausura temporal de los locales o establecimientos, la suspensión de las actividades sociales y la intervención judicial podrán ser acordadas también por el Juez Instructor como medida cautelar durante la instrucción de la causa"*.

Pues bien, algunos autores, como NEIRA PENA, han sostenido que, ante la existencia de un programa de cumplimiento idóneo, la adopción de medidas cautelares devendría innecesaria[366]. Sin embar-

[366] *Ibid.*, pp. 452 y 467.

go, y aunque el *compliance program* contemplara una batería de medidas —aparentemente efectivas— dirigidas a evitar la despatrimonialización de la persona jurídica, la reiteración delictiva, la destrucción de pruebas o el perjuicio que pudiera causarse a los trabajadores y acreedores, es tarea del juez velar por que tales riesgos se reduzcan al máximo. Delegar en la propia persona jurídica el cumplimiento de tal objetivo, además de inocente, podría entenderse, en parte, como una renuncia al ejercicio de la potestad jurisdiccional (de la que la tutela cautelar forma parte). Por ello, los modelos de organización y gestión solo deben valorarse a efectos de exención y atenuación de la responsabilidad penal (arts. 31 bis 2 a 5 CP)[367].

2.3. *Conformidad*

El art. 787.8 LECrim establece que "*cuando el acusado sea una persona jurídica, la conformidad deberá prestarla su representante especialmente designado, siempre que cuente con poder especial. Dicha conformidad, que se sujetará a los requisitos enunciados en los apartados anteriores, podrá realizarse con independencia de la posición que adopten los demás acusados, y su contenido no vinculará en el juicio que se celebre en relación con éstos*". Por tanto, ésta es una posibilidad que también está al alcance de las personas jurídicas.

Así pues, queremos poner de relieve que, aunque la Ley de Enjuiciamiento Criminal no se pronuncie al respecto, y tampoco lo haga la Circular 1/2016 de la Fiscalía General del Estado, en la consecución de tales acuerdos de conformidad, especialmente con el Ministerio Público, la adopción y ejecución de modelos de organización y gestión debería tenerse en cuenta para favorecer dicho pacto, incluso para lograr una menor petición de pena por parte de la acusación. Es más, consideramos que hasta la simple adquisición de un *compliance* podría influir en ello. No así, el mero compromiso de dotarse de un plan de prevención de delitos.

---

367 LEÓN ALAPONT, J.: *La responsabilidad...*, *op. cit.*, pp. 445-446.

2.4. *Imposición y extensión de las penas previstas en las letras b) a g) del art. 33.7 CP*

El Código Penal señala en cada delito para el cual se contempla responsabilidad penal de las personas jurídicas la/s pena/s imponible/s a esta clase de entes. De forma obligatoria, en todas las infracciones atribuibles a una persona moral, se prevé la pena de multa (indicándose en cada precepto su cuantificación y complementándose con lo dispuesto en los arts. 50 y ss. CP)[368]. Sin embargo, en la mayoría de supuestos en que cabe declarar la responsabilidad penal de una persona jurídica, las penas de las letras b) a g) del art. 33.7 CP son de imposición potestativa por el juez o tribunal. La fórmula empleada para ello es la siguiente: *"Atendidas las reglas establecidas en el artículo 66 bis, los jueces y tribunales* ***podrán*** *asimismo imponer las penas recogidas en las letras b) a g) del apartado 7 del artículo 33"*.

Tales penas son: b) disolución de la persona jurídica; c) suspensión de sus actividades; d) clausura de sus locales y establecimientos; e) prohibición de realizar en el futuro las actividades en cuyo ejercicio se haya cometido, favorecido o encubierto el delito; f) inhabilitación para obtener subvenciones y ayudas públicas, para contratar con el sector público y para gozar de beneficios e incentivos fiscales o de la Seguridad Social; y, g) intervención judicial para salvaguardar los derechos de los trabajadores o de los acreedores.

Los criterios de determinación de dichas penas se encuentran recogidos en el art. 66 bis CP. Y, en este sentido, la segunda regla contenida en el art. 66 bis CP establece que *"en los supuestos en los que vengan establecidas por las disposiciones del Libro II,* ***para decidir sobre la imposición y la extensión de las penas previstas en las letras b) a g) del apartado 7 del artículo 33*** *habrá de tenerse en cuenta: a) su necesidad para prevenir la continuidad de la actividad delictiva o de sus efectos; b) sus consecuencias económicas y sociales, y especialmente los efectos para los trabajadores; y, c) el puesto que en la estructura de la persona jurídica ocupa la persona física u órgano que incumplió el deber de control"*.

---

368 En determinados delitos, junto con la multa también se prevé de forma preceptiva la imposición de otras penas. *Vid.* sobre este particular, LEÓN ALAPONT, J.: *La responsabilidad penal..., op. cit.*, p. 387.

El primero de los parámetros alude a que la pena seleccionada y su extensión sea necesaria ***para prevenir la continuidad de la actividad delictiva o de sus efectos.*** Esto es, que la misma vaya dirigida a impedir que la persona jurídica pueda, en un futuro, volver a ser declarada penalmente responsable por la comisión de delitos. Se trataría pues, de neutralizar la actividad delictiva de la persona jurídica. Sin embargo, no podemos estar de acuerdo con aquellos autores que sostienen que "la existencia en el momento de dictar sentencia de un programa de cumplimiento eficaz que se concrete en medidas eficaces para prevenir y descubrir los delitos que en el futuro pudieran cometerse con los medios o bajo la cobertura de la persona jurídica convierte en innecesarias unas sanciones orientadas a prevenir la continuidad de la actividad delictiva y sus efectos"[369].

En consecuencia, a nuestro juicio, el hecho de contar con un modelo de organización y gestión que se ajuste a los parámetros previstos en los arts. 31 bis 2 a 5 CP no puede ser utilizado para desestimar (rechazar) la imposición de alguna de las penas previstas en el art. 33.7 b) a g) CP. Y, tampoco, para reducir su extensión. Esto es, el impacto (o repercusión) en términos preventivos sobre la continuidad de la actuación delictiva de la persona jurídica aquí depende (o se pretende conseguir) seleccionando una clase de pena (en detrimento de otra) y también de su extensión (más o menos tiempo), pero no del compliance.

---

[369] FEIJÓO SÁNCHEZ, B.: "Las consecuencias...", *op. cit.*, pp. 284-285. En igual sentido, DOPICO GÓMEZ-ALLER, J.: "Determinación de las penas...", *op. cit.*, p. 621. Y FARALDO CABANA, P.: "Las penas", *op. cit.*, p. 137.

Segunda parte

CANALES DE DENUNCIA E INVESTIGACIONES INTERNAS

Capítulo IV
CANALES DE DENUNCIA

1. INTRODUCCIÓN

La existencia de canales de denuncia a los cuales acudir para informar de hechos que posiblemente constituyan una "infracción" del ordenamiento jurídico (administrativo, penal, tributario, etc.) no son una novedad en nuestro país. Piénsese, por ejemplo, en la Agencia Tributaria, el Defensor del Pueblo, los Tribunales de Cuentas, Agencias Autonómicas Antifraude, el SEPBLAC, la CNMV, la CNMC, etc. En igual sentido, cabría advertir de la preocupación que desde instancias supranacionales se ha mostrado respecto de esta cuestión desde hace ya algún tiempo (cítese, a título de ejemplo, la ONU[370], la OCDE[371], o la propia Unión Europea[372]). Sin embargo, estos mecanismos han

---

370 Convención de las Naciones Unidas contra la corrupción, hecha en Nueva York el 31 de octubre de 2003. El art. 33, bajo la rúbrica "protección de los denunciantes" establece que: "*cada Estado Parte considerará la posibilidad de incorporar en su ordenamiento jurídico interno medidas apropiadas para proporcionar protección contra todo trato injustificado a las personas que denuncien ante las autoridades competentes, de buena fe y con motivos razonables, cualesquiera hechos relacionados con delitos tipificados con arreglo a la presente Convención*", contemplando en su artículo 8.4 el establecimiento de sistemas para facilitar que los funcionarios públicos denuncien todo acto de corrupción a las autoridades competentes, y en su artículo 13.2 la posibilidad de la denuncia anónima.

371 A destacar el Informe "Committing to Effective Whistleblower Protection".

372 Así, por ejemplo, la Directiva 2013/36/UE del Parlamento Europeo y del Consejo, de 26 de junio de 2013, relativa al acceso a la actividad de las entidades de crédito y a la supervisión prudencial de las entidades de crédito y las empresas de inversión, por la que se modifica la Directiva 2002/87/CE y se derogan las Directivas 2006/48/CE y 2006/49/CE (en relación con el Reglamento (UE) núm. 575/2013 del Parlamento Europeo y del Consejo, de 26 de junio de 2013, sobre los requisitos prudenciales de las entidades de crédito y las empresas de inversión, y por el que se modifica el Reglamento (UE) núm. 648/2012). El Reglamento (UE) núm. 376/2014 del Parlamento Europeo y del Consejo, de 3 de abril de 2014, relativo a la notificación de sucesos en la aviación civil, que modifica el Reglamento (UE) núm. 996/2010 del Parlamento Europeo y del Consejo, y por el que se derogan la Directiva 2003/42/CE del Parlamento Europeo y del Consejo y los Reglamentos (CE) núm. 1321/2007 y (CE) núm. 1330/2007 de la Comisión.

cobrado un especial protagonismo a raíz de la inclusión de los *compliance programs* en el Código Penal[373].

Con todo, no debemos perder de vista que, en puridad, las únicas posibilidades de interponer una denuncia (como tal) son las que contempla nuestra LECrim. Y, por ello, aquí estamos ante otra suerte de "denuncias". Efectivamente, no pueden considerarse como tales, por lo que más correctamente cabría hablar de comunicaciones, de informaciones, de alertas, etc.

Como decíamos, aquellas personas jurídicas sujetas al ámbito de aplicación del art. 31 bis CP[374] estarán interesadas en incorporar esta

---

La Directiva 2013/54/UE del Parlamento Europeo y del Consejo, de 20 de noviembre de 2013, sobre determinadas responsabilidades del Estado del pabellón en materia de cumplimiento y control de la aplicación del Convenio sobre el trabajo marítimo, de 2006. La Directiva 2009/16/CE del Parlamento Europeo y del Consejo, de 23 de abril de 2009, sobre el control de los buques por el Estado rector del puerto. O la Directiva 2013/30/UE del Parlamento Europeo y del Consejo, de 12 de junio de 2013, sobre la seguridad de las operaciones relativas al petróleo y al gas mar adentro, y que modifica la Directiva 2004/35/CE).

373 A este respecto, BACHMAIER WINTER señala que el régimen de eximentes/atenuantes previsto en el art. 31 bis CP "ha actuado de facto como un catalizador para su implantación". *Vid.* BACHMAIER WINTER, L.: "Whistleblowing europeo y compliance: La Directiva EU de 2019 relativa a la protección de personas que reporten infracciones del Derecho de la Unión", *Diario La Ley*, núm. 9539, 2019, p. 9. Pero, sin duda, iniciativas legislativas como la Directiva (UE) 2019/1937, de 23 de octubre, y su trasposición han contribuido enormemente (por su carácter obligatorio) a la introducción de estos mecanismos de denuncia.

374 El apartado primero del art. 31 quinquies CP dispone que "*Las disposiciones relativas a la responsabilidad penal de las personas jurídicas no serán aplicables al Estado, a las Administraciones públicas territoriales e institucionales, a los Organismos Reguladores, las Agencias y Entidades públicas Empresariales, a las organizaciones internacionales de derecho público, ni a aquellas otras que ejerzan potestades públicas de soberanía o administrativas*". Y, por su parte, el apartado segundo del citado precepto establece la siguiente excepción: "*En el caso de las Sociedades mercantiles públicas que ejecuten políticas públicas o presten servicios de interés económico general, solamente les podrán ser impuestas las penas previstas en las letras a) y g) del apartado 7 del artículo 33*". Por otro lado, el régimen de responsabilidad previsto en los arts. 31 bis y ss. CP se aplica a entidades generalmente lícitas, a diferencia de aquellas otras que forman parte de organizaciones criminales o que se utilizan con carácter instrumental. *Vid.* ampliamente, sobre esta cuestión, LEÓN ALAPONT, J.: "La responsabilidad penal de los partidos políticos en España: ¿disfuncionalidad normativa?", *Revista General de Derecho Penal*, núm. 27, 2017, pp. 1-42. GALÁN MUÑOZ,

herramienta comunicativa en tanto en cuanto ello les permitirá, en parte, poder obtener, llegado el caso, una exención absoluta o parcial (atenuación) de la responsabilidad criminal en que pudieran incurrir (o se les atribuya). En este sentido, cabría mencionar que, en relación con el art. 31 bis 2 a 5 CP, no existe ninguna obligación de dotarse de estos mecanismos de prevención de delitos (salvo en el caso de algunos entes como los partidos políticos)[375]. Por lo que su implementación voluntaria lo es a efectos de obtener la exención/atenuación de responsabilidad. No obstante, como veremos en este capítulo, el *Proyecto de Ley reguladora de la protección de las personas que informen sobre infracciones normativas y de lucha contra la corrupción* (por la que se transpone la Directiva (UE) 2019/1937 del Parlamento Europeo y del Consejo, de 23 de octubre de 2019, relativa a la protección de las personas que informen sobre infracciones del Derecho de la Unión), sí impone la obligación de que determinadas personas jurídicas (no solo privadas) implanten estos mecanismos de "denuncia" corporativa[376]. En este caso, la obligación prevista en este

---

A.: "¿Cultura o estructura? ¿esa es la cuestión? La difícil convivencia y coordinación de los dos sistemas de tratamiento penal de las personas jurídicas en el ordenamiento español", *Revista General de Derecho Penal*, núm. 35, 2021, pp. 1-33. Y ABEL SOUTO, M.: "Algunas discordancias legislativas sobre la responsabilidad criminal de las personas jurídicas en el código penal español", *Revista General de Derecho Penal*, núm. 35, 2021, p. 20 y ss.

375 *Vid.*, sobre esta cuestión, LEÓN ALAPONT, J.: "Partidos políticos y responsabilidad penal de las personas jurídicas: consideraciones en torno a su régimen jurídico y los *compliances programs*", en MATALLÍN EVANGELIO, Á. (Dir.), *Compliance y prevención de delitos de corrupción*, Valencia, Tirant lo Blanch, 2018, p. 180. Nuestro Código Penal no tipifica como delito la no adopción de modelos de organización y gestión. Si bien, en el Proyecto de Ley Orgánica de reforma del Código Penal de 2013 se llegó a contemplar la introducción (dentro de la nueva sección cuarta bis del capítulo XI del título XIII), de un nuevo artículo 286 seis que castigaba la no adopción de planes de cumplimiento penal. *Vid.*, sobre esta cuestión, GÓMEZ TOMILLO, M.: *Compliance penal y política legislativa. El deber personal y empresarial de evitar la comisión de ilícitos en el seno de las personas jurídicas*, Valencia, Tirant lo Blanch, 2016.

376 Así pues, puede haber personas jurídicas que sí queden incluidas en el ámbito subjetivo de aplicación de los arts. 31 bis y ss. CP, pero, que, en cambio, no estén obligadas a adoptar dichos canales de denuncia. Y, viceversa (aunque en menor medida), que, no quedando sometidas al régimen de responsabilidad penal de los arts. 31 bis y ss. CP, sí queden compelidas por la obligación prevista en el Proyecto de Ley.

Proyecto de Ley va acompañada de un catálogo de infracciones (art. 63) y sanciones (arts. 65 y 66) en caso de incumplimiento de algunas de sus previsiones.

En línea con lo anterior, resulta curioso que el proyectado art. 4.1 del citado Proyecto de Ley aluda a que *"El Sistema interno de información es el cauce preferente para informar sobre las acciones u omisiones previstas en el artículo 2"*. Ahora bien, mientras no se produzca una modificación de la normativa procesal penal esto en ningún caso puede entenderse como un requisito de procedibilidad, sino, simplemente de una cláusula de fomento del uso "preferente" de estos mecanismos (internos) antes de acudir a las vías convencionales. Pero, nada más.

Precisamente, el Informe del CGPJ sobre el Anteproyecto, de 26 de mayo de 2022, destacaba que los arts. 259 y 262 LECrim establecen la obligación de denunciar (con las excepciones contempladas en los arts. 260, 261 y 263) la perpetración de cualquier delito público ante las autoridades judiciales, fiscales o policiales. Advirtiendo que, a pesar de la simbólica consecuencia que lleva su incumplimiento, *"la preexistencia de dichas disposiciones en nuestro ordenamiento jurídico tiene un encaje cuanto menos complejo con la norma europea y el Anteproyecto"* (p. 30). Señalándose que, *"si bien la denuncia a través de los canales internos o externos es una opción que se proporciona al ciudadano que no resulta per se incompatible con la obligación de denunciar establecida en la LECrim, la consecución real del objetivo de fomento del empleo de estos canales de forma preferente —y en especial, del canal interno— para combatir los incumplimientos del Derecho de la Unión Europea y nacional que se enmarcan en su ámbito de aplicación sí resulta difícilmente conciliable con dicha obligación legal"* (p. 31). Por ello, el CGPJ (pp. 31 y 32) valora positivamente que el Anteproyecto de Ley Orgánica de Enjuiciamiento Criminal, si bien mantiene la obligación de denunciar en su artículo 526, prevé a su vez, que *"Cuando la noticia de la comisión de un delito cometido en el seno de una entidad del sector público o privado la hubiese dado un funcionario o empleado a través de un procedimiento de denuncia interna, la comunicación del hecho delictivo a las autoridades podrá realizarla el responsable del canal de denuncia sin revelar la identidad del alertador, salvo que fuese especialmente requerido para hacerlo"* (artículo 528.6).

Con todo, lo más importante es que, si bien solo determinadas personas jurídicas quedan obligadas por este Proyecto de Ley (como veremos a continuación), el art. 10. 2 prevé que *"Las personas jurídicas del sector privado* ***que no estén vinculadas por la obligación impuesta en el apartado 1 de este artículo podrán establecer*** *su propio Sistema interno de información,* ***que deberá cumplir, en todo caso, los requisitos previstos en esta ley"***. Esta cláusula viene a despejar, a nuestro juicio, una importante duda, y es que, a falta de una regulación específica en el Código Penal (art. 31 bis 5. 4º CP) sobre canales de denuncia, esta futura Ley será a tales efectos la norma de referencia a la que remitirse y, en consecuencia, los parámetros y disposiciones en ella contenidas serán las que deban tenerse en cuenta a la hora de valorar el cumplimiento (o incumplimiento) del requisito 4º del art. 31 bis 5 CP.

Por último, cuando se trate de grupos de sociedades o personas jurídicas con varios centros de negocio (o de actuación), podrán adoptarse canales de denuncia "centralizados" (esto es, compartidos) o disponer a nivel individual de éstos.

2. ALGUNAS CONSIDERACIONES SOBRE EL ART. 31 BIS 5. 4º CP

Como puede observarse, el Código Penal solo establece, en el art. 31 bis 5. 4º, que los modelos de organización y gestión: *"impondrán la obligación de informar de posibles riesgos e incumplimientos al organismo encargado de vigilar el funcionamiento y observancia del modelo de prevención"*.

En este sentido, cabe advertir que:

a) el mencionado precepto no concreta a través de qué medio se canaliza esa obligación de informar y qué características debe reunir;

b) en ningún momento se alude a la obligación de denunciar, sino a la de "informar";

c) nada se dice sobre cómo debe gestionarse esa información que se recibe;

d) tampoco se expresa si no gestionar la información o hacerlo indebidamente puede enervar la eficacia eximente del *compliance*; y,

e) el Código Penal no exige que se deba abrir una investigación interna tras la recepción de "información".

Por tanto, en puridad, si nos atenemos al tenor literal del precepto, bastaría con imponer la obligación de informar de posibles riesgos e incumplimientos al órgano de vigilancia[377]. Ahora bien, en nuestra opinión, consideramos razonable que para que se cumpla con el requisito cuarto del art. 31 bis 5 CP deba valorarse, además, la siguiente secuencia lógica[378]:

1) habrá que acreditar que el canal de denuncias se haya implantado y esté en funcionamiento.
2) que reúna, al menos, las siguientes características[379]:
   - deberá determinar quiénes pueden acceder a dicho sistema de denuncias.
   - garantizar la protección del denunciante.
   - ser accesible, por tanto, que el procedimiento para reportar un riesgo o incumplimiento del modelo no sea farragoso; y,
   - detallar el proceso de gestión de la denuncia (admisión, estudio, diligencias a practicar, resultado, respuesta, comunicación, etc.).
3) que se dé curso a la denuncia, se analice, se valore, y se comunique a los superiores su existencia.
4) decretar la apertura de una investigación interna en caso de que se aprecie que la denuncia es fundada, salvo que no se considere necesaria y se proceda directamente a sancionar.

Respecto de esta última cuestión, como veremos, el Código Penal tampoco contempla expresamente que las personas jurídicas tengan que llevar a cabo investigaciones internas como *conditio sine qua non* para predicar la eficacia eximente de los modelos de organización y gestión. Sin embargo, consideramos una obligación ineludible que,

---

377 Discrepamos, pues, de la opinión de PUYOL MONTERO, cuando afirma que "expresamente se impone la obligatoriedad del canal de denuncias". *Cfr.* PUYOL MONTERO, J.: *El funcionamiento práctico del canal de compliance "whistleblowing"*, Valencia, Tirant lo Blanch, 2017, p. 105.

378 LEÓN ALAPONT, J.: *Compliance Penal*..., *op. cit.*, pp. 199 y ss.

379 LEÓN ALAPONT, J.: "*Criminal compliance*...", *op. cit.*, pp. 16-17.

tras la recepción de información sobre posibles riesgos e incumplimientos del *compliance*, la persona jurídica decrete la apertura de la correspondiente investigación interna con la finalidad de esclarecer los hechos objeto de la comunicación[380].

Por su parte, la FGE en su Circular 1/2016, al analizar los requisitos contenidos en el art. 31 bis 5 CP, expresó que "*La existencia de unos canales de denuncia de incumplimientos internos o de actividades ilícitas de la empresa es uno de los elementos clave de los modelos de prevención. Ahora bien, para que la obligación impuesta pueda ser exigida a los empleados resulta imprescindible que la entidad cuente con una regulación protectora específica del denunciante (whistleblower), que permita informar sobre incumplimientos varios, facilitando la confidencialidad mediante sistemas que la garanticen en las comunicaciones (llamadas telefónicas, correos electrónicos...) sin riesgo a sufrir represalias*"[381].

Asimismo, el CGPJ, en su Informe de 26 de mayo de 2022 (sobre el Anteproyecto de Ley de Protección del Informante), relacionaba estos canales de información con lo dispuesto en los artículos 31 bis. 2, 1ª y 2ª, 31 bis.5, 4ª y 31 quater d) del Código Penal (pp. 17 y 18). Y, de forma un tanto más genérica, la Exposición de Motivos del Proyecto de Ley se refiere a que: "*Estos canales de denuncias, mediante el anonimato, han colaborado a instituir un instrumento esencial para la Compliance de una empresa y ha sido fundamental para poder recibir denuncias graves que de otra manera las personas trabajadoras y los colaboradores no se atreverían a señalar por temor a represalias en caso de ser identificados*" (p. 14).

Llegados a este punto, resulta ineludible advertir que, al menos a efectos de la exención o atenuación contemplada en el Código Penal, los riesgos e incumplimientos a los que se refiere el art. 31 bis 5. 4º serán solo aquellos que como tales queden contemplados en el *compliance*. Por tanto, no incluyen (o se extienden) a otras infracciones (de la naturaleza que sean) que no vengan recogidas en el mapa de riesgos a que

---

380 LEÓN ALAPONT, J.: "Retos jurídicos en el marco de las investigaciones internas corporativas: a propósito de los *compliances*", *Revista Electrónica de Ciencia Penal y Criminología*, núm. 22-04, 2020, p. 4.

381 Circular 1/2016, de 22 de enero, sobre la responsabilidad de las personas jurídicas conforme a la reforma del Código Penal efectuada por Ley Orgánica 1/2015, p. 45.

hace referencia el art. 31 bis 5. 1º CP. Esto es, lo que debe ponerse en conocimiento del responsable del canal es la existencia de un riesgo (probable incumplimiento) o de una actual trasgresión de algunas de las disposiciones del programa en relación con algunas de las actividades previamente identificadas como peligrosas (potencialmente delictivas).

PRECISIÓN: naturalmente, es posible que la realización del *risk mapping* no se haya efectuado de la manera adecuada, presente importantes deficiencias, o hayan surgido nuevos riesgos con posterioridad a la evaluación inicial. Por ello, no puede excluirse la posibilidad de que se reporten hechos aparentemente "sospechosos" de ser constitutivos de delito en relación con actividades que pueden no estar recogidas en el mapa de riesgos y que sean igualmente imputables a la persona jurídica.

Otra cosa es que, más allá de esta previsión, se decida que el canal de denuncias deba configurarse de forma que no solo reciba y atienda comunicaciones de índole penal, sino, también, de otra naturaleza.

De igual modo, los canales de denuncia pueden ser de gran ayuda para la comunicación de posibles conductas delictivas en operaciones de fusión, absorción o escisión (las cuales no extinguen la responsabilidad penal, sino que la transmiten a la entidad o entidades resultantes); y, muy especialmente, de las acontecidas con anterioridad a la culminación de tales procesos.

Por último, también en este ámbito concreto de los canales de denuncia existen estándares como la UNE 19601:2017 sobre "*Sistemas de gestión de compliance penal. Requisitos con orientación para su uso*" o, más específicamente, la UNE-ISO 37002:2021 sobre "*Sistemas de gestión de la denuncia de irregularidades. Directrices*". Si bien, como ya advertimos en otro lugar, tales referencias no son normativas, sino un conjunto de pautas, parámetros y criterios elaborados por determinadas entidades privadas que, bajo ninguna circunstancia, pueden calificarse como texto legal.

3. ASPECTOS COMUNES

3.1. Fomento de su uso

Si el canal de denuncias no suscita la suficiente confianza entre sus potenciales usuarios, nadie recurrirá a él para poner en conocimiento de la organización aquellas "irregularidades" que se hayan podido observar.

Para evitar dicha impresión, quizás, deba empezarse por sustituir el nombre de canal de denuncias por "canal ético" (como hace la Fiscalía en su Circular 1/2016) o "canal de comunicación" (como hace la UNE 19601:2017). En este sentido, un primer paso consiste en desvincular el concepto de denuncia de estos canales[382]. La denuncia tiene en nuestro contexto cultural una connotación peyorativa, asociándose al concepto de "soplón" o "chivato". Se trata de un comportamiento que incluso merece un cierto rechazo o reproche social[383]. Sin embargo, como destaca GOÑI SEIN, hay que tomar conciencia de que con la denuncia se trata de proteger: a) el interés vital de la persona jurídica; b) el interés público (conformidad a la ley); y, c) la integridad moral de las personas (trabajadores, directivos, altos cargos)[384].

Para VEIGA MAREQUE y FERNÁNDEZ DE AVILÉS, desplegar la cultura del *whistleblowing* genera ciertos beneficios para la organización, que pueden resumirse de la forma que sigue[385]:

- salvaguarda de la imagen pública de la persona jurídica de verse relacionada en escándalos de conductas delictivas con trascendencia pública.
- cortafuegos interno que protege de la expansión de las conductas incumplidoras entre el personal de la entidad.
- instrumento de apoyo esencial para la formación y fomento de la ética corporativa, el buen comportamiento dentro de la organización, las políticas de cumplimiento, transparencia y lealtad profesional.
- fomento de la competencia positiva en sentido dual: por un lado, se fomenta la competencia positiva entre el personal para

---

382 Así, VEIGA MAREQUE, J. A. y FERNÁNDEZ DE AVILÉS, G.: *Compliance para Pymes. Paso a paso*, Madrid, Colex, 2019, p. 191.

383 En esta línea, PUYOL MONTERO, J.: *El funcionamiento...*, *op. cit.*, p. 106.

384 GOÑI SEIN, J. L.: "Sistemas de denuncia interna de irregularidades («whistleblowing»)", en GOÑI SEIN, J. L. (Dir.): Ética empresarial y códigos de conducta, Las Rozas, La Ley-Wolters Kluwer, 2011, p. 329.

385 VEIGA MAREQUE, J. A. y FERNÁNDEZ DE AVILÉS, G.: *Compliance...*, *op. cit.*, p. 94.

no incurrir en conductas negativas y ver premiadas las positivas y; por el otro, el fomento de la ventaja competitiva del ente.

Por el contrario, en nuestra opinión, y como pone de relieve RAGUÉS I VALLÉS, la eficacia preventiva de estos mecanismos es harto discutida y no cabe esperar "réditos especialmente cuantiosos"[386]. Con todo, aunque solo sea a efectos de obtener la exención/atenuación, la implantación de estos canales está fuera de toda duda.

La propia Norma UNE 19601:2017 (en su apartado 8.7) nos aporta algunas claves para contrarrestar ese clima de desconfianza hacia los canales de denuncia. Así, por ejemplo, alude a:

- la necesidad de garantizar la confidencialidad o anonimato de la identidad de las personas que hagan uso de dichos canales de comunicación;
- prohibir cualquier tipo de represalia, tomando las medidas necesarias para proteger a aquellos miembros de la organización o terceros que realicen comunicaciones de buena fe, sobre la base de indicios razonables, a través de dichos canales de comunicación; o,
- garantizar que los miembros de la organización conocen los canales de comunicación existentes y los procedimientos que regulan su funcionamiento.

También es importante, como señala GARCÍA MORENO, que el funcionamiento del canal esté claro para que no haya desconocimiento y se desincentive su uso[387]. Al hilo de esta cuestión, resulta trascendental que se proporcione a los integrantes de la organización una adecuada formación sobre cada uno de los aspectos que integren el canal de denuncias. Por tanto, no se trata solo de dar a conocer esta herramienta (su existencia) sino, además, de instruir en ella. Precisa-

---

386 RAGUÉS I VALLÉS, R.: "El fomento de las denuncias como instrumento de política criminal contra la criminalidad corporativa: *whistleblowing* interno vs. *Whistleblowing* externo", en MIR PUIG, S.; CORCOY BIDASOLO, M. y GÓMEZ MARTÍN, V.: *Responsabilidad de la empresa y compliance. Programas de prevención, detección y reacción penal*, Montevideo-Buenos Aires, B de F, 2013, pp. 474.

387 GARCÍA MORENO, B.: "Whistleblowing y canales institucionales de denuncia", en NIETO MARTÍN, A. (Dir.): *Manual de cumplimiento penal en la empresa*, Valencia, Tirant lo Blanch, 2015, p. 215.

mente, la falta de interés por parte de la persona jurídica en este punto puede repercutir negativamente sobre la eficacia de estos mecanismos y, llegado el caso, impedir la exoneración/atenuación de responsabilidad criminal.

Por otro lado, hay que combatir la idea de que el "denunciante" es un chivato, y trasladar la imagen que con el *whistleblowing* no se trata de "generar divisiones en la organización ni tensiones innecesarias, al contrario, se pretende unir esfuerzos por un proyecto corporativo común, que vaya en la misma dirección: reforzar el cumplimiento"[388]. En todo caso, hay que evitar transmitir la sensación de que con la implantación del canal se está instaurando una especie de estado policial dentro de la organización.

Otro riesgo de estos sistemas es que se utilicen con ánimo de venganza para perjudicar a otros miembros de la entidad.

En otro orden de cosas, la desconfianza puede provenir de las pocas expectativas que se tenga de que tras la comunicación se vaya a iniciar una investigación interna. E, igualmente, contribuye a esa reticencia el hecho de que la persona jurídica, en vez de proceder a denunciar los hechos y a reparar el daño causado, "haya preferido echar tierra sobre el asunto encubriendo a los posibles responsables o destruyendo pruebas"[389].

Así también, algunos autores han defendido que lo aconsejable para lograr un óptimo nivel de confianza en el canal de denuncias sería otorgar la supervisión del mismo al *compliance officer*, por su proximidad a los integrantes de la organización[390]. Sin embargo, a nuestro juicio, ello generaría el efecto contrario, dada la poca simpatía que, en la realidad, suele suscitar esta figura.

En último lugar, un instrumento que puede ser especialmente valioso en este ámbito es el de ofrecer "recompensas" (que no tienen por qué ser exclusivamente dinerarias) para así promover que se comuniquen hechos sospechosos de ser irregulares o ilícitos. Si bien, a dife-

---

388 VEIGA MAREQUE, J. A. y FERNÁNDEZ DE AVILÉS, G.: *Compliance...*, *op. cit.*, p. 92.

389 RAGUÉS I VALLÉS, R.: "El fomento...", *op. cit.*, p. 482.

390 VEIGA MAREQUE, J. A. y FERNÁNDEZ DE AVILÉS, G.: *Compliance...*, *op. cit.*, p. 92.

rencia de otros estados, en nuestro país parece que todavía estamos lejos de incorporar estos sistemas tanto en el sector público como en el privado[391].

3.2. Restricciones en el acceso al canal de denuncias

Al contrario de lo que han defendido algunos autores, como por ejemplo RAGUÉS I VALLÉS, el canal de comunicación no solo debe estar abierto para denuncias de empleados, esto es un error de planteamiento[392]. Como también lo es pensar que "resulta más complejo, sin embargo, hablar de *whistleblowing* cuando la denuncia proviene de algún directivo o administrador, pues generalmente a ellos les corresponde adoptar e implementar los canales de denuncia interna y los programas de cumplimiento legal"[393]. Excluir a cualquier persona integrante de la organización de la posibilidad de acceder al canal de denuncias no solo restará eficacia a este mecanismo, sino que además debería impedir considerar este requisito (al menos en su plenitud) y negar la exención absoluta de responsabilidad penal de la persona jurídica[394].

Ahora bien, tampoco compartimos la tesis de que el canal de denuncias no deba tener límites al conocimiento o denuncia de irregularidades vinculadas a las actividades de la entidad, de forma que la persona jurídica pudiera conocer el incumplimiento de su modelo de prevención penal[395]. Así pues, el canal debe estar accesible a cualquier persona que colabore o hubiese colaborado con la organización, o

391 *Vid.* ampliamente, sobre esta cuestión, GIMENO BEVIÁ, J.: "De falciani a birkenfeld: la evolución del delator en un cazarrecompensas. Aspectos procesales e incidencia frente a las personas jurídicas (whistleblower vs bounty hunter)", *Diario La Ley*, núm. 9139, 2018. Y RAGUÉS I VALLÉS, R.: *Whistleblowing. Una aproximación desde el Derecho penal*, Madrid, Marcial Pons, 2013.

392 *Cfr.* RAGUÉS I VALLÉS, R.: "Denuncias de los trabajadores («whistleblowing»)", en AYALA GÓMEZ, I. y ORTIZ DE URBINA GIMENO, I. (Coords.): *Penal económico y de la empresa*, Madrid, Francis Lefebvre, 2016, p. 201.

393 GIMENO BEVIÁ, J.: *Compliance y proceso...*, *op. cit.*, p. 74.

394 LEÓN ALAPONT, J.: "*Criminal compliance...*", *op. cit.*, p. 16.

395 DÍAZ ALDAO, M. y HERNÁNDEZ PÉREZ, E.: "Las investigaciones internas del modelo de prevención penal", en GÓMEZ-JARA DÍEZ, C. (Coord.): *Persuadir y Razonar: Estudios Jurídicos en Homenaje a José Manuel Maza Martín. Tomo II*, Cizur Menor, Thomson Reuters-Aranzadi, 2018, pp. 993.

que tenga o hubiese tenido relación con la misma. Lo que es evidente, es que no puede exigirse a una persona jurídica que el canal de denuncias también esté abierto a cualquier persona "ajena" o sin ningún tipo de vinculación con ésta[396].

En este sentido, podría pensarse por ejemplo en extender la posibilidad de denunciar también a socios, afiliados, a proveedores, etc. Incluso, a pesar de lo dicho anteriormente, también un vecino puede observar "movimientos" sospechosos en la sucursal de enfrente de su casa (y ponerlo en conocimiento de la empresa); o, un cliente que escucha conversaciones o presencia comportamientos "extraños" de algún empleado.

Por otro lado, a juicio de algún autor, en el caso concreto de un partido político (aunque resulta de aplicación a otro tipo de organizaciones como sindicatos, asociaciones, etc.) los canales internos de denuncia "deberían estar reservados para los integrantes, directivos o empleados de la organización, y no a los afiliados de la misma que, en estos casos, actuarían como personas ajenas a ella, con las mismas características de cualquier ciudadano que denuncie las prácticas ilícitas cometidas por las personas físicas integrantes del partido político"[397]. Sin embargo, a nuestro juicio, no vemos obstáculo alguno para ello, pues, como ya hemos manifestado más arriba, incluso, sería altamente aconsejable que así fuere[398].

3.3. *¿Qué hay que denunciar?*

Como advertimos más arriba, el requisito cuarto del art. 31 bis 5 CP alude a la obligación de informar sobre posibles *"riesgos e incumplimientos"* (actuales o inminentes), se entiende, de carácter delictivo. Con todo, si bien ésta debe ser la función principal del canal de denuncias, éste puede emplearse igualmente para otro tipo de comunicaciones como las que destacamos a continuación[399]:

---

396 LEÓN ALAPONT, J.: "*Criminal compliance...*", *op. cit.*, p. 16.

397 MAZA MARTÍN, J. M.: *Delincuencia electoral...*, *op. cit.*, p. 456.

398 LEÓN ALAPONT, J.: *La responsabilidad penal...*, *op. cit.*, p. 522.

399 De este mismo parecer, CASANOVAS YSLA, A.: "La norma UNE 19601...", *op. cit.*, p. 911. Y PUYOL MONTERO, J.: *El funcionamiento...*, *op. cit.*, pp. 15 y 185.

a) plantear dudas sobre el funcionamiento de determinados aspectos del programa de cumplimiento;
b) consultar sobre la legalidad de determinadas operaciones;
c) comunicar cualquier tipo de incidencia;
d) presentar cualquier tipo reclamación;
e) realizar sugerencias de reforma de algunos elementos del *compliance*;
f) reportar la detección de nuevos riesgos;
g) proponer acciones de mejora; y,
h) cualesquiera otras circunstancias de naturaleza análoga a las anteriores.

Y, como también dijimos, los canales de denuncia pueden emplearse para la puesta en conocimiento de otro tipo de infracciones que no sean de naturaleza penal (como las de carácter administrativo, tributario, laboral, etc.). O, incluso, aun siendo delictivas, que versen sobre delitos no atribuibles a la persona jurídica, o en los que ésta aparezca como víctima (como en el caso de una administración desleal, una estafa, etc.). Pudiéndose igualmente informar de hechos que pudiesen desencadenar en una responsabilidad civil subsidiaria (art. 120.4° CP) o en una participación a título lucrativo (art. 122 CP).

Sin olvidar que las denuncias también pueden ir referidas a violaciones del Código Ético o de buena conducta. De forma que, igualmente podrían comunicarse incumplimientos de los valores, principios, o pautas que la persona jurídica haya decidido establecer en su seno.

Por último, sí que consideramos conveniente diferenciar entre lo que podrían considerarse "denuncias" (referidas a hechos, conductas, comportamientos, etc.), de las "reclamaciones" que, por ejemplo, puedan presentarse ante una empresa por defectos en el producto o servicio, por el trato o atención dispensada al cliente, etc. (más de naturaleza civil o mercantil).

Centrándonos, a continuación, únicamente en la vertiente penal del canal de denuncias, habría que tener en cuenta que la responsabilidad penal de las personas jurídicas puede originarse por:

a) acciones u omisiones (propias o impropias);
b) delitos dolosos e imprudentes;

c) en grado de consumación o tentativa (acabada e inacaba);
d) cuando la persona física actúa no sólo como autor (directo, mediato, o coautor), sino también cuando lo hace en calidad de partícipe (inductor, cooperador necesario y cómplice); y,
e) actos preparatorios punibles.

Pero, la principal cuestión que aquí se suscita es si las personas sujetas al canal de denuncias tienen la obligación de revelar cualquier clase de incumplimiento por mínimo e inconsistente que sea, e independientemente de la gravedad y del perjuicio real o potencial que se pueda causar a la organización. A nuestro parecer, y en los términos expuestos hasta el momento, la denuncia debe versar sobre cualquier posible riesgo de comisión delictiva o incumplimiento (ya producido) de las disposiciones del *compliance* que pueda acabar generando responsabilidad penal para la entidad. Así, un plan de prevención de delitos que estableciese un listado elaborado por la propia persona jurídica delimitando los supuestos en que cabría denunciar, debería reputarse, a nuestro juicio, no apto para la exención[400]. Lo cual no obsta para que, posteriormente, los parámetros arriba enunciados se tuvieren en consideración a la hora de dar curso o no a la denuncia o, en su caso, llegar a "archivarla". Pero, en ningún caso, utilizarlos como elementos para limitar *ab initio* la facultad de denuncia interna.

Cuestión distinta será que a la hora de sancionar el incumplimiento de la obligación de "informar" se establezca una suerte de catálogo que recoja aquellas situaciones que se considerarán infracciones del código disciplinario, atendiendo a una serie de criterios como podrían ser los siguientes:

- La gravedad del incumplimiento o posible riesgo detectado.
- La repercusión (económica, reputacional, o de cualquier otra clase).
- La posición que la persona física denunciada ocupe en la estructura organizativa de la persona jurídica.
- Etc.

---

400 LEÓN ALAPONT, J.: "*Criminal compliance...*", *op. cit.*, p. 17.

En definitiva, los supuestos de inobservancia de la obligación de denunciar han de interpretarse de manera restrictiva[401].

3.4. Modelos de denuncia: tipos de formularios

La persona jurídica deberá poner a disposición de los denunciantes el formulario de denuncia, de forma que no sean éstos quienes tengan que solicitarlo para enviar una comunicación. En él deberá constar la mayor información posible sobre la irregularidad o incumplimiento detectado, la persona o personas infractoras, así como de la persona que denuncia tales hechos. Asimismo, el canal de denuncias debe estar confeccionado de manera que permita obtener al denunciante una copia de la comunicación efectuada.

La comunicación puede presentarse por escrito (en formato papel), incluso, puede que, en algunos casos, de forma oral. Asimismo, la entidad puede optar por instaurar un correo al que enviar las denuncias, crear una especie de aplicación informática de uso interno dedicada exclusivamente a esta cuestión, o bien destinar un apartado de la web corporativa a estos efectos.

Como ya tuviéramos ocasión de expresar, el art. 31 bis 5. 4º CP no regula que la comunicación deba efectuarse a través de una plataforma específica, si bien, lo habitual será hacerlo por medio del canal de denuncias del que venimos hablando. No obstante, como también advertimos, el Código Penal no menciona qué forma debe adoptar ese canal. Así pues, se puede crear un correo electrónico específico que sea custodiado por el oficial de cumplimiento. Puede diseñarse una aplicación *ad hoc* o un portal de denuncia en la web corporativa. O, por ejemplo, habilitar un número de teléfono, de WhatsApp, o buzón de voz, al que poder dirigirse. En definitiva, cualquier fórmula, preferiblemente tecnológica que garantice la realización de dicha comunicación. Con todo, no son éstos los únicos medios que la persona jurídica puede poner a disposición del denunciante. Así, por ejemplo,

---

401 *Cfr.* GOÑI SEIN, J. L.: "Programas de cumplimiento empresarial (*compliance programs*): aspectos laborales", en MIR PUIG, S.; CORCOY BIDASOLO, M. y GÓMEZ MARTÍN, V.: *Responsabilidad de la empresa y compliance. Programas de prevención, detección y reacción penal*, Montevideo-Buenos Aires, B de F, 2013, p. 401.

cabe mencionar la posibilidad de que la comunicación se efectúe de forma presencial y verbalmente ante el órgano de vigilancia; o, también, a través de la correspondiente carta, nota o mensaje dirigido al responsable del canal. En opinión de ARÁNGUEZ SÁNCHEZ, lo recomendable sería ofrecer al denunciante varias alternativas para que él seleccione aquella con la que se sienta más cómodo[402]. Ahora bien, no podemos perder de vista que ello puede suponer un elevado coste económico; y, en todo caso, puede ir en perjuicio de lo que sería una buena gestión del canal (por tener que atender más de una vía de comunicación).

En otro orden de cosas, como apunta GÓMEZ-JARA DÍEZ, "el Código Penal no establece la obligación de informar directamente al órgano de vigilancia, sino que puede entenderse cumplida dicha obligación cuando se informa indirectamente al órgano de cumplimiento a través del comité de auditoría u otro órgano similar. Lo materialmente relevante es que el órgano encargado de velar por el funcionamiento y cumplimiento del modelo es informado de los riesgos e incumplimientos"[403]. Así pues, en estos casos en los que, por ejemplo, la denuncia se presente ante algún responsable de la organización distinto al oficial de cumplimiento, o bien ante un directivo de ésta, etc., lo importante será que, al final exista una buena coordinación con el órgano de cumplimiento para que éste acabe conociendo de la forma que sea las presuntas trasgresiones del *compliance* que se reportan.

3.4.1. Estandarizado

La persona jurídica puede optar por implantar un formulario genérico. De forma que, en lo concerniente al contenido de la denuncia, los aspectos básicos que deberán mencionarse sean los siguientes:

a) identificación del denunciante (salvo que se opte por preservar su anonimato).

---

402 ARÁNGUEZ SÁNCHEZ, C.: "El diseño de programas de prevención de delitos para personas jurídicas", *Revista Electrónica de Ciencia Penal y Criminología*, 2020, núm. 22-20, p. 16.

403 GÓMEZ-JARA DÍEZ, C.: "La culpabilidad...", *op. cit.*, p. 211.

b) descripción de los hechos (relato fáctico). En él deberán constar, con el máximo nivel de detalle posible, cualquier circunstancia de la que el denunciante tenga conocimiento.
c) la forma en que el denunciante tuvo conocimiento de los hechos denunciados.
d) fecha en la que acontecieron los hechos.
e) localización geográfica y orgánica (área, departamento, sección) del suceso.
f) identidad del denunciado o denunciados.
g) información sobre si ha existido una comunicación previa relacionada con el objeto de la denuncia y cuál ha sido la respuesta.
h) aportación del material probatorio en que se sustente la denuncia.
i) en general, cualquier tipo de información que el denunciante considere relevante para el esclarecimiento de los hechos.

3.4.2. Especializado

Por el contrario, la persona jurídica puede inclinarse por un canal de denuncias en el que, al usuario, a la hora de rellenar el formulario, se le dé la posibilidad de realizar una denuncia más personalizada, según:

1) Tipo de infracción que se reporta:
   - conducta delictiva
   - infracción administrativa
   - trasgresión de código ético
   - incumplimiento de disposición del *compliance*
2) Perfil del denunciante[404]:
   - directivos
   - socios
   - empleados
   - clientes

---

404 En atención al tipo de persona jurídica de que se trate la terminología aquí empleada deberá adaptarse.

- proveedores
- etc.

3) Área/departamento/sección implicada:
   - financiera
   - compras
   - ventas
   - recursos humanos
   - etc.

4) Grado de consumación:
   - hecho acontecido
   - hecho en ejecución
   - evento futuro

Este tipo de clasificación que acabamos de exponer u otras similares pueden ayudar, por ejemplo, a:

- que resulte más fácil sistematizar el conjunto de denuncias que se reciban.
- que sean evaluadas por personas encargadas exclusivamente de cada tipo de denuncias.
- transmitir la idea de que el canal responde a una estructura perfectamente organizada.
- mayor capacidad de respuesta.
- ofrecer una resolución de la denuncia más concreta o específica.

3.5. Uso adecuado del canal de denuncias

Como sostiene PUYOL MONTERO, las comunicaciones o denuncias "deberán siempre estar justificadas sobre la base de criterios de veracidad y proporcionalidad, no pudiendo ser utilizado este mecanismo con fines arbitrarios o distintos de aquellos que persigan de manera estricta el cumplimiento de las normas del Código de Compliance o Ético, el respeto a la legalidad vigente, o a la normativa interna"[405]. En igual sentido, CASANOVAS YSLA destaca que "la Norma UNE

---

405 PUYOL MONTERO, J.: *El funcionamiento...*, *op. cit.*, p. 16.

no pretende que los canales de comunicación se conviertan en una herramienta para calumniar, denigrar o, en cualquier modo atentar contra el buen nombre y honor de las personas. Por eso, se exige que las comunicaciones sean de buena fe, es decir, fundamentadas en indicios racionales, cuya ausencia no sólo provocará su archivo sino la eventual investigación del denunciante con voluntad difamatoria"[406].

PRECISIÓN: Respecto a esta última cuestión, advertir que la responsabilidad penal por un eventual delito de calumnia (art. 205 CP) solo será posible cuando se señale al sujeto infractor, no cuando únicamente se denuncien hechos. Y, además, este escenario creemos solo se dará en casos excepcionales, si nos atenemos a las exigencias del tipo (conocimiento de su falsedad o temerario desprecio hacia la verdad) y al contexto en que habitualmente se producen este tipo de comunicaciones.

Por tanto, nos parece razonable que, para respaldar el objeto de la denuncia, se exija aportar un mínimo sustrato probatorio que acredite tales extremos. No obstante, consideramos que también llevan parte de razón DÍAZ ALDAO y HERNÁNDEZ PÉREZ cuando defienden que "es fundamental que las meras sospechas también puedan ser comunicadas e investigadas. Existe el inconveniente de que hay personas muy inclinadas a creer en las fantasías, habladurías o teorías conspiratorias que podrían hacer un uso abusivo o espurio de estos canales. Pero para ello estaría la investigación interna, la cual a veces podría ir precedida de comprobaciones preliminares que asegurasen un mínimo de seriedad en los hechos comunicados. No sería eficaz para el modelo exigir un plus de acreditación"[407].

Este es, a nuestro modo de ver, otro punto de vista interesante, por cuanto parece trasladar la obligación de recopilar alguna prueba, por mínima que sea, a la persona jurídica. Piénsese a este respecto, que no siempre la persona denunciante estará en condiciones de aportar algún indicio, lo cual en ocasiones puede solventarse con una simple indagación previa por parte de la entidad. En todo caso, en estos supuestos, el relato que se haga en la denuncia debe ser creíble y, en consecuencia, consistente.

---

406 CASANOVAS YSLA, A.: "La norma UNE 19601...", *op. cit.*, p. 911.

407 DÍAZ ALDAO, M. y HERNÁNDEZ PÉREZ, E.: "Las investigaciones...", *op. cit.*, pp. 995-996.

En cualquier caso, la persona jurídica puede establecer una serie de parámetros que le sirvan para hacer una primera criba; pudiendo tramitar la denuncia o proceder a su archivo. Principalmente, esto último puede suceder cuando: 1) no se aporten muchos detalles (relato fáctico insuficiente); o, 2) se aprecie una falta (aunque mínima) de elementos acreditativos o "probatorios". Debiéndose excluir, naturalmente, todo tipo de suposiciones o conjeturas; informaciones manifiestamente falsas; contradicciones; y, todo tipo de información genérica. Ahora bien, no menos cierto es que la persona jurídica puede optar por admitir todo tipo de denuncias (máxime si se establece una suerte de "derecho al recurso") y ya, posteriormente, tras la correspondiente averiguación, proceder (llegado el caso) al cierre de la misma.

3.6. *Incumplimiento de la obligación de denunciar: posibles consecuencias*

En primer lugar, cabría advertir que en el caso del art. 31 bis 5. 4° CP se trata de una "obligación" (la de denunciar) *sui generis*, pues, en realidad la puede establecer la empresa (o no) para que en un momento dado ello puede acreditarse como parte del modelo de compliance y así optar a la exención o atenuación de responsabilidad penal. Por tanto, no es ninguna obligación legal. En la actualidad, fuera del *corporate compliance*, debe recurrirse a la regulación sectorial para conocer si existe algún tipo de obligación de denunciar determinadas conductas[408].

En cualquier caso, como sostiene GOÑI SEIN, la delación obligatoria conduce a resultados poco satisfactorios, pues, implica instaurar prácticamente una estructura cuasi policial en la organización[409]. En este sentido, consideramos que lo preferible hubiere sido que la obligación a la que alude el requisito cuarto del art. 31 bis 5 CP se

---

408 LEÓN ALAPONT, J.: "Canales de denuncia, *compliance* y *whistleblowing* en tiempos de pandemia", en LEÓN ALAPONT, J. (Dir.): *El Derecho penal frente a las crisis sanitarias*, Valencia, Tirant lo Blanch, 2022, p. 282.

409 *Cfr.* GOÑI SEIN, J. L.: "Criminalidad de empresa, mecanismos de denuncia o *whistleblowing* y protección de datos", en AA.VV: *Derecho de la empresa y protección de datos*, Cizur Menor, Thomson Reuters-Aranzadi, 2008, p. 40.

circunscribiese a la implantación de dichos canales (cosa que, en sentido estricto, como ya expusimos, no exige el precepto), de forma que la decisión de denunciar fuere totalmente voluntaria. Con todo, el legislador no valoró este aspecto e impuso la obligación de "informar" para aspirar a obtener la exención, desestimando otras vías como el establecimiento de políticas de "incentivos" o recompensas a los *whistleblowers*, tan frecuentes en otras latitudes en la lucha contra la criminalidad corporativa.

Dejando atrás este debate, debe tenerse en cuenta que, por otra parte, el citado precepto emplea los términos *posibles riesgos e incumplimientos* como objeto de la "comunicación". Por tanto, ni sólo se refiere a conductas delictivas (incumplimientos), ni sólo se refiere a hechos consumados (posibles riesgos). La primera consecuencia de ello es que a ojos del denunciante lo que habrá es una "irregularidad". Así las cosas, que la acción u omisión quepa calificarla como delictiva, constitutiva de una infracción administrativa, o un incumplimiento del *compliance* será algo que trascienda del juicio que éste pueda hacer, si es el caso.

La obligación de informar de posibles riesgos e incumplimientos es uno de los principales aspectos en los que la acción formativa deberá incidir con especial ahínco[410].

Sobre todo, porque, en ningún momento el requisito cuarto del art. 31 bis 5 CP impone la obligación de sancionar el incumplimiento de dicho mandato. Llegados a este punto, convendría recordar que la renuencia de un empleado a denunciar en el canal interno de la empresa solo podrá castigarse cuando así venga establecido en una ley (como pudiera ser el Estatuto de los Trabajadores o una norma como la futura Ley de protección del denunciante); en el convenio colectivo; o, en un contrato de trabajo laboral, o mercantil (como en el caso del personal de alta dirección). Y, en igual sentido, cuando se trate de otros sujetos cabrá acudir a otra clase de normas reglamentarias como puedan ser los estatutos de un partido político o sindicato (con respecto de sus afiliados), u otras "disposiciones" o acuerdos como en casos de ONG's, asociaciones, fundaciones, etc. (respecto de sus miembros). Por tanto, si bien a juicio de algún autor, lo lógico sería que el incumplimiento de la obligación de denunciar quedase recogi-

---

410 LEÓN ALAPONT, J.: "*Criminal compliance...*", *op. cit.*, p. 13.

do en el respectivo régimen sancionador del compliance[411], ello solo será posible en caso de que las disposiciones del compliance constituyesen fuente de obligaciones porque así se pactare o se estableciese en una disposición normativa que remitiese a ellas. De lo contrario, a nuestro juicio, quedarían sin cobertura jurídica o legal.

Con todo, el mandato que instaura el requisito quinto del art. 31 bis 5 CP (la de imponer la obligación de informar) presenta otra serie de limitaciones. En el supuesto concreto que aquí se dilucida, debe tenerse especialmente en cuenta que, llegado el caso, la facultad sancionadora de la persona jurídica sólo podrá proyectarse *ad intra*, esto es, respecto de las personas sobre las que ésta ejerza influencia, de forma que no alcanzaría a personas "externas" (como sería el caso de todas aquellas a las que se hubiera posibilitado el acceso al canal de denuncias interno sin pertenecer a aquélla) por cuanto en estos casos no sería viable exigir dicho cumplimiento de forma coercitiva. En tales casos (piénsese, por ejemplo, en una empresa suministradora), y aun cuando podrían incluirse cláusulas contractuales al respecto que contemplaran dicha obligación, en caso de incumplimiento se podrían adoptar otra serie de medidas como, por ejemplo, rescindir la relación mercantil[412].

En todo caso, como destaca RAGUÉS I VALLÉS, "razones evidentes de proporcionalidad deberían impedir tratar con la misma severidad al trabajador no denunciante que al empleado infractor"[413].

3.7. *La protección de la identidad del informante: anonimato versus confidencialidad*

3.7.1. Planteamiento

La persona jurídica puede optar entre diversas modalidades a la hora de proteger la identidad del denunciante.

Así, por ejemplo, puede implantar un canal de denuncias **anónimo**. A este respecto, el apartado primero del art. 24 LOPDGDD (re-

---

411 Así, para PALMA HERRERA, el incumplimiento de dicha obligación tendría que llevar aparejada la correspondiente sanción. *Vid.*, PALMA HERRERA, J. M.: "Presupuestos...", *op. cit.*, pp. 58-59.

412 LEÓN ALAPONT, J.: *La responsabilidad...*, *op. cit.*, p. 522.

413 RAGUÉS I VALLÉS, R.: "Denuncias...", *op cit.*, p. 202.

lativo a los sistemas de información de denuncias internas) establece que: "*será lícita la creación y mantenimiento de sistemas de información a través de los cuales pueda ponerse en conocimiento de una entidad de Derecho privado, **incluso anónimamente**, la comisión en el seno de la misma o en la actuación de terceros que contratasen con ella, de actos o conductas que pudieran resultar contrarios a la normativa general o sectorial que le fuera aplicable. Los empleados y terceros deberán ser informados acerca de la existencia de estos sistemas de información*".

Por otro lado, puede garantizarse la **confidencialidad** del denunciante. Así, el art. 24.3 LOPDGDD expresa que: "*deberán adoptarse las **medidas necesarias para preservar la identidad y garantizar la confidencialidad** de los datos correspondientes a las personas afectadas por la información suministrada, **especialmente la de la persona que hubiera puesto los hechos en conocimiento de la entidad**, en caso de que se hubiera identificado*".

En otras ocasiones, a pesar de preverse un sistema de confidencialidad, la preservación de la identidad del denunciante puede decaer ante cierto tipo de requerimientos. Así, por ejemplo, el Anteproyecto de LECrim de 2020 recoge en su art. 528.6 que "*Cuando la noticia de la comisión de un delito cometido en el seno de una entidad del sector público o privado la hubiese dado un funcionario o empleado a través de un procedimiento de denuncia interna, **la comunicación del hecho delictivo a las autoridades podrá realizarla el responsable del canal de denuncia sin revelar la identidad del alertador, salvo que fuese especialmente requerido para hacerlo***".

Pero, también puede abogarse por implantar un **sistema mixto**; esto es, cuando la organización ofrezca ambas posibilidades y, por tanto, disponga de canales anónimos y confidenciales. Siendo el informante quien decida a cuál acudir.

O un mecanismo **condicional** (si se quiere llamar así). En el que, permitiéndose originariamente la presentación de una denuncia anónima, se exija para seguir con su tramitación que el sujeto denunciante se persone, aporte más información, etc. (momento en el que deberá desvelar su identidad).

3.7.2. Especial referencia a la legitimidad de la denuncia anónima

En el plano normativo, son múltiples los ejemplos de disposiciones (de diversa índole) que contemplan la denuncia anónima[414]. Por citar uno de los casos más paradigmáticos, el art. 26 bis de la Ley 10/2010, de 28 de abril de prevención del blanqueo de capitales y de la financiación del terrorismo, prevé que *"los sujetos obligados establecerán procedimientos internos para que sus empleados, directivos o agentes puedan comunicar, incluso anónimamente, información relevante sobre posibles incumplimientos de esta ley, su normativa de desarrollo o las políticas y procedimientos implantados para darles cumplimiento, cometidos en el seno del sujeto obligado"*. Y, también, en los últimos tiempos, las distintas leyes autonómicas de lucha contra el fraude y protección del denunciante. Por no citar referencias supranacionales como la Convención de las Naciones Unidas contra la corrupción, hecha en Nueva York el 31 de octubre de 2003, que establece en su art. 13.2 que *"cada Estado Parte adoptará medidas apropiadas para garantizar que el público tenga conocimiento de los órganos pertinentes de lucha contra la corrupción mencionados en la presente Convención y facilitará el acceso a dichos órganos; cuando proceda, para la denuncia, incluso anónima, de cualesquiera incidentes que puedan considerarse constitutivos de un delito tipificado con arreglo a la presente Convención"*. O el artículo 5.1 del Reglamento (UE, EURATOM) 883/2013, del Parlamento Europeo y del Consejo, de 11 de septiembre de 2013, relativo a las investigaciones efectuadas por la Oficina Europea de Lucha contra el Fraude (OLAF) y por el que se deroga el Reglamento (CE) 1073/1999, que dispone que *"el director general podrá iniciar una investigación cuando haya sospecha suficiente, que puede también basarse en información proporcionada por una tercera parte o por información anónima, de que se ha incurrido en fraude, corrupción u otra actividad ilegal en detrimento de los intereses financieros de la unión"*.

---

414 *Vid.*, más ampliamente, ALIAGA RODRÍGUEZ, R.: "La «denuncia anónima» en la lucha contra la corrupción. Especial referencia a la Ley 2/2021, de 18 de junio, de lucha contra el fraude y la corrupción en Andalucía y protección de la persona denunciante", *Diario La Ley*, núm. 9900, 2021.

En el ámbito jurisprudencial, la relevante STS (Sala Segunda) 318/2013, de 11 de abril[415], dictaminó que:

> *"(...) el art. 308 de la LECrim referido al sumario ordinario, obliga a la práctica de las primeras diligencias «inmediatamente que los Jueces de instrucción (...) tuvieren conocimiento de la perpetración de un delito». Es indudable que ese conocimiento puede serle proporcionado por una denuncia en la que no consta la identidad del denunciante. Cuestión distinta es que ese carácter anónimo de la denuncia refuerce el deber del Juez instructor de realizar un examen anticipado, provisional y, por tanto, en el plano puramente indiciario, de la verosimilitud de los hechos delictivos puestos en su conocimiento. Ante cualquier denuncia —sea anónima o no— el Juez instructor puede acordar su archivo inmediato si el hecho denunciado "... no revistiere carácter de delito" o cuando la denuncia "...fuera manifiestamente falsa" (art. 269 LECrim). Nuestro sistema no conoce, por tanto, un mecanismo jurídico que habilite formalmente la denuncia anónima como vehículo de incoación del proceso penal, pero sí permite, reforzadas todas las cautelas jurisdiccionales, convertir ese do-*

---

415 Ya la STS (Sala Segunda) 1335/2001, 19 de julio, consideró que *"(...) la cualidad de anónima de una denuncia no impide automática y radicalmente la investigación de los hechos de que en ella se da cuenta, por más que la denuncia anónima (técnicamente «delación», sinónimo de «acusar», que puede definirse como «el hecho de revelar a la autoridad judicial, o demás autoridades y funcionarios competentes la perpetración de un delito, designando al autor o culpable, pero sin identificarse el denunciador, cuya identidad se esconde en el anonimato») deba ser contemplada con recelo y desconfianza. Sin embargo, al no proscribirla expresamente la Ley de Enjuiciamiento Criminal, no puede decretarse a limine su rechazo por principio, máxime teniendo en cuenta la multitud de hechos delictivos de que las autoridades policiales y judiciales son informadas de esta forma por quienes a causa de un temor razonable de represalias en ocasiones notoriamente feroces y crueles, prefieren preservar su identidad, de lo cual la experiencia cotidiana nos ofrece abundantes muestras. En tales casos, el Juez debe actuar con gran prudencia, y no puede ni debe actuar con ligereza en la admisión o en el rechazo de la denuncia anónima. Pero si ésta aparenta credibilidad y verosimilitud, debe inicialmente inquirir, con todos los medios a su alcance, en la comprobación, prima facie, de la exactitud de su contenido, y si ello fuera afirmativo, puede proceder desde luego por sí mismo, de oficio, si el delito fuere público, sin necesidad de la intervención del denunciante y sin ningún otro requisito"* (FJ, 3). Incluso, con anterioridad, la STS (Sala Segunda) 253/2000, de 24 de febrero, respaldó la legalidad del proceso penal incoado por el Juez de Instrucción a partir de un atestado policial iniciado por una denuncia anónima, argumentando dicha resolución que *"el anonimato de una denuncia verosímil —sea verbal o escrita— no exime su comprobación por el funcionario policial la reciba, con las cautelas necesarias para evitar actuaciones infundadas"* (FJ, 2).

cumento en la fuente de conocimiento que, conforme al art. 308 de la LECrim, hace posible el inicio de la fase de investigación" (FJ, 2).

El Tribunal continúa argumentando que:

"Todo indica, por tanto, que la información confidencial, aquella cuyo transmitente no está necesariamente identificado, debe ser objeto de un juicio de ponderación reforzado, en el que su destinatario valore su verosimilitud, credibilidad y suficiencia para la incoación del proceso penal. Un sistema que rindiera culto a la delación y que asociara cualquier denuncia anónima a la obligación de incoar un proceso penal, estaría alentado la negativa erosión, no sólo de los valores de la convivencia, sino el círculo de los derechos fundamentales de cualquier ciudadano frente a la capacidad de los poderes públicos para investigarle. Pero nada de ello impide que esa información, una vez valorada su integridad y analizada de forma reforzada su congruencia argumental y la verosimilitud de los datos que se suministran, pueda hacer surgir en el Juez, el Fiscal o en las Fuerzas y Cuerpos de Seguridad del Estado, el deber de investigar aquellos hechos con apariencia delictiva de los que tengan conocimiento por razón de su cargo" (FJ, 2).

Más recientemente, en la STS (Sala Segunda) 676/2019, de 23 de enero, se sostiene que *"(...) es admisible el inicio de una investigación criminal a partir de una denuncia anónima, si bien se precisa de un control judicial indiciario para iniciar la investigación"* (FJ, 1).

Así las cosas, los dos únicos límites que ha fijado la jurisprudencia son:

1) La denuncia anónima no puede constituir prueba de cargo[416].

La STS (Sala Segunda) 1881/2000, 7 de diciembre, señaló que *"(...) una denuncia anónima, sin perjuicio de que pueda servir de base lícita para iniciar las investigaciones necesarias para constatar la eventual veracidad de lo denunciado, no puede tener, por su propia naturaleza, efectividad alguna como prueba de cargo"* (FJ, 3).

---

416 Con esto, la denuncia anónima como fuente de conocimiento sólo puede desencadenar una investigación y, como medio de investigación, puede ser un dato complementario de una base indiciaria plural. *Vid.*, en este sentido, SSTS (Sala Segunda) 834/2009, de 29 de julio; y, 658/2012, de 13 de julio). La STS (Sala Segunda) 224/2021, de 11 de marzo, se refiere a que la información que ofrece la denuncia anónima se puede consolidar mediante datos indiciarios lo suficientemente sólidos y relevantes (FJ, 3).

Así también, la STS (Sala Segunda) 11/2011, de 1 de febrero, consideraba que "(...) *en cuanto a las denuncias anónimas o noticias confidenciales, hemos dicho en sentencias 1047/2007, 17 de diciembre; 534/2009, 1 de junio; 834/2009, 16 de julio; 1183/2009, 1 de febrero, que en la fase preliminar de las investigaciones, la Policía utiliza múltiples fuentes de información: la colaboración ciudadana, sus propias investigaciones e, incluso, datos suministrados por colaboradores o confidentes policiales. La doctrina jurisprudencial del T.E.D.H. ha admitido la legalidad de la utilización de estas fuentes confidenciales de información, siempre que se utilicen exclusivamente como medios de investigación y no tengan acceso al proceso como prueba de cargo (Sentencia Kostovski, de 20 de Noviembre de 1989, Sentencia Windisch, de 27 de septiembre de 1990)*" (FJ, 5)[417].

2) La denuncia anónima no puede servir de fundamento único a una solicitud de medidas limitadoras de derechos fundamentales (entradas y registros, intervenciones telefónicas, detenciones, etc.).

Respecto de esta cuestión, la STC 184/2003, de 23 de octubre, dictaminó que:

> "*la existencia de un escrito anónimo de denuncia, como el que consta en autos, con independencia de la cuestión de si es legítimo iniciar diligencias penales contra persona determinada con base exclusivamente en él, no puede considerarse suficiente para restringir un derecho fundamental de quien en él se menciona y a quien se conecta con la comisión de un hecho delictivo, pues un escrito anónimo no es por sí mismo fuente de conocimiento de los hechos que relata, sino que, en virtud de su propio carácter anónimo, ha de ser objeto de una mínima investigación por la policía a los efectos de corroborar, al menos en algún aspecto significativo, la existencia de los hechos delictivos y la implicación de las personas a las que en el mismo se atribuye su comisión*" (FJ, 11)[418].

---

417 *Vid.*, más recientemente, la STS (Sala Segunda) 795/2014, de 20 de noviembre. O la STS (Sala Segunda) 676/2019, de 23 de enero de 2020, en la que se sostiene que la denuncia anónima no puede constituir fuente probatoria de culpabilidad so pena de nulidad por vulneración de las normas reguladoras de la prueba.

418 *Vid.*, por ejemplo, con posterioridad, SSTS (Sala Segunda) 27/2004, de 13 de enero; y, 416/2005, de 31 de marzo). Más recientemente, la STS (Sala Segunda) 958/2016, de 19 de diciembre, aludía a que "*el origen de la información inicial es irrelevante, en la medida en que no conste ninguna vulneración constitucional que pudiera viciar la obtención de la prueba*" (FJ, 2). Sin embargo, la jurisprudencia de la Sala Segunda del Tribunal parece contemplar algunas excepciones a esta regla. Así, por ejemplo, la STS (Sala Segunda) 834/2009, de 29 de julio, establecía que: "*la mera referencia a informaciones "confidenciales" no puede servir*

En cuanto a la posible traslación que pueda hacerse de la doctrina anteriormente citada al caso de la admisión de la denuncia anónima en el ámbito del compliance penal corporativo, cabría hacer las siguientes precisiones:

1) que, efectivamente, la información anónimamente proporcionada no bastase para iniciar una averiguación interna (debiendo existir otros elementos que viniesen a dar credibilidad a dicha comunicación); y,
2) que la denuncia anónima no habilitase a poner en marcha medidas restrictivas de derechos fundamentales. Con todo, si bien aquí la doctrina del TS y del TC en cuanto a la validez de la aportación de pruebas obtenidas con vulneración de derechos fundamentales por parte de particulares podría suponer un escollo a dicha exigencia, lo habitual será el respeto de tal conjunto de derechos.

Más próximos a nuestro ámbito, ya con referencias a los canales de denuncia de los sistemas de compliance, la Sala Segunda del Tribunal Supremo, en su sentencia 35/2020, de 6 de febrero, contemplaba y avalaba (en los siguientes términos) la posibilidad de denunciar anónimamente (FJ, 2):

> "*Importancia tiene la denuncia llevada a cabo y en la que, con la inexistencia de un programa de cumplimiento normativo interno, sí que resulta notablemente interesante que en el periodo de los hechos probados se lleve a cabo una mecánica de actuación ad intra en el seno de la empresa que ha sido recientemente regulada en el denominado "canal de denuncias interno"* o, *también denominado Whistleblowing, y que ha sido incluido en la reciente Directiva (UE) 2019/1937 del Parlamento Europeo y del Consejo, de 23 de octubre de 2019, relativa a la protección de las personas que informen sobre infracciones del Derecho de la Unión.*
>
> *(...) Sobre esta necesidad de implantar estos canales de denuncia, y que se vio en este caso con una alta eficacia al constituir el arranque de la investigación como "notitia criminis" se recoge por la doctrina a este respecto que la Directiva se justifica en la constatación de que los infor-*

---

de fundamento único a una solicitud de medidas limitadoras de derechos fundamentales (entradas y registros, intervenciones telefónicas, detenciones, etc.), y, en consecuencia, a decisiones judiciales que adoptan dichas medidas, salvo supuestos excepcionalísimos de estado de necesidad (peligro inminente y grave para la vida de una persona secuestrada, por ejemplo)" (FJ, 3).

mantes, o denunciantes, son el cauce más importante para descubrir delitos de fraude cometidos en el seno de organizaciones; y ***la principal razón por la que personas que tienen conocimiento de prácticas delictivas en su empresa, o entidad pública, no proceden a denunciar, es fundamentalmente porque no se sienten suficientemente protegidos contra posibles represalias provenientes del ente cuyas infracciones denuncia.***

En definitiva, se busca reforzar la protección del whistleblower y el ejercicio de su derecho a la libertad de expresión e información reconocida en el art. 10 CEDH y 11 de la Carta de los Derechos Fundamentales de la UE, y con ello incrementar su actuación en el descubrimiento de prácticas ilícitas o delictivas, como en este caso se llevó a cabo y propició la debida investigación policial y descubrimiento de los hechos. Debe destacarse, en consecuencia, que la implantación de este canal de denuncias, forma parte integrante de las necesidades a las que antes hemos hecho referencia del programa de cumplimiento normativo, ya que con el canal de denuncias quien pretenda, o planee, llevar a cabo irregularidades conocerá que desde su entorno más directo puede producirse una ***denuncia anónima*** *que determinará la apertura de una investigación que cercene de inmediato la misma.*

En el caso ahora analizado una denuncia interna, al modo del canal de denuncias aquí expuesto, provoca la apertura de la investigación que desemboca en el descubrimiento de las operaciones que estaban realizando los recurrentes durante el periodo de tiempo indicado en los hechos probados, y que causó el perjuicio económico que se ha considerado probado. Resulta, pues, necesaria la correlación entre el programa de cumplimiento normativo en la empresa para evitar y prevenir los delitos cometidos por directivos y empleados ad intra, como aquí ocurrió con los tres empleados, a fin de potenciar el control interno y el conocimiento de directivos y empleados de la posibilidad de que dentro de su empresa, y ante el conocimiento de alguna irregularidad, como aquí ocurrió perjudica a la propia empresa, y, al final, a los propios trabajadores, si el volumen de la irregularidad podría poner en riesgo y peligro hasta sus propios puestos de trabajo, pero más por el propio sentimiento de necesidad de la honradez profesional y evitación de actividades delictivas, o meras irregularidades en el seno de la empresa, circunstancia que de haber existido en este caso hubiera cortado la comisión de estos hechos, aunque sin que por su ausencia, por falta de medidas de autoprotección, derive en una exención de responsabilidad penal, como se propone en este caso por el recurrente".

3.7.3. Toma de posición

El canal de comunicación **anónimo** presenta, sin duda, algunos inconvenientes[419]. Así, a título ilustrativo, entre los que se suelen aducir, podrían citarse los siguientes:

- El hecho de presentar una denuncia anónima no impide que, por la información que se aporte, los receptores de la misma acierten al conjeturar sobre quién presentó la denuncia, por lo que puede acabar descubriéndose la identidad del informante.
- Es más difícil realizar una investigación interna si no se puede contactar con el denunciante para que se pronuncie sobre algún aspecto que requiera algún tipo de aclaración por su parte, etc., (salvo que aporte pruebas o información bastante precisa).
- El anonimato puede favorecer que se presenten más denuncias de tipo difamatorio (y, por ende, que resulten más proclives a infringir derechos como el honor o la intimidad). Sin embargo, este anonimato impediría la persecución penal por las injurias o calumnias que se hubieren podido perpetrar, salvo que se pudiera descubrir la identidad del denunciante por otros medios.
- Puede verse comprometido el derecho de defensa.

---

[419] Especialmente crítico se muestra en este sentido GALÁN MUÑOZ, para quien directamente los canales de denuncia anónimos son inconstitucionales por no superar el triple juicio de idoneidad, de necesidad y de proporcionalidad en sentido estricto. *Vid.* ampliamente, GALÁN MUÑOZ, A.: "Whistleblowing anónimo y compliance penal tras la aprobación de la Ley Orgánica 3/2018, de Protección de Datos personales y de garantía de los derechos digitales: una decisión político-criminal a revisar", en COLOMER HERNÁNDEZ, I. (Dir.): *Uso y cesión de evidencias y datos personales entre procesos y procedimientos sancionadores o tributarios*, Cizur Menor, Thomson Reuters-Aranzadi, 2019, pp. 254-261. *Vid.* también, sobre los riesgos que entrañan este tipo de denuncias anónimas, GIMENO BEVIÁ. J.: "Whistleblowing y proceso penal: una lectura desde las garantías procesales", en OLAIZOLA NOGALES, I.; SIERRA HERNAIZ, E. y LÓPEZ LÓPEZ, H. (Dirs.): *Análisis de la Directiva UE 2019/1937, Whistleblower desde las perspectivas penal, procesal laboral y administrativo-financiera*, Cizur Menor, Thomson Reuters-Aranzadi, 2021, p. 175.

PRECISIÓN: en puridad, como sabemos, solo podemos entender conculcado el derecho de defensa cuando estemos en el ámbito de un proceso judicial; o, a lo sumo, en un procedimiento sancionador. Queremos con ello advertir que, según la clase de incumplimiento que se reporte, puede que ni tan siquiera quepa hablar en esos términos.

- El ambiente en el seno de la organización puede deteriorarse si sus integrantes piensan que a través del sistema se pueden presentar denuncias anónimas sobre ellos en cualquier momento.
- El anonimato puede sobresaturar en determinados momentos el canal de denuncias, precisamente porque esta característica incita a denunciar con mayor facilidad.

Sin embargo, algunos de los principales escollos que se acaban de enumerar pueden ser fácilmente sorteados. Así, por ejemplo, la "imposibilidad" de llevar una correcta averiguación de los hechos denunciados por no conocer la identidad del denunciante resulta un argumento poco serio porque tal dificultad puede venir, llegado el caso, de la falta de un relato fáctico de calidad (con imprecisiones, ambages, etc.) o un escaso o nulo aporte de material acreditativo. Pero, no por desconocer quién está detrás de la denuncia, ¡como si de ello dependiera el éxito de tales pesquisas! Y, lo mismo cabría decir de la instrumentalización que puede hacerse de los canales anónimos. En estos casos, el simple establecimiento de filtros sobre la verosimilitud, credibilidad o rigor de la información reportada puede ser suficiente[420]. Por otro lado, la "indefensión" del investigado (o afectado) puede venir por una vulneración de sus derechos, por no respetar ciertas garantías, etc., pero, que la denuncia anónima cause *per se* indefensión es algo insostenible. Lo importante será para evitarlo que el denunciado tenga la posibilidad real de rebatir, de explicarse, de aportar elementos de prueba, etc., que permitan revertir las "acusaciones" que sobre él pesen.

Pero, también un canal **confidencial** de denuncias presenta problemas. El principal, sin duda, el recelo que genera el hecho de que el responsable del canal u otros tengan acceso a la identidad del denunciante. Y, asociado a lo anterior, el temor a posibles represalias (despido, etc.).

---

420 En sentido similar, ALIAGA RODRÍGUEZ, R.: "La denuncia anónima como instrumento de transparencia y protección de los denunciantes", *Revista Española de la Transparencia*, núm. 14, 2022, p. 77.

Esto último resulta especialmente preocupante en algunos tipos de personas jurídicas; como, por ejemplo, los partidos políticos, en los que, como pone de manifiesto MAROTO CALATAYUD, se sanciona gravemente en sus estatutos y normas de organización interna, a través de diversas fórmulas (desobediencia, revelación de secretos, difamación) este tipo de conductas[421]. Y, junto a lo anterior, la obligación de que en determinadas situaciones exista el imperativo legal de revelar la identidad del denunciante (bien a las autoridades judiciales, policiales, etc.).

Personalmente, sin tener una preferencia clara por uno u otro tipo de sistemas, sí que consideramos que o bien se configura un canal confidencial lo más garantista posible con la reserva de la identidad del denunciante y sus derechos (que pudiera decaer ante un posible proceso penal cuando así se estimase judicialmente); o, de lo contrario, la solución debiera pasar por establecer un canal de denuncias anónimo (con filtros sobre la seriedad o no de las informaciones, y otro tipo de precauciones para evitar determinados riesgos)[422].

Aunque, también la **vía "condicionada"** puede acabar resultando, en ocasiones, de gran utilidad. Como, por ejemplo, en aquellos supuestos en los que, partiéndose de una denuncia anónima, se decide y se anuncia (no siendo posible la notificación personal dado el anonimato) que el procedimiento de averiguación (o investigación interna) no continue en tanto que el *whistleblower* no se identifique, o no aporte la documentación que se le requiera, etc.

En cualquier caso, lo que sí tenemos claro es que ninguna de las opciones planteadas más arriba puede descartarse. O, dicho de otra forma, todas encuentran perfecto acomodo en nuestro marco constitucional. Por ello, escoger uno u otro sistema es sencillamente una cuestión de elección "personal" de la persona jurídica. Y, entendemos, dependerá de las circunstancias que rodeen a cada tipo de organización: ámbito de actividad, tamaño, localización, etc.

Con todo, una vez más, creemos que se cae en el error de considerar estos mecanismos de denuncia interna como una suerte de

---

421 MAROTO CALATAYUD, M.: *La financiación ilegal de los partidos políticos: un análisis político-criminal*, Madrid, Marcial Pons, 2015, p. 336.

422 A favor del anonimato, ARÁNGUEZ SÁNCHEZ, C.: "El diseño de programas...", *op. cit.*, p. 16.

instrumento de investigación policial/judicial paralelo al institucional (u oficial). De ahí que, en nuestra opinión, toda impregnación de carácter inquisitorio a este tipo de herramientas pueda resultar en la mayoría de los casos desmedida. Discusión que trasladada al prolijo debate sobre la implantación de canales anónimos o confidenciales puede acabar resultando, en consecuencia, exagerada.

3.8. Protección de datos

En este apartado, aludiremos a una serie de disposiciones normativas en materia de protección de datos que afectan directamente al canal de denuncias.

A) Tratamiento de datos de carácter personal

El art. 24.3 LOPDGDD establece que: "***deberán adoptarse las medidas necesarias para preservar la identidad y garantizar la confidencialidad de los datos correspondientes a las personas afectadas por la información suministrada**, especialmente la de la persona que hubiera puesto los hechos en conocimiento de la entidad, en caso de que se hubiera identificado*".

Aquí no se trataría tanto de preservar la identidad y la confidencialidad de los datos del denunciante (cuestión a la que ya hicimos referencia más arriba), sino de la información que se aporta en relación con las personas afectadas.

B) Conservación de datos del canal de denuncias

Por su parte, el art. 24.4 LOPDGDD reza así:

"*Los datos de quien formule la comunicación y de los empleados y terceros deberán conservarse en el sistema de denuncias únicamente durante el tiempo imprescindible para decidir sobre la procedencia de iniciar una investigación sobre los hechos denunciados.*

*En todo caso, **transcurridos tres meses desde la introducción de los datos, deberá procederse a su supresión del sistema de denuncias, salvo que la finalidad de la conservación sea dejar evidencia del funcionamiento del modelo de prevención de la comisión de delitos por la persona jurídica.** Las denuncias a las que no se haya dado curso solamente podrán constar de forma anonimizada, sin que sea de aplicación la obligación de bloqueo prevista en el artículo 32 de esta ley orgánica.*

Transcurrido el plazo mencionado en el párrafo anterior, los datos podrán seguir siendo tratados, por el órgano al que corresponda, conforme al apartado 2 de este artículo, la investigación de los hechos denunciados, no conservándose en el propio sistema de información de denuncias internas".

C) Acceso al canal de denuncias

Por último, el art. 24.2 LOPDGDD expresa que: "*el acceso a los datos contenidos en estos sistemas quedará limitado exclusivamente a quienes, incardinados o no en el seno de la entidad, desarrollen las funciones de control interno y de cumplimiento, o a los encargados del tratamiento que eventualmente se designen a tal efecto. No obstante, será lícito su acceso por otras personas, o incluso su comunicación a terceros, cuando resulte necesario para la adopción de medidas disciplinarias o para la tramitación de los procedimientos judiciales que, en su caso, procedan. Sin perjuicio de la notificación a la autoridad competente de hechos constitutivos de ilícito penal o administrativo, solo cuando pudiera proceder la adopción de medidas disciplinarias contra un trabajador, dicho acceso se permitirá al personal con funciones de gestión y control de recursos humanos.*

El citado precepto establece, por tanto, una prohibición de acceso: quedará limitado exclusivamente a quienes, incardinados o no en el seno de la entidad, desarrollen las funciones de control interno y de cumplimiento, o a los encargados del tratamiento que eventualmente se designen a tal efecto. Y, a su vez, una habilitación para ello: será lícito su acceso por otras personas, o incluso su comunicación a terceros, cuando se den una serie de circunstancias. En consecuencia, lo recomendable será que, dentro de ese nivel de personas a las que alude el art. 24.2 LOPDGDD, se especifique quién tiene en sentido estricto acceso al canal. Piénsese, por ejemplo, que en una persona jurídica las funciones pueden estar repartidas entre:

- quien recepciona la información: por tanto, quien, en un primer momento, tiene el acceso directo al canal.
- quien realiza una comprobación preliminar.
- quien decide si se abre o no una investigación interna.
- quien lleva a cabo la investigación propiamente dicha.
- el órgano sancionador.

3.9. *Registro de las comunicaciones recibidas*

La necesidad de documentar y conservar toda la información que se haya generado en el canal de denuncias constituye el principal elemento de prueba que acreditará que la persona jurídica disponía de este medio de comunicación. Y permitirá demostrar su grado de funcionamiento, así como la capacidad de respuesta que éste ofrezca. Así, entre otros aspectos, cabría destacar los registros acerca de los riesgos e incumplimientos detectados; los sujetos denunciados; la tramitación dada a la denuncia; o, las comunicaciones generadas en el curso del procedimiento.

3.10. *Externalización del canal de denuncias*

Como sostiene AGUILERA GORDILLO, no es necesario que los procedimientos o mecanismos articulados para comunicar este tipo de informaciones deban ser totalmente elaborados y gestionados por la misma persona jurídica, sino que la información puede ser recabada, en primer lugar, por otro ente corporativo. Mientras se garanticen la protección de los derechos relacionados con la protección de datos y que las informaciones sean recibidas por el órgano de vigilancia, los canales de denuncia pueden ser encargados a otras empresas[423]. AYALA DE LA TORRE incide en que, de todos los elementos del *compliance*, éste es de los que debiera externalizarse[424]. Así lo considera especialmente BAUCELLS LLADÓS para el caso concreto de las formaciones políticas, según el cual estos canales de denuncia deberían externalizarse antes de ser gestionados por la propia estructura[425].

La propia Norma UNE 19601:2017 alude en la Nota 2 del apartado 8.7 a esta cuestión cuando se refiere a que: *"la organización podrá externalizar la tramitación de las comunicaciones mediante la contratación de una firma externa e independiente"*.

Como destaca PUYOL MONTERO, la externalización presenta una serie de ventajas como: a) dota de mayor objetividad e independencia al tratamiento de la denuncia; b) favorece la confianza en esta herramienta y propicia que se denuncie; c) aporta mayor profesio-

---

423 AGUILERA GORDILLO, R.: *Compliance penal...*, *op. cit.*, p. 301.
424 BAUCELLS LLADÓS, J.: "La responsabilidad...", *op. cit.*, p. 303.
425 AYALA DE LA TORRE, J. M.: *Compliance (2ª edición)*, *op. cit.*, p. 28.

nalidad; d) fomenta que se reporten los incumplimientos ante el canal y no ante las autoridades o los medios de comunicación, etc. Sin embargo, también existen puntos negros como, por ejemplo, que los gestores externos del canal de denuncias no tienen suficiente conocimiento del funcionamiento de la entidad; el coste económico de la externalización; así como la posible existencia de fricciones entre el oficial de cumplimiento y los encargados de la gestión del canal a raíz de la supervisión y control por parte de aquél sobre éstos últimos[426].

En esta línea, la FGE en su Circular 1/2016 sostiene que los canales de denuncias son *"más utilizados y efectivos cuando son gestionados por una empresa externa, que puede garantizar mayores niveles de independencia y confidencialidad"*[427].

En cualquier caso, lo deseable es que quienes recepcionen y gestionen las denuncias no sean los mismos que se encarguen posteriormente, en su caso, de iniciar una investigación interna, a fin de salvaguardar la imparcialidad y objetividad en la resolución de los expedientes tramitados[428].

En último lugar, en estos casos en los que el canal de denuncias se externalice, resulta imprescindible que entre la firma externa y el órgano de vigilancia exista una comunicación permanente, pues, no debe olvidarse que, en última instancia, quien debe tener conocimiento de las irregularidades denunciadas es el *compliance officer*.

4. DIFERENTES VÍAS DE COMUNICACIÓN: ¿ANTE QUIÉN DENUNCIAR?

El requisito cuarto del art. 31 bis 5 CP no ofrece dudas al respecto: las denuncias se tienen que dirigir *al organismo encargado de vigilar el funcionamiento y observancia del modelo de prevención*. En clara alusión al órgano de cumplimiento (*compliance officer*).

---

426 PUYOL MONTERO, J.: *El funcionamiento..., op. cit.*, pp. 88-89.

427 Circular 1/2016, de 22 de enero, sobre la responsabilidad de las personas jurídicas conforme a la reforma del Código Penal efectuada por Ley Orgánica 1/2015, p. 48.

428 De este parecer, MANDRÍ ZÁRATE, J.: "Los canales de denuncia como parte integrante de los programas *Compliance*", en PUYOL MONTERO, J. (Dir.): *Guía para la implantación del Compliance en la empresa*, Madrid, Wolters Kluwer, 2017, p. 262.

Naturalmente, los incumplimientos que consistan únicamente en violaciones del modelo de compliance (de sus disposiciones), siempre que no produzcan ninguna consecuencia jurídica para la empresa, deberán dirigirse de forma exclusiva al responsable del canal.

Ahora bien, cuando se trate de otra clase de hechos o conductas (de naturaleza penal o no) que puedan suponer una infracción del ordenamiento jurídico; y, según se hayan producido fuera o dentro del compliance, las alternativas que se presentan son mayores. Por ello, a continuación, expondremos algunos de esos diversos escenarios.

ESCENARIO A. El denunciante/*whistleblower*:

- **Opción 1**: *pone los hechos directamente en conocimiento de la policía, fiscalía, o juez solo cuando rezumen carácter delictivo.*

  Premisa 1: lo hace por miedo a la eventual responsabilidad penal en que pueda incurrir si no denuncia ante las respectivas autoridades. Con todo:

  a) El art. 259 LECrim contempla un deber de denunciar "simbólico"[429]: "*El que presenciare la perpetración de cualquier delito público está obligado a ponerlo inmediatamente en conocimiento del Juez de instrucción, de paz, comarcal o municipal o funcionario fiscal más próximo al sitio en que se hallare, bajo la multa de 25 a 250 pesetas*". Y, aunque la LECrim atribuye a la denuncia el carácter de obligación, solo es coercible el incumplimiento cuando se trata de funcionarios públicos respecto de hechos conocidos en el ejercicio de sus cargos (art. 262 LECrim)[430].

  b) el hecho de "tener conocimiento de la comisión de un delito" no es encubrimiento sino se realizan las conductas típicas del art. 451 CP.

  c) resulta difícil creer que estuviésemos ante un delito de omisión del deber de impedir delitos o promover su persecución (art. 450 CP):

---

429 RAGUÉS I VALLÉS, R.: "Denuncias…", *op cit.*, p. 201.

430 GIMENO BEVIÁ, J.: *Compliance y proceso…*, *op. cit.*, p. 92.

> *"1. El que, pudiendo hacerlo con su intervención inmediata y sin riesgo propio o ajeno, no impidiere la comisión de un delito que afecte a las personas en su vida, integridad o salud, libertad o libertad sexual, será castigado con la pena de prisión de seis meses a dos años si el delito fuera contra la vida, y la de multa de seis a veinticuatro meses en los demás casos, salvo que al delito no impedido le correspondiera igual o menor pena, en cuyo caso se impondrá la pena inferior en grado a la de aquél.*
>
> *2. En las mismas penas incurrirá quien, pudiendo hacerlo, no acuda a la autoridad o a sus agentes para que impidan un delito de los previstos en el apartado anterior y de cuya próxima o actual comisión tenga noticia".*

Entre otras cosas, porque la obligación de impedir o promover su persecución se predica sólo de determinados delitos; y, no se contempla la obligación de denunciar infracciones ya consumadas.

Premisa 2: lo hace ante el intento fallido de denuncia interna, ante la respuesta negativa recibida por parte de la empresa; o, ante la imposibilidad de denunciar en otros canales de comunicación públicos, o ante su rechazo.

- **Opción 2:** *acude a organismos (públicos o privados) específicos, receptores de denuncias en ámbitos concretos o especializados, cuando no se trate de una infracción de naturaleza penal.*
  - De naturaleza administrativa: la CNMV, la CNMC, el SEPBLAC, el Banco de España, la Agencia de Protección de Datos, etc.
  - De naturaleza civil: organizaciones de consumidores.
  - De naturaleza tributaria: la AEAT.
  - Otros: la inspección de trabajo, de sanidad, etc.
- **Opción 3:** *recurre a canales de denuncia externos (de Administraciones Públicas), como, por ejemplo, las Agencias Antifraude/anticorrupción.*

  Piénsese, a título ilustrativo, en materia de subvenciones, de contratación pública, de medio ambiente, urbanismo, etc.
- **Opción 4:** *denuncia ante la Autoridad Independiente de Protección del Informante u organismos autonómicos equivalentes.*

  El art. 16 del Proyecto de Ley reguladora de la protección de las personas que informen sobre infracciones normativas y de lucha contra la corrupción, prevé que toda persona física puede informar ante este organismo público de *cualesquiera acciones u omisiones **incluidas** en el ámbito de aplicación de esta ley* (directamente o previa comunicación al correspondiente canal interno)[431].

Por su parte, el art. 24 del citado Proyecto de Ley establece el reparto competencial entre la Autoridad nacional y las autonómicas. Siendo la primera competente cuando la comunicación efectuada se localice en más de una comunidad autónoma; y, las segundas, cuando se circunscriban a su territorio autonómico.

- **Opción 5:** *denuncia ante el canal interno*.

  El legislador penal se muestra aparentemente a favor de esta opción cuando en el propio art. 31 bis 5 CP (requisito 4º) se establece la obligación de informar de posibles riesgos e incumplimientos al organismo encargado de vigilar el funcionamiento y observancia del modelo de prevención. Siendo una obligación exigible coactivamente desde el momento en que su incumplimiento puede ser objeto de sanción interna (o disciplinaria). Ahora bien, no menos cierto es que el denunciante puede acudir incluso "simultáneamente" a varios de los medios aquí expuestos (además del interno) sin que se estuviere dejando de cumplir con aquel mandato.

  No obstante lo anterior, dado que no se puede evitar que el denunciante recurra a otros medios y no al canal de comunicación de la persona jurídica, es de suma importancia establecer una política de incentivos para que se "denuncien" internamente los incumplimientos que no solo comporten una contravención de las disposiciones "organizativas" del compliance, sino también aquellos que supongan una infracción del ordenamiento jurídico. Y no sólo nos estamos refiriendo a sancionar la trasgresión de dicha obligación o a garantizar el anonimato o confidencialidad del informante frente a posibles represalias, sino a incentivos que pueden ser económicos (a modo de recompensa) o de otro tipo (políticas de promoción, mejora de las condiciones laborales, etc.). Por tanto, insistimos en que resulta esencial para los intereses de la organización que ésta

431 Debe advertirse que en la Exposición de Motivos del Proyecto de Ley (p. 17) se incurre en una contradicción, señalándose que pueden acceder a estos canales externos: "las personas físicas a las que se refiere el artículo 3 de esta ley". Entendiendo que, naturalmente, debe prevalecer lo dispuesto en el art. 16.

consiga que se denuncie a través del canal y no se acuda a las autoridades o medios de comunicación.

Dicho de otro modo, el canal de denuncias interno debería ser el cauce preferente a la hora de informar sobre cualquier tipo de "riesgos" e "incumplimientos" de los modelos de organización.

- **Opción 6:** *lleva a cabo un acto de comunicación pública.*

  a) denuncia ante los medios de comunicación.

  En estos casos, como indica GIMENO BEVIÁ, "debe existir cierta relevancia social, tanto de la notoriedad de la persona jurídica denunciada como de la conducta irregular para resultar atractiva a los ojos de los medios que lo difunda"[432].

  Ahora bien, como advierte BENITO SÁNCHEZ[433], el TEDH ha venido exigiendo una serie de criterios para considerar que tales conductas queden amparadas por el derecho a la libertad de expresión, pues, de lo contrario, tales manifestaciones podrían ser delictivas, sancionables en el ámbito laboral, o infringir pactos contractuales.

  Los parámetros a tener en cuenta para realizar tal juicio son los siguientes: a) que la información sea de interés público; b) si la persona tenía otros canales alternativos para la denuncia del hecho; c) la autenticidad de la información revelada; d) la buena fe del denunciante; e) el perjuicio para el empleador; y, e) la severidad de la sanción. Además, cuando no existan canales internos de denuncia o cuando sea razonable pensar que los canales internos no serán efectivos en el abordaje de la situación irregular denunciada, entonces la revelación externa ante un medio de comunicación también deberá quedar protegida.

  b) realiza lo que el Proyecto de Ley reguladora de la protección de las personas que informen sobre infracciones normativas y de lucha contra la corrupción denomina "revelación pública" (art. 27), esto es, una puesta a disposición del público de información (no limitada a los medios de comunicación).

---

432 *Idem.*

433 BENITO SÁNCHEZ, D.: "El whistleblowing ante los medios de comunicación como manifestación del derecho a la libertad de expresión", en RODRÍGUEZ-GARCÍA, N.; GONZÁLEZ CASTELL, A. C. y LETURIA INFANTE, F. J. (Dirs.): *Justicia penal pública y medios de comunicación*, Valencia Tirant lo Blanch, 2018, p. 398.

ESCENARIO B. El responsable o los responsables del canal:

- **Opción 1:** *pone los hechos (aparentemente delictivos) directamente en conocimiento de la policía, fiscalía, o juez.*

  Damos por reproducidos los mismos argumentos que empleamos en el anterior escenario. Si bien, quisiéramos manifestar de nuevo nuestra oposición a argumentos tan tajantes como el que a continuación se refleja: "cuando el tratamiento de la información suponga una auténtica denuncia de un delito, en ese caso, *los responsables del canal* deben ponerlo en conocimiento de las autoridades competentes para que investiguen el delito, **sino quieren verse inmiscuidos en un proceso penal en calidad de encubridores del delito**"[434].

- **Opción 2:** *acude a organismos (públicos o privados) específicos, receptores de denuncias en ámbitos concretos o especializados, cuando no se trate de una infracción de naturaleza penal.*
- **Opción 3:** *recurre a canales de denuncia externos (de Administraciones Públicas), como, por ejemplo, las Agencias Antifraude/anticorrupción.*
- **Opción 4:** *denuncia ante la Autoridad Independiente de Protección del Informante u organismos autonómicos equivalentes.*

  Aunque ésta, como las dos anteriores, sea también una alternativa para el responsable del canal de denuncias, lo deseable sería que no recurriese a ella, y procediera a comunicar internamente los hechos de los que haya tenido conocimiento.

- **Opción 5:** *da traslado de la denuncia a la dirección/órgano de gobierno de la persona jurídica para que éste decida cómo proceder.*

  Ésta debería ser, en principio, la reacción que cabría esperar del *compliance officer*.

  Además, debe tenerse en cuenta que, como vimos, la condición 4ª del art. 31 bis 2 CP exige que no se haya producido una omisión o un ejercicio insuficiente de las funciones de supervisión, vigilancia y control por parte del órgano al que se refiere la condición 2ª. Y, entre ellas, cabe incluir la de reportar al órgano

434 ETXEBERRIA BEREZIARTUA, E.: "«Whistleblowing» o canales de denuncia: La garganta profunda de las empresas", *Diario La Ley*, núm. 9342, 2019, p. 4.

de dirección (o de gobierno) de la persona jurídica tales comunicaciones.

- **Opción 6:** la posibilidad de realizar un acto de comunicación pública (por ejemplo, a través de los medios de comunicación) resulta, en principio, remota (aunque lógicamente no descartable).

ESCENARIO C. La persona jurídica:

- **Opción 1:** *toma la decisión de "autodenunciarse" habiendo aparentemente indicios de delito.*

  Ésta es una alternativa que a la persona jurídica se le planteará, sobre todo, cuando haya una alta probabilidad de ser condenada: porque hay indicios suficientes de delito, porque se dan las circunstancias previstas en el art. 31 bis 1 CP, o porque no dispone de compliance o no de uno idóneo.

  Premisa 1: lo hace con la finalidad de obtener las atenuantes de confesión, colaboración o reparación del daño previstas en el art. 31 quater CP.

  La Fiscalía General del Estado, en relación con esto último, realiza afirmaciones, a nuestro modo de ver, insostenibles[435]:

  a) "*(...) detectada la conducta delictiva por la persona jurídica y puesta en conocimiento de la autoridad, deberán solicitar la exención de pena de la persona jurídica (...)*"

  A nuestro juicio, la puesta "en conocimiento de" (confesión) no puede llegar a producir la exención porque, sencillamente, no se alude a ello en el Código Penal. Sólo se concibe como atenuante.

  Y, al contrario, no confesar no puede perjudicar que se aplique la eximente, pues, una opción desechable sería la de reconducirlo por la vía de la atenuación por "acreditación parcial" del modelo. En consecuencia, si a algunos esta situación les genera cierta perplejidad, lo que debe proponerse es la introducción en el Código Penal de una cláusula que impida exonerar de responsabilidad a la persona jurídica cuando, habiendo ésta detectado un delito, no lo comunique a las autoridades. Lo que no cabe es inventarse cosas que la ley no dice. Aunque, personalmente, nos mostramos en contra de una solución como la aquí reseñada, pues, no corres-

---

[435] Circular de la Fiscalía General del Estado 1/2016, de 22 de enero, sobre la responsabilidad de las personas jurídicas conforme a la reforma del Código Penal efectuada por Ley Orgánica 1/2015, pp. 53-55.

ponde a la persona jurídica determinar si hay o no delito, esa valoración la tienen que hacer (tras la práctica de la prueba o en fase de diligencias preliminares) los jueces y tribunales.

b) "(...) Del mismo modo, la restitución, la reparación inmediata del daño, la (...) pueden permitir llegar a la exención de la pena".

Con esta aseveración, la Fiscalía, una vez más, se aparta del tenor de la ley. En lo que vendría a suponer una más que manifiesta trasgresión del principio de legalidad que nos preocupa.

c) *"(...) Operarán en sentido contrario el retraso en la denuncia de la conducta delictiva o su ocultación y la actividad obstructiva o no colaboradora con la justicia".*

Esto, a nuestro juicio, constituye una interpretación intolerable porque:
1) El retraso en la denuncia de la conducta delictiva, su ocultación y la no colaboración con la justicia son "actitudes" amparadas por determinados derechos fundamentales de los que también gozan las personas morales, por tanto, no pueden operar en su contra; y,
2) La actividad obstructiva, que puede llegar a ser constitutiva de delito, no puede atribuirse a la persona jurídica (*numerus clausus*).

Premisa 2: decide autodenunciarse dado que los delitos que se le atribuyen no llevan aparejada una sanción excesiva; y, así, dar una imagen de "buen ciudadano corporativo" a la vez que disminuir los efectivos negativos sobre su reputación.

Premisa 3: lo hace con la intención de llegar a un acuerdo de conformidad con la Fiscalía lo más benévolo posible.

- **Opción 2:** *denuncia los hechos aparentemente delictivos acaecidos en su seno.*

  Premisa 1: porque el supuesto delito cometido no es de los que se pueden imputar a una persona jurídica.

  Premisa 2: porque considera que la responsabilidad penal debe exigirse únicamente a alguna de las personas físicas de la letra a) o b) del art. 31 bis 1 CP.

  Premisa 3: porque estima que dispone de un compliance que le va a exonerar de responsabilidad (o ver atenuada la misma); y, sobre todo, porque va a poder demostrar que lo que hubo fue una elusión fraudulenta del modelo.

- **Opción 3:** *tratándose de infracciones de naturaleza distinta a la penal (administrativa, tributaria, laboral, civil, etc.), decide "denunciarse" ante los organismos públicos o privados que existan a tales efectos.*

  En estos casos, la "autodenuncia" puede ser útil para: evitar un procedimiento de sanción; disminuir su impacto; evitar otro tipo de consecuencias (más allá de las económicas) que puedan paralizar su actividad; etc.

- **Opción 4:** *no se denuncia a sí misma.*

  En primer lugar, debemos advertir que una cosa es que la persona jurídica no dé trámite o no resuelva las denuncias presentadas a través de su canal interno, o no practique ante éstas ningún tipo de pesquisa o lo haga de forma deficiente (lo cual deberá tenerse en cuenta a efectos del art. 31 bis 5. 4° CP); y, otra muy distinta, que, habiendo recabado una importante información al respecto, se decida no hacer nada con dicho material más allá de servir de base para la imposición de una sanción o la realización de cambios organizativos, etc.

  Así, dado que la persona jurídica goza en el proceso penal de los derechos proclamados en el art. 24.2 CE, el no denunciarse a sí misma ante las autoridades no debe ser valorado como indicio de "ineficacia" o "inoperatividad" del canal. Lo único que hay aquí es una decisión legítima y amparada por el derecho a no autoinculparse. De lo contrario, la exigencia de poner en conocimiento de las autoridades los hechos aparentemente delictivos atentaría claramente contra esta primera manifestación del derecho a no autoincriminarse (al que le siguen otras como son el derecho a no declarar contra sí mismo, a no confesarse culpable y a guardar silencio)[436]. En este sentido, una vez más, nos mostramos en contra de opiniones como la que seguidamente reproducimos: "**Necesariamente se tiene que iniciar una colaboración con las autoridades competentes en el marco del proceso penal** que presenta auténticas dificultades porque no existe una regulación procesal adecuada para encaminar esta colaboración"[437].

---

436 *Vid. infra*, V.8.2.

437 ETXEBERRIA BEREZIARTUA, E.: "«Whistleblowing»...", *op. cit.*, p. 4.

Con todo, no debemos olvidar que en determinados ámbitos (como algunos procedimientos de comprobación o inspección) la persona jurídica puede verse conminada a "colaborar" con la Administración bajo apercibimiento de sanción u otro tipo de consecuencias.

5. BREVES CONSIDERACIONES EN TORNO A LA UNE-ISO 37002:2021

En el presente apartado no pretendemos llevar a cabo un exhaustivo recorrido por cada una de las disposiciones que contempla la UNE-ISO 37002:2021 sobre *"Sistemas de gestión de la denuncia de irregularidades. Directrices"*[438]. Pero, sí consideramos necesario hacer algunos apuntes en relación con el contenido que alberga dicho estándar. Teniendo en cuenta eso: que se trata de un conjunto de previsiones (de eminente carácter práctico) que van dirigidas sobre todo a la implantación, gestión y supervisión de los canales de denuncia en el seno de toda clase de persona jurídica. En este sentido, debemos mostrar nuestro frontal rechazo a cualquier clase de afirmación que conciba el citado estándar como "un referente de primer orden, tanto para las organizaciones y sus asesores en el momento de implantar el sistema, como para los abogados, jueces y fiscales en caso de que alguna persona jurídica sea procesada penalmente y su modelo de prevención deba ser sometido a revisión a los efectos de valorar la responsabilidad penal de dicha entidad. Si bien la ISO no es un texto de obligado seguimiento, no cabe duda de que el prestigio de la entidad que ha formulado este estándar constituye una garantía de que, en caso de aplicarse correctamente, la organización sometida a escrutinio penal deberá ser vista favorablemente por las autoridades, al menos en este punto concreto del modelo de prevención"[439]. Así pues, una vez más, debería insistirse en que la citada UNE-ISO alberga "una" interpretación acerca de los elementos que debiera conformar un sistema de denuncias

---

438 Para ello consúltese CASANOVAS YSLA, A.: *Guía práctica para la gestión de la denuncia de irregularidades según la Norma ISO 37002:2021. Edición que incluye la Norma UNE-ISO 37002:2021*, Madrid, AENOR, 2022.

439 RAGUÉS I VALLÉS, R.: "Un nuevo avance en la estandarización de los modelos de prevención de delitos: la ISO 37002 sobre gestión de sistemas de denuncia", *La Ley Compliance penal*, núm. 7, 2021, p. 6.

eficaz. Pero, ni los jueces ni los Tribunales deberían verse compelidos a secundar las directrices que se fijan en el citado estándar. Pueden ser, llegado el caso, una fuente exegética más, pero, en ningún caso la única o principal. En definitiva, sin desmerecer en absoluto el loable trabajo que organismos exclusivamente privados como AENOR o ISO realizan en esta materia, textos como la UNE-ISO aquí comentada no deberían condicionar o sustituir la convicción del juez penal. En este sentido, por más que tales entidades tengan una capacidad enorme de influencia (no solo en este ámbito, sino, en general, en el de la producción normativa) su trascendencia en el plano jurídico no puede verse sobredimensionada, ni nosotros contribuir a ello.

Entrando en materia, el citado estándar se refiere a los hechos que pueden ser objeto de comunicación. En este sentido, se entiende que el sistema no solamente debe abarcar las ilegalidades en general o las conductas delictivas en particular, sino cualquier infracción del código de conducta o las políticas de una organización, así como cualquier acto —pasado, presente o futuro— que pueda resultar perjudicial para ésta o para intereses ajenos, ya sean individuales o colectivos. Por otro lado, en cuanto a la definición de denunciante (*whistleblower*) que se maneja, el estándar considera que es "aquella persona que denuncia infracciones ciertas o de las que tiene sospechas y actúa con la creencia razonable de que la información es correcta en el momento de denunciar". Esta creencia razonable se define como la "basada en la observación, la experiencia o la información conocida por dicho individuo y que también compartiría cualquier otra persona en las mismas circunstancias". Esta figura no solo incluye a los actuales o antiguos miembros de la propia organización, sino también a terceros, como clientes, contratistas, agentes, proveedores etc.

En cuanto a las modalidades de denuncia, se proyectan tres escenarios posibles:

1) denuncia abierta, en la que el denunciante no tiene la pretensión de que su identidad se mantenga en secreto;
2) confidencial, en la que dicha pretensión sí existe; y,
3) anónima, que se produce cuando se desconoce la identidad del denunciante.

En otro orden de cosas, la UNE-ISO contempla cuatro etapas en torno a las cuales debe girar un eficaz modelo de gestión de denuncias:

a) Recepción de las denuncias de infracciones: el sistema de gestión debe especificar cómo pueden realizarse y recibirse las denuncias, quién puede denunciar y cuáles son las materias denunciables;

b) Evaluación de las denuncias (triaje): el sistema debe especificar de qué manera se evaluarán las denuncias recibidas a partir de factores como prioridad, completitud y relevancia de la información recibida. Además, en esta fase deberá valorarse el riesgo de represalias y el grado de protección y apoyo que puede necesitar el denunciante;

c) Procesamiento de las denuncias, por medio de una investigación imparcial que contenga también medidas de protección del denunciante y posibles afectados, inclusive la persona denunciada; y,

d) Conclusión de los asuntos abiertos en función de cuál sea el resultado de la investigación anterior, llevando a cabo las actuaciones derivadas correspondientes, como denunciar ante las autoridades, corregir aquello que no haya funcionado en la organización, etc.

Asimismo, tanto el despliegue como el control de la ejecución de estas cuatro fases corresponde tanto a los órganos de representación de la compañía como al *top management*, cuyos deberes específicos al respecto también se detallan ampliamente en la UNE-ISO. De los altos cargos directivos se espera no solo que desplieguen el sistema, sino también que muestren su compromiso respecto de una efectiva aplicación y controlen su buen funcionamiento, lo que incluye velar por que los potenciales denunciantes no sufran ningún tipo de amenaza o represalia. Como resultado de estas actividades, los máximos responsables deberán redactar la “política de denuncias” de la organización contando con la participación del personal y de todas las demás personas interesadas. Dicho texto debe estar fácilmente disponible y ser comunicado regularmente a los miembros de la entidad, además de revisarse su correcto funcionamiento en plazos preestablecidos. El estándar admite que la gestión del sistema de denuncias se asigne a un miembro de la propia organización (un gestor del sistema), o también que dicha función se confíe a personal externo, aunque bajo el control de personal interno.

El gestor (o gestores) del sistema son una pieza clave en el funcionamiento del procedimiento de denuncias, pues son quienes deben ocuparse de diseñarlo y de velar por su buen funcionamiento. Esto último incluye obligaciones como, entre otras, asegurarse de que los denunciantes no sufren represalia alguna, informar a los miembros de la organización de la existencia del canal de denuncias o garantizar que estas se investiguen de modo independiente. Esta función debe encomendarse a personas que tengan las competencias necesarias y, además, reúnan determinadas virtudes como integridad, autoridad e independencia. En el ejercicio de tal función deben contar con los recursos necesarios y tener acceso directo, ilimitado y confidencial a los cargos directivos y órganos de representación de la entidad. Las organizaciones que no tengan a una persona enteramente dedicada a esta función pueden designar a alguien que desempeñe simultáneamente otros cometidos, siempre que no se vea afectada por ello su imparcialidad o se planteen conflictos de intereses.

El estándar recoge también cómo debe planificarse la puesta en funcionamiento del sistema de gestión de denuncias, lo que incluye determinar los riesgos que deben mantenerse bajo control y fijar los objetivos de dicho procedimiento. En cuanto al apoyo que la organización debe brindar al sistema de denuncias, el estándar exige que se determinen y aporten todos los recursos necesarios para que el procedimiento pueda desplegarse, mantenerse y mejorarse. Ello incluye, en todo caso, los recursos financieros, humanos, tecnológicos y formativos, así como, en general, los medios necesarios para recabar asesoramiento legal y llevar a cabo la correspondiente investigación. La organización debe garantizar que las personas que ejerzan sus funciones en relación con el sistema de gestión de denuncias tengan la capacitación profesional necesaria, así como con la independencia ya aludida. Además, se requiere que cuenten con ciertas virtudes, como ser capaces de generar confianza, inteligencia emocional, diplomacia, imparcialidad, integridad, liderazgo, confidencialidad y buen juicio.

La UNE-ISO considera de igual modo necesario que la organización mantenga informado a su personal sobre el sistema de gestión de denuncias, lo que incluye no solo la necesidad de informar sobre la existencia del sistema mismo y sobre cómo utilizarlo, sino también la conveniencia de ofrecer formación para reconocer las infracciones denunciables, prevenir posibles represalias, conocer la protección que se les garantiza en el caso de que decidan denunciar, así las consecuencias de no hacerlo o de utilizar el sistema con fines espurios. El mensaje que conviene dirigir al personal es que, en primer término, es preferible que se denuncien las infracciones al superior jerárquico, pero que es mejor que recurran al sistema de denuncias cuando aquel no reaccione de manera adecuada o se encuentre en una situación de conflicto de intereses.

En línea con lo anterior, conviene dirigir también el mensaje de que la existencia del canal no impide acudir a las autoridades. Las acciones formativas deben extenderse asimismo al personal directivo y órganos de representación, así como a todas las personas con funciones vinculadas con el sistema de gestión de denuncias. Pero, además de formación, la organización debe contar asimismo con criterios de comunicación tanto interna como externa en relación con el sistema de denuncias, utilizando a tal efecto sus canales habituales de información, tales como anuncios reales o digitales, reuniones, *newsletter*, etc.

Por último, el estándar contiene numerosas indicaciones sobre cómo documentar todas las actividades relacionadas con el sistema de denuncias y los requisitos que deben cumplir todos los documentos que se generen en el proceso de gestión de dicho sistema. En la elaboración y archivo de estos documentos debe, obviamente, respetarse la normativa en materia de protección de datos y garantizarse la confidencialidad, especialmente de la identidad del denunciante y de los denunciados. La primera solo deberá revelarse cuando el denunciante otorgue su consentimiento o lo exija la ley. Asimismo, se aconseja que se informe al denunciante de la situación de la denuncia y de los próximos pasos a realizar, como una manera de mantener su confianza, darle ocasión para ampliar la información y mantener abiertos canales para ulteriores comunicaciones.

Finalmente, la UNE-ISO contempla una serie de directrices dedicadas, por un lado, a la supervisión y evaluación del sistema y, por otro, a su mejora. En cuanto a la supervisión, debe determinarse qué concreta persona y con qué métodos deberá supervisar y evaluar el correcto funcionamiento del sistema. A tal fin, el estándar detalla una serie de indicadores que deberán ser objeto de evaluación, además de la necesidad de fijación de un procedimiento interno de revisión para comprobar periódicamente su buen funcionamiento a cargo de personas que garanticen objetividad e imparcialidad. Además, es necesario que la dirección ejecutiva informe periódicamente al órgano de administración sobre el funcionamiento del sistema de gestión de denuncias. Por otro lado, cuando se detecten necesidades de mejora del sistema, la organización deberá planificar su aplicación.

Tras este breve repaso, nos gustaría plantear sucintamente algunas observaciones:

Como ha destacado RAGUÉS I VALLÉS, "las grandes dudas, en todo caso, se plantean a propósito de las organizaciones de tamaño pequeño y mediano, que pueden verse sencillamente asfixiadas por la cantidad de obligaciones que derivan de la implantación de los criterios que conforman el presente texto"[440]. Y, es que, efectivamente, si bien algunas de sus disposiciones son de fácil cumplimiento, buena parte de las exigencias que se prevén en la comentada UNE-ISO están al alcance solo de grandes empresas. Y, obviamente, a mayor sofisticación del sistema de gestión de denuncias mayor coste.

En cuanto a la conveniencia u "obligación" de denunciar primero ante el canal interno lo poco que se dice al respecto es que "la política de denuncias no impide que se denuncie individualmente a las autoridades relevantes" y que "el sistema de gestión de denuncias no es un substitutivo para las obligaciones legales del lugar de denunciar a las autoridades relevantes". Por ello, como resalta RAGUÉS I VALLÉS, "no estaría de más que el estándar aconsejara a las entidades incentivar a los trabajadores —siempre que la normativa local no lo impidiera— para que intentaran en primer término una denuncia interna de los hechos, a fin de facilitar a su propia organización una reacción adecuada que permitiera a esta beneficiarse eventualmente de un tratamiento más benigno en caso de imputación penal"[441].

---

440 *Ibíd.*, p. 6.
441 *Ibíd.*, p. 7.

Y, respecto de las opciones que se le plantean a la persona jurídica una vez concluida la tramitación de la denuncia, el estándar señala que cuando una organización confirma la existencia de un incumplimiento debe tomar las medidas oportunas para solventar el incumplimiento de acuerdo con las propias políticas, imponer las sanciones apropiadas (se entiende que internas, es decir, de carácter laboral o disciplinario) y "remitir los asuntos a las autoridades competentes allá donde proceda". En este sentido, como expresa RAGUÉS I VALLÉS, "esta última cláusula está redactada con suficiente ambigüedad como para no imponer a las organizaciones una obligación de denunciar la infracción conocida, lo que en muchos casos supondría imponer un auténtico deber de autodenuncia"[442].

6. LA DIRECTIVA (UE) 2019/1937, DE 23 DE OCTUBRE, RELATIVA A LA PROTECCIÓN DE LAS PERSONAS QUE INFORMEN SOBRE INFRACCIONES DEL DERECHO DE LA UNIÓN

A continuación, haremos un breve recorrido por las principales disposiciones contenidas en la cita norma europea, siendo su estudio completo inabarcable por las limitaciones que conlleva un texto de estas características[443]. Con todo, dado que el prelegislador español ha incorporado prácticamente en su literalidad la mayor parte de disposiciones que contiene la Directiva, nos remitimos a los comentarios que se harán en el apartado siguiente (relativo al Proyecto de Ley). Así

---

442 *Ibíd.*, p. 8.

443 *Vid.*, para mayor detalle, VILLEGAS GARCÍA, M. Á.: "La figura del denunciante. El estatuto del denunciante en la nueva Directiva (UE) 2019/1937", en FORTUNY CENDRA, M. (Dir.): *Las investigaciones internas en compliance penal. Factores clave para su eficacia*, Cizur Menor, Thomson Reuters-Aranzadi, 2021, pp. 61-94. GARCÍA MORENO, B.: *Del whistleblower al alertador. La regulación europea de los canales de denuncia*, Valencia, Tirant lo Blanch, 2020. OLAIZOLA NOGALES, I.; SIERRA HERNAIZ, E. y LÓPEZ LÓPEZ, H. (Dirs.): *Análisis de la Directiva UE 2019/1937, Whistleblower desde las perspectivas penal, procesal laboral y administrativo-financiera*, Cizur Menor, Thomson Reuters-Aranzadi, 2021. Y MARTÍNEZ SALDAÑA, D. (Coord.): *La protección del Whistleblower*, Valencia, Tirant lo Blanch, 2020.

pues, a continuación, prestaremos especial atención a aquellos aspectos que únicamente se contemplen en la presente Directiva.

En primer lugar, tal y como establece el art. 2.1 de la Directiva (UE) 2019/1937, de 23 de octubre (dedicado al **ámbito de aplicación material**), la presente Directiva establece normas mínimas comunes para la protección de las personas que informen sobre las siguientes infracciones del Derecho de la Unión:

a) infracciones que entren dentro del ámbito de aplicación de los actos de la Unión enumerados en el anexo relativas a los ámbitos siguientes:
   i) contratación pública,
   ii) servicios, productos y mercados financieros, y prevención del blanqueo de capitales y la financiación del terrorismo,
   iii) seguridad de los productos y conformidad,
   iv) seguridad del transporte,
   v) protección del medio ambiente,
   vi) protección frente a las radiaciones y seguridad nuclear,
   vii) seguridad de los alimentos y los piensos, sanidad animal y bienestar de los animales,
   viii) salud pública,
   ix) protección de los consumidores,
   x) protección de la privacidad y de los datos personales, y seguridad de las redes y los sistemas de información;

b) infracciones que afecten a los intereses financieros de la Unión tal como se contemplan en el artículo 325 del TFUE y tal como se concretan en las correspondientes medidas de la Unión;

c) infracciones relativas al mercado interior, tal como se contemplan en el artículo 26, apartado 2, del TFUE, incluidas las infracciones de las normas de la Unión en materia de competencia y ayudas otorgadas por los Estados, así como las infracciones relativas al mercado interior en relación con los actos que infrinjan las normas del impuesto sobre sociedades o a prácticas cuya finalidad sea obtener una ventaja fiscal que desvirtúe el objeto o la finalidad de la legislación aplicable del impuesto sobre sociedades.

Con todo, el apartado segundo del art. 2 prevé expresamente que *"La presente Directiva se entenderá* ***sin perjuicio de la facultad de los Estados miembros para ampliar la protección en su Derecho nacional a otros ámbitos o actos no previstos en el apartado 1****"*. Esto es justo lo que sucede en el art. 2.1 del Proyecto de Ley reguladora de la protección de las personas que informen sobre infracciones normativas y de lucha contra la corrupción, al incluir, como se verá más adelante: acciones u omisiones que puedan ser constitutivas de infracción penal o administrativa grave o muy grave.

Respecto del **ámbito de aplicación personal**, el art. 4.1 establece que la presente Directiva se aplicará a los denunciantes que trabajen en el sector privado o público y que hayan obtenido información sobre infracciones en un contexto laboral, incluyendo, como mínimo, a:

a) las personas que tengan la condición de trabajadores en el sentido del artículo 45, apartado 1, del TFUE, incluidos los funcionarios;
b) las personas que tengan la condición de trabajadores no asalariados, en el sentido del artículo 49 del TFUE;
c) los accionistas y personas pertenecientes al órgano de administración, dirección o supervisión de una empresa, incluidos los miembros no ejecutivos, así como los voluntarios y los trabajadores en prácticas que perciben o no una remuneración;
d) cualquier persona que trabaje bajo la supervisión y la dirección de contratistas, subcontratistas y proveedores.

Con todo, el elenco de sujetos (denunciantes) protegidos es más amplio:

El apartado segundo contempla que la presente Directiva también se aplicará a los denunciantes cuando comuniquen o revelen públicamente información sobre infracciones obtenida en el marco de una relación laboral ya finalizada.

El apartado tercero prevé que la presente Directiva también se aplicará a los denunciantes cuya relación laboral todavía no haya comenzado, en los casos en que la información sobre infracciones haya sido obtenida durante el proceso de selección o de negociación precontractual.

Y, finalmente, el apartado cuarto establece que las medidas de protección del denunciante previstas en el capítulo VI también se aplicarán, en su caso, a:

a) los facilitadores;

b) terceros que estén relacionados con el denunciante y que puedan sufrir represalias en un contexto laboral, como compañeros de trabajo o familiares del denunciante, y

c) las entidades jurídicas que sean propiedad del denunciante, para las que trabaje o con las que mantenga cualquier otro tipo de relación en un contexto laboral.

Por su parte, el art. 6 de la citada Directiva regula las **condiciones de protección de los denunciantes.** Así, se establece que los denunciantes tendrán derecho a protección en virtud de la presente Directiva siempre que:

a) tengan motivos razonables para pensar que la información sobre infracciones denunciadas es veraz en el momento de la denuncia y que la citada información entra dentro del ámbito de aplicación de la presente Directiva, y

b) hayan denunciado por canales internos conforme al artículo 7 o por canales externos conforme al artículo 10, o hayan hecho una revelación pública conforme al artículo 15.

En cuanto al debate sobre el **anonimato** de los denunciantes, el apartado segundo del art. 6 establece que: "*Sin perjuicio de la obligación vigente de disponer de mecanismos de* ***denuncia anónima*** *en virtud del Derecho de la Unión, la presente Directiva no afectará a la facultad de los Estados miembros de decidir si se exige o no a las entidades jurídicas de los sectores privado o público y a las autoridades competentes aceptar y seguir las denuncias anónimas de infracciones*".

Siguiendo con el análisis del articulado más relevante de la referida Directiva, el art. 8 alberga los **supuestos** en que se tiene la **obligación de establecer dichos canales** de denuncia interna.

Concretamente, aunque el apartado primero del art. 8 prevea la incorporación de este mecanismo tanto en las entidades jurídicas del sector privado como del público, nos centraremos en las de carácter privado[444].

---

[444] El precepto reza así: "*Los Estados miembros velarán por que las entidades jurídicas de los sectores privado y público establezcan canales y procedimientos de denuncia interna y de seguimiento, previa consulta a los interlocutores sociales y de acuerdo con ellos cuando así lo establezca el Derecho nacional*".

El apartado tercero establece que la referida obligación, cuando así lo acuerden los Estados, se aplicará a las entidades jurídicas del sector privado que tengan *50 o más trabajadores*. El apartado sexto contempla que las entidades jurídicas del sector privado que tengan *entre 50 y 249 trabajadores* podrán compartir recursos para la recepción de denuncias y toda investigación que deba llevarse a cabo. Lo anterior se entenderá sin perjuicio de las obligaciones impuestas a dichas entidades por la presente Directiva de mantener la confidencialidad, de dar respuesta al denunciante, y de tratar la infracción denunciada. Y, el apartado séptimo prevé que, tras una adecuada evaluación del riesgo y teniendo en cuenta la naturaleza de las actividades de las entidades y el correspondiente nivel de riesgo, en particular, para el medio ambiente y la salud pública, los Estados miembros podrán exigir que las entidades jurídicas del sector privado con *menos de 50 trabajadores* establezcan canales y procedimientos de denuncia interna de conformidad con el capítulo II.

Así también, el apartado quinto del art. 8 contempla, por su parte, que los canales de denuncia podrán gestionarse *internamente* por una persona o departamento designados al efecto o podrán ser proporcionados *externamente* por un tercero. Por lo que se permite la **externalización** de los mismos.

En otro orden de cosas, el art. 9 (relativo a los **procedimientos de denuncia interna y seguimiento**) establece en su apartado primero que los procedimientos de denuncia interna y seguimiento a que se refiere el artículo 8 incluirán lo siguiente:

a) canales para recibir denuncias que estén diseñados, establecidos y gestionados de una forma segura que garantice que la confidencialidad de la identidad del denunciante y de cualquier tercero mencionado en la denuncia esté protegida, e impida el acceso a ella al personal no autorizado;

b) un acuse de recibo de la denuncia al denunciante en un plazo de siete días a partir de la recepción;

c) la designación de una persona o departamento imparcial que sea competente para seguir las denuncias, que podrá ser la misma persona o departamento que recibe las denuncias y que mantendrá la comunicación con el denunciante y, en caso necesario, solicitará a éste información adicional y le dará respuesta;

d) el seguimiento diligente por la persona o el departamento designados a que se refiere la letra c);

e) el seguimiento diligente cuando así lo establezca el Derecho nacional en lo que respecta a las denuncias anónimas;

f) un plazo razonable para dar respuesta, que no será superior a tres meses a partir del acuse de recibo o, si no se remitió un acuse de recibo al denunciante, a tres meses a partir del vencimiento del plazo de siete días después de hacerse la denuncia;

g) información clara y fácilmente accesible sobre los procedimientos de denuncia externa ante las autoridades competentes de conformidad con el artículo 10 y, en su caso, ante las instituciones, órganos u organismos de la Unión.

Además, el apartado segundo del art. 9 establece que los canales previstos en el apartado 1, letra a), permitirán denunciar *por escrito o verbalmente*, o *de ambos modos*. La denuncia verbal será posible por vía telefónica o a través de otros sistemas de mensajería de voz y, previa solicitud del denunciante, por medio de una reunión presencial dentro de un plazo razonable.

Siguiendo con el análisis, el art. 10 prevé que la comunicación se pueda llevar a cabo a través de lo que denomina **"canales de denuncia externa"** (que no deben ser confundidos con los canales —internos— externalizados). Así, se señala que *"Sin perjuicio de lo dispuesto en el artículo 15, apartado 1, letra b), los denunciantes comunicarán información sobre infracciones por los canales y los procedimientos descritos en los artículos 11 y 12, tras haberla comunicado en primer lugar a través de los canales de denuncia interna, o bien comunicándola directamente a través de los canales de denuncia externa"*. Así pues, la Directiva permite como requisito de procedibilidad que se exija previamente (antes de recurrir al canal externo) haber denunciado a través de los canales internos (públicos o privados). Pero, también es posible que los Estados decidan que pueda denunciarse directamente ante este tipo de organismos.

El art. 11.2 en su letra a) impone que los canales de denuncia externa sean independientes y autónomos. Que sean autónomos es una condición que debe hacerse cumplir a la hora de su diseño. Ahora bien, que sean independientes es una exigencia más difícil de cumplir en tanto en cuanto si se configuran como organismos incardinados en la Administración Pública dependerán jerárquicamente de otros niveles administrativos superiores. Por no mencionar la posibilidad de que al frente de los mismo se sitúen cargos políticos. A este respecto, por ejemplo, en el caso español, el Proyecto de Ley prevé (art. 42.2) que la Autoridad Independiente de Protección del Informante queda "vinculada" al Ministerio de Justicia; y, que, la Presidencia, que tendrá cargo de subsecretario de Estado, será nombrada a propuesta del titular del Ministerio de Justicia (art. 53.2).

Con todo, el art. 12.1 estipula que se considerará que los canales de denuncia externa son independientes y autónomos, siempre que cumplan todos los criterios siguientes: a) se diseñen, establezcan y gestionen de forma que se garantice la exhaustividad, integridad y confidencialidad de la información y se impida el acceso a ella al personal no autorizado de la autoridad competente; y, b) permitan el almacenamiento duradero de información, de conformidad con el artículo 18, para que puedan realizarse nuevas investigaciones. Ahora bien, en nuestra opinión, las notas que acaban de describirse no hacen referencia en puridad a lo que debería entenderse por auténtica independencia o autonomía. En este sentido, deberían haberse establecido mecanismos de protección frente a interferencias en la admisión o no de determinadas denuncias, su archivo, etc. El Proyecto de Ley español tampoco hace alusión a estas cuestiones.

En cuanto a las cuestiones procedimentales, el citado artículo señala que, con prontitud, y en cualquier caso en un plazo de siete días a partir de la recepción de la denuncia, la autoridad que se designe para la recepción y tramitación de la denuncia acuse recibo de ella a menos que el denunciante solicite expresamente otra cosa o que la autoridad competente considere razonablemente que el acuse de recibo de la denuncia comprometería la protección de la identidad del denunciante. Asimismo, se establece la obligación de que en el seguimiento de las denuncias se observe la debida diligencia. Así también, se impone la obligación de dar respuesta al denunciante en un plazo razonable, no superior a tres meses, o a seis meses en casos debidamente justificados. Por otro lado, deberá comunicarse al denunciante el resultado final de toda investigación desencadenada por la denuncia, de conformidad con los procedimientos previstos en el Derecho nacional. Y deberá transmitirse en tiempo oportuno la información contenida en la denuncia a las instituciones, órganos u organismos competentes de la Unión, según corresponda, para que se siga investigando, cuando así esté previsto por el Derecho de la Unión o nacional.

Naturalmente, el precepto contempla que las autoridades competentes, tras examinar debidamente el asunto, puedan decidir que la infracción denunciada es manifiestamente menor y no requiere más seguimiento con arreglo a la presente Directiva, que no sea el archivo del procedimiento. Y, en igual sentido, se establece que los Estados miembros también podrán disponer que las autoridades competentes puedan decidir archivar el procedimiento por lo que respecta a denuncias reiteradas que no contengan información nueva y significativa sobre infracciones en comparación con una denuncia anterior respecto de la cual han concluido los correspondientes procedimientos, a menos que se den nuevas circunstancias de hecho o de Derecho que justifiquen un seguimiento distinto. En tales casos, las autoridades competentes notificarán al denunciante su decisión y la motivación de la misma.

La Directiva alberga una disposición que no observamos en el Proyecto de Ley, y es que el apartado quinto del art. 11 permite que cuando haya un elevado número de denuncias, las autoridades competentes puedan seguir prioritariamente las denuncias de infracciones graves o de infracciones de disposiciones esenciales que entren dentro del ámbito de aplicación de la presente Directiva, sin perjuicio del plazo previsto en el apartado 2, letra d). En este sentido, nos parece razonable incluir dicho criterio para establecer un orden de preferencia ante situaciones de desbordamiento. Con todo, consideramos que la discusión debería centrarse en si no sería más importante establecer un verdadero cribado antes que optar por este tipo de soluciones que ¡eso sí! son muy prácticas.

Por último, el apartado sexto compele a que cualquier autoridad que haya recibido una denuncia, pero que no tenga competencias para dar tratamiento a la infracción denunciada, la transmita a la autoridad competente dentro de un plazo razonable y de manera segura. Debiéndose velar por que el denunciante sea mantenido al corriente, sin demora, de dicha transmisión.

Por otro lado, el art. 12 de la Directiva alude a los tipos de canales que pueden establecerse. Así, se señala que los canales de denuncia externa permitirán denunciar por escrito y verbalmente. La denuncia verbal será posible por vía telefónica o a través de otros sistemas de mensajería de voz y, previa solicitud del denunciante, por medio de una reunión presencial dentro de un plazo razonable.

El apartado tercero del art. 12 prevé una interesante disposición que no encontrábamos en el Anteproyecto de Ley: "*Cuando se reciba una denuncia por canales que no sean los canales de denuncia a que se refieren los apartados 1 y 2 o por los miembros del personal que no sean los responsables de su tratamiento, las autoridades competentes garantizarán que los miembros del personal que la reciban tengan prohibido revelar cualquier información que pudiera permitir identificar al denunciante o a la persona afectada y que remitan con prontitud la denuncia, sin modificarla, a los miembros del personal responsables de tratar denuncias*". Y, es que, efectivamente, puede darse el caso que las comunicaciones no se canalicen a través de los cauces (institucionales) establecidos para ello; esto es, que se produzcan de forma más informal. La solución proporcionada por dicho precepto nos parece razonable: cuando se reciba una denuncia por vías (alternativas) que no sean propiamente los canales de denuncia; o, por los miembros del personal que no sean los responsables de su tratamiento, las autoridades competentes garantizarán que los miembros del personal que la reciban tengan prohibido revelar cualquier información que pudiera permitir identificar al denunciante o a la persona afectada y que remitan con prontitud la denuncia, sin modificarla, a los miembros del personal responsables de tratar denuncias. Finalmente, el Proyecto de Ley sí la contempla en el art. 24.3.

Sin embargo, ni la Directiva europea, ni el Proyecto de Ley, se ocupan de otra cuestión como es la presentación de comunicaciones "en nombre" de otra persona. Esto es, aquellas personas que recurren a un tercero (con independencia de la razón que les mueva a ello) para no hacerlo directamente. Circunstancia esta última que puede darse cuando se esté ante un canal confidencial, pues, el anonimato haría innecesaria esta otra vía. A nuestro juicio, ésta es una alternativa que debiera contemplarse, debiéndose trasladar, en consecuencia, las mismas garantías a quien denuncia en representación de otro que al denunciante "original" (o descubridor de los hechos de los que se da traslado). Con todo, caben otras posibilidades respecto de esta situación, como, por ejemplo, que se presente una denuncia por una única persona, pero, en nombre de un colectivo de personas (evitando así la dispersión de comunicaciones).

Por último, el art. 13 contempla una serie de disposiciones que resultan de especial interés por cuanto van dirigidas a dar a conocer y facilitar el uso de estas herramientas. Así, se establece que los Estados miembros velarán por que las autoridades competentes publiquen, en una sección separada, fácilmente identificable y accesible de sus sitios web, como mínimo la información siguiente:

a) las condiciones para poder acogerse a la protección en virtud de la presente Directiva;

b) los datos de contacto para los canales de denuncia externa previstos en el artículo 12, en particular, las direcciones electrónica y postal y los números de teléfono para dichos canales, indicando si se graban las conversaciones telefónicas;

c) los procedimientos aplicables a la denuncia de infracciones, incluida la manera en que la autoridad competente puede solicitar al denunciante aclaraciones sobre la información comunicada o proporcionar información adicional, el plazo para dar respuesta al denunciante y el tipo y contenido de dicha respuesta;

d) el régimen de confidencialidad aplicable a las denuncias y, en particular, la información sobre el tratamiento de los datos de carácter personal de conformidad con lo dispuesto en el artículo 17 de la presente Directiva, los artículos 5 y 13 del Reglamento (UE) 2016/679, el artículo 13 de la Directiva (UE) 2016/680 y el artículo 15 del Reglamento (UE) 2018/1725, según corresponda;

e) la naturaleza del seguimiento que deba darse a las denuncias;

f) las vías de recurso y los procedimientos para la protección frente a represalias, y la disponibilidad de asesoramiento confidencial para las personas que contemplen denunciar;

g) una declaración en la que se expliquen claramente las condiciones en las que las personas que denuncien ante la autoridad competente están protegidas de incurrir en responsabilidad por una infracción de confidencialidad con arreglo a lo dispuesto en el artículo 21, apartado 2, y

h) los datos de contacto del centro de información o de la autoridad administrativa única independiente prevista en el artículo 20, apartado 3, en su caso.

La Directiva prevé, además, otro mecanismo como es la **"revelación pública"**. Ahora bien, el art. 15.1 establece una serie de condiciones para otorgar en tales casos protección al informante:

a) la persona haya denunciado primero por canales internos y externos, o directamente por canales externos de conformidad con los capítulos II y III, sin que se hayan tomado medidas apropiadas al respecto en el plazo establecido en el artículo 9, apartado 1, letra f), o en el artículo 11, apartado 2, letra d), o

b) la persona tenga motivos razonables para pensar que:

 i) la infracción puede constituir un peligro inminente o manifiesto para el interés público, como, por ejemplo, cuando se da una situación de emergencia o existe un riesgo de daños irreversibles, o

 ii) en caso de denuncia externa, existe un riesgo de represalias o hay pocas probabilidades de que se dé un tratamiento efectivo a la infracción debido a las circunstancias particulares del caso, como que puedan ocultarse o destruirse las pruebas o que una autoridad esté en connivencia con el autor de la infracción o implicada en la infracción.

Estableciendo el apartado segundo del citado artículo que *"El presente artículo no se aplicará en los casos en que una persona revele información directamente a la prensa con arreglo a disposiciones nacionales específicas por las que se establezca un sistema de protección relativo a la libertad de expresión y de información"*.

En cuanto al **deber de confidencialidad**, el art. 16.2 contempla que *"la identidad del denunciante y cualquier otra información prevista en el apartado 1 solo podrá revelarse cuando constituya una obligación necesaria y proporcionada impuesta por el Derecho de la Unión o nacional en el contexto de una investigación llevada a cabo por las autoridades nacionales o en el marco de un proceso judicial, en particular para salvaguardar el derecho de defensa de la persona afectada"*.

Otro aspecto de suma relevancia es el relativo al **registro de las denuncias**. A este respecto, el art. 18 (apartado primero) prevé que los

Estados miembros velarán por que las entidades jurídicas de los sectores privado y público y las autoridades competentes lleven un registro de todas las denuncias recibidas, en cumplimiento de los requisitos de confidencialidad contemplados en el artículo 16. Las denuncias se conservarán únicamente durante el período que sea necesario y proporcionado a efectos de cumplir con los requisitos impuestos por la presente Directiva, u otros requisitos impuestos por el Derecho de la Unión o nacional.

Por otra parte, tal y como reza el apartado segundo, cuando para la denuncia se utilice una línea telefónica u otro sistema de mensajería de voz con grabación, a reserva del consentimiento del denunciante, las entidades jurídicas de los sectores privado y público y las autoridades competentes tendrán derecho a documentar la denuncia verbal de una de las maneras siguientes:

a) mediante una grabación de la conversación en un formato duradero y accesible; o,

b) a través de una transcripción completa y exacta de la conversación realizada por el personal responsable de tratar la denuncia.

Además, las entidades jurídicas de los sectores privado y público y las autoridades competentes ofrecerán al denunciante la oportunidad de comprobar, rectificar y aceptar mediante su firma la transcripción de la llamada.

El apartado tercero permite que en los casos en que para la denuncia se utilice una línea telefónica u otro sistema de mensajería de voz sin grabación, las entidades jurídicas de los sectores privado y público y las autoridades competentes tendrán derecho a documentar la denuncia verbal en forma de acta pormenorizada de la conversación escrita por el personal responsable de tratar la denuncia. Las entidades jurídicas de los sectores privado y público y las autoridades competentes ofrecerán al denunciante la oportunidad de comprobar, rectificar y aceptar mediante su firma el acta de la conversación.

Y, en último lugar, el apartado cuarto prevé que, cuando una persona solicite una reunión con el personal de las entidades jurídicas de los sectores privado y público o de las autoridades competentes con la finalidad de denunciar en virtud del artículo 9, apartado 2, y del artículo 12, apartado 2, las entidades jurídicas de los sectores privado y público y las autoridades competentes garantizarán, a reserva del consentimiento del denunciante, que se conserven registros completos y exactos de la reunión en un formato duradero y accesible.

A este respecto el apartado cuarto sigue diciendo que las entidades jurídicas de los sectores privado y público y las autoridades competentes tendrán derecho a documentar la reunión de una de las maneras siguientes:

a) mediante una grabación de la conversación en un formato duradero y accesible; o,
b) a través de un acta pormenorizada de la reunión preparada por el personal responsable de tratar la denuncia.

Las entidades jurídicas de los sectores privado y público y las autoridades competentes ofrecerán al denunciante la oportunidad de comprobar, rectificar y aceptar mediante su firma el acta de la reunión.

Otro de los aspectos esenciales, y sin duda de los más problemáticos es el relativo a la **prohibición de represalias**. El art. 19 prevé que los Estados miembros adoptarán las medidas necesarias para prohibir todas las formas de represalias contra las personas a que se refiere el artículo 4, incluidas las amenazas de represalias y las tentativas de represalia, en particular, en forma de:

a) suspensión, despido, destitución o medidas equivalentes;
b) degradación o denegación de ascensos;
c) cambio de puesto de trabajo, cambio de ubicación del lugar de trabajo, reducción salarial o cambio del horario de trabajo;
d) denegación de formación;
e) evaluación o referencias negativas con respecto a sus resultados laborales;
f) imposición de cualquier medida disciplinaria, amonestación u otra sanción, incluidas las sanciones pecuniarias;
g) coacciones, intimidaciones, acoso u ostracismo;
h) discriminación, o trato desfavorable o injusto;
i) no conversión de un contrato de trabajo temporal en uno indefinido, en caso de que el trabajador tuviera expectativas legítimas de que se le ofrecería un trabajo indefinido;

j) no renovación o terminación anticipada de un contrato de trabajo temporal;
k) daños, incluidos a su reputación, en especial en los medios sociales, o pérdidas económicas, incluidas la pérdida de negocio y de ingresos;
l) inclusión en listas negras sobre la base de un acuerdo sectorial, informal o formal, que pueda implicar que en el futuro la persona no vaya a encontrar empleo en dicho sector;
m) terminación anticipada o anulación de contratos de bienes o servicios;
n) anulación de una licencia o permiso;
o) referencias médicas o psiquiátricas.

El art. 21 enumera una serie de **medidas de protección frente a represalias** que, básicamente, consisten en excluir de responsabilidad al denunciante en casos que la generarían. En este sentido, el apartado segundo dispone que no se considerará que las personas que comuniquen información sobre infracciones o que hagan una revelación pública de conformidad con la presente Directiva hayan infringido ninguna restricción de revelación de información, y estas *no incurrirán en responsabilidad de ningún tipo* en relación con dicha denuncia o revelación pública, siempre que tuvieran motivos razonables para pensar que la comunicación o revelación pública de dicha información era necesaria para revelar una infracción en virtud de la presente Directiva. En este punto, la Directiva europea difiere de lo previsto en el art. 38.1 del Proyecto de Ley, que añade: "*Esta medida no afectará a las responsabilidades de carácter penal*". Por tanto, entendemos que el prelegislador español ha incorporado una limitación que no quedaba contemplada en la norma europea, lo que parece ir en contra de ésta.

El art. 21.7 de la Directiva prevé en línea con lo anterior que en los procesos judiciales, incluidos los relativos a difamación, violación de derechos de autor, vulneración de secreto, infracción de las normas de protección de datos, revelación de secretos comerciales, o a solicitudes de indemnización basadas en el Derecho laboral privado, público o colectivo, las personas a que se refiere el artículo 4 *no incurrirán en responsabilidad de ningún tipo* como consecuencia de denuncias o de revelaciones públicas en virtud de la presente Directiva. Dichas personas tendrán derecho a alegar en su descargo el haber denunciado o haber hecho una revelación pública, siempre que tuvieran motivos razonables para pensar que la denuncia o revelación pública era necesaria para poner de manifiesto una infracción en virtud de la presente Directiva. De este modo, cuando una persona denuncie o revele públicamente información sobre infracciones que entran en el ámbito de aplicación de la presente Directiva, y dicha información incluye secretos comerciales, y cuando dicha persona reúna las condiciones establecidas en la presente Directiva, dicha denuncia o revelación pública se considerará lícita en las condiciones previstas en el artículo 3, apartado 2, de la Directiva (UE) 2016/943.

Aquí, una vez más, debemos poner de relieve que el Proyecto de Ley español se aparta del tenor de la norma europea, pues, reproduce esos mismos procesos, pero, los reconduce únicamente a **cuando se trate de procesos judiciales civiles o laborales**. Por el contrario, la Directiva se refiere a procesos judiciales (sin más). Esto podría suponer que, por ejemplo, para la norma europea, un denunciante que al comunicar unos hechos revelara un secreto empresarial no fuere perseguido penalmente, mientras que, a ojos de la futura norma española, la conducta podría ser constitutiva de un delito del art. 278 CP.

A diferencia de los dos supuestos anteriores, el prelegislador español sí ha incorporado en el art. 38.2 del Proyecto de Ley el mismo precepto que alberga el art. 21.3 de la Directiva, que reza así: "*Los denunciantes no incurrirán en responsabilidad respecto de la adquisición o el acceso a la información que es comunicada o revelada públicamente, siempre que dicha adquisición o acceso no constituya de por sí un delito. En el caso de que la adquisición o el acceso constituya de por sí un delito, la responsabilidad penal seguirá rigiéndose por el Derecho nacional aplicable*".

Por último, el art. 21.8 de la Directiva alberga una previsión que lamentablemente tampoco recoge el Proyecto de Ley. Se trata de la adopción de medidas necesarias para garantizar que se proporcionen vías de recurso e **indemnización íntegra de los daños y perjuicios sufridos** por las personas a que se refiere el artículo 4 de conformidad con el Derecho nacional. La indemnización íntegra de los daños y perjuicios sufridos (se entiende por haber denunciado) es, sin duda, una de las medidas reparadoras que pueden ayudar a compensar el haber sufrido determinadas consecuencias a raíz de la denuncia. Especialmente, ante el fracaso de otro tipo de reacciones que puede prever el ordenamiento laboral, mercantil, administrativo o mercantil.

Y, relacionado con lo anterior, el art. 20 prevé una serie de **"medidas de apoyo"** que consisten en:

a) información y asesoramiento completos e independientes, que sean fácilmente accesibles para el público y gratuitos, sobre los procedimientos y recursos disponibles, protección frente a represalias y derechos de la persona afectada;

b) asistencia efectiva por parte de las autoridades competentes ante cualquier autoridad pertinente implicada en su protección frente a represalias, incluida, cuando así se contemple en el Derecho nacional, la certificación de que pueden acogerse a protección al amparo de la presente Directiva; y,

c) asistencia jurídica en los procesos penales y en los procesos civiles transfronterizos de conformidad con la Directiva (UE) 2016/1919 y la Directiva 2008/52/CE del Parlamento Europeo y del Consejo (48) y, de conformidad con el Derecho nacional, asistencia jurídica en otros procesos y asesoramiento jurídico o cualquier otro tipo de asistencia jurídica.

Asimismo, el citado precepto establece que los Estados miembros pueden igualmente prestar asistencia financiera y medidas de apoyo a los denunciantes, incluido apoyo psicológico, en el marco de un proceso judicial.

Por último, e íntimamente relacionado con el artículo anterior, el art. 23 regula la posibilidad de imponer **sanciones** ante determinadas **infracciones**. Concretamente, el apartado primero alude a que los Estados miembros establecerán sanciones efectivas, proporcionadas y disuasorias aplicables a las personas físicas o jurídicas que:

a) impidan o intenten impedir las denuncias;

b) adopten medidas de represalia contra las personas a que se refiere el artículo 4;

c) promuevan procedimientos abusivos contra las personas a que se refiere el artículo 4;

d) incumplan el deber de mantener la confidencialidad de la identidad de los denunciantes, tal como se contempla en el artículo 16.

En este punto, nos sorprende que la Directiva no contemple como infracción (como sí hace ahora el Proyecto de Ley) la no implementación de estos canales de información. Y, es que, no consideramos que quede incluida en la primera de las mencionadas más arriba, pues, "impedir o intentar impedir las denuncias" es una conducta que parte de una premisa (que haya canal de denuncias) y se lleve a cabo una actividad obstaculizadora para que no se utilice.

Por otro lado, el Proyecto de Ley reproduce en su art. 63, como se verá, un listado de infracciones más amplio.

Por último, el apartado segundo del art. 23 no establece un listado de sanciones, pero, sí establece que *"Los Estados miembros establecerán sanciones efectivas, proporcionadas y disuasorias aplicables respecto de denunciantes cuando se establezca que habían comunicado o revelado públicamente información falsa a sabiendas. Los Estados miembros también establecerán medidas para indemnizar los daños y perjuicios derivados de dichas denuncias o revelaciones públicas de conformidad con el Derecho nacional"*.

7. EL PROYECTO DE LEY REGULADORA DE LA PROTECCIÓN DE LAS PERSONAS QUE INFORMEN SOBRE INFRACCIONES NORMATIVAS Y DE LUCHA CONTRA LA CORRUPCIÓN

En las líneas que siguen, pasaremos a comentar brevemente algunos de los aspectos más importantes que presenta el *Proyecto de Ley reguladora de la protección de las personas que informen sobre infracciones normativas y de lucha contra la corrupción* (por la que se transpone la Directiva (UE) 2019/1937 del Parlamento Europeo y del Consejo, de 23 de octubre de 2019, relativa a la protección de las personas que informen sobre infracciones del Derecho de la Unión). Para ello, nos centraremos en las principales deficiencias que alberga el citado texto, así como en las contradicciones que presenta en relación con lo dispuesto en la norma europea.

7.1. Entidades obligadas del sector privado

El artículo 10.1 impone la obligación de disponer de un "sistema interno de información" a:

a) Las personas físicas o jurídicas del sector privado que tengan contratados 50 o más trabajadores; y,

c) Los partidos políticos, los sindicatos, las organizaciones empresariales y las fundaciones creadas por unos y otros, siempre que reciban o gestionen fondos públicos[445].

Por el contrario, la letra **b**) de dicho precepto prevé que aquellas personas jurídicas del sector privado que entren en el ámbito de aplicación de los actos de la Unión Europea en materia de servicios, productos y mercados financieros, prevención del blanqueo de capitales o de la financiación del terrorismo, seguridad del transporte y

---

445 La Exposición de Motivos alude a que: "*La razón de esta exigencia se ampara en el singular papel constitucional que tienen estas organizaciones tal y como proclaman los artículos 6 y 7 de la Constitución Española, como manifestación del pluralismo político y vehículo de defensa y protección de los intereses económicos y sociales que les son propios, respectivamente. La existencia de casos de corrupción que han afectado a algunas de estas organizaciones incrementa la preocupación entre la ciudadanía por el recto funcionamiento de las instituciones, por lo que resulta indispensable exigir a estas organizaciones una actitud ejemplar que asiente la confianza en ellos de la sociedad pues de ello depende en buena medida el adecuado funcionamiento del sistema democrático. De ahí la obligación de que se configuren, con independencia del número de trabajadores, un sistema interno de informaciones para atajar con rapidez cualquier indicio de delito o infracción grave contra el interés general. La generalización de un sistema interno de comunicaciones facilitará la erradicación de cualquier sospecha de nepotismo, clientelismo, derroche de fondos públicos, financiación irregular u otras prácticas corruptas*". El Consejo Económico y Social con referencias a la Exposición de Motivos del Anteproyecto de marzo de 2022 (que a lo que aquí interesa mantiene el mismo tenor literal) considera en su Dictamen 3/2022, de 30 de marzo (a nuestro juicio de forma acertada) que se debería reformular dicha redacción, contraria al principio de presunción de inocencia, desvinculando la corrupción de la referencia a las entidades citadas, sin olvidar la relevancia constitucional de las mismas basada en la defensa y promoción de los intereses económicos y sociales que les son propios (p. 9). Asimismo, aboga por eliminar de la exposición de motivos la justificación generalizada del sistema interno de informaciones, amparándose en la erradicación de cualquier sospecha de nepotismo, clientelismo, derroche de fondos públicos, financiación irregular u otras prácticas corruptas.

protección del medio ambiente a que se refieren las partes I.B y II del anexo de la Directiva (UE) 2019/1937 *"deberán disponer de un sistema de información que se regulará por su normativa específica con independencia del número de trabajadores con que cuenten.* ***En estos casos, la presente ley será de aplicación en lo no regulado por su normativa específica".***

Considerándose incluidas en el párrafo anterior las personas jurídicas que, pese a no tener su domicilio en territorio nacional, desarrollen en España actividades a través de sucursales o agentes o mediante prestación de servicios sin establecimiento permanente.

El art. 11.1, por su parte, contempla una previsión específica para los **grupos de sociedades.** Así, se establece que *"En el caso de un grupo de empresas conforme al artículo 42 del Código de Comercio,* ***la sociedad dominante aprobará una política general relativa al sistema interno de información*** *a que se refiere el artículo 6 y la defensa del informante,* ***y asegurará la aplicación de sus principios en todas las entidades que lo integran,*** *sin perjuicio de la autonomía e independencia de cada sociedad, subgrupo o conjunto de sociedades integrantes que, en su caso, pueda establecer el respectivo sistema de gobierno corporativo o de gobernanza del Grupo, y de las modificaciones o adaptaciones que resulten necesarias para el cumplimiento de la normativa aplicable en cada caso".*

A nuestro juicio, la previsión legal no conmina a que en estos casos se establezca un único canal de denuncias para todas las empresas que formen parte del grupo, sino que se refiere a que "la política general relativa al sistema interno de información" sea única y seguida por todas las sociedades integrantes. Ahora bien, tampoco parece haber impedimento alguno para que así sea, esto es, que pueda haber un único canal de denuncias compartido por todas ellas. A este respecto, el art. 11.2 del Proyecto de Ley establece que: "*El Responsable del Sistema podrá ser uno para todo el grupo, o bien uno para cada sociedad integrante del mismo, subgrupo o conjunto de sociedades, en los términos que se establezcan por la citada política. Por su parte, [el] Sistema interno de información podrá ser uno para todo el grupo".* Esta dicción parece abogar por ciertas preferencias: 1) que puede haber tantos responsables como sociedades integren el grupo; pero, que el sistema de información sea único. Y 2) que, aunque solo haya un sistema de información (común), en estos casos sí haya un responsable en cada uno de los centros. Este tenor literal difiere del previsto en el Anteproyecto, que aludía indistintamente a que tanto "***El Responsable del Sistema y el sistema interno de información*** *podrá ser uno para todo el grupo, o bien uno para cada sociedad integrante del mismo, subgrupo o conjunto de sociedades, en los términos que se establezcan por la citada política*". Con todo, que el Proyecto de Ley ahora se refiera a que el sistema interno de información pueda ser uno para todo el grupo no cierra la puerta a que puedan haber más (para cada sociedad).

Por otro lado, la autonomía e independencia que se reconoce a *cada sociedad, subgrupo o conjunto de sociedades integrantes* debe entenderse, en nuestra opinión, como una habilitación para ampliar, desarrollar y adecuar a la idiosincrasia de cada entidad de las que conformen el grupo dichas pautas generales (aprobadas por la matriz), pero, en ningún caso, contradecirlas.

Con todo, el art. 11.3 contempla una previsión que nos suscita algunas dudas. El precepto reza así: "*Será admisible el intercambio de información entre los diferentes Responsables del Sistema del grupo, si los hubiera, para la adecuada coordinación y el mejor desempeño de sus funciones*". Esta disposición puede ser admisible (permítaseme el juego de palabras) si, tal y como en principio se dice, el intercambio de información lo es para una adecuada "coordinación" y el mejor "desempeño de sus funciones". Esto es, el intercambio de información de tipo técnico, organizativo, etc., no nos genera ningún recelo. Sin embargo, si el intercambio es de la información sensible que se ha reportado (principalmente cuando se trate de infracciones o vulneraciones del ordenamiento jurídico), debemos mostrar nuestro rechazo pues pueden producirse vulneraciones de la normativa de protección de datos y afectarse a otros derechos (incluso de carácter fundamental). En este sentido, no deberíamos olvidar que el grupo de sociedades (como tal) carece de personalidad jurídica. Por ello, a nuestro juicio, la mejor solución para estos casos es que los grupos de sociedades dispusieran de canales de denuncia individuales (perteneciente a cada una de las sociedades que ostentaren personalidad jurídica).

Por último, el art. 12 expresa que "*Las personas jurídicas del sector privado que tengan entre 50 y 249 trabajadores y que así lo decidan,* ***podrán compartir entre sí el Sistema interno de información y***

los recursos destinados a la gestión y tramitación de las comunicaciones, tanto si la gestión del sistema se lleva a cabo por la propia entidad como si se ha externalizado, *respetándose en todo caso las garantías previstas en esta ley".*

Se trata, pues, de una previsión tendente a facilitar la incorporación de dichos mecanismos ante el innegable coste económico que tiene hacerlo. Pero, en estos casos, entendemos que lo que se permite compartir es la plataforma, no que se tenga acceso a las comunicaciones de una u otra empresa de forma indiscriminada. Por ello, o el sistema se diseña de forma que, aunque existiendo un único canal, funcione de forma autónoma según la empresa de la que se trate; o, lo mejor será, para evitar cualquier problema, que se externalice (como de hecho también contempla el precepto).

En cualquier caso, debemos destacar que el legislador español parece haber decidido no obligar a las entidades jurídicas del sector privado que cuenten con *menos de 50 trabajadores* a dotarse de dichos canales de información, aun cuando, como vimos, la Directiva europea sí lo permite en su art. 8. Esta es una decisión que, en principio, debe ser criticada por nuestra parte, pues, si bien es cierto que el tejido empresarial español está formado en su mayoría por pequeñas y medianas empresas (las cuales quedarían excluidas de la citada obligación), consideramos que aquellas que contasen con 30 o más trabajadores podrían quedar sujetas a tal imperativo (más allá de que, aquí con más sentido, se les permitiese compartir tales recursos con otras empresas). Pero, a la par, también somos conscientes, precisamente, del coste que podría suponer para este tipo de empresas el hecho no ya de adoptar todo un sistema de compliance, sino, de tener que incorporar estos mecanismos de denuncia internas. Con todo, una vía para fomentar tales canales podría ser a través de planes específicos de las Administraciones Públicas que ayudasen a cofinanciar tal gasto.

E igualmente, la obligación para partidos, sindicatos y organizaciones empresariales (incluyendo sus respectivas fundaciones) que, *a priori*, parece razonable, nos resulta matizable, pues, el hecho de que queden obligados *"siempre que reciban o gestionen fondos públicos"* genera una importante distorsión: también hay organizaciones políticas, sindicales, empresariales, etc., de pequeñas dimensiones que no disponen de los recursos suficientes para atender tal compromiso; y, sin embargo, aquí no se hace mayor distinción, cuando así debiera ser. En este sentido parece apuntar el Consejo Económico y Social en su Dictamen 3/2022, de 30 de marzo, cuando señala que: *"Al ir más allá de lo dispuesto en la Directiva y extender esta obligación a todas las entidades sin importar el número de empleados, el legislador está olvidando que muchas de estas entidades, y desde luego en la mayor parte de los casos las asociaciones empresariales, son de pequeño tamaño y cuentan con limitados recursos para realizar las funciones que tienen atribuidas estatutariamente, por lo que no disponen de medios adecuados, dificultando con ello el cumplimiento de la norma"* (p. 10). Debiendo compartir la crítica realizada por este órgano cuando apunta a que *"el hecho de exigir esta obligación a las entidades referidas y no a otras asociaciones o fundaciones que igualmente reciben fondos públicos podría incurrir en una regulación arbitraria o en un trato desigual carente de justificación"*.

7.2. Ámbito material de aplicación

En cuanto al **objeto de comunicación** (denuncia), el art. 2.1 señala que la presente ley protege a las personas físicas que informen, a través de alguno de los procedimientos previstos en ella, de:

• Letra a): cualesquiera acciones u omisiones que puedan constituir infracciones del Derecho de la Unión Europea, *siempre que:*

– entren dentro del ámbito de aplicación de los actos de la Unión enumerados en el Anexo de la Directiva (UE) 2019/1937, del Parlamento Europeo y del Consejo, de 23 de octubre de 2019, relativa a la protección de las personas que informen sobre infracciones del Derecho de la Unión, con independencia de la calificación que de las mismas realice el ordenamiento jurídico interno.

Se trata de los siguientes: contratación pública; servicios, productos y mercados financieros, y prevención del blanqueo de capitales y la financiación del terrorismo; seguridad de los productos y conformidad; seguridad del transporte; protección del medio ambiente; protección frente a las radiaciones y seguridad nuclear; seguridad de los alimentos y los piensos, sanidad animal y bienestar de los animales; salud pública; protección de los consumidores; protección de la privacidad y de los datos personales, y seguridad de las redes y los sistemas de información.

– afecten a los intereses financieros de la Unión tal y como se contempla en el artículo 325 del TFUE; o,

– incidan en el mercado interior, tal y como se contempla en el artículo 26, apartado 2 del TFUE, incluidas las infracciones de las normas de la Unión en materia de competencia y ayudas otorgadas por los Estados, así como las infracciones relativas al mercado interior en relación con los actos que infrinjan las normas del impuesto sobre sociedades o a prácticas cuya finalidad sea obtener una ventaja fiscal que desvirtúe el objeto o la finalidad de la legislación aplicable al impuesto sobre sociedades.

• Letra b): Acciones u omisiones que puedan ser constitutivas de infracción penal o administrativa grave o muy grave.

La redacción literal del precepto podría prestarse a dos interpretaciones gramaticales distintas: una que abarcase por separado las acciones u omisiones que pudiesen ser constitutivas de infracción penal, de las administrativas (graves o muy graves); y, otra, según la cual el objeto de denuncia se debería reducir solo a las infracciones penales o administrativas que fueren graves o muy graves.

La Exposición de Motivos del Proyecto de Ley (p. 10) se decanta por esta última opción, señalando que *"Se ha considerado necesario, por tanto, ampliar el ámbito material de la Directiva a las infracciones del ordenamiento nacional,* ***pero limitado a las penales y a las administrativas graves o muy graves*** *para permitir que tanto los canales internos de información como los externos puedan concentrar su actividad investigadora en las más vulneraciones que se consideran que afectan con mayor impacto al conjunto de la sociedad"*. Así parece entenderlo también el CGPJ que, en su Informe de 26 de mayo de 2022 (p. 28), alude a: infracciones penales o administrativas, graves o muy graves.

Con todo, esa exégesis no puede ser aceptada en el caso de las infracciones penales ¡que no admiten la clasificación de muy graves! Esto nos debería llevar a defender que, en el caso de las infracciones penales, solo podrían ser objeto de comunicación las graves; es decir, aquellas que según el art. 13.1 CP la Ley castigue con pena grave. Y, en virtud del art. 33.2 CP, son penas graves:

a) La prisión permanente revisable.
b) La prisión superior a cinco años.

c) La inhabilitación absoluta.
d) Las inhabilitaciones especiales por tiempo superior a cinco años.
e) La suspensión de empleo o cargo público por tiempo superior a cinco años.
f) La privación del derecho a conducir vehículos a motor y ciclomotores por tiempo superior a ocho años.
g) La privación del derecho a la tenencia y porte de armas por tiempo superior a ocho años.
h) La privación del derecho a residir en determinados lugares o acudir a ellos, por tiempo superior a cinco años.
i) La prohibición de aproximarse a la víctima o a aquellos de sus familiares u otras personas que determine el juez o tribunal, por tiempo superior a cinco años.
j) La prohibición de comunicarse con la víctima o con aquellos de sus familiares u otras personas que determine el juez o tribunal, por tiempo superior a cinco años.
k) La privación de la patria potestad.

Lo anterior, dejaría fuera a las infracciones penales menos graves, muchas de las cuales representan un porcentaje importante (sino mayoritario) de las conductas delictivas (principalmente de orden socioeconómico) que se producen en el seno de las empresas y otra serie de personas jurídicas. De forma que, uno ya no sabe si se trata de un error o algo perfectamente ideado.

Así pues, a nuestro juicio, en el caso de la enumeración de las infracciones penales, el legislador debiera corregir dicha situación. Entendiendo que, por ejemplo, en el caso de las conductas que "puedan" ser constitutivas de infracción penal, podría emplearse algún criterio que acotase tal parámetro, como:

a) en atención a su gravedad: delitos graves, menos graves o leves;
b) en atención a su naturaleza: socioeconómicos, o solo los relacionados con el ámbito de la "corrupción", etc.; o,
c) aquellos atribuibles penalmente a una persona jurídica.

No tenemos una opinión formada sobre cuál de ellos (u otros) debiera ser el criterio rector, pero, sí tenemos claro que, en todo caso, el legislador debiera emplear un parámetro algo más preciso. Siendo legítimo abogar por establecer algún tipo de restricción que dejare fuera a aquellos hechos de "menor entidad".

Y, en cualquier caso, debemos poner de manifiesto que, recurrir a criterios como el de acciones u omisiones "que puedan ser constitutivas de infracción penal", implica una primera calificación jurídica que puede ser cuestionada y cuestionable, con los problemas que ello puede arrastrar.

Con todo, el precepto incluye otra cláusula que, a nuestro juicio, es perfectamente prescindible, incluso puede llegar a ser perturbadora: *"En todo caso, se entenderán comprendidas todas aquellas infracciones penales o administrativas graves o muy graves que impliquen quebranto económico para la Hacienda Pública"*. La disposición es superflua porque solo hace que poner de manifiesto un especial interés del legislador por no excluir esas infracciones. Es más, esto podría plantearnos la duda de si, por ejemplo, solo cabría incluir los delitos contra la Hacienda Pública recogidos en el Título XIV u otros como el blanqueo (que también pueden comportar un quebranto económico para la Hacienda Pública). O, si los delitos contra la Seguridad Social (arts. 307 a 307 ter CP) debieran quedar fuera. Si bien, lo paradójico es que precisamente la mayoría de "esos delitos" conllevan penas que no son graves, sino menos graves. De forma que, deberían quedar relegados según este precepto.

Como curiosidad, el art. 2.1. b) del Anteproyecto aludía a: *"acciones u omisiones que puedan ser constitutivas de infracción penal o administrativa graves o muy grave o cualquier vulneración del resto del ordenamiento jurídico siempre que, en cualquiera de los casos, afecten o menoscaben directamente el interés general, y no cuenten con una regulación específica. En todo caso, se entenderá afectado el interés general cuando la acción u omisión de que se trate implique un quebranto para la Hacienda Pública"*. Afortunadamente, por ser absolutamente imprecisas, las referencias a "cualquier vulneración del resto del ordenamiento jurídico" y que "afecten o menoscaben directamente el interés general" han sido suprimidas. Ahora bien, debe advertirse que la Exposición de Motivos del Proyecto de Ley (p. 15) sigue aludiendo a "infracción penal o administrativa grave o muy grave contra el interés general".

Para finalizar, resta decir que, en opinión del CGPJ (Informe, p. 30), el concepto de infracción que maneja el art. 2 del Anteproyecto (ahora Proyecto de Ley) debería ampliarse, no pudiéndose pasar por alto que el Considerando 42 de la Directiva europea señala que "*La detección y la prevención efectivas de perjuicios graves para el interés público exige que el concepto de infracción incluya también prácticas abusivas, como establece la jurisprudencia del Tribunal de Justicia, a saber, actos u omisiones que no parecen ilícitos desde el punto de vista formal, pero que desvirtúan el objeto o la finalidad de la ley*".

7.3. Ámbito personal de aplicación

El art. 3, por su parte, enumera el elenco de sujetos que gozan de protección cuando informen de alguna de las cuestiones enumeradas en el art. 2. Se trata de los siguientes sujetos:

1) Informantes que trabajen en el sector privado o público y que hayan obtenido información sobre infracciones en un contexto laboral o profesional, comprendiendo en todo caso:
   a) las personas que tengan la condición de empleados públicos y trabajadores por cuenta ajena;
   b) los autónomos;
   c) los accionistas, partícipes y personas pertenecientes al órgano de administración, dirección o supervisión de una empresa, incluidos los miembros no ejecutivos;
   d) cualquier persona que trabaje para o bajo la supervisión y la dirección de contratistas, subcontratistas y proveedores.
2) Informantes que comuniquen o revelen públicamente información sobre infracciones obtenida en el marco de una relación laboral o estatutaria ya finalizada, voluntarios, becarios, trabajadores en periodos de formación con independencia de que perciban o no una remuneración, así como a aquéllos cuya relación laboral todavía no haya comenzado, en los casos en que la información sobre infracciones haya sido obtenida durante el proceso de selección o de negociación precontractual.
3) Representantes legales de las personas trabajadoras en el ejercicio de sus funciones de asesoramiento y apoyo al informante.

Por otro lado, el apartado cuarto extiende dicha protección a:

a) Personas físicas que, en el marco de la organización en la que preste servicios el informante asistan al mismo en el proceso.

b) Personas físicas que estén relacionadas con el informante y que puedan sufrir represalias, como compañeros de trabajo o familiares del informante, y

c) Personas jurídicas, para las que trabaje o con las que mantenga cualquier otro tipo de relación en un contexto laboral o en las que ostente una participación significativa. A estos efectos, se entiende que la participación en el capital o en los derechos de voto correspondientes a acciones o participaciones es significativa cuando, por su proporción, permite a la persona que la posea tener capacidad de influencia en la persona jurídica participada.

7.4. Medidas de protección y de apoyo

7.4.1. Condiciones de protección

El art. 35.1 del Proyecto de Ley contempla que las personas que comuniquen o revelen infracciones (de las previstas en el art. 2) tengan derecho a protección solo cuando se cumplan las siguientes condiciones (de forma cumulativa):

a) Tengan motivos razonables para pensar que la información referida es veraz en el momento de la comunicación o revelación, aun cuando no aporten pruebas concluyentes, y que la citada información entra dentro del ámbito de aplicación de esta ley; y,

b) La comunicación o revelación se haya realizado conforme a los requerimientos previstos en esta ley.

En cuanto al primer requisito, se habla de que el denunciante tenga "motivos razonables para pensar que la información referida es veraz", aun cuando no se aporten "pruebas concluyentes". Dicha cláusula, a nuestro juicio, debe entenderse como un requisito de admisibilidad de la denuncia basado en una aportación mínima de evidencias que sustenten la versión de los hechos que se han puesto en conocimiento. La veracidad exige que se trate de información contrastada (verificada). Es decir, que, sin llegar a ser incontestable (concluyente) tenga un mínimo rigor. Con todo, debemos ser conscientes de que el informante no siempre tendrá acceso al material (documentos, información, datos) que de sustento a su denuncia. Incluso puede que el apoderamiento de dicho contenido pudiera ser delictivo. Por ello, en la práctica puede que el estándar de "veracidad" acabe traduciéndose en que se trate de un relato creíble o "razonable" y que la denuncia sea admitida sin perjuicio de las posteriores comprobaciones que pudieran hacerse (las cuales podrían desencadenar en un "archivo" de la misma).

Ahora bien, debe insistirse en que, aquí, este precepto en puridad regula las condiciones que deben darse para otorgar protección al denunciante. Pero, a nuestro parecer, como dijimos, esta previsión debe conectarse con su reverso: la admisibilidad de la denuncia y, con ella, la concesión de la protección. Así, por ejemplo, para el caso concreto de las denuncias formuladas ante la Autoridad Independiente de Protección del Informante, el art. 18.2 a) estima como causas de inadmisión (entre otras): que los hechos carezcan de toda verosimilitud; que carezca manifiestamente de fundamento; o, existan indicios racionales de haberse obtenido mediante la comisión de un delito. No sucede lo mismo con las denuncias emitidas ante canales internos. De ahí que deba extenderse a éstos lo dicho más arriba.

Por otro lado, la segunda condición atiende a cuestiones más bien formales o procedimentales.

Por el contrario, el apartado segundo del art. 31 excluye expresamente de la protección prevista en esta ley a aquellas personas que comuniquen o revelen:

a) Informaciones contenidas en comunicaciones que hayan sido inadmitidas por algún canal interno de información o por alguna de las causas previstas en el artículo 18.2 a).
b) Informaciones vinculadas a reclamaciones sobre conflictos interpersonales o que afecten únicamente al informante y a las personas a las que se refiera la comunicación o revelación.
c) Informaciones que ya estén completamente disponibles para el público, o que constituyan meros rumores;
d) Informaciones que se refieran a acciones u omisiones no comprendidas en el artículo 2.

Una vez más, a nuestro parecer, el precepto no solo enumera una lista de supuestos en los que no cabe conceder tal protección al informante, sino que debe leerse también en clave de causas de inadmisión.

Así, a las ya citadas anteriormente del art. 18.2 a), deben sumarse las informaciones vinculadas a reclamaciones sobre conflictos interpersonales, las que ya estén completamente disponibles para el público, y aquellas que constituyan meros rumores. Y, naturalmente, como reza el precepto, aquellas que queden fuera del ámbito material de la ley.

Con todo, debe repararse en el hecho de que la letra a) del art. 35.2 no permite conferir protección al denunciante si la comunicación ha sido inadmitida "por algún canal interno de información". Lo paradójico de esta previsión es que la solicitud de "amparo" (protección) para el informante puede venir dada, en numerosas ocasiones, por una previa inadmisión del canal interno. Este aspecto debería corregirse inmediatamente; y, o bien suprimirse (en el Anteproyecto no constaba), o bien señalar cuáles de los motivos que pueden conducir a la inadmisión por parte del canal interno deben tenerse en cuenta para el posterior rechazo por la Autoridad Independiente.

El apartado tercero, por su parte, contempla una cláusula que debe ser destacada, pues, si, como resulta evidente, no puede brindarse protección a quien no se ha identificado (anonimato), esta situación es reversible. Y, por ello, se establece que "*Las personas que hayan comunicado o revelado públicamente información sobre acciones u omisiones a que se refiere el artículo 2 de forma anónima pero que posteriormente hayan sido identificadas y cumplan las condiciones previstas en esta ley, tendrán derecho a la protección que la misma contiene*".

En último lugar, el apartado cuarto prevé otorgar protección incluso cuando las personas no informen a través de los canales diseñados por esta ley, sino que lo hagan ante las instituciones, órganos u organismos pertinentes de la Unión Europea cuando se trate de infracciones que entren en el ámbito de aplicación de la Directiva (UE) 2019/1937 del Parlamento Europeo y del Consejo, de 23 de octubre, señalándose que, en tales casos, "*tendrán derecho a protección con arreglo a lo dispuesto en esta ley en las mismas condiciones que una persona que haya informado por canales externos*".

7.4.2. Represalias prohibidas

En realidad, las auténticas medidas de protección son las enunciadas en el art. 36 del Proyecto de Ley. Este precepto proclama en su apartado primero la prohibición expresa de actos constitutivos de represalia, incluidas las amenazas de represalia y las tentativas de represalia contra las personas que presenten una comunicación conforme a lo previsto en esta ley.

El apartado segundo recoge qué se entiende por represalia: cualesquiera actos u omisiones que estén prohibidos por la ley, o que, de forma directa o indirecta, supongan un trato desfavorable que sitúe a las personas que las sufren en desventaja particular con respecto a otra en el contexto laboral o profesional, solo por su condición de informantes, o por haber realizado una revelación pública. Exceptuándose el supuesto en que dicha acción u omisión pueda justificarse objetivamente en atención a una finalidad legítima y que los medios para alcanzar dicha finalidad sean necesarios y adecuados. El Proyecto de Ley suprime una cláusula que el Anteproyecto añadía a lo anterior y que acotaba el espacio temporal en el que tenía que producir la represalia para que diera origen a la concesión de protección: *"(...) y siempre que tales actos u omisiones se produzcan* ***mientras dure el procedimiento de investigación o en los dos años siguientes a la finalización del mismo o de la fecha en que tuvo lugar la revelación pública"***. Como señaló el CGPJ, en su Informe de 26 de mayo de 2022 (p. 72), el prelegislador introduce en la definición de las acciones u omisiones que pueden categorizarse como represalias una acotación temporal en cuya virtud solo se reputaran tales aquellas que se produzcan *"mientras dure el procedimiento de investigación o en los dos años siguientes a la finalización del mismo o de la fecha en que tuvo lugar la revelación pública"*. Pero, el art. 5 de la Directiva define la represalia como «toda acción u omisión, directa o indirecta, que tenga lugar en un contexto laboral, que esté motivada por una denuncia interna o externa o por una revelación pública y que cause o pueda causar perjuicios injustificados al denunciante». Así, "la definición propuesta por el prelegislador introduce, por tanto, una limitación temporal que restringe o acota de manera relevante el número de acciones u omisiones que pueden catalogarse como represalias a los efectos de la aplicación de la norma sin que la Directiva objeto de trasposición avale tal limitación o restricción". Ahora bien, a nuestro juicio, el prelegislador español había hecho bien en fijar ese límite temporal, puesto que, no es concebible que se pueda sancionar a una persona física o jurídica por haber llevado a cabo una represalia, por ejemplo, seis años después de la denuncia. Cuestión distinta es que se quiera otorgar protección al informante en cualquier momento (sin preclusión).

Por su parte, el apartado tercero recoge, a título enunciativo (*numerus apertus*), la clase de **represalias** frente al alertador que quedan terminantemente **prohibidas**:

a) Suspensión del contrato de trabajo, despido o extinción de la relación laboral o estatutaria, incluyendo la no renovación o la terminación anticipada de un contrato de trabajo temporal una vez superado el período de prueba, o terminación anticipada o anulación de contratos de bienes o servicios, imposición de cualquier medida disciplinaria, degradación o denegación de ascensos y cualquier otra modificación sustancial de las condiciones de trabajo y la no conversión de un contrato de trabajo temporal en uno indefinido, en caso de que el trabajador tuviera expectativas legítimas de que se le ofrecería un trabajo indefinido; salvo que estas medidas se llevaran a cabo dentro del ejercicio regular del poder de dirección al amparo de la legislación laboral o reguladora del estatuto del empleado público correspondiente, por circunstancias, hechos o infracciones acreditadas, y ajenas a la presentación de la comunicación.

b) Daños, incluidos los de carácter reputacional, o pérdidas económicas, coacciones, intimidaciones, acoso u ostracismo.

c) Evaluación o referencias negativas respecto al desempeño laboral o profesional.

d) Inclusión en listas negras o difusión de información en un determinado ámbito sectorial, que dificulten o impidan el acceso al empleo o la contratación de obras o servicios.

e) Anulación de una licencia o permiso.

h) Denegación de formación.

i) Discriminación, o trato desfavorable o injusto.

Llegados a este punto, es de resaltar que en el Anteproyecto no se habían contemplado las siguientes represalias (a las que sí se alude en el art. 19 de la Directiva europea): 1) denegación de formación; 2) discriminación, o trato desfavorable o injusto; 3) no conversión de un contrato de trabajo temporal en uno indefinido, en caso de que el trabajador tuviera expectativas legítimas de que se le ofrecería un trabajo indefinido; y, 4) referencias médicas o psiquiátricas. En este sentido, debe advertirse que esta última (la de las referencias médicas o psiquiátricas) sigue sin contemplarse.

En otro orden de cosas, el apartado cuarto prevé que *la persona que viera lesionados sus derechos por causa de su comunicación o revelación* **una vez transcurrido el plazo de dos años**, *pueda solicitar la protección de la autoridad competente* que, excepcionalmente y de forma justificada, **podrá extender el periodo de protección**, previa audiencia de las personas u órganos que pudieran verse afectados. Con todo, esta previsión no debe entenderse como un periodo de carencia durante el cual el denunciante no puede solicitar amparo; sino, que alude al tiempo durante el cual se extiende la protección. Por tanto, lo que permite el apartado cuarto es una ampliación del plazo original (dos años). Lo dudoso es si una vez concedida esa ampliación lo es *sine die*, pues, no se dice nada al respecto.

Y, el apartado quinto alude a que "*Los actos administrativos que tengan por objeto impedir o dificultar la presentación de comunicaciones y revelaciones, así como los que constituyan represalia o causen discriminación tras la presentación de aquellas al amparo de esta ley, serán nulos de pleno derecho y darán lugar, en su caso, a medidas correctoras disciplinarias o de responsabilidad, pudiendo incluir la correspondiente indemnización de daños y perjuicios al perjudicado*".

Por último, advertir que, **en el ámbito penal**, la protección del "denunciante" puede conferirse a través de tipos delictivos como los que a continuación mencionaremos:

1) amenazas: constitutivas de delito (art. 169 CP); o, no constitutivas de delito (art. 171 CP);
2) coacciones (arts. 172.1 y 3 CP);
3) acoso laboral (art. 173.1 CP);
4) art. 464 CP: intentar influir con violencia o intimidación sobre el denunciante para que modifique su actuación procesal (apdo.

1º); y, realizar cualquier acto atentatorio contra la vida, integridad, libertad, libertad sexual o bienes, como represalia contra las personas citadas en el apartado anterior, por su actuación en procedimiento judicial (apdo. 2º).

7.4.3. Ausencia de responsabilidad

El art. 38.1 del Proyecto de Ley contempla otra modalidad de "protección" del informante, pero, esta vez, lo hace excluyendo la posibilidad de perseguir (responsabilizar) al denunciante por determinadas comunicaciones. Así, de forma genérica se establece que:

> *"No se considerará que las personas que comuniquen información sobre las acciones u omisiones recogidas en esta ley o que hagan una revelación pública de conformidad con la presente ley hayan infringido ninguna restricción de revelación de información, y éstas no incurrirán en responsabilidad de ningún tipo en relación con dicha comunicación o revelación pública, siempre que tuvieran motivos razonables para pensar que la comunicación o revelación pública de dicha información era necesaria para revelar una acción u omisión en virtud de esta ley, todo ello sin perjuicio de lo dispuesto en el artículo 2.3.* ***Esta medida no afectará a las responsabilidades de carácter penal.***
>
> *Lo previsto en el párrafo anterior se extiende a la comunicación de informaciones realizadas por los representantes de las personas trabajadoras, aunque se encuentren sometidas a obligaciones legales de sigilo o de no revelar información reservada. Todo ello sin perjuicio de las normas específicas de protección aplicables conforme a la normativa laboral".*

Es importante destacar, a este respecto, que, en ningún caso, se excluye de responsabilidad a quien efectúe una comunicación que pueda constituir un delito de revelación de secretos (art. 197.3 CP). El texto lo deja claro cuando alude a que "*Esta medida no afectará a las responsabilidades de carácter penal*". Más allá de que, luego, en algún supuesto concreto, pueda alegarse la concurrencia de alguna circunstancia eximente. En este sentido, podría aducirse que la puesta en conocimiento de determinada información (lejos de reputarse delictiva) supondría bien estar obrando en cumplimiento de un deber o en el ejercicio legítimo de un derecho, como es el de denunciar comportamientos aparentemente delictivos o (cuanto menos) irregulares (art. 20.7º CP); o, bien, actuar amparado por un estado de necesidad (art. 20.5º CP) justificante o excusante según si el bien jurídico que se estuviera poniendo en valor fuere de mayor o igual entidad que el que se sacrifica (el secreto de las comunicaciones, intimidad, etc.) Piénsese, por ejemplo, que a raíz de la denuncia se hubiere destapado una gran trama de corrupción política/urbanística o un gran fraude a consumidores; o, que se hubiere apreciado una insolvencia punible. Posiblemente, en el primer caso el estado de necesidad podría ser justificante y, en el segundo, excusante. Con todo, convendría recordar que aquí estamos refiriéndonos a la posible exención de responsabilidad penal por quedar amparada la conducta reveladora en alguna causa de las previstas en el art. 20 CP. Pero, esto es una cosa y, otra muy distinta, que las pruebas aportadas de este modo fueren válidas para sustentar una condena por el delito que se hubiere denunciado. A este respecto, en cuanto a la aportación de pruebas obtenidas mediante vulneración de derechos fundamentales por un particular, convendría tener presente la doctrina sentada por el Tribunal Supremo en la STS 116/2017, de 23 de febrero (caso Falciani) y ratificada por el Tribunal Constitucional (STC 97/2019, de 16 de julio), pues, no todas estas actuaciones acaban violando lo dispuesto en el art. 11 LOPJ[446].

En línea con lo anterior, el apartado segundo establece que "*Los informantes no incurrirán en responsabilidad respecto de la adquisición o el acceso a la información que es comunicada o revelada públicamente, **siempre que dicha adquisición o acceso no constituya un delito** o una falta muy grave*". Aquí ya no se trataría, como sucedía en el otro caso, de revelar de forma ilícita una información; sino, de obtener o acceder a ella incurriendo en delito (arts. 197.1 y 2 CP)[447].

El apartado tercero anuda la exclusión de responsabilidad del informante a que la comunicación verse sobre las acciones u omisiones recogidas en esta ley o que hagan una revelación pública de conformidad con la presente ley. Por ello se advierte de que: "*Cualquier otra posible responsabilidad de los informantes derivada de actos u omisiones que no estén relacionados con la comunicación o la revelación pública o que no sean necesarios para revelar una infracción en virtud de la presente ley serán exigibles conforme a la normativa aplicable*".

---

446 *Vid. infra*, VI.3.2.2.

447 Igualmente, en cuanto a la concurrencia de determinadas causas de exención de la responsabilidad en el sujeto denunciante, pueden darse por reproducidas las consideraciones hechas en el párrafo anterior.

Por último, los apartados cuarto y quinto contemplan unas previsiones específicas para determinados procedimientos:

> *"4. En los **procedimientos laborales** ante un órgano jurisdiccional relativos a los perjuicios sufridos por los informantes, una vez que el informante haya demostrado razonablemente que ha comunicado o ha hecho una revelación pública de conformidad con la presente ley y que ha sufrido un perjuicio, se presumirá que el perjuicio se produjo como represalia por informar o por hacer una revelación pública. En tales casos, corresponderá a la persona que haya tomado la medida perjudicial probar que esa medida se basó en motivos debidamente justificados no vinculadas a la comunicación o revelación pública".*
>
> *"5. En los **procesos judiciales civiles o laborales**, incluidos los relativos a difamación, violación de derechos de autor, vulneración de secreto, infracción de las normas de protección de datos, revelación de secretos empresariales, o a solicitudes de indemnización basadas en el derecho laboral o estatutario, las personas a que se refiere la presente ley no incurrirán en responsabilidad de ningún tipo como consecuencia de comunicaciones o de revelaciones públicas protegidas por la misma. Dichas personas tendrán derecho a alegar en su descargo el haber comunicado o haber hecho una revelación pública, siempre que tuvieran motivos razonables para pensar que la comunicación o revelación pública era necesaria para poner de manifiesto una infracción en virtud de esta ley".*

Respecto de la regla contenida en el apartado cuarto, debe advertirse que incorpora una inversión de la carga de la prueba en materia de represalias. Disposición que, más allá de la crítica que pueda hacerse, va dirigida a fomentar la denuncia de este tipo de infracciones.

7.4.4. Programas de clemencia

El art. 40.1 del Proyecto de Ley prevé que **cuando una persona que hubiera participado en la comisión de la infracción administrativa objeto de la información sea la que informe de la existencia de la misma** mediante la presentación de la información y *siempre que la misma hubiera sido presentada con anterioridad a que hubiera sido notificada la incoación del procedimiento de investigación o sancionador*, **el órgano competente para resolver el procedimiento, mediante resolución motivada, podrá eximirle del cumplimiento de la sanción administrativa** que le correspondiera *siempre que resulten acreditados en el expediente los siguientes extremos*:

a) Haber cesado en la comisión de la infracción en el momento de presentación de la comunicación o revelación e identificado, en su caso, al resto de las personas que hayan participado o favorecido aquella.
b) Haber cooperado plena, continua y diligentemente a lo largo de todo el procedimiento de investigación.
c) Haber facilitado información veraz y relevante, medios de prueba o datos significativos para la acreditación de los hechos investigados, sin que haya procedido a la destrucción de estos o a su ocultación, ni haya revelado a terceros, directa o indirectamente a terceros su contenido.
d) Haber procedido a la reparación del daño causado que le sea imputable.

Se trata, como puede observarse de una medida discrecional ("podrá"), debiéndose reunir todos y cada uno de los cuatro requisitos (por ser acumulativos). En relación con esto último, el apartado segundo contempla que **cuando estos requisitos no se cumplan en su totalidad**, incluida la reparación parcial del daño, *quedará a criterio de la autoridad competente, previa valoración del grado de contribución a la resolución del expediente, la posibilidad de atenuar la sanción que habría correspondido a la infracción cometida*, siempre que el informante o autor de la revelación no haya sido sancionado anteriormente por hechos de la misma naturaleza que dieron origen al inicio del procedimiento.

Por su parte, el apartado tercero prevé que **la atenuación de la sanción pueda extenderse al resto de los participantes en la comisión de la infracción**, *en función del grado de colaboración activa en el esclarecimiento de los hechos, identificación de otros participantes y reparación o minoración del daño causado*, apreciado por el órgano encargado de la resolución.

Por último, el apartado cuarto establece una excepción: "*Lo dispuesto en este artículo no será de aplicación a las sanciones que pudieran imponerse por la realización de las conductas prohibidas por la Ley 15/2007, de 3 de julio, de Defensa de la Competencia*".

7.4.5. Medidas de apoyo

Además, el art. 37.1 del Proyecto de Ley prevé una serie de "medidas de apoyo" que son las siguientes:

a) Información y asesoramiento completos e independientes, que sean fácilmente accesibles para el público y gratuitos, sobre los procedimientos y recursos disponibles, protección frente a represalias y derechos de la persona afectada.

b) Asistencia efectiva por parte de las autoridades competentes ante cualquier autoridad pertinente implicada en su protección frente a represalias, incluida, cuando así se contemple en el Derecho nacional, la certificación de que pueden acogerse a protección al amparo de la presente ley.

c) Apoyo financiero y psicológico, de forma excepcional, si así lo decidiese la Autoridad independiente de Protección del Informante tras la valoración de las circunstancias derivadas de la presentación de la comunicación.

Todo ello, como reza el apartado 2 de dicho precepto, "*con independencia de la asistencia que pudiera corresponder al amparo de la Ley 1/1996, de 10 de enero, de asistencia jurídica gratuita, para la representación y defensa en procedimientos judiciales derivados de la presentación de la comunicación o revelación pública*".

Estas medidas de apoyo serán prestadas por la Autoridad Independiente de Protección del Informante, cuando se trate de infracciones cometidas en el ámbito del sector privado y en el sector público estatal; y, en su caso, por los órganos competentes de las comunidades autónomas, respecto de las infracciones en el ámbito del sector público autonómico y local del territorio de la respectiva comunidad autónoma. Sin perjuicio de las medidas de apoyo y asistencia específicas que puedan articularse por las entidades del sector público y privado (art. 41 del Proyecto de Ley).

A nuestro juicio, lo más llamativo (y a la vez sorprendente) de este Proyecto de Ley es que no crea unos mecanismos específicos de auténtica reacción (protección) una vez materializadas las "represalias". Esto es, no se concreta qué sucede cuando se despide a un trabajador porque ha denunciado determinados hechos; ni cuando por igual motivo se remueve a un administrador de una empresa de su puesto; ni cuando se cercenan determinados derechos de los accionistas, etc. Y es que para encontrar las soluciones jurídicas a tales escenarios debemos acudir a mecanismos que nuestro ordenamiento jurídico ya dispone (en materia laboral, mercantil, etc.). Sin olvidar, por ejemplo, la protección que se puede dispensar en el proceso penal al testigo o a quien actúa como confidente de la policía[448]. De igual modo, cuesta pensar cómo se puede brindar protección a una persona jurídica (que también puede ser considerada susceptible de protección), de ahí que, por ejemplo, ante una anulación de una licencia pueda iniciarse un procedimiento penal por prevaricación; o, ante una campaña de desprestigio, pueden iniciarse acciones ante organismos de defensa de la competencia, etc.

Queremos con ello decir que, en este punto, tanto la Directiva como el Proyecto de Ley lo que hacen más bien es reforzar un mensaje: que el denunciante no está solo. Pero, nada más. Por eso se recurre a enunciar medidas como: a) ofrecer información y asesoramiento; asistencia efectiva; o, apoyo financiero o psicológico. La novedad es que el denunciante contará, a partir de ahora, con un apoyo institucional (Autoridad Independiente y organismos autonómicos) a través del cual poder canalizar, al margen de otras vías, dicha solicitud de amparo.

7.5. Sistemas internos de información: disposiciones generales

Los arts. 5 a 9 del Proyecto de Ley contemplan una serie de disposiciones comunes a todos los "sistemas internos de información".

7.5.1. Implantación y gestión: órganos/personas responsables

El art. 5.1 del Proyecto de Ley establece que *el órgano de administración u órgano de gobierno de cada entidad* u organismo obligado por esta ley *será el responsable* ***de la implantación*** *del Sistema interno de información*, previa consulta con la representación legal de las personas trabajadoras. Y tendrá la condición de responsable del

---

[448] *Vid.*, sobre estos temas, ORTIZ PRADILLO, J. C.: *Los delatores en el proceso penal. Recompensas, anonimato, protección y otras medidas para incentivar una colaboración eficaz con la justicia*, Madrid, Wolters Kluwer-La Ley, 2018.

tratamiento de los datos personales de conformidad con lo dispuesto en la normativa sobre protección de datos personales.

La alusión a que debe consultarse previamente a la representación legal de las personas trabajadoras resulta cuanto menos confusa. Huelga decir que, siendo una obligación legal, la opinión de los representantes legales de los trabajadores respecto de la incorporación de estos mecanismos es indiferente. Ahora bien, otra cosa muy distinta es que, naturalmente, tal decisión se ponga en conocimiento de aquéllos y, sobre todo, que la representación legal de los trabajadores pueda dar su visión o incluso participar en su diseño. En definitiva, creemos que la cláusula va dirigida más bien a incentivar una "colaboración" o "cortesía" para con los representantes de los trabajadores y no tanto a dar un valor vinculante a su opinión.

Siendo *el órgano de administración u órgano de gobierno de cada entidad* u organismo obligado por la presente ley *el competente para la designación* **de la persona física responsable de la gestión de dicho sistema** ("Responsable del Sistema") *y de su destitución o cese* (art. 8.1). Por tanto, tiene que nombrarse a un "responsable" que se encargue de la gestión de todo el sistema de información (que no solo del canal de denuncias, como veremos). A este respecto, el art. 9.1 alude a que *"(...) El Responsable del Sistema,* ***responderá de su tramitación diligente****".*

El Proyecto de Ley permite que el "Responsable del sistema" sea un órgano colegiado. En este sentido, el art. 8.2 prevé que *"Si se optase por que el Responsable del Sistema fuese un órgano colegiado, éste deberá delegar en uno de sus miembros las facultades de gestión del sistema interno de información y de tramitación de expedientes de investigación".*

Por su parte, cabría recordar que el art. 11.2 prevé, para el caso de los **grupos de sociedades**, que *"El Responsable del Sistema podrá ser uno para todo el grupo, o bien uno para cada sociedad integrante del mismo, subgrupo o conjunto de sociedades, en los términos que se establezcan por la citada política".*

En cualquier caso, como recoge el art. 8.3 del Proyecto de Ley, **tanto el nombramiento como el cese de la persona física individualmente designada, así como de las integrantes del órgano colegiado** *deberá ser notificado a la Autoridad Independiente de Protección del Infor-*

mante (regulada en el título VIII) en el plazo de los diez días hábiles siguientes, especificando, en el caso de su cese, las razones que han justificado el mismo.

En cuanto a este Responsable, el apartado cuarto del art. 8 contempla que *"**deberá desarrollar sus funciones de forma independiente y autónoma** respecto del resto de los órganos de organización de la entidad u organismo"*. La independencia resulta difícil de predicar de un cargo que requiere ser designado (puesto por) o destituido, por lo que entendemos que, sobre todo, la nota que debe caracterizar toda su actuación es la de autonomía (respecto del resto de los órganos de organización de la entidad u organismo).

Más concretamente, el apartado quinto del art. 8 señala que, *en el caso del sector privado*, **el Responsable del Sistema** (persona física o la persona en quien el órgano colegiado responsable haya delegado sus funciones), ***será un alto directivo de la entidad, que asumirá exclusivamente dichas funciones*** y que ejercerá su cargo con independencia del órgano de administración o de gobierno de la misma. Por tanto, habrá incompatibilidad absoluta con el ejercicio de cualquier otro cometido dentro de la entidad. Ahora bien, sigue diciendo la disposición citada, que, *cuando la naturaleza o la dimensión de las actividades de la entidad no justifiquen o permitan la existencia de un directivo Responsable del Sistema*, ***será posible el desempeño ordinario de las funciones del puesto o cargo con las de Responsable del Sistema, tratando en todo caso de evitar posibles situaciones de conflicto de interés.*** En este caso, pues, se permite compaginar ambos puestos.

En último lugar, el apartado sexto dispone que *en las entidades u organismos en las que ya existiera un responsable de la función de cumplimiento normativo*, cualquiera que fuese su denominación, podrá ser éste la persona designada como Responsable del Sistema, siempre que cumpla los requisitos establecidos en la presente ley. A este respecto, cabría apuntar que caben dos escenarios posibles:

1) aquel en que la persona jurídica decide que existe un órgano de cumplimiento (*compliance officer*) que vele por la supervisión y control del programa; y, un responsable específico solo del sistema de información interno; y,
2) aquel en que la persona jurídica decide que ambas funciones recaigan en la misma persona (u órgano).

7.5.2. Configuración de los sistemas internos de información

Como se verá, un sistema de información abarca, además del propio canal de denuncias, otros muchos aspectos. Por tanto, se trata de una política corporativa de mayor alcance (aunque, naturalmente, uno de los pilares fundamentales sea dicho canal).

En este sentido, el art. 5.2 del Proyecto de Ley se refiere a que los sistemas internos de información, en cualquiera de sus fórmulas de gestión, deberán:

a) Permitir comunicar información sobre las infracciones previstas en el artículo 2 a todas las personas referidas en el artículo 3.

b) Estar diseñados, establecidos y gestionados de una forma segura, de modo que se garantice la confidencialidad de la identidad del informante y de cualquier tercero mencionado en la comunicación y de las actuaciones que se desarrollen en la gestión y tramitación de la misma, la protección de datos, impidiendo el acceso de personal no autorizado.

c) Permitir la presentación de comunicaciones por escrito o verbalmente, o de ambos modos.

d) Integrar los distintos canales internos de información que pudieran establecerse dentro de la entidad.

   El art. 7.1 reza, en sentido similar, así: "*Todo canal interno de información de que disponga una entidad para posibilitar la presentación de información respecto de las infracciones previstas en el artículo 2 estarán integrados dentro del sistema interno de información a que se refiere el artículo 5*".

e) Garantizar que las comunicaciones presentadas puedan tratarse de manera efectiva dentro de la correspondiente entidad u organismo con el objetivo de que el primero en conocer la posible irregularidad sea la propia entidad u organismo.

f) Ser independientes y aparecer diferenciados respecto de los sistemas internos de información de otras entidades u organismos, sin perjuicio de lo establecido en los artículos 12 y 13 siguientes.

g) Contar con un responsable del Sistema en los términos previstos en el artículo 9 de esta ley.

h) Contar con una política o estrategia que enuncie los principios generales en materia de sistemas internos de información y defensa del informante y que sea debidamente publicitada en el seno de la entidad u organismo.

i) Contar con un procedimiento de gestión de las comunicaciones recibidas.

j) Establecer las garantías para la protección de los informantes en el ámbito de la propia entidad u organismo, respetando, en todo caso, lo dispuesto en el artículo 8[449].

7.5.3. Gestión del sistema por tercero externo

El art. 6.1 del Proyecto de Ley prevé que la gestión de los sistemas internos de información pueda llevarse a cabo dentro de la propia entidad u organismo **o acudiendo a un tercero externo**, en los términos previstos en esta ley (a estos efectos, según reza el precepto, se considera gestión del sistema la recepción de informaciones). Se trata, sin duda, de una opción muy recomendable, sobre todo, para personas jurídicas de gran tamaño.

Con todo, la externalización se condiciona a la concurrencia de una serie de requisitos mínimos. Así, se exige que el tercero externo ofrezca, en todo caso, garantías adecuadas de respeto de la **independencia, la confidencialidad, la protección de datos y el secreto de las comunicaciones** (art. 6.2). Y, en línea con lo anterior, el apartado tercero de dicho artículo establece que "*La gestión del sistema interno de información por un tercero* ***no podrá suponer un menoscabo de las garantías y requisitos*** *que para dicho sistema establece la presente ley ni una atribución de la responsabilidad sobre el mismo en persona distinta del Responsable del Sistema*".

Asimismo, el art. 6.4 prevé que el tercero externo que gestione el canal tendrá la consideración de encargado del tratamiento a efectos de la legislación sobre protección de datos personales.

---

449 La remisión al art. 8 consideramos se trata de una errata, debiéndolo ser, en nuestra opinión, al art. 9.

7.5.4. Formato de los canales internos de información

El art. 7.2 del Proyecto de Ley dispone que los canales internos deberán permitir realizar comunicaciones por escrito o verbalmente, o de las dos formas.

La información se podrá realizar bien por escrito, a través de correo postal o a través de cualquier medio electrónico habilitado al efecto, o verbalmente, por vía telefónica o a través de sistema de mensajería de voz.

> El Consejo Fiscal, en su Informe de 27 de septiembre de 2022, instaba al prelegislador a que "el listado se formule de modo ejemplificativo, recogiéndose expresamente la posibilidad de otros medios que dejen constancia suficiente de la información comunicada" (p. 40).

Y, a solicitud del informante, también podrá presentarse mediante una reunión presencial dentro del plazo máximo de siete días (se entiende, desde que se cursa la solicitud).

Señala el citado precepto que, en su caso, se advertirá al informante de que la comunicación será grabada y se le informará del tratamiento de sus datos de acuerdo a lo que establecen el Reglamento (UE) 2016/679.

Además, a quienes realicen la comunicación a través de canales internos se les informará, de forma clara y accesible, sobre los canales externos de información ante las autoridades competentes y, en su caso, ante las instituciones, órganos u organismos de la Unión Europea.

Asimismo, al hacer la comunicación, el informante podrá indicar un domicilio, correo electrónico o lugar seguro a efectos de recibir las notificaciones.

Las comunicaciones verbales, incluidas las realizadas a través de reunión presencial, telefónicamente o mediante sistema de mensajería de voz, deberán documentarse de alguna de las siguientes maneras:

a) mediante una grabación de la conversación en un formato seguro, duradero y accesible; o,

b) a través de una transcripción completa y exacta de la conversación realizada por el personal responsable de tratarla.

Sin perjuicio de los derechos que le corresponden de acuerdo a la normativa sobre protección de datos, se ofrecerá al informante la oportunidad de comprobar, rectificar y aceptar mediante su firma la transcripción del mensaje.

Por otro lado, el apartado tercero conmina a que los canales internos deberán permitir la presentación y posterior tramitación de **comunicaciones anónimas.** Si bien, este sistema convive con el de confidencialidad (art. 5.2.b).

A este respecto, el CGPJ, en su Informe de 26 de mayo de 2022, si bien asume la posibilidad de que puedan presentarse denuncias anónimas, considera que *"la identificación del informante puede coadyuvar a evitar el abuso y el uso indiscriminado de los canales de denuncias y permitir, asimismo, la efectiva protección de los whistleblowers contra posibles represalias, además, de permitir que sea posible recabar más información sobre los hechos denunciados que pueda ser relevante para la resolución del conflicto, y ello en línea con los sostenido por el Supervisor Europeo de Protección de datos personales en la Guía de procedimiento referida"* (p. 63). Por su parte, el Consejo Fiscal, en su Informe de 27 de septiembre de 2022, avala también los canales anónimos, pero, trae a colación (entre otros motivos) la doctrina sentada en algunas de sus propias instrucciones y circulares, de forma que "*la ponderación de la conveniencia de iniciar una fase de investigación preparatoria con origen en una denuncia anónima transmisora de una noticia delictiva, habrá de calibrar, fundamentalmente, el alcance del hecho denunciado, su intensidad ofensiva para un determinado bien jurídico, la proporcionalidad y conveniencia de una investigación por hechos cuyo relator prefiere no identificarse y, en fin, la legitimidad con la que se pretenden respaldar las imputaciones delictivas innominadas*" (p. 42).

Por último, el apartado cuarto establece que *los canales internos de comunicación podrán estar habilitados* por la entidad que los gestione **para la recepción de cualesquiera otras comunicaciones o informaciones fuera del ámbito establecido en el artículo 2**, si bien dichas comunicaciones y sus remitentes quedarán fuera del ámbito de protección dispensado por la misma. Esta es una muestra más de las múltiples utilidades o funciones que un canal interno puede tener (más allá de la denuncia de "infracciones"). El Consejo Fiscal, en su Informe de 27 de septiembre de 2022, precisamente critica, a nuestro juicio sin razón, dicha disposición por cuanto "*admitir la posibilidad* *de presentar cualquier tipo de comunicación fuera del ámbito material de aplicación de la norma puede entrañar el riesgo de convertir el canal interno de comunicación en una suerte de registro general de comunicaciones. Por ello, para favorecer la efectividad de la medida, debería suprimirse esta posibilidad que, por otro lado, no deriva de ningún tipo de exigencia de la norma comunitaria*" (pp. 42 y 43).

7.5.5. Procedimiento de gestión de informaciones

El art. 9.1 regula que **el procedimiento de gestión de comunicaciones sea aprobado por el órgano de administración u órgano de gobierno de cada entidad u organismo obligado por esta ley.** El Anteproyecto, por el contrario, confería dicha potestad al Responsable del sistema.

En este sentido, a diferencia de lo que sucede en el caso de la Autoridad Independiente de Protección del Informante (arts. 17 y ss.), el Proyecto de Ley no alberga ninguna disposición procedimental al respecto, dejando tal cuestión al albur de las previsiones que dicte el órgano de administración u órgano de gobierno (de la entidad privada). Esta circunstancia, a nuestro juicio, resulta incomprensible, pues, ¡para eso están las leyes!: para armonizar o unificar criterios en pro de una "mínima" seguridad jurídica (que aquí brilla por su ausencia). El CES, en su Dictamen 3/2022, de 30 de marzo, llama la atención sobre este punto (p. 11).

Este déficit, que principalmente afectará a la fase de admisión de las comunicaciones (primera criba), puede acabar conduciendo a que los canales externos como los de la Autoridad Independiente y los de los órganos autonómicos homónimos (sobre todo estos últimos) se vean saturados. Acudiendo a ellos tras la insatisfactoria respuesta ofrecida por unos canales internos sin criterios claros o ampliamente discrecionales.

Por otro lado, el art. 9.2 del Proyecto de Ley alude a la necesidad de establecer un procedimiento que establezca las previsiones necesarias para que el sistema interno de información y los canales internos existentes cumplan con los requisitos establecidos en la presente ley. En particular, el procedimiento responderá al siguiente contenido mínimo y principios:

a) Identificación del canal o canales internos de información a los que se asocian.

b) Inclusión de información clara y accesible sobre los canales externos de información ante las autoridades competentes y, en su caso, ante las instituciones, órganos u organismos de la Unión Europea.

c) **Envío de acuse de recibo de la comunicación al informante, en el caso de que este se identifique, en el plazo de siete días naturales siguientes a su recepción, salvo que ello pueda poner en peligro la confidencialidad de la comunicación.**

d) **Determinación del plazo máximo para dar respuesta a las actuaciones de investigación, que no podrá ser superior a tres meses a contar desde la recepción de la comunicación o, si no se remitió un acuse de recibo al informante, a tres meses a partir del vencimiento del plazo de siete días después de efectuarse la comunicación.**

e) Previsión de la posibilidad de mantener la comunicación con el informante y, si se considera necesario, de solicitar a la persona informante información adicional.

f) Establecimiento del derecho de la persona afectada a que se le informe de las acciones u omisiones que se le atribuyen, y a ser oída en cualquier momento. Dicha comunicación tendrá lugar en el tiempo y forma que se considere adecuado para garantizar el buen fin de la investigación.

g) Garantía de la confidencialidad cuando la comunicación sea remitida a personal no competente, al que se habrá formado en esta materia y advertido de la tipificación como infracción muy grave de su quebranto y, asimismo, el establecimiento de la obligación del receptor de la comunicación de remitirla inmediatamente al Responsable del Sistema.

h) Exigencia del respeto a la presunción de inocencia y al honor de las personas afectadas.

i) Respeto de las disposiciones sobre protección de datos personales de acuerdo a lo previsto en el título VI.

j) **Remisión de la información al Ministerio Fiscal con carácter inmediato cuando los hechos pudieran ser indiciariamente constitutivos de delito. En el caso de que los hechos afecten a los intereses financieros de la Unión Europea, se remitirá a la Fiscalía Europea.**

Hemos de destacar el contenido de la letra c) porque, a juicio del CGPJ (Informe, p. 40), la excepción que contempla dicho precepto para no enviar acuse de recibo al informante debiera suprimirse. Argumenta este órgano, en el Informe de 26 de mayo de 2022, que "*aunque la norma europea prevé en el apartado f) del mismo artículo 9 la posibilidad de que no se haya emitido un acuse de recibo, ello parece responder a una simple salvaguarda para la fijación de los plazos de tramitación en caso de un error o mala praxis en la emisión del acuse de recibo, resultando este, y su plazo, preceptivo*". Por su parte, el Consejo Fiscal (Informe, p. 43) también aboga por la supresión de dicha cláusula, puesto que la previsión "*salvo que ello pueda poner en peligro la confidencialidad de la comunicación*" podría amparar excusas para no dar cumplimiento a la regla establecida (además de que no se encuentra recogida en la Directiva).

También debemos resaltar la previsión albergada en la letra d) del art. 9.2 porque en ella se dice que *el plazo máximo para dar respuesta a las actuaciones de investigación será de tres meses*, a contar desde la recepción de la comunicación, o, si no se remitió un acuse de recibo al informante, a tres meses a partir del vencimiento del plazo de siete días después de efectuarse la comunicación. A este respecto, el Anteproyecto preveía que, en **casos de especial complejidad**, que requirieran una ampliación del plazo, éste pudiera extenderse *hasta un máximo de seis meses*. En este sentido, queremos manifestar que la regla de que las investigaciones no se prolonguen durante más de 3 meses nos parece una pretensión bienintencionada, pero, puede que poco real. Incluso, la excepción (suprimida por el Proyecto de Ley) de los 6 meses (no definiéndose qué casos debían tenerse por "complejos") podría haber resultado insuficiente. Con todo, si echamos un vistazo a la Directiva europea, el art. 9.1.f) únicamente habla de una duración máxima de 3 meses (por lo que el legislador español parece ahora estar en sintonía con lo allí dispuesto). De hecho, el CGPJ, en su Informe de 26 de mayo de 2022, aboga por contemplar un único plazo de 3 meses en consonancia con la norma europea. A nuestro juicio, dicha recomendación no debería haberse admitido. Debiéndose prever una ampliación de plazo para "causas complejas".

No obstante lo anterior, el Consejo Fiscal (Informe, p. 44) advierte de que, junto al plazo máximo (de tres meses) para llevar a cabo las actuaciones de investigación, el precepto debería incorporar la cláusula prevista en el art. 9.1.f) de la Directiva 2019/1937 que refiere a la necesidad de establecer un plazo razonable para dar respuesta al informante. Entendiendo por "respuesta", como define el art. 5 de la Directiva, "*la información facilitada a los denunciantes sobre las medidas previstas o adoptadas para seguir su denuncia y sobre los motivos de tal seguimiento*". Dicha recomendación, en nuestra opinión, debería ser asumida, distinguiéndose así entre la obligación de dar una (primera) "respuesta" y el plazo máximo en que se deben desarrollar las actuaciones de investigación. Pero, en realidad, si nos fijamos, el Proyecto de Ley difiere de la redacción inicial del Anteproyecto, que se refería a que la **duración máxima de las actuaciones de investigación** no podrá ser superior a tres meses. Ahora se expresa en términos confusos: "para dar respuesta a las actuaciones de investigación". Como puede observarse, el prelegislador emplea el término dar respuesta, pero, no en el sentido de la Directiva antes apuntado, sino para seguir refiriéndose a la duración máxima que la investigación puede tener.

En último lugar, la previsión incorporada por el Proyecto de Ley relativa a la "*remisión de la información al Ministerio Fiscal con carácter inmediato cuando los hechos pudieran ser indiciariamente constitutivos de delito. En el caso de que los hechos afecten a los intereses financieros de la Unión Europea, se remitirá a la Fiscalía Europea*" nos parece, de un lado, que puede atentar en algunos casos contra derechos fundamentales básicos (volveremos sobre ello más adelante); y, de otro lado, un golpe definitivo a la confianza en estos sistemas. En este último caso, posiblemente a la empresa (persona jurídica) le salga más rentable hacer frente a las sanciones que pudieran derivarse por alguna de las infracciones previstas en esta ley que implementar y tener activos estos sistemas de denuncia **interna**. ¡Para este viaje no hacían falta tantas alforjas!

7.6. Publicidad de la información y registro de las comunicaciones

En primer lugar, el art. 25 se ocupa de velar por un aspecto que consideramos esencial en todo sistema de gestión de denuncias. Se trata de poner en conocimiento de los potenciales usuarios la información necesaria para que tales canales sean utilizados y quien pretenda hacerlo sepa qué, cómo, cuándo y dónde puede denunciar. En este sentido, refiriéndose a los canales internos, se establece que "*Los sujetos comprendidos dentro del ámbito de aplicación de esta ley proporcionarán la información adecuada de forma clara y fácilmente accesible, sobre el uso de los canales internos de información que hayan implantado, así como sobre los principios esenciales del procedimiento de gestión. En caso de contar con una página web, dicha información deberá constar en la página de inicio, en una sección separada y fácilmente identificable*".

Y, ya con referencias a la Autoridad Independiente (u organismos autonómicos equivalentes), el art. 25 se refiere a que, de igual modo, publicarán, en una sección separada, fácilmente identificable y accesible de su sede electrónica, como mínimo, la información siguiente:

a) Las condiciones para poder acogerse a la protección en virtud de esta ley;

b) Los datos de contacto para los canales externos de información previstos en el título III, en particular, las direcciones electrónica y postal y los números de teléfono asociados a dichos canales, indicando si se graban las conversaciones telefónicas;

c) Los procedimientos de gestión, incluida la manera en que la autoridad competente puede solicitar al informante aclaraciones sobre la información comunicada o que proporcione información adicional, el plazo para dar respuesta al informante, en su caso, y el tipo y contenido de dicha respuesta;

d) El régimen de confidencialidad aplicable a las comunicaciones, y en particular, la información sobre el tratamiento de los datos personales de conformidad con lo dispuesto en el Reglamento (UE) 2016/679, la Ley Orgánica 3/2018, y el título VI;

e) Las vías de recurso y los procedimientos para la protección frente a represalias, y la disponibilidad de asesoramiento confidencial. En particular, se contemplarán las condiciones de exención de responsabilidad y los programas de clemencia a los que se refieren los artículos 40 y 41; y,

f) Los datos de contacto de la Autoridad Independiente de Protección del Informante prevista en el título VIII o de la autoridad u organismo competente de que se trate.

En segundo lugar, el art. 26 se ocupa de regular el **Registro de comunicaciones.** A este respecto, se señala que todos los sujetos obligados, de acuerdo con lo dispuesto en esta ley, a disponer de un canal interno de informaciones, con independencia de que formen parte del sector público o del sector privado, deberán contar con un libro-registro de las comunicaciones recibidas y de las investigaciones internas a que hayan dado lugar, garantizando, en todo caso, los requisitos de confidencialidad previstos en esta ley.

Se trata, como ya vimos, de un repositorio en el que se deja constancias de todas las comunicaciones recibidas, su tramitación, respuestas, etc. Por ello, por constituir un almacén de información sensible, el citado precepto resalta que este registro no será público y que *"únicamente a petición razonada de la Autoridad judicial competente, mediante auto, y en el marco de un procedimiento judicial y bajo la tutela de aquélla, podrá accederse total o parcialmente al contenido del referido registro"*.

Aquí, una vez más, debemos precisar que si en el canal de denuncias de la persona jurídica se contiene material que pueda incriminarla el acceso al registro no debería consentirse.

Por otra parte, el art. 26 contempla otra previsión, en esta ocasión relativa al tiempo de conservación de los datos registrados. Así, se establece que los datos personales relativos a las comunicaciones recibidas y a las investigaciones internas a que se refiere el párrafo anterior sólo se conservarán durante el período que sea necesario y proporcionado a efectos de cumplir con la presente ley. En particular, se tendrá en cuenta lo previsto en los apartados tercero y cuarto del artículo 32 (a los que aludiremos a continuación). Fijándose como límite que, en ningún caso, puedan conservarse los datos por un período superior a 10 años.

7.7. Protección de datos

En materia de protección de datos personales nos interesa destacar principalmente dos preceptos.

Por un lado, el art. 32 del Proyecto de Ley. Este artículo fija, en primer lugar, límites en el acceso de la información albergada en los sistemas internos. Señalándose que únicamente corresponderá a:

a) El responsable del Sistema y a quien lo gestione directamente.

b) El responsable de recursos humanos, sólo cuando pudiera proceder la adopción de medidas disciplinarias contra un trabajador. En el caso de los empleados públicos, el órgano competente para la tramitación del mismo.

c) El responsable de los servicios jurídicos de la entidad u organismo, si procediera la adopción de medidas legales en relación con los hechos relatados en la comunicación.

d) Los encargados del tratamiento que eventualmente se designen.

e) El Delegado de Protección de Datos.

Así también, el apartado segundo de dicho artículo contempla que también será lícito el tratamiento de los datos por otras personas, o incluso su comunicación a terceros, cuando resulte necesario para la tramitación de los procedimientos sancionadores o penales que, en su caso, procedan.

En otro orden de cosas, como se vio, los apartados tercero y cuarto del art. 32 prevén una serie de disposiciones también en materia de conservación de datos. Concretamente, en el apartado tercero se establece que *"Los datos que sean objeto de tratamiento podrán conservarse en el sistema de informaciones únicamente durante el tiempo imprescindible para decidir sobre la procedencia de iniciar una investigación sobre los hechos informados"*. Y, acto seguido, el apartado cuarto se refiere a que *"En todo caso, transcurridos tres meses desde la recepción de la comunicación sin que se hubiesen iniciado actuaciones de investigación, deberá procederse a su supresión, salvo que la finalidad de la conservación sea dejar evidencia del funcionamiento del sistema"*. Por último, se apunta a que las comunicaciones a las que no se haya dado curso solamente podrán constar de forma anonimizada, sin que sea de aplicación la obligación de bloqueo prevista en el artículo 32 de la Ley Orgánica 3/2018, de 5 de diciembre.

En cuanto a la supresión de determinados datos personales, el art. 32.2 *in fine* apunta que: *"En ningún caso serán objeto de tratamiento los datos personales que no sean necesarios para el conocimiento e investigación de las acciones u omisiones a las que se refiere el artículo 2, procediéndose, en su caso, a su* ***inmediata supresión****. Asimismo,* ***se suprimirán*** *todos aquellos datos personales que se puedan haber comunicado y que se refieran a conductas que no estén incluidas en el* *ámbito de aplicación de la ley"*. Además, *"si la información recibida contuviera datos personales incluidos dentro de las categorías especiales de datos, se procederá a su* ***inmediata supresión****, sin que se proceda al registro y tratamiento de los mismos"*. El art. 32.3 *in fine* también contempla que *"Si se acreditara que la información facilitada* o *parte de ella no es veraz, deberá procederse a su* ***inmediata supresión*** *desde el momento en que se tenga constancia de dicha circunstancia"*. También se refiere a esta cuestión el art. 29 *in fine* cuando establece que *"No se recopilarán datos personales cuya pertinencia no resulte manifiesta para tratar una información específica* o*, si se recopilan por accidente, se eliminarán sin dilación indebida"*.

En último lugar, el art. 32.5 del Proyecto de Ley señala que *"Los empleados y terceros deberán ser informados acerca del tratamiento de datos personales en el marco de los Sistemas de información a que se refiere el presente artículo"*.

Y, por otro lado, el art. 33 contempla una serie de disposiciones relativas a la preservación de la identidad del informante y de las personas afectadas. En primer lugar, el citado precepto se encarga de proclamar que quien presente una comunicación o lleve a cabo una revelación pública tiene derecho a que su identidad no sea revelada a terceras personas. Para ello se establece que los sistemas internos de información, los canales externos y quienes reciban revelaciones públicas no obtendrán datos que permitan la identificación del informante. A su vez, deberán contar con medidas técnicas y organizativas adecuadas para preservar la identidad y garantizar la confidencialidad de los datos correspondientes a las personas afectadas y a cualquier tercero que se mencione en la información suministrada.

El apartado tercero del art. 33 recoge una cláusula, a nuestro juicio, cuestionable y además contraproducente: *"La identidad del informante sólo podrá ser comunicada a la Autoridad judicial, al Ministerio Fiscal* o *a la autoridad administrativa competente en el marco de una investigación penal, disciplinaria* o *sancionadora"*. Que la identidad del denunciante sea necesaria para iniciar o proseguir un determinado procedimiento contra alguien por unos concretos hechos (de los que nadie más tenga conocimiento) es algo que puede asumirse si la ley así lo establece. Ahora bien, también es cierto que en ocasiones poco o nada aporta conocer tal identidad (el juicio debe centrarse en los hechos y en el responsable de los mismos). Dicho lo cual, el potencial informante puede optar por no denunciar o hacerlo de forma anónima si, una vez identificado bajo un régimen de confidencialidad, ésta decae ante un requerimiento judicial o de autoridad administrativa. Esto es, puede querer denunciar, pero, no verse inmerso en un proceso. El Consejo Fiscal (Informe, p. 70) abogaba por revelar únicamente la identidad de las personas investigadas cuando resulte imprescindible para salvaguardar su derecho de defensa y previa resolución debidamente motivada. Pero, debemos insistir una vez más en que no consideramos que el derecho de defensa del acusado pueda verse afectado por el hecho de no saber quién está detrás de la información aportada: lo decisivo será que se tenga igualdad de armas procesales. Dicho de otra forma, el derecho de defensa sí podría verse afectado en caso de no conocer la identidad del denunciante o querellante (de ahí que se exija), pero, no de quien ha facilitado la información a ese denunciante o querellante (que es quien inicia el procedimiento y se persona en la causa.

Eso sí, en todo caso, y a tenor de lo dispuesto en el proyectado precepto, la excepcional revelación de la identidad del informante se circunscribe a la fase de "investigación". Por lo que no podría hacerse valer (por ejemplo) en sede de juicio oral.

> El apartado tercero prevé igualmente que "*las revelaciones hechas en virtud de este apartado estarán sujetas a [las] salvaguardas establecidas en la normativa aplicable*".
>
> Y acto seguido se dice que: "*En particular, se trasladará al informante antes de revelar su identidad, salvo que dicha información pudiera comprometer la investigación o el procedimiento judicial*". Como puede observarse, falta contenido en la construcción de dicha disposición, de forma que no no puede captarse su real alcance.
>
> Asimismo, se señala que "*Cuando la autoridad competente lo comunique al informante, le remitirá un escrito explicando los motivos de la revelación de los datos confidenciales en cuestión*".

Por último, el art. 34 del Proyecto de Ley impone la obligación de nombrar a un delegado de protección de datos a todas las entidades obligadas a disponer de un sistema interno de comunicaciones, así como los terceros externos que en su caso lo gestionen. Debiendo proceder de igual modo la Autoridad Independiente de Protección del Informante y las autoridades independientes que en su caso se constituyan. Respecto de esta cuestión, el CES considera en su Dictamen 3/2022, de 30 de marzo, que la exigencia de nombrar un delegado de protección de datos a las entidades obligadas a disponer de un sistema interno de comunicaciones supone ampliar la obligación de contar con un delegado de protección de datos a las entidades que, con arreglo al Reglamento (UE) 2016/679 y a la Ley Orgánica 3/2018, de 5 de diciembre, de Protección de datos personales y garantía de los derechos digitales, no están jurídicamente obligadas, lo que puede representar una carga excesiva en función del tamaño de la asociación (p. 10).

7.8. La Autoridad Independiente de Protección del Informante

Una de las novedades más importantes que pretende incorporar este Proyecto de Ley es la creación de un canal externo de comunicaciones confiándoselo a una institución bautizada como "Autoridad Independiente de Protección del Informante". Esto es, un canal ajeno (paralelo) a los internos de las entidades privadas y públicas. El art. 42.1 del citado Proyecto de Ley la define como una autoridad administrativa independiente, como ente de derecho público de ámbito estatal, de las previstas en la Ley 40/2015, de 1 de octubre, de Régimen Jurídico del Sector Público, con personalidad jurídica propia y plena capacidad pública y privada, que actuará en el desarrollo de su actividad y para el cumplimiento de sus fines con plena autonomía e independencia orgánica y funcional respecto del Gobierno, de las entidades integrantes del sector público y de los poderes públicos en el ejercicio de sus funciones.

7.8.1. Funciones y ámbito competencial

Tal y como describe el art. 43 del Proyecto de Ley, entre sus funciones principales se encuentran las de: 1) gestión del canal externo de comunicaciones regulado en el título III; 2) adopción de las medidas de protección al informante previstas en esta ley; y, 3) tramitación de los procedimientos sancionadores e imposición de sanciones por las infracciones previstas en el título IX. No obstante, la Autoridad tiene otras funciones como las de: 1) Informar preceptivamente los anteproyectos y proyectos de disposiciones generales que afecten a su ámbito de competencias y a las funciones que desarrolla; y, 2) elaboración de circulares y recomendaciones que establezcan los criterios y prácticas adecuados para el cumplimiento de las disposiciones contenidas en esta ley.

De otra parte, el art. 24 del citado Proyecto de Ley se encarga de enumerar aquellos supuestos en que se activa la competencia de esta **Autoridad (de ámbito nacional)**, esto es, cuándo le corresponde tramitar las comunicaciones. A este respecto, la mayoría de casos refieren a comunicaciones que afectan a entidades públicas, pero, en el ámbito privado se alude en el art. 24.1.d) a comunicaciones que afecten a "*Entidades que integran el sector privado, cuando la infracción o el incumplimiento informado afecte o produzca sus efectos en el ámbito territorial de más de una comunidad autónoma*". Y, el apartado 2 del mismo artículo alude a que la **Autoridad Independiente u órgano que pueda señalarse en cada comunidad autónoma**, "*lo será respecto de las informaciones que afecten (...) a las entidades que formen parte del sector privado, cuando el incumplimiento comunicado se circunscriba al ámbito territorial de la correspondiente comunidad autónoma*". Esta última posibilidad viene condicionada, como señala el art. 61.3, a que "así lo disponga la normativa autonómica". Esto es, la Autoridad Independiente (nacional) también podrá conocer de las infracciones acaecidas en el ámbito de una Comunidad Autónoma en caso de que no dispongan de tales organismos.

En cuanto a lo anterior, consideramos que, si bien en principio la distribución competencial parece razonable, lo cierto es que ello hará (presumiblemente) que un porcentaje muy elevado de las denuncias se dirijan a los órganos autonómicos. Por ello, a nuestro juicio, hubiera sido preferible optar por alguno de estos otros criterios:

- Sujeto denunciado (persona física o jurídica)
- Naturaleza jurídica (empresa, partido político, sindicato, fundación)
- Materias
- Clase de "irregularidad" denunciada.
- Entidad de la conducta reportada.
- Grado de afectación, impacto, repercusión

Para finalizar este apartado, simplemente destacar que el Proyecto de Ley incorpora un apartado tercero a este art. 24 que no se contemplaba en el Anteproyecto (y sí en la Directiva europea). La disposición es la siguiente: "*Cuando se reciba una comunicación por un canal que no sea el competente o por los miembros del personal que no sean los responsables de su tratamiento, las autoridades competentes garantizarán mediante el procedimiento de gestión del Sistema establecido que el personal que lo haya recibido no pueda revelar cualquier información que pudiera permitir identificar al informante o a la persona afectada y que remitan con prontitud la comunicación, sin modificarla, al Responsable del Sistema de información*".

7.8.2. Aspectos procedimentales

Las cuestiones relativas al procedimiento se encuentran recogidas en los artículos que pasamos a comentar.

A) Recepción de comunicaciones

El primero de ellos, el art. 17, se encarga de regular la recepción de informaciones. El apartado primero permite que la comunicación pueda llevarse a cabo de forma anónima. Y, si no se opta por el anonimato, se reservará la identidad del informante en los términos del artículo 33, debiendo adoptarse las medidas en él previstas. Como dijimos más arriba, ambos sistemas presentan ventajas e inconvenientes. Ahora bien, debemos valorar positivamente que al menos se brinde la oportunidad de implantar canales anónimos. Y, en consecuencia, que se deje a elección del sujeto obligado a dotarse de una u otra clase de sistemas.

En cuanto al formato de la denuncia, el apartado segundo de dicho precepto prevé que puede realizarse por escrito, a través de correo postal o a través de cualquier medio electrónico habilitado al efecto dirigido al canal externo de informaciones de la Autoridad Independiente de Protección del Informante, o verbalmente, por vía telefónica o a través de sistema de mensajería de voz. Además, a solicitud del informante, también podrá presentarse mediante una reunión presencial (dentro del plazo de siete días). Y, en los casos de comunicación verbal se advertirá al informante de que la comunicación será grabada y se le informará del tratamiento de sus datos de acuerdo con lo que establecen el Reglamento (UE) 2016/679 y la Ley Orgánica 3/2018.

Cuando el informante se identifique, al efectuar la comunicación podrá indicar un domicilio, correo electrónico o lugar seguro a efectos de recibir las notificaciones, pudiendo asimismo renunciar expresamente a la recepción de cualquier comunicación de actuaciones llevadas a cabo por la Autoridad Independiente de Protección del Informante como consecuencia de la información.

Y, en caso de comunicación verbal, incluidas las realizadas a través de reunión presencial, telefónicamente o mediante sistema de mensajería de voz, la Autoridad Independiente de Protección del Informante deberá documentarla de alguna de las maneras siguientes:

a) mediante una grabación de la conversación en un formato seguro, duradero y accesible; o,

b) a través de una transcripción completa y exacta de la conversación realizada por el personal responsable de tratarla.

En estos casos, y sin perjuicio de los derechos que le corresponden de acuerdo a la normativa sobre protección de datos, se ofrecerá al informante la oportunidad de comprobar, rectificar y aceptar mediante su firma la transcripción del mensaje.

Por su parte, el apartado tercero prevé que, una vez presentada la información, se proceda a su registro en el Sistema de Gestión de Comunicaciones, siéndole asignado un código de identificación. El Sistema de Gestión de Comunicaciones estará contenido en una base de datos segura y de acceso restringido exclusivamente al personal de la Autoridad Independiente de Protección del Informante convenientemente autorizado, en la que se registrarán todas las comunicaciones recibidas, cumplimentando los siguientes datos:

a) Fecha de recepción.

b) Código de identificación.

c) Actuaciones desarrolladas.

d) Medidas adoptadas.

e) Fecha de cierre.

Por último, tras recibirse la comunicación, en un plazo no superior a cinco días hábiles desde dicha recepción, se procederá a acusar recibo de la misma, a menos que la comunicación sea anónima o el informante expresamente haya renunciado a recibir comunicaciones relativas a la investigación o, que la Autoridad Independiente de Protección del Informante considere razonablemente que el acuse de recibo de la información comprometería la protección de la identidad del informante (esta última previsión no se contemplaba en el Anteproyecto).

Aquí, el Consejo Fiscal (Informe, p. 53) sugiere que el plazo para acusar recibo de la comunicación efectuada debe ser idéntico al previsto en el caso de los canales internos; esto es, de siete días.

B) Admisión

El art. 18.1 del Anteproyecto contemplaba que, una vez registrada la comunicación, la Autoridad Independiente de Protección del Informante debía comprobar si aquélla expone **hechos o conductas que se encuentran dentro del ámbito de aplicación recogido en el artículo 2** ***y si los hechos pudieran ser indiciariamente constitutivos de delito.***

En el Informe del CGPJ (p. 50) se afirma que "el apartado 1 del artículo 18 se refiere exclusivamente a «hechos indiciariamente constitutivos de delito», debiendo incluirse la referencia a las infracciones administrativas o de Derecho de la Unión Europea, pues el ámbito de aplicación de la Directiva y de la norma proyectada no se limitan a las infracciones penales". Sin embargo, a nuestro juicio, ello no era así, pues, se aludía también a "hechos o conductas que se encuentran dentro del ámbito de aplicación recogido en el artículo 2" (entre las que se encuentran las infracciones penales). Así pues, en nuestra opinión, en todo caso, lo que sobraba era la referencia explícita a "y si los hechos pudieran ser indiciariamente constitutivos de delito"[450]. El Proyecto de Ley ha suprimido esta última dicción y solo se refiere a hechos o conductas que se encuentran dentro del ámbito de aplicación recogido en el artículo 2.

Realizado este análisis preliminar, la Autoridad Independiente de Protección del Informante dispone de un plazo (que no podrá ser superior a diez días hábiles desde la fecha de entrada en el registro de la información) para adoptar alguna de las siguientes decisiones:

---

450 Así lo entendió también el Consejo Fiscal en su Informe de 27 de septiembre de 2022 (p. 54).

a) Inadmitir la comunicación, en alguno de los siguientes casos:

1º. Cuando los hechos relatados carezcan de toda verosimilitud.

El Consejo Fiscal (Informe, p. 55) pone el foco en la siguiente "contradicción": "[El] empleo del primero de los motivos para inadmitir a trámite una comunicación deberá ser utilizado con cautela, máxime si se tiene en cuenta que el art. 19.1 (...) indica que «La instrucción comprenderá todas aquellas actuaciones encaminadas a comprobar la verosimilitud de los hechos relatados»".

2º. Cuando los hechos relatados no sean constitutivos de infracción del ordenamiento jurídico incluida en el ámbito de aplicación de esta ley.

3º. Cuando la comunicación carezca manifiestamente de fundamento o existan, a juicio de la Autoridad Independiente de Protección del Informante, indicios racionales de haberse obtenido mediante la comisión de un delito. En este último caso, además de la inadmisión, se remitirá al Ministerio Fiscal relación circunstanciada de los hechos que se estimen constitutivos de delito.

El Anteproyecto no se refería a tener indicios de que hubieran sido obtenidas mediante la comisión de un delito, sino, "de forma ilícita". En nuestra opinión, la expresa alusión al término delito dejaría fuera el hecho de que se tuviera indicios de que las informaciones se hubieran obtenido mediante vulneración de derechos fundamentales, pues, no siempre esas vulneraciones devienen delictivas.

4º. Cuando la comunicación no contenga información nueva y significativa sobre infracciones en comparación con una comunicación anterior respecto de la cual han concluido los correspondientes procedimientos, **a menos que se den nuevas circunstancias de hecho o de Derecho que justifiquen un seguimiento distinto**[451]. En estos casos, la Autoridad Independiente de Protección del Informante notificará la resolución de manera motivada.

Aquí, el Consejo Fiscal (Informe, p. 56) advierte de que este motivo cuarto "puede dar lugar al efecto contrario buscado por el prelegisla-

451 Esta previsión que destacamos en negrita no estaba contemplada en el Anteproyecto.

dor, desincentivando la comunicación de informaciones por el riesgo de quedar privado de toda protección (...) en caso de no haber sido el primero en comunicarla, pero desconociendo esta circunstancia".

La inadmisión se comunicará al informante dentro de los cinco días hábiles siguientes, salvo que la comunicación fuera anónima o el informante hubiera renunciado a recibir comunicaciones de la Autoridad Independiente de Protección del Informante.

El Consejo Fiscal (Informe, p. 54) insiste en que "debería exigirse la motivación de dicha inadmisión, como exige el art. 11 de la Directiva (...)".

b) Admitir a trámite la comunicación.

La admisión a trámite se comunicará al informante dentro de los cinco días hábiles siguientes, salvo que la comunicación fuera anónima o el informante hubiera renunciado a recibir comunicaciones de la Autoridad Independiente de Protección del Informante.

c) Remitir con carácter inmediato la información al Ministerio Fiscal cuando los hechos pudieran ser indiciariamente constitutivos de delito o a la Fiscalía Europea en el caso de que los hechos afecten a los intereses financieros de la Unión Europea.

Esta previsión tiene sentido cuando se trate de una información recibida por la Autoridad Independiente, pero, como ya vimos, no en el caso de que la comunicación se hubiere recibido a través de un canal interno corporativo.

d) Remitir la comunicación a la autoridad, entidad u organismo que se considere competente para su tramitación.

C) Instrucción

El art. 19.1 del Proyecto de Ley establece que la instrucción comprenderá todas aquellas actuaciones encaminadas a comprobar la verosimilitud de los hechos relatados. Establecido en estos términos, el art. 19.1 parece conferir plenitud de poderes a la Autoridad para realizar cualquier tipo de averiguación. Dichas innominadas posibilidades de actuación son contrarias al principio de legalidad. Por ello sería recomendable que, al menos vía reglamentaria, se delimitasen las facultades de investigación que se atribuyen a la Autoridad.

Tan solo el apartado tercero parece referirse a uno de esos medios: *"(...) la instrucción comprenderá, siempre que sea posible, una entrevista con la persona investigada en la que, siempre con absoluto respeto a la presunción de inocencia, se le invitará a exponer su versión de los hechos y a aportar aquellos medios de prueba que considere adecuados y pertinentes (...)"*.

Por último, debemos reparar en la dicción que presenta el apartado quinto: ***"Todas las personas naturales o jurídicas, privadas o públicas, deberán colaborar con las autoridades competentes y estarán obligadas a atender los requerimientos que se les dirijan para aportar documentación, datos o cualquier información relacionada con los procedimientos que se estén tramitando, incluso los datos personales que le fueran requeridos".***

Este último apartado, debe ponerse en relación con el art. 63.3 que considera infracción leve (respectivamente):

a) la remisión de información de forma incompleta, de manera deliberada por parte del Responsable del Sistema a la Autoridad, o fuera de plazo; y,

b) el incumplimiento de la obligación de colaboración con la investigación de informaciones.

Aquí, como sucede por ejemplo en el delito fiscal, se plantea la polémica cuestión de si la previa colaboración en sede administrativa (bajo apercibimiento de sanción) no conculca el derecho a no autoincriminarse cuando éste pretenda invocarse posteriormente en el proceso penal. Con todo, si bien el TEDH así lo ha considerado en numeras ocasiones, nuestro Tribunal Constitucional parece inclinarse más bien, desde hace tiempo, por la tesis contraria (no viendo conculcación del citado derecho en estos supuestos)[452]. Personalmente, en nuestro ámbito, entendemos que las "pruebas" (autoinculpatorias) obtenidas bajo coacción que, posteriormente, se pretendieran hacer valer en un proceso penal, debieran ser expulsadas del mismo de inmediato (no pudiéndose tomar en consideración).

---

452 *Vid.*, en cuanto a las referencias jurisprudenciales, HERMOSÍN ÁLVAREZ, M.: "Los derechos de defensa y el deber de colaboración con la administración tributaria", *Estudios de Deusto*, núm. 66-2, 2018, pp. 226 y ss.

D) Terminación de las actuaciones

El art. 20 del Proyecto de Ley contempla que, una vez concluidas todas las actuaciones, la Autoridad Independiente de Protección del Informante emitirá un informe que contendrá al menos:

a) Una exposición de los hechos relatados junto con el código de identificación de la comunicación y la fecha de registro.

b) La clasificación de la comunicación a efectos de conocer su prioridad o no en su tramitación.

c) Las actuaciones realizadas con el fin de comprobar la verosimilitud de los hechos.

d) Las conclusiones alcanzadas en la instrucción y la valoración de las diligencias y de los indicios que las sustentan.

Emitido el informe, la Autoridad Independiente de Protección del Informante adoptará alguna de las siguientes decisiones:

a) Archivo del expediente, que será comunicado al informante y, en su caso, y a la persona investigada. En estos supuestos, el informante tendrá derecho a la protección prevista en la presente ley, salvo que, como consecuencia de las actuaciones llevadas a cabo en fase de instrucción, se concluyera que la información a la vista de la información recabada, debía haber sido inadmitida por concurrir las causas previstas en el artículo 18.2 a).

b) Remisión al Ministerio Fiscal si, pese a no apreciar inicialmente indicios de que los hechos pudieran revestir el carácter de delito, así resultase del curso de la instrucción. Si el delito afectase a los intereses financieros de la Unión, lo remitirá a la Fiscalía Europea.

c) Traslado de todo lo actuado a la autoridad competente, de conformidad con lo dispuesto en el artículo 18.2.c).

d) Adopción de acuerdo de inicio de un procedimiento sancionador en los términos previstos en el título IX.

El art. 20 prevé, además, que ***"El plazo para finalizar las actuaciones y dar respuesta al informante, en su caso, no podrá ser superior a tres meses desde la entrada en registro de la información.*** *Cualquiera que sea la decisión, se comunicará al informante, salvo que haya renunciado a ello o que la comunicación sea anónima".*

Hemos de destacar esta previsión porque en ella se fija un plazo para finalizar las actuaciones y dar respuesta al informante que no podrá ser superior a tres meses. Sin embargo, debemos advertir que la propia Directiva europea, en su art. 11.2 d) alberga la *posibilidad de ampliar dicho plazo a seis meses* "en casos debidamente justificados". El Informe del CGPJ advierte también de este desfase (p. 48), pero, no propone (salvo error u omisión por nuestra parte) que dicha contradicción debiera corregirse. Sí lo hace abiertamente el Consejo Fiscal (Informe, p. 58), al señalar que se desconocen las razones por las cuales el prelegislador no ha admitido la posibilidad de prórroga de tres meses en supuestos excepcionales y complejos (prevista en la directiva). En nuestra opinión, como ya dijimos, la posibilidad de ampliar a seis meses en casos justificados debería contemplarse tanto en las comunicaciones presentadas ante un canal interno como ante la Autoridad Independiente (u homólogos autonómicos).

Por último, el apartado cuarto del art. 20 establece que "*Las decisiones adoptadas por la Autoridad Independiente de Protección del Informante en las presentes actuaciones no serán recurribles en vía administrativa ni en vía contencioso administrativa, sin perjuicio del recurso administrativo o contencioso administrativo que pudiera interponerse frente a la eventual resolución que ponga fin al procedimiento sancionador que pudiera incoarse con ocasión de los hechos relatados*". Y, el apartado quinto expresa que "*La presentación de una comunicación por el informante no le confiere, por si sola, la condición de interesado*".

7.9. Revelación pública

En último lugar, el Proyecto de Ley prevé la figura de la "revelación pública". Esto es, "*la puesta a disposición del público de información sobre acciones u omisiones en los términos previstos en esta ley*" (art. 27.1).

Para las personas que hagan una revelación pública, el Proyecto de Ley contempla en el art. 28.1 que puedan acogerse a protección si:

1) Se cumple con las condiciones de protección reguladas en el título VII (esto es, una remisión al art. 35)[453]; y, además,

453 Esta exigencia no estaba prevista en el Anteproyecto.

2) Se cumple con alguna de las condiciones siguientes:

a) Que haya realizado la comunicación primero por canales internos y externos, o directamente por canales externos, de conformidad con los títulos II y III, sin que se hayan tomado medidas apropiadas al respecto en el plazo establecido.

b) Que tenga motivos razonables para pensar que:

i) la infracción puede constituir un peligro inminente o manifiesto para el interés público, en particular cuando se da una situación de emergencia, o existe un riesgo de daños irreversibles, incluido un peligro para la integridad física de una persona, o

ii) en caso de comunicación a través de canal externo, exista un elevado riesgo de represalias o haya pocas probabilidades de que se dé un tratamiento efectivo a la información debido a las circunstancias particulares del caso, tales como la ocultación o destrucción de pruebas o la connivencia de una autoridad con el autor de la infracción o esté implicada en la infracción.

El Proyecto de Ley añade un apartado segundo a este art. 28 con una previsión un tanto cuestionable: "*La condiciones para acogerse a protección previstas en el apartado anterior no serán exigibles cuando la persona haya revelado información directamente* ***a la prensa*** *con arreglo al ejercicio de la libertad de expresión y de información veraz previstas constitucionalmente y en su legislación de desarrollo*". La excepción es, a nuestro juicio, caprichosa. Como si hacerlo a través de otros medios (que no sean la prensa) no fuera también un ejercicio de libertad de expresión y de información.

7.10. Infracciones y sanciones

7.10.1. Catálogo

En virtud del art. 63,

Tendrán la consideración de **infracciones muy graves** las siguientes acciones u omisiones *dolosas*:

a) Cualquier actuación que suponga una efectiva limitación de los derechos y garantías previstos en esta ley introducida a través de contratos o acuerdos a nivel individual o colectivo y en general cualquier intento o acción efectiva de obstaculizar la presentación de comunicaciones o de impedir, frustrar o ralentizar su seguimiento, incluida la aportación dolosa de información o documentación falsa por parte de los requeridos para ello.

b) La adopción de cualquier represalia derivada de la comunicación frente a los informantes o las demás personas incluidas en el ámbito de protección establecido en el artículo 3 de esta ley.

c) Vulnerar las garantías de confidencialidad y anonimato previstas en esta ley, y de forma particular cualquier acción u omisión tendente a revelar la identidad del informante cuando este haya optado por el anonimato, aunque no se llegue a producir la efectiva revelación de la misma.

d) Vulnerar el deber de mantener secreto sobre cualquier aspecto relacionado sobre la información.

e) La comisión de una infracción grave cuando el autor hubiera sido sancionado mediante resolución firme por dos infracciones graves o muy graves en los dos años anteriores a la comisión de la infracción, contados desde la firmeza de las sanciones.

f) Comunicar o revelar públicamente información a sabiendas de su falsedad.

g) Incumplimiento de la obligación de disponer de un Sistema interno de información en los términos exigidos en esta ley.

Por sorprendente que pueda parecer, esta última infracción (la principal) no estaba prevista en el Anteproyecto (como tampoco lo está en la Directiva europea).

Tendrán la consideración de **infracciones graves** las siguientes acciones u omisiones:

a) Cualquier actuación que suponga limitación de los derechos y garantías previstos en la presente ley o cualquier intento o acción efectiva de obstaculizar la presentación de informaciones o de impedir, frustrar o ralentizar su seguimiento que no tenga la consideración de infracción muy grave conforme al apartado 1 anterior.

b) Vulnerar las garantías de confidencialidad y anonimato previstas en esta ley cuando no tenga la consideración de infracción muy grave.

c) Vulnerar el deber de secreto en los supuestos en que no tenga la consideración de infracción muy grave.

d) Incumplimiento de la obligación de adoptar las medidas para garantizar la confidencialidad y secreto de las informaciones.

e) La comisión de una infracción leve cuando el autor hubiera sido sancionado por dos infracciones leves o graves o muy graves en los dos años anteriores a la comisión de la infracción, contados desde la firmeza de las sanciones.

Tendrán la consideración de **infracciones leves** las siguientes acciones u omisiones:

a) Remisión de información de forma incompleta, de manera deliberada por parte del Responsable del Sistema a la Autoridad, o fuera del plazo concedido para ello.

b) Incumplimiento de la obligación de colaboración con la investigación de informaciones.

c) Cualquier incumplimiento de las obligaciones previstas en esta ley que no esté tipificado como infracción muy grave o grave.

La primera crítica que, por nuestra parte, merece este sistema de infracciones es la dudosa técnica legislativa que supone tipificar en las infracciones graves "cualquier (...) cuando no tengan la consideración de infracción muy grave"; o, en las infracciones leves, cuando se alude a "cualquier (...) que no esté tipificado como infracción muy grave o grave"[454]. La finalidad del legislador es clara: cerrar la puerta a cualquier conducta que pudiere quedar impune. Pero, esto choca frontalmente con la más elemental noción de seguridad jurídica. La segunda, es la relativa a la falta absoluta de proporcionalidad a la hora de tipificar la infracción muy grave (ya no cuando se cometa una infracción grave y hubiere sido sancionado previamente por otras dos graves) sino, también cuando se hubiere sancionado previamente por otras dos muy graves. Y, lo mismo cabría decir de la calificación como infracción grave cuando se cometa una infracción leve precedida por dos leves, graves o muy graves. En tercer lugar, a la hora de tipificar las infracciones, el prelegislador exige que en el caso de las "muy graves" las acciones u omisiones sean dolosas. Exigencia que no se observa en

---

454 Se refiere también a esta cuestión el Consejo Fiscal (Informe, p. 96).

las "graves" ni en las "leves", hecho éste que, en nuestra opinión, deja la puerta abierta a las conductas imprudentes o negligentes. En cuarto y último lugar, el Consejo Fiscal (Informe, p. 96) advierte que algunas de las infracciones muy graves pueden ser constitutivas de delito (cita por ejemplo, la aportación dolosa de información o documentación falsa por parte de los requeridos para ello). Nosotros podemos añadir otras como las de: vulnerar el deber de mantener secreto sobre cualquier aspecto relacionado sobre la información; o, comunicar o revelar públicamente información a sabiendas de su falsedad. La solución propuesta por el Consejo Fiscal sería considerarlas infracciones (administrativas) cuando no fueran constitutivas de delito.

Y, en virtud del art. 65,

1) La comisión de infracciones previstas en esta ley llevará aparejada la imposición de las siguientes **multas**:

   a) Si son *personas físicas* las responsables de las infracciones, serán multadas con una cuantía de 1001 hasta 10.000 euros por la comisión de infracciones leves; de 10.001 hasta 30.000 euros por la comisión de infracciones graves y de 30.001 hasta 300.000 euros por la comisión de infracciones muy graves.

   b) Si son *personas jurídicas* serán multadas con una cuantía hasta 100.000 euros en caso de infracciones leves, entre 100.001 y 600.000 euros en caso de infracciones graves y entre 600.001 y 1.000.000 euros en caso de infracciones muy graves.

   Es de destacar que en el caso de las personas jurídicas no se establezca un límite mínimo cuando se trate de infracciones leves (aspecto que debiera corregirse).

2) Adicionalmente, en el caso de infracciones muy graves, la Autoridad Independiente de Protección del Informante podrá acordar:

   a) **La amonestación pública.**

   b) **La prohibición de obtener subvenciones u otros beneficios fiscales** durante un plazo máximo de cuatro años.

   En cuanto a la prohibición de obtener subvenciones u otros beneficios fiscales, el CGPJ, en su Informe de 26 de mayo de 2022, señalaba que *"el precepto proyectado debería limitar la medida de privación de ob-*

tener subvenciones u otros beneficios fiscales durante un plazo máximo de cuatro años al ámbito propio regulado por la Ley, esto es, a aquellas subvenciones y beneficios fiscales vinculados a la protección de las personas que informen sobre infracciones normativas y de lucha contra la corrupción". Con todo, no entendemos bien a qué se quiere referir el citado órgano con lo de *vinculados a la protección de las personas que informen sobre infracciones normativas y de lucha contra la corrupción.*

c) **La prohibición de contratar con el sector público** durante un plazo máximo de tres años de conformidad con lo previsto en la Ley 9/2017 de 8 de noviembre, de Contratos del Sector Público, por la que se transponen al ordenamiento jurídico español las Directivas del Parlamento Europeo y del Consejo 2014/23/UE y 2014/24/UE, de 26 de febrero de 2014.

3) Las sanciones por infracciones muy graves de cuantía igual o superior a 600.001 euros impuestas a entidades jurídicas podrán ser publicadas en el Boletín Oficial del Estado, tras la firmeza de la resolución en vía administrativa. La publicación deberá contener, al menos, información sobre el tipo y naturaleza de la infracción y, en su caso, la identidad de las personas responsables de las mismas de acuerdo con la normativa en materia de protección de datos.

7.10.2. Graduación de las sanciones

El art. 66 del Proyecto de Ley distingue entre graduación de las infracciones y de las sanciones. Pero, a nuestro juicio, esta distinción no es posible. Se gradúa la consecuencia que tiene un hecho, pero, no el hecho (infractor). El supuesto fáctico es el que se encuentra recogido en la norma.

Así, el apartado primero prevé que para la graduación de las [infracciones] se **podrán** tener en cuenta los criterios siguientes:

a) La reincidencia, siempre que no hubiera sido tenido en cuenta en los supuestos del artículo 63.1 e) y 2 e).

b) La entidad y persistencia temporal del daño o perjuicio causado.

c) La intencionalidad y culpabilidad del autor.

d) El resultado económico del ejercicio anterior del infractor.

e) La circunstancia de haber procedido a la subsanación del incumplimiento que dio lugar a la infracción por propia iniciativa.

f) La reparación de los daños o perjuicios causados

g) La colaboración con la Autoridad Independiente de Protección del Informante u otras autoridades administrativas.

Y, el apartado segundo, prevé que: "*Las sanciones a imponer como consecuencia de la comisión de infracciones tipificadas en esta ley se graduarán teniendo en cuenta la naturaleza de la infracción y las circunstancias concurrentes en cada caso.* ***De modo especial, y siempre que no se hubieran tenido en cuenta para la graduación de la infracción, la ponderación de las sanciones atenderá a los criterios del apartado anterior***".

Como hemos dicho, los criterios del apartado primero deberían ser los empleados para la graduación de las sanciones. En este sentido, a nuestro juicio, la cláusula "*Las sanciones a imponer como consecuencia de la comisión de infracciones tipificadas en esta ley se graduarán* ***teniendo en cuenta la naturaleza de la infracción y las circunstancias concurrentes en cada caso***" no vendría sino a ser una pauta general. En este sentido, lo relevante del apartado segundo es que permitiría emplear los criterios del apartado primero, cuando no se hubieran utilizado para la graduación de la [sanción], para seleccionar, junto a la multa, otra de las sanciones que se pueden imponer cuando la infracción sea muy grave.

7.10.3. Prescripción

Según el art. 64 del Proyecto de Ley:

1) Las **infracciones** muy graves prescribirán a los tres años, las graves a los dos años y las leves a los seis meses.

2) El plazo de prescripción de las infracciones comenzará a contarse desde el día en que la infracción hubiera sido cometida. En las infracciones derivadas de una actividad continuada, la fecha inicial del cómputo será la de finalización de la actividad o la del último acto con el que la infracción se consume.

Respecto de las infracciones derivadas de una actividad continuada, el Consejo fiscal (Informe, p. 98) propone una redacción alternativa: "*En las infracciones derivadas de una actividad continuada, de una actividad con efectos permanentes o de una actividad que exija habitualidad, el diez a quo se computará, respectivamente, desde el día en que se realizó la última infracción, desde que se eliminó la situación ilícita o desde que cesó la conducta*".

3) La prescripción se interrumpirá por la iniciación, con conocimiento del interesado, del procedimiento sancionador, reanudándose el plazo de prescripción si el expediente sancionador permaneciera paralizado durante tres meses por causa no imputable a aquellos contra quienes se dirija.

Por su parte, el art. 68 establece que:

1) Las **sanciones** impuestas por infracciones muy graves prescribirán a los tres años, las impuestas por infracciones graves a los dos años y las impuestas por infracciones leves al año.
2) El plazo de prescripción de las sanciones comenzará a contarse desde el día siguiente a aquel en que sea ejecutable la resolución por la que se impone la sanción.
3) Interrumpirá la prescripción la iniciación, con conocimiento del interesado, del procedimiento de ejecución, volviendo a transcurrir el plazo si aquel está paralizado durante más de un mes por causa no imputable al infractor.

8. CONCLUSIONES

Después de haber hecho un repaso por los principales aspectos que se suscitan en torno a los canales de denuncia, debemos advertir que, bien de forma incentivada (para lograr a través de los programas de cumplimiento la exención prevista en el Código Penal); o, coactiva (bajo apercibimiento de sanción como prevé el Proyecto de Ley), el uso efectivo de estos mecanismos puede ser menos frecuente de lo que *a priori* (imbuidos por un espíritu pro denuncia) cupiere esperar. Así, las expectativas inicialmente generadas en torno a las bondades de estos sistemas pueden verse rápidamente frustradas por algunos de los factores o circunstancias vistas en este capítulo. En este sentido, a pesar de los pasos dados por el legislador desde la introducción del régimen de responsabilidad penal de las personas jurídicas, cabría poner de manifiesto que los cambios culturales (y éste, el de "denunciar", lo es)[455] no se consiguen de hoy para mañana y, menos, a golpe de norma. Por ello, el éxito o fracaso que dichas herramientas tengan en un futuro es impredecible, pero, de lo que estamos convencidos es que la confianza en los canales de denuncia corporativos solo puede conseguirse: a través de una adecuada y efectiva protección del denunciante; de las garantías que rodeen al procedimiento de comunicación; de la configuración que se le dé (más o menos compleja) al canal; de su funcionamiento real; de las consecuencias que finalmente tenga el haber denunciado tanto para quien señala como para quien se ve señalado; del coste de oportunidad que se le presenta a quien pretende informar de unos hechos (con posible relevancia penal) en los que haya participado (en cuyo caso su responsabilidad solo se verá aminorada a través de figuras como la atenuante de colaboración o el indulto)[456]; etc.

Habrá que esperar, pues, para comprobar cuál es la acogida que con el paso del tiempo tengan estos instrumentos de delación (para la prevención y/o represión de conductas irregulares/delictivas) en el sector privado. Del mismo modo que, algo que ahora nos parece tan extraño a nuestra tradición jurídica como el de recompensar no solo económicamente (bien por parte de la propia empresa o del Estado) a quien esté dispuesto a denunciar, se convierta en algo "natural" dentro de un tiempo. Incluso, que esta se convierta en la única forma (o una de las principales) que despierte en los empleados, directivos, ciudadanos, etc., la conciencia de denunciar.

En definitiva, en la medida de nuestras posibilidades, hemos tratado de aportar las claves prácticas que deberían regir la implementación de estos mecanismos en el ámbito corporativo privado. No debiéndose olvidar que, tanto en lo relativo a su integración como un elemento esencial de los sistemas de compliance, como en la recién

---

455 En este sentido, no puede afirmarse que, con carácter general, la delación forme parte de nuestra cultura, a diferencia de lo que ocurre en otras sociedades o sistemas jurídicos.

456 A este respecto, véase la interesante propuesta que plantea SIMÓN CASTELLANO para evitar la sanción penal del whistlebower que denuncia unos hechos delictivos en los que puede haber intervenido. SIMÓN CASTELLANO, P.: "La inmunidad penal como recompensa a los denunciantes. Allende un nuevo factor subjetivo-formal de punibilidad", *Revista Electrónica de Ciencia Penal y Criminología*, 2022, núm. 24-14, pp. 1-32.

obligación contenida en el Proyecto de Ley, son muchas las dudas (o sombras) que afloran, deseando que la práctica corporativa, el desarrollo normativo y la jurisprudencia se encarguen de ir despejándolas con el paso del tiempo. Esperemos, ¡eso sí¡, que sea siempre para aportar mayor seguridad jurídica y no lo contrario. En este sentido, como se ha hecho hincapié, son varios los aspectos del Proyecto de Ley los que debieran corregirse: rehuir de formulaciones excesivamente amplias; de concesión de amplias facultades de comprobación a las Autoridades responsables de los canales externos; de solventar las fricciones apuntadas con respecto de la norma europea; y, sobre todo, de iniciar una fase de reglamentación, especialmente, de todas las cuestiones procedimentales que se recogen en la futura Ley.

Asimismo, anotar que, en la actualidad, la tecnología es ya un aliado natural en el diseño, implementación, gestión y revisión de los compliance[457]. Pero, más allá de esta constatación, la Inteligencia Artificial y, particularmente, la tecnología *blockchain* están llamados a jugar un papel decisivo en el funcionamiento de los canales de denuncia, aspecto (de entre todos los que integran un compliance) sobre el que pueden tener una proyección especial[458]. Piénsese en funcionalidades como: a) llevar a cabo un primer cribado en la admisión de denuncias; b) detectar una falta de fundamentación en las misma; c) seleccionar la información relevante: d) calificar "jurídicamente" los hechos denunciados; e) proponer acciones (archivo, elevar una propuesta de sanción, posible incriminación de la persona jurídica, presentación de querella o denuncia, confesión, colaboración con las autoridades, etc.); entre otras.

Por último, quisiéramos poner de relieve que la creación de organismo públicos como los que pretende este Proyecto de Ley (y a los que alude la Directiva) y otros autonómicos de cariz similar requieren de un acompañamiento presupuestario sin el cual el correcto funcio-

---

[457] *Vid.* ampliamente, sobre esta cuestión, LEÓN ALAPONT, J.: *Compliance Penal...*, *op. cit.*, p. 349 y ss.

[458] *Vid.*, con mayor detalle, NAVARRO CARDOSO, F.: "*Blockchain, Smart Contract y Compliance*: Anotaciones para el Derecho Penal y Procesal de la persona jurídica", en DEMETRIO CRESPO, E. (Dir.): *Derecho penal y Comportamiento Humano. Avances desde la Neurociencia y la Inteligencia Artificial*, Valencia, Tirant lo Blanch, 2022, p. 681 y 687 y ss.

namiento de estas nuevas instituciones está abocado al fracaso[459] (¡el tiempo dirá!). En este sentido, dotar de suficientes medios materiales y técnicos es primordial, al igual que nutrirse de un personal altamente cualificado para ello[460]. De igual modo, la imparcialidad de dichos organismos no puede verse cuestionada. De ahí que resulte esencial que no sean instituciones politizadas (o lo mínimo posible), y que no sean utilizadas (instrumentalizadas) con fines políticos, especialmente, en casos de corrupción, etc[461].

459 El art. 11.1 de la Directiva europea alude a que los Estados dotarán a estas autoridades de *recursos adecuados*.

460 En este sentido, el art. 45.2 del Proyecto de Ley señala que la selección del personal directivo se ajustará a principios de competencia y aptitud profesional, mérito y capacidad y a criterios de idoneidad. Y, por su parte, el art. 45.3 se refiere a que el personal al servicio de la Autoridad Independiente de Protección del Informante recibirá formación específica a los efectos de tratar las comunicaciones.

461 LEÓN ALAPONT, J.: "Los canales de denuncia y la protección del informante en las entidades del sector privado: a propósito de la trasposición de la Directiva (UE) 2019/1937, de 23 de octubre", *Revista de Derecho Penal y Criminología*, núm. 28, 2022, p. 211.

Capítulo V
INVESTIGACIONES INTERNAS

1. INTRODUCCIÓN

Como vimos, la reforma del Código Penal operada por la LO 1/2015, de 30 de marzo, introdujo la posibilidad de exonerar de responsabilidad penal a las personas jurídicas. Desde entonces, los arts. 31 bis 2 y 4 CP establecen las condiciones que deben concurrir para que los planes de prevención de delitos surtan efectos eximentes y, por su parte, el art. 31 bis 5 CP alberga los requisitos que éstos deben cumplir. Con todo, el Código Penal no contempla expresamente que las personas jurídicas tengan que llevar a cabo investigaciones internas como *conditio sine qua non* para predicar la eficacia eximente de los modelos de organización y gestión. En puridad, lo que exige el Código Penal en su art. 31 bis 5. 4º CP es que los programas de cumplimiento penal *"impondrán la obligación de informar de posibles riesgos e incumplimientos al organismo encargado de vigilar el funcionamiento y observancia del modelo de prevención"*.

Sin embargo, consideramos que[462]:

- Resulta una obligación ineludible que, tras la recepción de información sobre posibles riesgos e incumplimientos del *compliance*, la persona jurídica decrete la apertura de la correspondiente investigación interna con la finalidad de esclarecer los hechos objeto de la comunicación.
- Asimismo, no resulta muy difícil imaginar que, si el art. 31 bis 5 CP exige en su requisito quinto contar un régimen disciplinario,

---

[462] En sentido similar, *vid.* VILLEGAS GARCÍA, M. Á. y ENCINAR DEL POZO, M. Á.: *Lucha contra la corrupción, compliance e investigaciones internas. La influencia del Derecho estadounidense*, Cizur Menor, Thomson Reuters-Aranzadi, 2020, pp. 279-280. TEJADA PLANA, D.: *Investigaciones internas, cooperación y nemo tenetur: consideraciones prácticas nacionales e internacionales*, Cizur Menor, Thomson Reuters-Aranzadi, 2020, pp. 124-127. Y AYALA GONZÁLEZ, A.: "Investigaciones internas: ¿zanahorias legislativas y palos jurisprudenciales?, *InDret*, núm. 2, 2020, p. 283.

para que la sanción puede imponerse, primero, se haya tenido que recurrir a una investigación interna para fundar tal castigo.

- Por otro lado, aun cuando el requisito sexto de este mismo precepto no aluda a ello, si a raíz de la verificación del modelo se detectase alguna "irregularidad", deberá decretarse también la apertura de la correspondiente investigación interna.
- En último lugar, el Código Penal contempla en el art. 31 quater dos atenuantes que pueden precisar de la realización de una previa pesquisa interna. Concretamente, la confesión (letra a), y la colaboración con las autoridades (letra b). Tratándose, en consecuencia, de dos iniciativas absolutamente voluntarias.

Pese a lo anterior, en ningún caso estamos afirmando que la persona jurídica tenga la obligación de desvelar esas indagaciones a las autoridades (lo cual por otro lado atentaría contra derechos como el de permanecer en silencio, a no declarar contra sí mismo, a no confesarse culpable, etc.) sino, simplemente de que las lleve a cabo. Pero, entonces, la cuestión que se nos plantea es: ¿cuándo considerar que la persona jurídica ha hecho lo suficiente para investigar las conductas denunciadas o los incumplimientos detectados? Esto es, ¿qué actuaciones debiera haber emprendido la organización ante estas circunstancias? El Código Penal guarda silencio a este respecto, por lo que entendemos será el juez o tribunal quien deberá tener en cuenta y valorar (amplio margen de discreción) los esfuerzos que la persona jurídica acredite haber hecho dentro de los que estuviere a su alcance (y sin necesidad de autoincriminarse), y no tanto el resultado obtenido de la investigación.

Por ello, no estamos de acuerdo con afirmaciones tan tajantes, rotundas y aseverativas como la que a continuación transcribimos: "si una vez realizada la investigación no hubiera sido posible identificar al empleado autor de la conducta irregular o no hubiera sido posible eliminar dicha conducta, cabe concluir que el programa de cumplimiento habrá fallado y, por ende, la sociedad aumentará notablemente sus posibilidades de ser declarada penalmente responsable (...)"[463].

---

[463] GIMENO BEVIÁ, J.: *Compliance y proceso...*, *op. cit.*, p. 226.

En consecuencia, ese margen de valoración del que dispondrá el juez para examinar si la persona jurídica ha puesto todos sus medios para que la investigación tuviere éxito, la amplitud de la misma, el nivel de detalle, la forma de haberla llevada a cabo, etc., será el que permita tener en cuenta este aspecto de forma plena (a efectos de exención de la responsabilidad penal) o parcial (a efectos de atenuación de la misma).

Por su parte, la Fiscalía General del Estado, en su Circular 1/2016, de 22 de enero, al indicar los criterios que los Fiscales han de tener en cuenta para valorar la eficacia de los programas de cumplimiento penal señala también, aun cuando de forma sucinta, que: "*la colaboración activa con la investigación o* ***la aportación al procedimiento de una investigación interna****, sin perjuicio de su consideración como atenuantes, revelan indiciariamente el nivel de compromiso ético de la sociedad y pueden permitir llegar a la exención de la pena. Operarán en sentido contrario el retraso en la denuncia de la conducta delictiva o su ocultación y la actitud obstructiva o no colaboradora con la justicia*"[464].

2. ¿QUÉ HAY QUE INVESTIGAR?

En primer lugar, tratándose de una investigación interna que acontece en el marco de un *criminal compliance*, diremos que uno de los principales objetivos será el de indagar sobre la aparente comisión de hechos delictivos que puedan acarrear responsabilidad penal a la persona jurídica. Y, por tanto, la investigación deberá centrarse, entre otros aspectos, en:

a) recabar los indicios (o evidencias) que puedan revelar la existencia de uno (o varios) delitos;

b) las personas físicas que, supuestamente, los han cometido;

c) el puesto que ocupaban en la estructura organizativa de la entidad;

---

464 Circular de la Fiscalía General del Estado 1/2016, de 22 de enero, sobre la responsabilidad de las personas jurídicas conforme a la reforma del Código Penal efectuada por Ley Orgánica 1/2015, p. 55.

d) los poderes que ostentaban;

e) la potencialidad para generar un beneficio a la empresa;

f) si se han saltado alguno (o varios) de los controles establecidos, y si lo han hecho de forma fraudulenta (o no);

g) si el *compliance officer* detectó alguna conducta sospechosa o se le reportó, y cuál fue su reacción o la del órgano de gobierno de la persona jurídica ante ésta; y,

h) en aquellos supuestos de fusión, absorción o escisión de una persona jurídica (en los que la responsabilidad no se extingue, sino que se transmite), la investigación interna puede resultar especialmente útil para averiguar las posibles actuaciones delictivas que se hubieren podido acometer en la empresa originaria; o, durante la propia operación de fusión, absorción o escisión. Esto es, los conocidos como informes de *due diligence*.

Pero, siendo conscientes de que hay vida más allá del *compliance* **penal**, incluso del *compliance* (en sí), como ya vimos con el canal de denuncias, las posibilidades de investigación pueden extenderse a otros ámbitos:

a) hechos aparentemente delictivos que no originen responsabilidad penal para la persona jurídica (por estar excluidos del sistema de *numerus clausus*);

b) hechos que pudiesen derivar en una responsabilidad civil subsidiaria o participación a título lucrativo;

c) hechos delictivos en los que la persona jurídica sea la perjudicada (como un hurto, una revelación de secreto empresarial);

d) otro tipo de infracciones que no sean de naturaleza penal (como las de carácter administrativo, tributario, laboral, etc.);

e) surgimiento de nuevos riesgos;

f) incumplimientos de disposiciones del compliance que no supongan una infracción del ordenamiento jurídico; o,

g) aspectos que no guarden, tan siquiera, relación con el modelo de prevención.

3. ¿A QUIÉN CORRESPONDE LLEVAR A CABO LAS INVESTIGACIONES INTERNAS CORPORATIVAS?: UNA CONTROVERTIDA CUESTIÓN COMPETENCIAL

Si el Código Penal en su art. 31 bis 5. 4º CP ni tan siquiera menciona expresamente la exigencia de que ante la comunicación de un hecho posiblemente delictivo (o de cualquier otra índole) deba abrirse una investigación interna, menos aún contempla quién debiera hacerse cargo de la misma. Este silencio normativo podría corregirse fácilmente, pero, para ello, el legislador debiera plantearse (más pronto que tarde) ampliar el nivel de detalle del actual régimen de exención de responsabilidad penal de las personas jurídicas. Mientras que ello no suceda, la realidad nos demuestra que este tipo de indagaciones son practicadas en el seno de las entidades privadas principalmente por los *compliance officer*, abogados, etc. Sin embargo, se suele excluir de este ámbito un perfil profesional que, a nuestro juicio, resulta más que idóneo para hacerse cargo de las investigaciones ordenadas en el fuero interno de una persona jurídica: los detectives privados.

Los motivos son varios: a) por su específica formación en técnicas de investigación; b) por la especial regulación de su profesión (habilitación formal); c) por la validez procesal de sus informes (como prueba testifical), así reconocido por la jurisprudencia (penal, laboral, etc.); y, sobre todo, porque existe, a nuestro juicio, habilitación legal suficiente para realizar tal afirmación.

Respecto de esta última cuestión, cabría señalar que tanto el art. 37.4 de la Ley 5/2014, de 4 de abril, de Seguridad Privada, como el art. 102.1 del Real Decreto 2364/1994, de 9 de diciembre, por el que se aprueba el Reglamento de Seguridad Privada, imponen una severa limitación a las actuaciones de los detectives privados: la **prohibición de investigar delitos perseguibles de oficio**[465]. Y, naturalmente, si la actividad del detective privado quedare relegada simplemente a la realización de averiguaciones y la obtención de información y pruebas relativas a de-

---

465 Restricción que, por cierto, como acertadamente señala FRAGO AMADA, debiera ser suprimida cuanto antes. *Vid.* FRAGO AMADA, J. A.: "Seguridad privada, detectives, investigaciones internas y compliance", *En ocasiones veo reos*, 27 de junio de 2017. Disponible en: https://enocasionesveoreos.blogspot.com/2017/06/seguridad-privada-detectives.html [Consulta: 5 de abril de 2022].

litos solo perseguibles a instancia de parte por encargo de los sujetos legitimados en el proceso penal (art. 48.1.c) LSP y art. 101.1.b) RSP), su campo de actuación en este ámbito sería (prácticamente) inexistente debido a la naturaleza de los delitos atribuibles a una persona jurídica[466]. Con todo, el art. 48.1.a) LSP establece que *los servicios de investigación privada, a cargo de detectives privados, consistirán en la realización de las averiguaciones que resulten necesarias para la obtención y aportación, por cuenta de terceros legitimados, de información y pruebas* ***sobre conductas o hechos privados relativos al ámbito económico, laboral, mercantil, financiero*** (...). Y, de forma muy similar, el art. 101.1.a) RSP señala que los detectives privados, a solicitud de personas físicas o jurídicas, se encargarán de obtener y aportar información y pruebas sobre conductas o hechos privados. Considerándose (según el art. 101.2 RSP) conductas o hechos privados los que afecten al ámbito económico, laboral, mercantil, financiero (...).

Por tanto, en nuestra opinión, los detectives privados pueden asumir sin ningún tipo de problema la dirección de este tipo de averiguaciones que se suscitan en el seno de la persona jurídica a raíz del conocimiento de unos **hechos**[467]. Destacamos este último aspecto porque en no pocas ocasiones se asocian estas indagaciones corporativas con una auténtica instrucción judicial (cuando en absoluto es así). En primer lugar, porque en la mayoría de supuestos lo habitual será que la investigación corporativa no trascienda del fuero interno; esto es, que no haya detrás de ella ningún ánimo de utilizar lo recabado en un procedimiento penal (sino depurar responsabilidades internas, producir cambios organizativos, en los sistemas de control, etc.). En segundo lugar, porque muy probablemente, en el incipiente estadio en que se lleve a cabo la investigación interna sea imposible llegar a atisbar algún componente delictivo de la conducta. En tercer lugar, porque la calificación de esos "hechos" puede revestir muy diferente carácter: simple incumplimiento de algunas de las previsiones del compliance,

---

466 Apunta también en este sentido, FRAGO AMADA, J. A.: "Seguridad privada...", *op. cit.*

467 No así, en nuestra opinión, los Directores de Seguridad, debido al régimen competencial (funciones) que la LSP les atribuye en el art. 36.1. Con todo, nada obsta, a nuestro juicio, para que estos profesionales participen en la gestión del sistema de compliance, si bien, en otros ámbitos.

mera irregularidad, infracción administrativa, etc. Y, en cuarto lugar, porque no se puede exigir a un profesional que no pertenece a la estructura judicial que tenga la obligación/capacidad de calificar jurídicamente unos hechos, cuando no ha sido contratado para ello, sino, para obtener y aportar información y pruebas sobre...

En esta línea, BANACLOCHE PALAO considera que la prohibición contenida en la norma "puede salvarse en el caso que nos ocupa afirmando que ahí el objeto de la investigación no es un delito, sino un hecho que podría ser delito, pero del que, en el momento de iniciarse aquella, se desconoce su verdadera naturaleza (pues lo que se pretende precisamente con la investigación es conocer si hay delito o no). En consecuencia, sólo cuando se confirmen los indicios de la antijuridicidad de la conducta debe cesar la investigación realizada". No ve este autor, pues, "problema en que pueda encomendarse a una empresa o profesional especializados la investigación de una determinada conducta sospechosa, siempre que no exista la constancia de que se trata de un delito (porque entonces no se podría realizar ese encargo, ni realizar actividad alguna: art. 10.2 LSP)"[468]. El propio Tribunal Supremo ya ha dejado claro, en varias ocasiones, que la prohibición opera desde el momento en que se tiene constancia o prueba de la existencia del delito, no frente a las sospechas del mismo (así, por ejemplo, STS (Sala Segunda) 908/2016, de 30 de noviembre). Por ello, como señala MARTÍN POLVORINOS, "el detective privado podrá intervenir en cualquier investigación sobre sospechas de posibles actos delictivos, al menos hasta la constatación de los mismos, teniendo, eso sí, la obligación legal de comunicar sus actuaciones y resultado de su investigación una vez sea conocedor de la existencia concreta y real del delito"[469].

A este respecto, la STS (Sala Segunda) 288/2020, de 4 de junio, sí aprecia en la investigación privada de un delito público una irre-

---

[468] BANACLOCHE PALAO, J.: "Dilemas de la defensa, principio de oportunidad y responsabilidad penal de las personas jurídicas", en AA. VV: *Responsabilidad penal de las personas jurídicas. Homenaje al Excmo. Sr. D. José Manuel Maza Martín*, Madrid, Fiscalía General del Estado, 2018, p. 25.

[469] MARTIN POLVORINOS, C: "Las investigaciones internas corporativas desde la perspectiva de la investigación privada", Madrid, World Compliance Association, Biblioteca compliance 02, 2021, p. 30.

gularidad que debe ocasionar la expulsión de la prueba del detective privado del proceso. No obstante, como apunta LAFONT NICUESA "cabe afirmar que la cuestión no tiene una relevancia práctica decisiva. La inmensa mayoría de resoluciones judiciales valoran pruebas de detectives en delitos públicos y las acepta sin plantearse si hay una causa de nulidad consistente en la infracción de la LSP y cuando rechaza la prueba, lo hace en la mayoría de los casos, por defectos en los estándares de calidad de la prueba y no por quebrantar una norma de seguridad privada. Por tanto y de facto la prohibición legal no es un obstáculo insalvable. En todo caso es claro que la prohibición de investigar delitos de oficio presenta claros problemas de compatibilidad con el derecho constitucional a utilizar los medios de prueba que se estimen pertinentes"[470].

Por todo lo anterior, aun con los matices que se han hecho, no podemos concluir otra cosa que los detectives privados pueden, y no solo esto, sino que deberían ser quienes se hicieran cargo de este tipo de "investigaciones". Resta por abordar, sin embargo, un debate que presenta todavía una mayor controversia: si, partiendo de la premisa anterior, podríamos afirmar que tal atribución o competencia es exclusiva y excluyente de los detectives privados. A nuestro modo de ver, no existe una base legal ni para afirmar tal cosa ni la contraria. Por tanto, en principio, si bien no podemos ocultar que, en nuestra opinión, las investigaciones internas deberían confiarse preferentemente a los detectives privados, nada obstaría para que otros actores pudieren dedicarse a ello (en este último caso, más bien, estaríamos hablando de una a-legalidad, pues, no hay una base normativa expresa para ello): piénsese, además de los *compliance officer* y abogados, en auditores, criminólogos, etc. Y, en todo caso, resulta incuestionable que las garantías que rodean al trabajo de los detectives privados y sus limitaciones (por exigencia de la LSP y el RSP) no se encuentran en otra serie de profesionales del mundo del compliance[471]. Eso sí,

---

470 LAFONT NICUESA, L.: "La participación del detective privado en la investigación interna de delitos corporativos", *Diario La Ley*, n. 10024, 2022, p. 7.

471 No deja de resultar ilustrativa la cláusula prevista, por ejemplo, en el art. 48.6 LSP, que refiere a que "*Los servicios de investigación privada se ejecutarán con respeto a los principios de razonabilidad, necesidad, idoneidad y proporcionalidad*". O, por ejemplo, la relativa a que "*La aceptación del encargo de estos*

como señala LAFONT NICUESA, nada impide que, a pesar de que "el detective privado por su formación, experiencia y estatuto jurídico es la figura idónea para desplegar la investigación sobre el terreno y obtener evidencias probatorias", éste deba coordinarse con el resto de sujetos que participen en el sistema de compliance[472].

Con todo, una vez más, debemos matizar que, si bien es comprensible que cuando en la empresa (u otro tipo de persona jurídica) se tiene noticia de unos hechos que puedan resultar complejos de esclarecer o que requieren de ciertos conocimientos técnicos (por ejemplo, jurídicos) se recurra a servicios externos prestados por determinados profesionales para llevar a cabo tales investigaciones; en otras ocasiones, las cosas pueden presentarse de forma más simple. Así, en atención a la clase de incumplimiento de que se trate (qué es lo que se deba "investigar") la dirección de estas pesquisas puede ser asumida, por ejemplo, por el departamento de control interno de la empresa, por un auditor interno, etc. Asimismo, también resultaría factible que, siendo la investigación "interna" y llevándose a cabo por personal de la entidad, se precise apoyo (asesoría) "externo".

4. ASPECTOS COMUNES

4.1. Tipos de investigaciones internas

Una primera clasificación distingue entre dos tipos de investigaciones internas: con fines preventivos o con fines reactivos.

En cuanto a las **investigaciones preventivas**, son aquellas llevadas a cabo de oficio, esto es, a instancia de la propia organización. Se trata de aquellas verificaciones rutinarias del programa de cumplimiento a las que alude el requisito sexto del art. 31 bis 5 CP.

---

servicios por los despachos de detectives privados requerirá, en todo caso, la acreditación, por el solicitante de los mismos, del interés legítimo alegado, de lo que se dejará constancia en el expediente de contratación e investigación que se abra" (art. 48.2 LSP). Por no mencionar otra serie de restricciones y condiciones exigidas por la propia LSP y el RSP.

472 LAFONT NICUESA, L.: "La participación del detective privado...", *op. cit.*, p. 9.

A juicio de NIETO MARTÍN, resulta más adecuado denominar a este tipo de averiguaciones auditorías, porque tienen como función comprobar el grado de funcionamiento del sistema sin que existan sospechas de que se haya cometido algún tipo de irregularidad. Y no investigaciones internas, dado que éstas sí parten de la sospecha de que se ha cometido una irregularidad[473]. En esta línea, GIMENO BEVIÁ considera que no pueden considerarse las investigaciones internas como un mecanismo de control en sentido estricto —algo más propio de los sistemas de auditorías— sino como un procedimiento reactivo que se apertura tras la sospecha de un hecho delictivo[474].

En nuestra opinión, efectivamente, los mecanismos de control/supervisión del modelo pueden ser calificados (o entendidos) más bien como procesos de auditoría, pero, ante la sospecha, o una vez detectada algún tipo de irregularidad (fruto de la auditoría), entonces sí cabe hablar de desarrollo de una investigación interna.

Respecto de las **investigaciones reactivas**, se denominan así porque nacen como reacción a la recepción de una denuncia en la que se informe de posibles riesgos o incumplimientos del *compliance*. Y, también, como acabamos de desvelar, pueden originarse tras haberse detectado ciertas "irregularidades" durante el proceso de auditoría.

Por otro lado, las investigaciones internas pueden clasificarse también arreglo a si son pre-judiciales o para-judiciales[475].

---

473 NIETO MARTÍN, A.: "Investigaciones internas", en NIETO MARTÍN, A. (Dir.): *Manual de cumplimiento penal en la empresa*, Valencia, Tirant lo Blanch, 2015, p. 232.

474 GIMENO BEVIÁ, J.: *Compliance y proceso…*, *op. cit.*, p. 219.

475 Algunos autores, como por ejemplo FORTUNY CENDRA aluden a las investigaciones pre-judiciales con el calificativo de confirmatorias; y, se refieren a las investigaciones para-judiciales con el nombre de defensivas. *Cfr.* FORTUNY CENDRA. M.: "Las investigaciones internas en el marco de un modelo de prevención de delitos", en FORTUNY CENDRA, M. (Dir.): *Las investigaciones internas en compliance penal. Factores clave para su eficacia*, Cizur Menor, Thomson Reuters Aranzadi, 2022, pp. 29-30. Otros autores, como AYALA GONZÁLEZ, distinguen entre investigaciones "ad intra" (aquellas que tienen vocación de esclarecer al órgano de cumplimiento o al órgano de dirección de la persona jurídica qué ha ocurrido para así poder tomar las decisiones oportunas) y "ad extra" (aquellas que pretenden dar a conocer a las autoridades lo esclarecido en su seno). *Cfr.* AYALA GONZÁLEZ, A.: "Investigaciones internas…", *op. cit.*, p. 276.

Hablamos de **investigaciones pre-judiciales** para referirnos a aquellas que surgen a raíz de una denuncia, comprobación de oficio, tras un proceso de auditoría, etc. Mientras que, hablamos de **investigaciones para-judiciales** en casos en los que se pretende, por ejemplo, obtener la atenuante de colaboración, para preparar la estrategia de defensa más adecuada, etc.

En relación con el desarrollo de investigaciones internas para cooperar con una investigación judicial, como sostiene certeramente NEIRA PENA, "con tales pesquisas internas se pueden evitar otras diligencias de investigación más invasivas, más obstaculizadoras para su actividad y más vistosas para el público"[476]. Esto es, a ninguna clase de persona jurídica le conviene que los medios de comunicación retransmitan en directo la práctica de una entrada y registro en alguna de sus sedes, cómo se procede a la detención de algunos de sus miembros, etc. Por otro lado, como señala la citada autora, este tipo de indagaciones con fines colaborativos permiten transmitir a la sociedad una imagen de buen "ciudadano corporativo": comprometido con las autoridades públicas en el descubrimiento de "la verdad". Pero es que, además, de esta forma la persona jurídica tiene cierto control sobre la información que se suministra y a la que las autoridades tienen acceso, lo que puede redundar en su favor[477].

4.2. Finalidades

La finalidad o función de una investigación interna quedará supeditada a su naturaleza.

Así, en el caso de las investigaciones preventivas, éstas generan un efecto disuasorio. Sirven para descubrir posibles riesgos o incumplimientos de las disposiciones del *compliance*. Y, permiten detectar aquellos aspectos susceptibles de mejora o corrección.

Por el contrario, la finalidad principal de las investigaciones reactivas es contribuir al esclarecimiento del hecho denunciado. Aunque, también, facilitar la imposición, en su caso, de la correspondiente sanción "disciplinaria". Y, por supuesto, permiten hacer acopio de infor-

---

476 NEIRA PENA, A. M.: *La instrucción...*, *op. cit.*, p. 342.

477 *Ibíd.*, p. 343.

mación para una futura estrategia procesal de defensa de la persona jurídica, de colaboración, etc.

4.3. *Cautelas*

A la hora de iniciar una investigación interna, son varias las precauciones que deberán tenerse en cuenta. Así, una de las principales, como apunta BACHMAIER WINTER, es garantizar que durante el proceso de investigación interno se guarde la debida confidencialidad para no dañar la reputación de la organización[478]. Pero, además de para esto, la confidencialidad puede ser imprescindible para no infringir la normativa de protección de datos, así como para evitar conculcar el derecho al honor de quienes estén siendo investigados (tanto en su vertiente civil, como penal).

Por otro lado, deberán adoptarse las cautelas necesarias para no frustrar el buen fin de la investigación. Tales como:

a) llevar en sigilo la investigación, frente a dar publicidad a la misma. Esto es, comunicar o no su existencia a los implicados (o, en general, a los integrantes de la organización).
b) poner medios para evitar la destrucción de pruebas (protección de la información).
c) asegurar la autenticidad de las pruebas recabadas para su posterior validez en un futurible proceso.
d) conservar todos los elementos de prueba e información obtenida.

4.4. *Derechos del investigado*

Cuando se tengan indicios de que los hechos que se pretenden investigar (o se estén investigando) sean delictivos o puedan (cuanto menos) dar lugar a un procedimiento sancionador, deberán observarse los principios, límites y garantías propias de estos procesos. No así cuando se trate de otro tipo de conductas o comportamientos, en cuyo caso puede no tener sentido incluso hablar de "investigado". Se trataría, pues, de trasladar "por analogía", a las investigaciones inter-

---

[478] BACHMAIER WINTER, L.: "Responsabilidad penal...", *op. cit.*, p. 6.

nas que acontezcan en entidades del sector privado, los parámetros que deben regir en aquellos procedimientos.

En este sentido, coincidimos con NIETO MARTÍN cuando advierte que el modelo de cumplimiento deberá velar específicamente, durante el transcurso de las investigaciones internas, por el respeto de los derechos básicos de todo proceso justo[479]. A saber:

- derecho a ser informado con claridad de los hechos que se le atribuyen.
- revisión de las distintas pruebas que existan en su contra y acceso al expediente de la investigación (sin desvelar contenido protegido por la normativa de protección de datos).
- derecho a hacer las alegaciones y presentar las pruebas que considere oportunas.
- contar con la presencia de un abogado.
- respeto a la presunción de inocencia.
- posibilidad de recurrir la decisión que se adopte.

En esta línea, el **art.** 22 de la Directiva (UE) 2019/1937, de 23 de octubre, prevé bajo la rúbrica "Medidas para la protección de las personas afectadas", que:

> *1. Los Estados miembros velarán, de conformidad con la Carta, porque las personas afectadas gocen plenamente de su derecho a la tutela judicial efectiva y a un juez imparcial, así como a la presunción de inocencia y al derecho de defensa, incluido el derecho a ser oídos y el derecho a acceder a su expediente.*
>
> *2. Las autoridades competentes velarán, de conformidad con el Derecho nacional, porque la identidad de las personas afectadas esté protegida mientras cualquier investigación desencadenada por la denuncia o la revelación pública esté en curso.*
>
> *3. Las normas establecidas en los artículos 12, 17 y 18 referidas a la protección de la identidad de los denunciantes se aplicarán también a la protección de la identidad de las personas afectadas.*

Y, por su parte, el Proyecto de Ley reguladora de la protección de las personas que informen sobre infracciones normativas y de lucha contra la corrupción, contempla en su **art. 39** que: *"Durante la tra-*

---

479 NIETO MARTÍN, A.: "Investigaciones...", *op. cit.*, pp. 257-258.

mitación del expediente las personas afectadas por la comunicación tendrán derecho a la presunción de inocencia, al derecho de defensa y de acceso al expediente en los términos regulados en esta ley, así como a la misma protección establecida en la misma para los informantes, preservándose su identidad y garantizándose la confidencialidad de los hechos y datos del procedimiento".

Así también, el **art. 19** de dicho Proyecto de Ley recoge en relación con la instrucción llevada a cabo por la Autoridad Independiente de Protección del Informante algunas garantías importantes:

– Apartado 2: "*se garantizará que la persona afectada por la comunicación tenga noticia de la misma, así como de los hechos relatados de manera sucinta. Adicionalmente se le informará del derecho que tiene a presentar alegaciones por escrito y del tratamiento de sus datos personales. No obstante, esta información podrá efectuarse en el trámite de audiencia si se considerara que su aportación con anterioridad pudiera facilitar la ocultación, destrucción o alteración de las pruebas*".

Señalándose que: "*(...) Durante la instrucción se dará noticia de la comunicación con sucinta relación de hechos al investigado. Esta información podrá efectuarse en el trámite de audiencia si se considera que su aportación con anterioridad pudiera facilitar la ocultación, destrucción o alteración de las pruebas*".

– Apartado 3: "*sin perjuicio del derecho a formular alegaciones por escrito, la instrucción comprenderá, siempre que sea posible, una entrevista con la persona investigada en la que, siempre con absoluto respeto a la presunción de inocencia, se le invitará a exponer su versión de los hechos y a aportar aquellos medios de prueba que considere adecuados y pertinentes*".

Además, "*a fin de garantizar el derecho de defensa de la persona investigada, la misma tendrá acceso al expediente sin revelar información que pudiera identificar a la persona informante, pudiendo ser oída en cualquier momento y se le advertirá de la posibilidad de comparecer asistida de abogado*"[480].

---

[480] Sobre la importancia que cobra el derecho de acceso al expediente en el proceso penal (trasladable a este ámbito) como garantía del derecho de defensa, aun en causas declaradas secretas, *vid.* LEÓN ALAPONT, J.: "Prisión preventiva, secreto sumarial e información y acceso a los elementos esenciales de las actuaciones:

Por todo ello, coincidimos con VILLEGAS GARCÍA y ENCINAR DEL POZO en que "resulta esencial durante el desarrollo de la investigación que "los investigados" conozcan con claridad que esa es su posición y que sus intereses pueden no corresponderse con los de la entidad, que puede pretender (...) recopilar información en su contra para utilizarla en el proceso penal ulterior. Esa claridad y transparencia sobre cuál es la posición de la empresa y cuál la de los investigados permitirá también una más clara delimitación y protección de los derechos fundamentales de los que es titular la propia entidad (...)"[481]. Esto último puede resultar especialmente útil en el caso de las entrevistas.

Por último, en este ámbito, se ha planteado por parte de algunos autores que el hecho de permitir el anonimato en el comunicante (denunciante o informante) puede generar indefensión en el investigado (afectado)[482]. Sin embargo, en nuestra opinión, dicha situación puede venir abocada, en su caso, por no respetar algunos de los extremos tratados anteriormente, pero, no tanto por admitir una denuncia anónima. La clave aquí, entendemos, radica en el hecho de no dar pábulo a sospechas infundadas, informaciones sesgadas, o genéricas, comunicaciones tendenciosas, denuncias de mala fe, etc. Y, naturalmente, en garantizar la llamada "igualdad de armas". Cuestión distinta es que el anonimato obstaculice, por ejemplo, la exigencia de posibles responsabilidades contra quienes presentaren una denuncia falsa.

4.5. Protocolo de investigaciones internas

Como ha puesto de manifiesto NIETO MARTÍN, "resulta necesario planear meticulosamente la investigación, examinando la legi-

---

análisis de la jurisprudencia del Tribunal Constitucional español", *Revista Penal México*, núm. 20, 2022, pp. 91-116.

481 VILLEGAS GARCÍA, M. Á. y ENCINAR DEL POZO, M. Á.: *Lucha contra la corrupción...*, *op. cit.*, p. 284.

482 Así, por ejemplo, GALÁN MUÑOZ, A.: "Whistleblowing anónimo y compliance...", *op. cit.*, pp. 251-253. Si bien, autores como BARBER BURUSCO reconocen que en casos muy excepcionales el anonimato podría tolerarse. *Cfr.* BARBER BURUSCO, S.: "La protección del alertador y los derechos de las "personas afectadas" en el ámbito penal", en OLAIZOLA NOGALES, I.; SIERRA HERNAIZ, E. y LÓPEZ LÓPEZ, H. (Dirs.): *Análisis de la Directiva UE 2019/1937, Whistleblower desde las perspectivas penal, procesal laboral y administrativo-financiera*, Cizur Menor, Thomson Reuters-Aranzadi, 2021, pp. 72-73 y 79.

timidad y proporcionalidad de cada uno de los medios y la forma de desarrollarla. Los riesgos también se reducen si la empresa cuenta con un Código de investigaciones internas donde se establezcan los principios y las garantías básicas"[483].

Así, simplemente a título ilustrativo, el aludido código debería incluir referencias a aspectos como los que a continuación se enumeran:

- sujetos encargados de la investigación.
- proceso.
- medios de investigación.
- facultades de los investigadores.
- límites a su actuación.
- conflictos de interés/incompatibilidades.
- derechos del investigado.
- deberes de colaboración con la investigación.
- causas de suspensión, reanudación y finalización de la investigación.
- etc.

5. FASES

El desarrollo de una investigación interna, sea del tipo que sea, puede resumirse *grosso modo* en las siguientes fases o etapas:

a) **Fase preliminar.**

En primer lugar, una vez recibida la denuncia[484], debe procederse a analizar:

1) Si la información facilitada es suficiente. Así, en caso de que no lo sea, se puede solicitar al denunciante que concrete o amplíe algunos extremos de la misma.

---

483 *Ibíd.*, p. 243.

484 Aunque en este apartado hagamos especial referencia a las fases de que se compone una investigación interna iniciada a raíz de una denuncia tramitada a través del canal de comunicación, las consideraciones que aquí se hacen son extensibles, *mutatis mutandis*, a las investigaciones internas generadas tras un proceso de auditoría o tras la correspondiente incoación de un proceso penal.

Primera consideración: si la denuncia es anónima difícilmente ello será posible.

Segunda consideración:

- si no se exige adjuntar ningún tipo de prueba, deberá aportarse, al menos, más datos, mayor nivel de detalle, concreción, etc.
- si se exige aportar una mínima prueba y el denunciante no lo hace en un primer momento, en caso de que con posterioridad se le solicite y tampoco responda al requerimiento, podrá decretarse el archivo de las "actuaciones". Archivo que no tiene por qué ser definitivo, sino que puede ser provisional. Así, la investigación interna podría reabrirse si finalmente, más adelante, se aportaran o hubieran nuevas informaciones[485].

2) Examen sobre la verosimilitud o credibilidad de la información.

   a) en caso de que no se exija aportar unos indicios racionales de criminalidad mínimos, se puede abrir una fase de comprobación preliminar para dilucidar si la denuncia tiene una mínima fundamentación.

   b) incluso, aunque se exija aportar una mínima "prueba", esta fase puede utilizarse precisamente para llevar a cabo unas comprobaciones básicas que puedan evitar que finalmente se abra una investigación (con todo lo que ello supone) o, precisamente, lo contrario: tener más motivos para que siga adelante.

3) Desistimiento del actor.

   En aquellos supuestos en los que el informante retire su "denuncia", la persona jurídica deberá decidir si existen motivos fundados para proseguir con la investigación interna o si, por el contrario, no tiene sentido mantener la misma.

---

485 DÍAZ ALDAO, M. y HERNÁNDEZ PÉREZ, E.: "Las investigaciones...", *op. cit.*, p. 1003.

b) **Apertura de la investigación.**

El modelo de organización y gestión debe contemplar, como mínimo, los siguientes aspectos:

1) Quién ostenta la competencia para decretar la apertura.
2) A propuesta de quién.
3) Quién se hace cargo de la dirección de la investigación.
4) Definición del marco competencial: en el que se establezcan las pautas, orientaciones, criterios y los límites que deben regir durante las pesquisas. Esto es, delimitar qué se puede hacer y qué no.
5) Plan de investigación/plan de trabajo: cronograma, objetivos, medios, metodología, herramientas, actuaciones concretas, etc.

c) **La propia investigación.**

Como destaca NIETO MARTÍN, resulta esencial adoptar un enfoque distinto según cual sea el objetivo de la investigación interna. No es lo mismo iniciar una investigación interna cuyos resultados van a dar lugar únicamente a consecuencias internas (sanciones disciplinarias, mejoras del modelo, etc.) que: con la finalidad de obtener información para defender a la persona física y jurídica; o, con la finalidad de colaborar con la justicia para culpar a la persona física[486].

Además, el desarrollo de la investigación vendrá condicionado por el tipo de persona que se esté investigando. Así, por ejemplo, cabe esperar que si se trata de algunas de las personas enumeradas en la letra a) del art. 31 bis 1 CP se tenga mayor dificultad para acceder a determinadas pruebas, puede apreciarse una mayor actitud obstaculizadora, etc.

Por otro lado, debe advertirse que, para no frustrar el objeto de la investigación interna, pueden adoptarse las medidas cautelares que se estimen adecuadas para ello.

d) **Resultados y consecuencias.**

1) Toda investigación interna debe concluir con un informe que recoja:

---

486 NIETO MARTÍN, A.: "Investigaciones...", *op. cit.*, pp. 233-234.

i) Aspectos técnicos: título, autor, fecha, finalidad, origen, nivel de confidencialidad (quien tiene acceso al mismo).
ii) Descripción del objeto de la investigación.
iii) Definición del alcance de la investigación.
iv) En su caso, descripción de antecedentes en los que nos hemos basado para realizar nuestras valoraciones.
v) Todas las actuaciones llevadas a cabo.
vi) Los resultados en sentido estricto.
   - si ha habido o no irregularidades, o incumplimientos del modelo.
   - quiénes son los responsables.
   - las pruebas.
   - etc.
vii) Considerar/reflejar posibles limitaciones al informe que puedan haber generado una valoración incompleta o sesgada.

Respecto de la destrucción del informe y la posibilidad de incurrir en un posible delito de encubrimiento (art. 451 CP), LIÑÁN LAFUENTE ha subrayado que "la destrucción de un informe interno de investigación no podría ser incluido entre los objetos respecto de los que se ha de proyectar la conducta típica, pues es un documento, redactado con posterioridad a la comisión del hecho, con la intención de descubrir lo sucedido, por lo que no podría ser tenido ni por un objeto, ni por un instrumento, ni por un efecto del delito, sin que una interpretación analógica pudiera ser aceptable en este supuesto"[487].

2) Sobre la calificación de los resultados.
   i) Puede tratarse simplemente de un "incumplimiento" del modelo, sin mayor trascendencia.
   ii) Puede que la irregularidad constituya una infracción administrativa o delito.

---

[487] LIÑÁN LAFUENTE, A.: *La responsabilidad Penal...*, *op. cit.*, pp. 144-145.

iii) Puede llegarse a la conclusión de que no haya material probatorio suficiente para sostener la imputación o condena de la persona jurídica.

iv) O, también, que se decida no llevar a cabo una posible colaboración con las autoridades públicas cuando se estime contraproducente porque, por ejemplo, se vaya a aportar cierta información (relacionada o no con la causa) que no conviene que estén en manos de aquellas.

Consideraciones respecto de esta valoración:

- no tiene por qué hacerse por parte de quien ha llevado a cabo la investigación.
- puede hacerse en forma de propuesta.
- no tiene porqué constar en el informe, lo importante es que llegue a las personas oportunas.

3) Del resultado de las investigaciones se derivará:

i) la correspondiente sanción, en su caso.

ii) posibles acciones de mejora del modelo.

iii) diseño de la estrategia procesal ante un eventual procedimiento judicial. En concreto, la decisión sobre la puesta o no en conocimiento ante las autoridades. En este caso, puede darse incluso *a posteriori* una reconsideración sobre la inicial opción de colaborar.

6. RÉGIMEN SANCIONADOR

La consecuencia lógica de toda investigación interna que detecte un incumplimiento de las disposiciones del *compliance* es que concluya con una propuesta de sanción. Pero, es que, al margen de esta cuestión, el requisito quinto del art. 31 bis 5 CP exige que los modelos de organización y gestión: "*establecerán un sistema disciplinario que sancione adecuadamente el incumplimiento de las medidas que establezca el modelo*".

El alcance de la potestad sancionadora dependerá del grado de influencia que la persona jurídica ejerza sobre los miembros de la propia organización y en relación con terceros. Con todo, cuando se trate concretamente de sancionar a los trabajadores de la entidad, el art. 58.1 del Estatuto de los Trabajadores prevé que "*los trabajadores podrán ser sancionados por la dirección de las empresas en virtud de incumplimientos laborales, de acuerdo con la graduación de faltas y sanciones que se establezcan en las disposiciones legales o en el convenio colectivo que sea aplicable*". Esto significa que, las infracciones y sanciones o, al menos la habilitación para sancionar el incumplimiento de las normas de prevención de riesgos penales que estuvieran establecidas en la organización, deberá precisarse en el convenio colectivo que regule las relaciones laborales de los trabajadores de la organización o, en su defecto, en el contrato de trabajo. En caso contrario, no podrá sancionarse a los empleados de la persona jurídica y, consecuentemente, no podrá afirmarse que el modelo establezca un sistema disciplinario que sancione adecuadamente el incumplimiento de las medidas en él previstas, al menos, en este ámbito[488].

El art. 31 bis 5. 5º CP alude a la implantación de un sistema disciplinario, por ello entendemos que el contenido del mismo debería ser, al menos, el siguiente:

a) Ámbito de aplicación:
   - Objetivo: ¿a qué actividades afecta?
   - Subjetivo: ¿a quiénes va dirigido?
   - Territorial.
b) Tipos de infracciones:
   - constitutivas de delito.
   - incumplimiento de medidas/controles establecidos.
   - no denunciar los incumplimientos al órgano de vigilancia.
   - conductas que favorezcan o contribuyan a impedir o dificultar el descubrimiento de las posibles irregularidades.
   - denunciar incumplimientos con conocimiento de su falsedad o con temerario desprecio hacia la verdad.
   - etc.

---

488 LEÓN ALAPONT, J.: "*Criminal compliance...*", *op. cit.*, pp. 18-19.

PRECISIÓN: En virtud del principio de taxatividad, debe huirse de cláusulas de cierre del tipo: "cualquier incumplimiento de las normas de este modelo de organización y gestión que puedan ocasionar un perjuicio o consecuencia legal negativa para la persona jurídica"[489].

c) Clasificación de las infracciones[490]:
   - leves
   - graves
   - muy graves

   En la graduación de la gravedad, entendemos, debería tenerse en cuenta aquellos incumplimientos en materia de delitos con mayor riesgo y/o impacto.

d) Tipos de sanciones:
   - amonestaciones.
   - multas.
   - suspensión de funciones.
   - suspensión de sueldo.
   - expulsión/despido.
   - etc.

e) Clasificación de las sanciones: acorde a la gravedad de las infracciones.

f) Procedimiento: etapas, órgano de imposición, recursos, etc.

g) Plazos de prescripción de las infracciones y de las sanciones.

Con todo, como precisa el citado precepto, el sistema disciplinario debe sancionar "adecuadamente", lo que entendemos es una referencia velada a principios como el de proporcionalidad, subsidiariedad y

---

489 En cambio, algún autor aboga por la inclusión de este tipo de habilitaciones. Así, por ejemplo, BRIME GONZÁLEZ habla de "cualquier incumplimiento de las normas de este modelo organizativo, cuando del mencionado incumplimiento ya sea por acción u omisión, se derivare unos perjuicios graves para la empresa, los trabajadores y directivos de las mismas, terceros, o el medio ambiente". *Vid.*, BRIME GONZÁLEZ, J.: "Sistema disciplinario", en AA.VV: *Guía de implementación de compliance para pymes*, Madrid, World Compliance Association, 2019, p. 124.

490 La clasificación puede ampliarse de la forma que sigue: infracciones leves, menos graves, graves y muy graves.

ultima ratio. Pero, también, que las sanciones sean efectivas —que no severas— y no meramente simbólicas[491].

Por otro lado, y aun cuando parezca una obviedad, para cumplir con el requisito quinto del art. 31 bis 5 CP no bastará con lo hasta ahora manifestado, sino que habrá que comprobar si, cuando se haya incurrido en un quebrantamiento de las disposiciones del *compliance* merecedor de reproche, realmente se sancione a la persona física y se ejecute el castigo impuesto[492].

En último lugar, la obligación de establecer un sistema disciplinario adecuado que sancione el incumplimiento de las medidas adoptadas en el modelo presupone la existencia de un código de conducta en el que se establezcan claramente las obligaciones en materia de *compliance*. Por ello, el régimen sancionador puede constar en un mismo documento junto con el Código de Conducta[493].

7. SOLAPAMIENTO CON PROCEDIMIENTO PENAL

Como ya dijéramos en otro lugar, la práctica de una investigación interna reactiva (por ejemplo, tras una denuncia recibida en el canal corporativo) tendrá lugar por lo general en una fase preprocesal, en la que la *notitia criminis* no habrá trascendido del entorno de la persona moral y, por tanto, no se habrán incoado diligencias de investigación oficiales por parte de la fiscalía o el juez.

Pero, también puede suceder que, incoadas diligencias de investigación (por ejemplo, tras una denuncia externa) y ostentando la persona jurídica la condición de investigada (o en riesgo inminente de adquirirla), resulte conveniente realizar alguna pesquisa interna con el fin de preparar su defensa procesal desde alguna de las estrategias posibles: 1) tratar de probar la inexistencia del hecho de referencia; 2) intentar probar que ese hecho fue cometido por una persona física eludiendo fraudulentamente las medidas de control implantadas; o,

---

491 LEÓN ALAPONT, J.: "*Criminal compliance...*", *op. cit.*, p. 18.

492 *Ibíd.*, p. 19.

493 Como así propone MANDRÍ ZARATE, J.: "El código ético de conducta", en PUYOL MONTERO, J. (Dir.): *Guía para la implantación del Compliance en la empresa*, Madrid, Wolters Kluwer, p. 275.

3) recabando pruebas decisivas a fin de colaborar con las autoridades públicas.

Pues bien, como defiende ALCÁCER GUIRAO, "si la persona jurídica aparece como investigada por indicios de delito cometido por ella, el ejercicio del derecho de defensa debiera permitirle un mayor margen de intervención en la realización de investigaciones internas (por la mayor legitimidad del fin perseguido). Sin embargo, si la persona jurídica está personada en la causa penal como acusación particular no deberá investigar de modo paralelo a la acusación pública y adoptar prácticas restrictivas de derechos no avaladas por el órgano judicial". Pero, acto seguido, el citado autor reconoce que, en ocasiones, "será habitual que la persona jurídica persiga ambos fines y que, por ejemplo, el medio para ejercer su defensa sea probar que el empleado cometió el delito saltándose los controles establecidos en el programa de cumplimiento (incluso la misma querella y su condición de acusación particular puede constituir un medio de defensa dirigido a tal fin, anticipándose a su eventual citación como investigada). No obstante, en esos casos el derecho de defensa de la persona jurídica estará en conflicto con las garantías constitucionales del trabajador investigado, cuya protección pasa porque sea un órgano judicial el que, en exclusiva, acuerde medidas de investigación restrictivas de derechos"[494].

En todo caso, como destaca ALCÁCER GUIRAO, en aquellos supuestos de solapamiento temporal: "una actividad de investigación paralela llevaría a una verdadera «privatización del proceso penal» que, sin sometimiento a límites, podría conllevar a una notable merma de garantías de los investigados. Por ello, con carácter general, la legitimidad de la utilización de las investigaciones internas potencialmente restrictivas de derechos por la persona jurídica debiera ceder cuando los mismos hechos ya están siendo investigados por las autoridades públicas"[495]. Éste sería, pues, a nuestro juicio, el principal límite en el desarrollo de investigaciones internas corporativas. Se trataría de trasladar *mutatis mutandis* a este tipo de averiguaciones

---

494 ALCÁCER GUIRAO, R.: "Investigaciones internas", en AYALA GÓMEZ, I. y ORTIZ DE URBINA GIMENO, I. (Coords.): *Penal económico y de la empresa*, Madrid, Francis Lefebvre, 2016, p. 213.

495 Ídem.

practicadas en el ámbito del sector privado la regla de preferencia de la jurisdicción penal que, por ejemplo, opera en ciertos procedimientos administrativo-sancionadores cuando (para evitar, entre otras consecuencias, problemas de *ne bis in idem*), se obliga a paralizar el procedimiento administrativo-sancionador en tanto en cuanto haya uno penal en marcha.

No obstante, en el caso de que la investigación interna fuese llevada a cabo por un detective privado, debería hacerse la siguiente precisión: los detectives privados no pueden utilizar en sus investigaciones medios personales, materiales o técnicos de tal forma que atenten contra el derecho al honor, a la intimidad personal o familiar o a la propia imagen o al secreto de las comunicaciones o a la protección de datos (arts. 10.1.d) y 48.3 LSP). Y, en cualquier caso, más allá de las consecuencias procesales que ello tuviera (de exclusión o nulidad probatoria), o de las sanciones que prevé la propia LSP, cabe advertir de las posibles responsabilidades penales en que podrían incurrir[496].

Por otro lado, se ha señalado que cuando la investigación interna esté conectada con un proceso penal, iniciado o previsible, lo aconsejable sería que la investigación interna fuese dirigida por el abogado que representa a la persona jurídica o, al menos, que existiera una estrecha coordinación entre ambos[497]. Esto es, no tanto que el abogado que ejerza la defensa de la persona jurídica sea quien lleve a cabo materialmente la investigación, sino, que, quien lo haga quede sometido a sus instrucciones. Con todo, a nuestro juicio, consideramos que lo preferible sería no tanto esta opción sino más bien que entre quien llevare la defensa procesal de la persona jurídica y quien realizare la investigación hubiere el máximo grado de coordinación.

8. PROTECCIÓN DE LA INFORMACIÓN OBTENIDA

La idea que subyace en toda investigación interna es que la información que se recopile de la misma puede comprometer a la persona jurídica ante un eventual y futuro proceso penal contra ésta. Y, naturalmente, ello puede desincentivar a las personas morales a

---

496 *Vid. infra*, VI.

497 En este sentido, NIETO MARTÍN, A.: "Investigaciones...", *op. cit.*, p. 239.

desarrollar un programa de cumplimiento penal. En este sentido, "las más cumplidoras tendrán siempre una información muy delicada a la que puede acceder sin problemas los investigadores públicos. Destruir esta información una vez utilizada no es una alternativa que se corresponda con la lógica del sistema". Así pues, "contar con un programa de cumplimiento eficaz implica generar un tipo de información tan delicada, como apetecible para cualquier investigador público"[498].

Por todo ello, la pregunta que debemos hacernos es: ¿de qué forma la información revelada tras las pesquisas internas puede quedar protegida?

8.1. Secreto profesional

Ésta es una de las vías a través de la cual la información obtenida a raíz de una investigación interna puede quedar protegida. Por tanto, se trata de una protección conferida en virtud de la condición que ostente la persona que lleve a cabo dichas pesquisas. Veamos pues, dependiendo del profesional que intervenga en ellas, de qué forma quedaría amparada toda esa documentación.

A) Secreto profesional del abogado

El secreto profesional del abogado puede convertirse en una de las principales formas a través de la cual otorgar protección a la información surgida tras una investigación interna. Ahora bien, debemos advertir que el encargado de realizar tales averiguaciones no tiene por qué ser necesariamente el *compliance officer*. De forma que, no siempre deberá asociarse la figura del oficial de cumplimiento a la del abogado (porque aquél no tiene por qué serlo).

En cualquier caso, debemos distinguir dos supuestos:

1) Si la investigación interna es llevada a cabo por un abogado interno, no cabrá alegar que el material obtenido quede amparado por dicho secreto profesional. Como nos recuerda GOENA VIVES,

---

498 NIETO MARTIN, A.: "Investigaciones internas, whistleblowing y cooperación: la lucha por la información en el proceso penal", *Diario La Ley*, núm. 8120, 2013, p. 6.

tanto la jurisprudencia del Tribunal de Justicia de la Unión Europea como del Tribunal Europeo de Derechos Humanos, subordinan la aplicación del referido principio de confidencialidad a que el letrado sea independiente. Cuestión que determinan en función de un criterio fundamentalmente formal, según el abogado sea interno o externo; es decir, en atención a la relación laboral que lo vincula a su cliente y no en función de su actividad profesional[499].

PRECISIÓN: que en estos casos la documentación no quede amparada por el secreto profesional del abogado no implica que automáticamente se pueda acceder a ella. En este sentido, como más adelante veremos, dicha información puede quedar igualmente protegida, pero, en esta ocasión, en virtud del derecho a no autoincriminarse de la persona jurídica.

Sin embargo, a juicio de algunos autores, "en España, la regulación para el secreto profesional no distingue entre unos y otros abogados y, además, los abogados de empresas estamos expresamente incluidos en el Estatuto de la Abogacía y en el Código Deontológico (...). El secreto profesional está consagrado en el artículo 24 y 20.1 d) de la Constitución Española, artículo 542.3 de la Ley Orgánica del Poder Judicial, artículo 5 del Código Deontológico adaptado al Estatuto General de la Abogacía Española, aprobado por Real Decreto 658/2001 de 22 de junio e, incluso, en la obligación a no declarar del artículo 416 de la Ley de Enjuiciamiento Criminal. En este sentido, el asesoramiento legal durante una investigación interna tendría que estar amparado por el secreto profesional, se lleve a cabo por un abogado colegiado en ejercicio interno o externo. Así se reconoce expresamente en el Código Deontológico que no distingue o discrimina la independencia y objetividad según se preste asesoramiento de forma interna o externa y, menos aún según el Estatuto General de la Abogacía Española, aprobado por Real Decreto 658/2001 de 22 de junio, que en su artículo 27.4 expresamente dispone que *La abogacía también podrá ejercerse por cuenta ajena bajo régimen de derecho laboral, mediante contrato de trabajo formalizado por escrito y en el que habrá de respetarse la libertad e independencia básicas para el*

499 GOENA VIVES, B.: "El secreto profesional del abogado *in-house* en la encrucijada: tendencias y retos en la era del *compliance*", *Revista Electrónica de Ciencia Penal y Criminología*, núm. 21-19, 2019, p. 7.

ejercicio de la profesión y expresarse si dicho ejercicio fuese en régimen de exclusividad"[500].

Así también, a juicio de GALLEGO SOLER, en la actualidad, el artículo 39 del Estatuto General de la Abogacía Española (RD 135/2021, de 2 de marzo) deja claro que la Abogacía también podrá ejercerse por cuenta ajena como profesional de la Abogacía de empresa en régimen de relación laboral común, mediante contrato de trabajo formalizado por escrito y en el que habrán de respetarse la libertad, independencia y secreto profesional básicos para el ejercicio de la profesión. Señalándose que "de ese modo en nuestro país no puede pretenderse en la actualidad que los abogados internos no gocen del secreto profesional, y por tanto del privilegio de confidencialidad"[501].

En sentido similar se pronuncia NIETO MARTÍN, si bien considera que "en esta situación de relativa incertidumbre, lo más prudente es lógicamente que las investigaciones internas vinculadas con un proceso penal o administrativo iniciado o de previsible iniciación sean dirigidas por un abogado externo"[502].

2) Como ya se ha adelantado, si la investigación interna es llevada a cabo por un abogado externo e independiente, los resultados que de ella se deriven quedarán protegidos por el secreto profesional.

Solución a la que también llegaríamos desde el momento en que un abogado externo intervenga en la realización de los informes, como parte de un asesoramiento jurídico prelitigioso, pues, esa documentación debería considerarse amparada por el secreto profesional[503].

Por su parte, la Comisión Jurídica del Consejo General de la Abogacía, en su Informe 5/2017, expresó, aun cuando lo hizo ciñéndose al supuesto de que el oficial de cumplimiento estuviere al frente de las

---

500 Así, DÍAZ ALDAO, M. y HERNÁNDEZ PÉREZ, E.: "Las investigaciones…", *op. cit.*, pp. 1006-1007.

501 GALLEGO SOLER, J. I.: "Investigaciones internas corporativas: de la práctica a la teoría", en GÓMEZ MARTÍN, V.; BOLEA BARDÓN, C.; GALLEGO SOLER, J. I.; HORTAL IBARRA, J. C. y JOSHI JUBERT, U. (Dirs.): *Un modelo integral de Derecho penal. Libro homenaje a la profesora Mirentxu Corcoy Bidasolo*, Madrid, Boletín Oficial del Estado, 2022, p. 1155.

502 NIETO MARTÍN, A.: "Investigaciones…", *op. cit.*, p. 268.

503 Así lo entienden, AGUILAR FERNÁNDEZ, C. y LIÑÁN LAFUENTE, A.: "El secreto…", *op. cit*, p. 805.

investigaciones internas, que, "solo un letrado externo sin vinculación permanente con la empresa puede asumir el cargo de *compliance officer* con todos los privilegios propios de su condición de letrado, garantizándonos de este modo que no existe colisión con el secreto profesional o peligro de conflicto de intereses"[504].

COMENTARIO: en este caso, nos llama poderosamente la atención que el CGA hable de secreto profesional del abogado cuando éste opera únicamente si se actúa como tal; y, claro está, esta circunstancia no concurre si el abogado ejerce de oficial de cumplimiento. Resulta natural que, en estos supuestos, quede desprovisto del secreto profesional.

El hecho de que el contenido de una indagación interna sólo quede tutelado si un abogado externo ha intervenido en ella, ha llevado a autores como NIETO MARTÍN a criticar que "la inseguridad actual y la omnipresencia del abogado externo en el programa de cumplimiento implica una forma de hacer las cosas que es contraria al método de trabajo o, si se quiere, al espíritu que debe presidir la implantación de una cultura de la legalidad dentro de la empresa"[505]. De ahí que, este autor, considere que "nuestro ordenamiento debe reconocer un nuevo derecho (*self evaluating privilege*), independiente del secreto profesional, que permita a las empresas preservar aquella documentación interna, en la que se analizan sus riesgos o, en general, es potencialmente incriminadora, pero a su vez necesaria para el funcionamiento o la construcción del programa de cumplimiento"[506].

Con todo, como subraya GOENA VIVES, estimamos que "la delimitación de los casos en los que debe reconocerse el derecho/deber de confidencialidad al abogado *in-house* debería realizarse desde una perspectiva material, en función de la labor que tiene encomendada. Ello se opondría a las interpretaciones más formalistas —que, sin embargo, parecen acoger las tendencias legislativas— de limitar el secreto profesional en función de si el abogado es externo o interno. Y también cuestionaría la aproximación al problema desde el confuso criterio de la «independencia» del abogado al que tanto recurre la

---

504 Informe 5/2017, de la Comisión Jurídica del Consejo General de la Abogacía, p. 17.

505 NIETO MARTÍN, A.: "Cumplimiento normativo...", *op. cit.*, p. 108.

506 NIETO MARTÍN, A.: "Investigaciones...", *op. cit.*, p. 269.

jurisprudencia europea[507]. Se trataría, por tanto, de abogar por una comprensión de la posición jurídica del abogado (externo o interno) eminentemente material, esto es, en función de la actividad que desempeña[508].

GOENA VIVES distingue tres niveles o escenarios[509]:

a) Un primer nivel, que entiende como de «institucionalización máxima»: en él cabría incluir aquellos casos de defensa procesal (defensa y representación técnica), en los que prevalece el deber/derecho de confidencialidad del abogado, precisamente porque éste garantiza la tutela judicial efectiva.

b) Un nivel intermedio en el que estarían los supuestos de «institucionalización mínima», en los que el abogado actúa como asesor jurídico; y,

c) Un tercer nivel en el que se ubicarían los casos de «desinstitucionalización», en los que primarían los deberes de colaboración, por cuanto el letrado lleva a cabo labores de gestión desvinculadas del derecho de defensa, que no precisan ser prestadas por un abogado.

Pues bien, a juicio de la citada autora, solo cuando la actuación del abogado se desplegase en alguno de los dos primeros niveles debería quedar amparada por el secreto profesional[510]. No obstante, discrepamos de GOENA VIVES cuando afirma que "habida cuenta de la dificultad que en ocasiones puede presentar la determinación de en qué casos el abogado interno está actuando como letrado y cuando como gestor, se ha propuesto que los programas de *compliance* determinen las concretas pautas de actuación del abogado *in-house* en este punto"[511]. En nuestra opinión, no puede confiarse a cada persona jurídica la potestad para establecer esas condiciones o, mejor dicho, no deberían ser tomadas en consideración. En este sentido, en línea con lo apuntado más arriba por NIETO MARTÍN, debería promoverse

507 GOENA VIVES, B.: "El secreto profesional…", *op. cit.*, p. 11.

508 En esta línea, DÍAZ ALDAO, M. y HERNÁNDEZ PÉREZ, E.: "Las investigaciones…", *op. cit.*, p. 1008.

509 GOENA VIVES, B.: "El secreto profesional…", *op. cit.*, p. 12.

510 *Ibíd.*, p. 15.

511 *Ibíd.*, p. 20.

una regulación al respecto que delimitara cuando las actuaciones del abogado *in-house* quedasen amparadas por el secreto profesional y cuándo excluidas.

Con todo, en opinión de algún autor, como GALLEGO SOLER, la cuestión a la que realmente hay que dar respuesta no es si un abogado interno tiene privilegio de confidencialidad; sino, si las labores propias del desempeño de una investigación interna pueden entenderse como funciones propias de un abogado. Y, a juicio de dicho autor, la respuesta a ello es positiva en base a la definición que el art. 1.2 del Estatuto General de la Abogacía Española realiza del contenido de la profesión. Así, para GALLEGO SOLER, "las labores que se desempeñan en el marco de las investigaciones internas corporativas no son otras que las que sirven para instrumentalizar la defensa de derechos de personas jurídicas, de tal modo que –sin perjuicio de que obviamente esta labor la pueden desarrollar otros profesionales y no es ni exclusiva ni excluyente de la Abogacía– hay que considerar que cuando un abogado (interno o externo) interviene en una investigación interna corporativa tiene privilegio de confidencialidad, y deber de secreto"[512].

El citado autor, sin embargo, matiza que "no se puede pretender que todos los extremos de la investigación interna corporativa estén cubiertos por ese secreto", sin señalar a cuáles se refiere[513]. Pues bien, a nuestro juicio, los "extremos" que sí debieran quedar amparados por dicho secreto deberían ser todos aquellos que tuvieran relación con cualquier información que pudiera afectar a la defensa de la persona jurídica y a su derecho a no autoincriminarse.

Por último, pueden darse situaciones en las que se hayan delegado responsabilidades de investigación en una persona que no sea un abogado, pero, que trabaje bajo la dirección de éste. Pues bien, a juicio de GALLEGO SOLER estas comunicaciones y la información que se transmita están amparadas por el privilegio de confidencialidad. Así, para este autor, "en general, toda la comunicación que se genere entre trabajadores y abogados estará protegida con ese privilegio siempre

---

512 GALLEGO SOLER, J. I.: "Investigaciones internas...", *op. cit.*, pp. 1155-1156.
513 *Ibid.*, p. 1156.

que tenga la finalidad de buscar y recibir asesoramiento para la persona jurídica"[514].

B) Secreto profesional del detective privado

La otra forma que existe, a nuestro juicio, de preservar la información obtenida de las investigaciones internas es a través del secreto profesional del que también gozan los detectives privados. En este sentido, el art. 50. 1 LSP establece que: "*Los detectives privados están obligados a guardar reserva sobre las investigaciones que realicen, y no podrán facilitar datos o informaciones sobre éstas más que a las personas que se las encomendaron y a los órganos judiciales y policiales competentes para el ejercicio de sus funciones*"[515]. Y, de forma similar, el art. 103 RSP proclama que "*Los detectives privados están obligados a guardar riguroso secreto de las investigaciones que realicen y no podrán facilitar datos sobre éstas más que a las personas que se las encomienden y a los órganos judiciales y policiales competentes para el ejercicio de sus funciones*".

Con todo, a raíz de esta última cláusula *(más que a las personas que se las encomendaron y a los órganos judiciales y policiales competentes para el ejercicio de sus funciones)*, en el que caso de revelarse a los órganos judiciales (o policiales) el contenido de las investigaciones se podría atentar contra el derecho a la presunción de inocencia y no autoincriminación del que también gozan las personas jurídicas.

Para comprender el porqué de esta previsión debemos remitirnos a otros preceptos con los que presenta estrechos vínculos. Concretamente, nos referimos a la **prohibición de investigar delitos perseguibles de oficio**; y, a la obligación (deber) de **denunciar inmediatamente ante la autoridad competente** cualquier hecho *de esta naturaleza* que llegara a su conocimiento, poniendo a su disposición toda la información y los instrumentos que pudieran haber obtenido hasta ese momento

---

514 *Ídem.*

515 De forma similar, el art. 8.4.c) LSP también establece que "*Tendrán prohibido comunicar a terceros, salvo a las autoridades judiciales y policiales para el ejercicio de sus respectivas funciones, cualquier información que conozcan en el desarrollo de sus servicios y funciones sobre sus clientes o personas relacionadas con éstos, así como sobre los bienes y efectos de cuya seguridad o investigación estuvieran encargados*".

(arts. 10.2 y 37.4 LSP, y 102.1 RSP, entre otros). Ahora bien, la LSP contempla una cláusula todavía más inquietante o perturbadora. Y, es que, el art. 25.1.d) impone como obligación general a los despachos de detectives: *"Facilitar de forma inmediata a la autoridad judicial o a las Fuerzas y Cuerpos de Seguridad competentes las informaciones* ***sobre hechos delictivos de que tuvieren conocimiento en relación con su trabajo o con las investigaciones que éstos estén llevando a cabo"***, sin distinción alguna.

Pero, vayamos por partes.

En primer lugar, los detectives privados, a diferencia de los abogados, no pueden ser contratados como trabajadores de una empresa para ejercer sus funciones de investigación privada[516]. Por lo que no tiene cabida la figura del detective "in-house" (como si de un empleado más de la empresa se tratase). Y, en consecuencia, no cabe cuestionarse su secreto profesional, pues, la única posibilidad que tienen las empresas que requieran los servicios de un detective privado es formalizando el encargo a través de un contrato (no laboral) con el despacho de detectives. Así pues, la discusión en este caso carece de sentido.

No obstante, el auténtico problema es el que plantea la obligación de denunciar, comunicar, o facilitar a la autoridad judicial o a las Fuerzas y Cuerpos de Seguridad competentes las informaciones recabadas sobre hechos delictivos perseguibles de oficio (o, si nos atenemos al art. 25.1.d) LSP, sobre hechos delictivos —sin distinción— de que tuvieren conocimiento en relación con su trabajo o con las investigaciones que éstos estén llevando a cabo).

Lo que hace la LSP es algo, a nuestro modo de ver, incomprensible: proteger el secreto de las actuaciones llevadas a cabo por los detectives privados para, acto seguido, suprimir dicha protección. Si, una de las principales garantías o finalidades del secreto (como sucede en el

---

516 Al menos, ésta es la interpretación que se viene haciendo de lo dispuesto en los arts. 5.2 y 38. 2 y 7. Así pues, una empresa podrá contratar los servicios de un despacho de detective, pero no los de un detective que no esté integrado en un despacho, ya que la LSP establece que los servicios de investigación privada solo podrán ser realizados a través de un despacho de detectives, bien sea este constituido por una persona física o una persona jurídica de conformidad con lo recogido en el art. 24 LSP.

caso de los abogados) es la salvaguarda del cliente frente a los poderes públicos, el hecho de tener que denunciar ante éstos las posibles conductas delictivas y proporcionarles toda la información obtenida a raíz de la investigación resulta contradictorio e inasumible en un Estado de Derecho.

A partir de aquí vienen los matices. Así, por ejemplo, como sostiene PREGO DE OLIVER, "La empresa puede contratar al detective o investigador de dos maneras distintas: puede hacerlo privadamente, para que privadamente informe a la empresa, para que ésta privadamente sepa lo que quiere saber y, a partir de ahí, administre ella por su propia decisión si aporta o no aporta pruebas con efecto atenuatorio. En este caso, comoquiera que al detective o investigador se le contrata para dar información interna o endógena a la propia empresa, éste puede ampararse en el secreto profesional; y, otra cosa es que al detective se le encomiende una investigación con el encargo ya explícito de que con ello se quiere averiguar datos con la finalidad de aportarlos a la justicia, bien como datos o bien con los instrumentos probatorios que se descubran con la finalidad de obtener una atenuación"[517].

Ahora bien, como apunta BANACLOCHE PALAO, en la mayoría de los casos, la obligación contemplada en la LSP y el RSP genera una desconcertante situación para la entidad afectada, pues, "ante la duda sobre la posible existencia de un delito, cualquier investigación que encargue se puede volver en su contra, porque sus responsables tienen la obligación legal de denunciar cualquier delito que aparezca en el transcurso de aquella"[518]. De forma que, la persona jurídica que confía originariamente la investigación interna en un detective privado acaba viendo cómo tal (inocente) decisión se torna en su contra facilitando paradójicamente su propia inculpación. En consecuencia, podría concluirse rápidamente que mejor que las investigaciones internas sean encargadas a cualquier otro profesional sobre el que no recaiga una obligación similar a la prevista para el caso de los detectives privados.

---

517 Citado en LAFONT NICUESA, L.: "La participación del detective privado...", *op. cit.*, p. 4.

518 BANACLOCHE PALAO, J.: "Dilemas de la defensa...", *op. cit.*, p. 26.

Con todo, a nuestro juicio, las cosas no son así. O, al menos, no así de precipitadas. En este punto, coincidimos con BANACLOCHE PALAO cuando afirma que "el art. 10.2 LSP parece pensado para casos en que el delito que surge ha sido cometido por un tercero, no por el mismo sujeto que ha encargado la investigación, como sería el caso que nos ocupa"[519]. Y, correlativamente, siguiendo a este autor, "si consideráramos que (...) los investigadores son una extensión de sus mandantes, no estarían obligados a comunicar a las autoridades el resultado de sus investigaciones cuando se constatara la existencia de un delito, sino a quienes les hicieron el encargo, que serían los que tomarían la decisión"[520]. De esta forma, estaríamos salvaguardando el derecho a no autoincriminarse del cliente-persona jurídica.

Sin embargo, el propio BANACLOCHE PALAO acaba manifestando que "esta es una interpretación de la norma un tanto forzada, y podría conllevar para el investigador el riesgo de cometer un delito: por tanto, si este no quiere tener problemas posteriormente (en todo caso, y como mínimo, la comisión de una infracción muy grave del art. 57.1.e y h LSP), debería denunciar a la Policía o al Fiscal el delito que haya descubierto en el momento en que este aparezca, al margen de si eso es lo que prefiere o no la entidad, lo que a su vez comporta un evidente riesgo para esta"[521]. Por el contrario, a nuestro juicio, la exégesis que propone el citado autor no es forzada, pues, debe tenerse en cuenta que la LSP es de 2014: cuando todavía el legislador español no había incorporado al Código Penal los mecanismos de compliance. Y, a pesar de que el régimen de responsabilidad penal de las personas jurídicas lleva con nosotros desde 2010, el diseño de la LSP y el RSP se hizo a espaldas de esta nueva realidad jurídica. Por tanto, mientras no se produzca una modificación de tales normas, resulta inexorable acudir a interpretaciones como las aquí defendidas, salvo que se decida expulsar del marco de las investigaciones internas a quienes precisamente debieran encargarse de éstas. Ahora bien, pese a ello, somos partidarios de que la LSP y el RSP sean objeto de una reforma urgente para despejar todas las dudas aquí planteadas y la inseguridad que genera tanto a los propios detectives como a quienes los contraten. Y,

519 *Idem.*
520 *Idem.*
521 *Idem.*

es que, efectivamente, el coste a pagar por no incriminar a la persona jurídica puede acabar siendo mucho más alto para el detective (sanción o, incluso, eventual responsabilidad penal por desobediencia, encubrimiento, etc.) que para la propia entidad (paralización de las investigaciones; o, invalidez de éstas en caso de aportarse en el proceso).

8.2. Nemo tenetur

Los arts. 409 bis[522] y 786 bis.1[523] LECrim consagran específicamente para las personas jurídicas el derecho a no autoincriminarse, como extensión o reconocimiento de lo dispuesto de forma genérica en el art. 24.2 CE[524]. Con todo, debe advertirse que el ejercicio de este derecho por la persona jurídica no se agota en el momento de la declaración, pues, en realidad, como ya vimos, comienza con la decisión de no poner en conocimiento de las autoridades los posibles hechos delictivos; y, se extiende a otros instantes procesales como el que a continuación veremos[525]. En este sentido, cabría destacar que la

---

522 *"Cuando se haya procedido a la imputación de una persona jurídica, se tomará declaración al representante especialmente designado por ella, asistido de su Abogado. La declaración irá dirigida a la averiguación de los hechos y a la participación en ellos de la entidad imputada y de las demás personas que hubieran también podido intervenir en su realización. A dicha declaración le será de aplicación lo dispuesto en los preceptos del presente capítulo en lo que no sea incompatible con su especial naturaleza, incluidos los* ***derechos a guardar silencio, a no declarar contra sí misma y a no confesarse culpable*** *(...)"*.

523 *"Cuando el acusado sea una persona jurídica, ésta podrá estar representada para un mejor ejercicio del derecho de defensa por una persona que especialmente designe, debiendo ocupar en la Sala el lugar reservado a los acusados. Dicha persona podrá declarar en nombre de la persona jurídica si se hubiera propuesto y admitido esa prueba, sin perjuicio del* ***derecho a guardar silencio, a no declarar contra sí mismo y a no confesarse culpable****, así como ejercer el derecho a la última palabra al finalizar el acto del juicio (...)"*.

524 El citado precepto reza así: *"Asimismo, todos tienen derecho al Juez ordinario predeterminado por la ley, a la defensa y a la asistencia de letrado, a ser informados de la acusación formulada contra ellos, a un proceso público sin dilaciones indebidas y con todas las garantías, a utilizar los medios de prueba pertinentes para su defensa, a no declarar contra sí mismos, a no confesarse culpables y a la presunción de inocencia"*.

525 Sobre la aplicación o reconocimiento de este derecho a la persona jurídica, *vid.* GOENA VIVES, B.: "Responsabilidad penal de las personas jurídicas y nemo tenetur: análisis desde el fundamento material de la sanción corporativa", *Re-*

renuencia por parte de la persona moral a aportar aquel material de contenido incriminatorio que desde los poderes públicos se le estuviera reclamando a ésta constituirá una de las principales manifestaciones de tal derecho[526].

Y, precisamente, la información obtenida a través de los canales de denuncia o de las investigaciones internas que se hubieren podido llevar a cabo constituirán un material probatorio altamente sensible (en el sentido de que podría operar en contra de la persona jurídica).

Al hilo de esta cuestión, se ha suscitado un interesante debate sobre el que alguna resolución judicial, a nuestro modo de ver, de forma acertada, ha tenido ocasión de pronunciarse: se trata de dilucidar si recae sobre la persona moral la obligación de entregar el programa de cumplimiento penal, así como otros materiales como la información recabada a través de los canales de denuncia o el contenido de las propias pesquisas internas.

La solución, en este supuesto viene dada una vez más, en nuestra opinión, por la naturaleza que se asigne a los modelos de organización y gestión en el sistema de imputación de las personas jurídicas. Así, si se considera que los arts. 31 bis 2 a 5 CP forman parte del tipo

---

vista Electrónica de Ciencia Penal y Criminología, 2021, núm. 23-22, pp. 1-52. GALLARDO ROSADO, M.: *Los derechos a permanecer en silencio y a no declarar contra sí mismo. Perspectivas actuales de interpretación*, Valencia, Tirant lo Blanch, 2022, pp. 503 y ss. ARANGÜENA FANEGO, C.: "El derecho al silencio, a no declarar contra uno mismo y a no confesarse culpable de la persona jurídica y el régimen de compliance", en GÓMEZ COLOMER, J. L. (Dir.): *Tratado sobre Compliance Penal. Responsabilidad Penal de las Personas Jurídicas y Modelos de Organización y Gestión*, Valencia, Tirant lo Blanch, 2019, pp. 463 y ss. GONZÁLEZ LÓPEZ, J. J.: "Imputación de personas jurídicas y derecho a la no colaboración activa", *Revista Jurídica de Castilla y León*, núm. 40, 2016, pp. 35-66. SERRANO ZARAGOZA, Ó.: "Contenido y límites del derecho a la no autoincriminación de las personas jurídicas en tanto sujetos pasivos del proceso penal", *Diario La Ley*, núm. 8415, 2014. Y GÓMEZ COLOMER, J. L.: "El enjuiciamiento criminal de una persona jurídica en España: particularidades sobre sus derechos fundamentales y la necesaria reinterpretación de algunos principios procesales, a la vista de esta importante novedad legislativa", *Revista de Derecho y proceso penal*, núm. 27, 2012, pp. 199-226.

[526] *Vid.*, en este sentido, DEL MORAL GARCÍA, A.: "Peculiaridades del juicio oral con personas jurídicas acusadas", en ESCOBAR JIMÉNEZ, R. y DEL MORAL GARCÍA, A. (Coords.): *El juicio oral en el proceso penal: especial referencia al procedimiento abreviado*, 3ª edición, Granada, Comares, 2021, pp. 934 y ss.

por el que se puede hacer responder a una persona jurídica (junto con las exigencias contenidas en el art. 31 bis 1 CP), entonces a la acusación le corresponderá probar cualquier extremo en relación con el compliance (en general) y, específicamente, sobre los canales de denuncia, las investigaciones internas, etc. Y, en consecuencia, ante la petición de que aporte dicho material, la negativa de la persona jurídica quedaría amparada por el derecho a la no autoincriminación. De forma que para que la presunción de inocencia quedare desvirtuada se debería recurrir a la práctica de otro tipo de diligencias de investigación o medios de prueba.

Por el contrario, si se sostiene, como venimos haciendo, que el propio Código Penal concede a los programas de cumplimiento penal una naturaleza eximente, entonces el escenario anterior no se nos plantea, pues, será la propia persona jurídica la interesada en aportar todo ese material al que aludíamos más arriba con la finalidad de obtener la exención/atenuación de responsabilidad.

A este respecto, el Auto de la Sala de lo Penal de la Audiencia Nacional 391/2021, de 1 de julio, estimaba parcialmente el recurso de apelación interpuesto por la sociedad ABENGOA, S.A. (investigada por un presunto delito de estafa de inversiones del art. 282 bis CP) considerando que, dado que los planes de prevención de delitos integran el tipo penal del art. 31 bis CP: "*lo que resulta evidente, es que no se puede exigir a una persona física o jurídica contra la que se ha dirigido el proceso penal, la aportación de documentos que sostengan o puedan sostener directamente su imputación. En otras palabras,* ***no es dable imponer a la persona jurídica investigada, la carga de colaborar con su propia inculpación, mediante actuaciones como el requerimiento para aportar elementos probatorios directos de contenido incriminatorio***".

Para señalar, a continuación, que: "*Desde la dificultad que entraña, deslindar aquellos documentos de la persona jurídica cuyo origen puede relajarla aplicación del* ***derecho fundamental a no autoincriminarse, el Tribunal entiende que estarían amparados por aquél, los documentos internos procedentes del "canal de denuncias" de las empresas en los que consten los hechos denunciados y los resultados de las investigaciones internas que, voluntariamente haya llevado a cabo la entidad****, así como cualesquiera declaraciones bien de la enti-*

dad, o de sus representantes legales, admitiendo la existencia de irregularidades o ilegalidades en su actuación corporativa".

Concluyéndose que: *"La prudencia, en causas tan complejas como la que nos ocupa, aconseja por tanto la exclusión de este tipo de documentación del requerimiento llevado a cabo a fin de preservar el acervo probatorio que en su día pudiera aportarse, y en evitación de declaraciones de ilicitud probatoria, con la consiguiente conexión de antijuridicidad, que pudiera llegar a contaminar el resto de los medios de prueba practicados"*.

Ahora bien, el Tribunal hace bien en advertir que: ***"Un medio lícito de obtener tal documentación hubiera sido a través de la diligencia de entrada y registro, ya practicada en las presentes actuaciones al amparo del artículo 554.4 LECrim., con la correspondiente autorización judicial, ya que uno de los documentos que por lógica deben ser recabados en la diligencia de entrada y registro de una entidad mercantil como la que nos ocupa, son los programas de cumplimiento normativo, con independencia de su incautación en ese momento, tras su exhibición voluntaria, o de manera coactiva amparada por la susodicha habilitación judicial"***.

Con todo, en el citado Auto se señala que no quedaría protegido por el derecho a no autoincriminarse la no aportación del modelo de cumplimiento penal si sobre las personas jurídicas recayera la obligación legal de contar con estos mecanismos. Y, para ello, cita jurisprudencia del Tribunal Constitucional: *"En materia de requerimientos de documentación a personas jurídicas habrá que distinguir, en coherencia con lo expuesto, aquellos referidos a materiales cuya existencia tiene un carácter obligatorio ex lege y, por tanto, independiente de la voluntad del sujeto en cuestión (SSTC 76/1990, de 20 de abril; y 161/1997, de 2 de octubre) que estarían excluidos del ámbito de protección del derecho a la no autoincriminación (ej: documentos contables de llevanza obligatoria)"*. Y, precisamente, en nuestra legislación, como ya vimos, los partidos políticos sí quedan obligados (*ex* art. 9 bis LOPP) a implementar tales programas de cumplimiento. Con todo, a nuestro juicio, una cosa es que la normativa extrapenal obligue a llevar determinada contabilidad, registros, o a contar con mecanismos como los compliance; y, otra muy distinta, que su contenido, por ese hecho, quede absolutamente desprotegido (como si lo convirtiere en público). Por lo que no llegamos a comprender por qué aquellas personas jurídicas sobre las que recaiga la obligación de adoptar tales instrumentos se verían desprovistas del derecho a no autoincrimarse de seguir tales tesis.

A pesar de lo anterior, la doctrina ha advertido en este ámbito de una peligrosa práctica llevada a cabo por parte de algunos jueces (a instancia de parte o de oficio) como es la de requerir a empleados de la empresa, a abogados internos, o a colaboradores externos de la propia persona jurídica (como es el caso de los equipos de *forensic*) aportar documentación bajo apercibimiento de incurrir en un delito de desobediencia (cuanto menos); tratando así de sortear y vaciar *de facto* el citado derecho (o, de forma más genérica, el derecho de defensa de la persona jurídica)[527]. En nuestra opinión, resulta obvio que en una persona jurídica el derecho a no (auto) incriminarse no solo se ejerce a través del representante legal de la empresa, de sus administradores, o del representante en juicio de ésta (en quienes pudiera residenciarse la exteriorización de tal derecho). La persona moral solo es una ficción jurídica, de forma que el derecho a no autoincriminarse (o, de forma más genérica, su derecho de defensa) debería alcanzar a toda la actividad que ésta desarrollase; incluyendo, naturalmente, toda la documentación, información y datos que ésta generase. Y, en consecuencia, todos aquellos que hubieren tenido acceso o contacto con dicho material por su vinculación (laboral, contractual, etc.) con la empresa, no deberían ser compelidos a entregar tal documentación; y, es que, no se nos puede olvidar que una persona jurídica solo puede actuar a través de personas físicas. Por todo ello, la información obtenida bajo esta clase de requerimientos no debería servir de ninguna de las maneras para fundar una condena penal, puesto que se trata de fuentes de prueba obtenidas coercitivamente, bajo amenaza de sanción y, por ende, contaminadas[528].

En esta línea, autores como NIEVA FENOLL, han defendido que "el derecho al silencio y a no aportar pruebas contra uno mismo no son sino complementos que favorecen la presunción de inocencia y que, por cierto, previenen a las autoridades de toda suerte de coacción

---

527 *Vid.*, por todos, SIMÓN CASTELLANO, P.: "Requerimientos de información y derecho de defensa de la persona jurídica (Reflexiones en torno al caso BBVA-Villarejo)", *Diario La Ley*, núm. 9691, 2020, p. 8.

528 *Vid.* extensamente, sobre este particular, GASCÓN INCHAUSTI, F.: *Proceso penal y persona jurídica*, Madrid, Marcial Pons, 2012, pp. 134-135.

para conseguir información, lo que debería hacer reflexionar muchísimo en torno a las llamadas (...) «zanahorias procesales», que en no pocas ocasiones encubren directamente coacciones de la Fiscalía (...), aunque tales coacciones se disfracen como «acuerdos»"[529].

9. VALOR PROBATORIO DE LAS INVESTIGACIONES INTERNAS

En el marco del proceso penal, como se vio, el material obtenido de las investigaciones internas corporativas puede ser utilizado por la persona jurídica con varias finalidades: obtener la exoneración/atenuación de responsabilidad que permiten los compliance; como prueba de descargo; para acusar a un empleado; para colaborar con la justicia; etc.

La entrada al proceso penal de todo ese material probatorio no puede producirse más que recurriendo a los medios de prueba permitidos: documental, testifical o pericial.

Con todo, como ha subrayado NIEVA FENOLL, la información que se aporte no es más que información de parte. Por tanto, como concluye el citado autor, "esa información no es más que evidencia que será analizada en el proceso, pero sin que desde luego pueda tener ningún valor privilegiado —lo impide la libre valoración de la prueba—, ni tampoco pudiendo adquirir un valor de facto importante para el juez, más allá del que, una vez atendido todo el acervo probatorio, pueda atribuirle el juez motivándolo debidamente"[530].

10. CONCLUSIONES

Como tuvimos ocasión de advertir al inicio de este capítulo, el Código Penal no exige de forma explícita que las personas jurídicas tengan que iniciar una suerte de investigación interna ante la detección o puesta en conocimiento de algún tipo de irregularidad cometida en

---

529 NIEVA FENOLL, J.: "Investigaciones internas de la persona Jurídica: derechos fundamentales y valor probatorio", *Jueces para la Democracia*, núm. 86, 2016, p. 87.

530 *Ibid.*, pp. 90-91.

su seno como requisito ineludible para predicar la eficacia eximente de los programas de cumplimiento penal. Sin embargo, como también tuvimos ocasión de manifestar, a nuestro juicio, debe entenderse como obligación ineludible el que, tras la recepción de información sobre posibles riesgos e incumplimientos del *compliance*, la persona jurídica decrete la apertura de la correspondiente investigación interna con la finalidad de esclarecer los hechos objeto de la comunicación. De forma que dicha consecuencia lógica quedase integrada, aun de forma tácita, en el contenido del art. 31 bis 5. 4º CP. Y, de igual modo, aun cuando el requisito sexto de este mismo precepto no aluda a ello, si a raíz de la verificación del modelo se detectase algún posible riesgo o incumplimiento, deberá decretarse también la apertura de la correspondiente investigación interna.

Así pues, y ante el silencio que guarda el Código Penal respecto de las investigaciones internas en sede corporativa, será el juez o tribunal quien de forma totalmente discrecional valore los esfuerzos que la entidad acredite haber hecho dentro de los que estuviere a su alcance (sin necesidad de autoincriminarse), y no tanto el resultado obtenido de la investigación. La ausencia de parámetro alguno no invita a otra solución. Precisamente por ello, los criterios o pautas aportadas en este capítulo no tienen otra finalidad que la de describir el conjunto de actuaciones que, a nuestro entender, el juez o tribunal deberá comprobar para decidir si la respuesta de la persona jurídica ante una irregularidad ha sido la adecuada y, en consecuencia, pueda tenerse por válida a efectos de dar por cumplido parte del requisito 4º del art. 31 bis 5 CP.

Este déficit regulatorio al que acabamos de referirnos, que afecta tanto a quien aplica la norma como a quien la padece, no es exclusivo de las investigaciones internas. Sucede igualmente con otros aspectos recogidos en los arts. 31 bis 2 a 5 CP, pero, quizás, en el ámbito aquí tratado, sea más acusado. En este sentido, y pesar de la existencia de estándares (privados) como la Norma UNE 19601:2017 sobre "*Sistemas de gestión de compliance penal. Requisitos con orientación para su uso*", el desarrollo de la regulación que afecta a los modelos de organización y gestión debiera convertirse en una urgencia inaplazable para el legislador. Incluso, para materias tan concretas como las investigaciones internas, la vía reglamentaria parece ser la óptima.

Ciertamente, al lector le habrá podido parecer que, tal y como se han enfocado los distintos aspectos relativos a las investigaciones internas en sede corporativa, las mismas se asemejan y mucho a una instrucción judicial o a una investigación policial. De hecho, hasta afirmábamos que el modelo de cumplimiento deberá velar específicamente, durante el transcurso de las investigaciones internas, por el respeto de los derechos básicos de todo proceso justo. Sin embargo, esta imagen de las investigaciones internas como una herramienta más de los *compliance programs* en la prevención y detección de delitos no siempre se corresponderá con la realidad. Esto es, a menudo, las cosas se presentarán de forma menos sofisticada, pues, no siempre se observarán conductas indiciariamente delictivas (sino simples riesgos, incumplimientos o irregularidades), ni tampoco tiene porqué recurrirse a medios invasivos de investigación (en ocasiones bastará con una simple comprobación, entrevista, solicitud de información, etc.).

Para finalizar, quisiéramos dejar anotado simplemente que, como habrá podido observarse, aunque hayamos pretendido despejar algunas de las principales dudas que surgen en torno a las investigaciones internas en sede corporativa, a la par han ido surgiendo otras cuestiones que todavía merecen respuestas que no tenemos o no, al menos, de forma unívoca. Para ello habrá que esperar a que o bien el legislador, o bien la jurisprudencia, nos ayuden en esta tarea de descifrar los retos que plantean, a propósito de los *compliances*, las investigaciones internas corporativas.

Capítulo VI

LÍMITES EN LAS INVESTIGACIONES INTERNAS: MEDIOS DE INVESTIGACIÓN Y VULNERACIÓN DE DERECHOS FUNDAMENTALES

1. INTRODUCCIÓN

Las investigaciones internas en el ámbito corporativo son una parte esencial de los denominados programas de cumplimiento penal (*criminal compliance programs*), sin embargo, algunos medios pueden resultar especialmente invasivos y poco respetuosos con derechos fundamentales como el secreto de las comunicaciones y la intimidad. De ahí que, a continuación, se examinen las consecuencias que desde una perspectiva penal y procesal pueda ocasionar el recurso a tales medios (principalmente los tecnológicos). Prestándose para ello una especial atención a las más recientes resoluciones judiciales habidas en la materia.

Así las cosas, en este capítulo nos centraremos en analizar los efectos que la aportación de pruebas en el ámbito privado, esto es, fuera de una investigación por parte de los poderes públicos (como son especialmente las "investigaciones" internas corporativas), pueden proyectar principalmente sobre dos derechos fundamentales como son el secreto de las comunicaciones y a la intimidad. Y lo haremos exclusivamente prestando atención a la vertiente procesal de la cuestión (la ilicitud probatoria del art. 11.1 LOPJ) y desde la perspectiva sustantiva o material (responsabilidad penal por delito de descubrimiento y revelación de secretos, o contra la intimidad, del art. 197 CP)[531].

Para ello, haremos un breve repaso de las principales y más recientes resoluciones habidas en la materia por parte del Tribunal Supre-

---

531 Téngase en cuenta que, tal y como habilita el art. 197 quinquies CP, la comisión de estos delitos puede atribuirse a la propia persona jurídica.

mo[532]. Concretamente, nos centraremos en las SSTS (Sala Segunda) 328/2021, de 22 de abril; 489/2018, de 23 de octubre; y, 528/2014, de 16 de junio, que versan sobre la posibilidad de consentir (por parte del titular del derecho) una injerencia en el secreto de las comunicaciones (y la intimidad); y, la STS (Sala Segunda) 116/2017, de 23 de febrero, atinente a la validez procesal de la obtención de pruebas por parte de un particular con vulneración de derechos fundamentales. Existen pues, en este ámbito, dos aspectos interconectados como son, de un lado, la propia obtención de pruebas y, de otro lado, su eventual (futura) pretensión de utilización en el marco de un proceso penal.

Con todo, cabe destacar que no son las únicas vías que brinda el ordenamiento jurídico para la protección de ambos derechos. Así, debe mencionarse la posibilidad de recurrir en amparo ante el Tribunal Constitucional (art. 53.2 CE); acudir a la jurisdicción laboral o civil; o, reclamar una posible vulneración de la normativa sobre protección de datos.

Particularmente, estas cuestiones cobran una especial relevancia a la luz de los programas de cumplimiento penal y su eficacia atenuante o eximente, en donde la realización de una suerte de averiguaciones o indagaciones que denominamos "investigaciones" internas se erige en uno de los pilares de los mencionados planes de prevención de delitos en el seno corporativo[533]. Precisamente, en este sentido, como resalta NEIRA PENA, una consecuencia directa de la conculcación de derechos fundamentales durante la correspondiente investigación interna es que la persona jurídica no podrá beneficiarse de la atenuante de colaboración recogida en el art. 31 quater b) CP, "ya que se sobreentiende, aunque el Código Penal no lo diga expresamente, que tales pruebas además de nuevas y decisivas habrán de ser lícitas, no pudiendo, por lo tanto, haberse obtenido con vulneración, directa o indirecta, de ningún derecho fundamental"[534].

---

532 *Vid.* también PEÑARANDA EZPONDABURU, A.: "Límites y riesgos de las investigaciones internas en la reciente jurisprudencia del Tribunal Supremo", *La Ley Penal*, núm. 155, 2022, pp. 1-22.

533 *Vid.* ampliamente, LEÓN ALAPONT, J.: "Retos jurídicos...", *op. cit.*, pp. 1-34. AYALA GONZÁLEZ, A.: "Investigaciones internas...", *op. cit.*, pp. 270-303. Y JULIÀ-PIJOAN, M.: "Un porqué a la observancia de las garantías procesales en las investigaciones internas", *Revista vasca de derecho procesal y arbitraje*, vol. 33, núm. 3, 2021, pp. 317-353.

534 NEIRA PENA, A. M.: *La instrucción...*, *op. cit.*, p. 352.

Por último, conviene tener en cuenta también la especial incidencia en este ámbito de las funciones de investigación que pueden llevar a cabo los detectives privados por mor del art. 48 de la Ley 5/2014, de 4 de abril, de Seguridad Privada y del art. 101 del Real Decreto 2364/1994, de 9 de diciembre, por el que se aprueba el Reglamento de Seguridad Privada[535].

2. MEDIOS DE INVESTIGACIÓN

Entre los medios que pueden utilizarse para realizar una investigación interna, cabría citar los siguientes:

a) registros de despachos u otras dependencias.
b) interceptación de llamadas telefónicas.
c) acceso a los contenidos del ordenador o teléfono corporativo.
d) monitorización del correo electrónico o programas de mensajería instantánea.
e) instalación de micrófonos.
f) video vigilancia.
g) entrevistas.

Estas últimas, *a priori*, se presentan como el medio menos invasivo en la esfera de derechos fundamentales, pero, ni, aun así, ese riesgo desaparece bajo determinadas circunstancias. En este sentido, consideramos conveniente transcribir algunas de las consideraciones que ALCÁCER GUIRAO ha realizado al respecto[536]:

1) Las entrevistas no tienen por sí mismas valor probatorio, pero en la medida en que la información obtenida sí podrá ser usada como base para la obtención de ulteriores medios de prueba, los riesgos autoincriminatorios para el entrevistado son evidentes.
2) Cuando estemos ante una *investigación con fines preventivos* o de auditoría interna, dirigida a testar la eficacia genérica del

---

535 *Vid.* especialmente, sobre este ámbito, RIDAURA MARTÍNEZ, M. J.: "Los derechos fundamentales como límites en el marco de la investigación privada", *Teoría y Realidad Constitucional*, núm. 47, 2021, pp. 129-159. Y CARPIO BRIZ, D.: "La olvidada relevancia de la seguridad privada en los sistemas de compliance penal", *Revista de Derecho y Proceso Penal*, núm. 52, 2018, pp. 125-139.

536 ALCÁCER GUIRAO, R.: "Investigaciones...", op. cit., p. 215.

compliance, no se observa a simple vista riesgo alguno de autoincriminación. Por el contrario, sí lo habrá cuando la investigación tenga un *fin reactivo* y cuando sobre la persona entrevistada recaigan sospechas de comisión de un ilícito.

3) Los referidos riesgos de autoincriminación delictiva para el entrevistado se darán únicamente en el caso en que la persona jurídica opte por poner en conocimiento de la autoridad judicial o del Ministerio Fiscal el resultado de la investigación interna, bien para presentar una denuncia contra los presuntos autores de los hechos, bien para aspirar a la circunstancia atenuante de colaboración y/o confesión).

4) Existe cierto riesgo penal para quienes practiquen la entrevista cuando se hagan valer de coacciones o amenazas para que el implicado se someta a la misma. En este sentido, la entrevista debe ser totalmente voluntaria.

Igualmente, como apunta NEIRA PENA, desde el punto de vista de la validez probatoria de las declaraciones, el consentimiento debe ser libre e informado[537].

Por otro lado, las entrevistas pueden ser perjudiciales tanto para el propio éxito de la investigación interna, como luego en sede judicial. A este respecto, NIETO MARTÍN ha señalado que "la entrevista a los empleados sospechosos sirve para darles la voz de alarma, descubrirles la estrategia de la investigación, el material probatorio que la empresa tiene en su poder, en definitiva, lo que sabe del asunto". Siendo, en este mismo sentido, "altamente desaconsejable para el posterior interrogatorio judicial, pues, en él el factor sorpresa habrá prácticamente desaparecido"[538].

En todo caso, como destacan DÍAZ ALDAO y HERNÁNDEZ PÉREZ, conviene dotar a la entrevista de ciertas formalidades, por ejemplo, levantar una especie de acta de todo lo manifestado y, si es posible, que se firme por el entrevistado o que sean varias las personas presentes durante la misma[539].

537 NEIRA PENA, A. M.: *La instrucción...*, *op. cit.*, p. 362.

538 NIETO MARTÍN, A.: "Investigaciones...", *op. cit.*, p. 255.

539 DÍAZ ALDAO, M. y HERNÁNDEZ PÉREZ, E.: "Las investigaciones...", *op. cit.*, p. 1009.

Con todo, en este supuesto, no debemos perder de vista que el régimen disciplinario del propio modelo de organización y gestión (art. 31 bis 5. 5º CP) podría sancionar con consecuencias desfavorables para el trabajador (incluido el despido) la falta de colaboración en una investigación interna (por ejemplo, no prestándose a ser entrevistado). En este caso, son varias las disposiciones del Estatuto de los Trabajadores las que avalan en principio tal posibilidad[540]. De forma que, como ha sostenido algún autor, los empleados no gozarían en tales circunstancias del derecho a no autoincriminarse[541]. Sin embargo, debemos mostrar nuestra reticencia a esta posibilidad, pues, no puede obviarse que las declaraciones vertidas en tal suerte de interrogatorio pueden acabar siendo empleadas en un proceso penal en contra del trabajador. Ahora bien, también es cierto que, en estos casos, el empleado lo que puede es no negarse a colaborar (para evitar cualquier tipo de consecuencia), pero, naturalmente, calibrar la información que va a proporcionar a la empresa. Lo que, entendemos, no podrá asumir, son hechos o afirmaciones con los que no esté de acuerdo; o, que se le atribuyan a él falsariamente, de forma coactiva, o bajo amenaza o engaño. En todo caso, si, efectivamente, el entrevistado es consciente de su implicación en los hechos y quiere tratar de evitar una posible responsabilidad penal, lo recomendable sería que, a pesar de las consecuencias laborales que ello tuviere, no hiciese ningún tipo de declaración.

3. RIESGOS DERIVADOS DE LAS INVESTIGACIONES INTERNAS

Aunque podrían mencionarse otros, estimamos oportuno centrarnos en dos de los principales inconvenientes que presentan las investigaciones internas. De un lado, la falta de imparcialidad en la investigación ante la dependencia de quien conduce la misma; y, de otro lado, la afectación durante el transcurso de ésta a derechos fundamentales como pueden ser el secreto de las comunicaciones y a la intimidad.

---

540 Nos referimos a los arts. 5.c, 20.2 y 54.2.b ET.

541 *Cfr.* TEJADA PLANA, D.: *Investigaciones internas..., op. cit.*, pp. 143 y ss.

3.1. *Falta de imparcialidad*

Como se deduce fácilmente, la neutralidad del investigador puede verse seriamente comprometida, en la medida en que la organización que dirige internamente la investigación, o que la encarga a un tercero, tiene intereses particulares en el resultado de la misma.

En consecuencia, como advierte NEIRA PENA, "la persona jurídica podría manipular u ocultar información o documentación relevante para el esclarecimiento de los hechos, a través de la construcción de un relato fáctico falso, de la no revelación de parte de su actividad ilícita o de la inculpación de un chivo expiatorio o de un cabeza de turco, evitando ser exhaustiva a la hora de determinar a todos los eventuales responsables"[542]. Pero es que, incluso, como manifiesta la citada autora, "resulta muy discutible que las actuaciones tendentes a ocultar los hechos total o parcialmente, o las declaraciones falsas que realice el representante especialmente destinado para actuar en el proceso en nombre de la entidad, no queden amparadas por el principio *nemo tenetur se ipsum acusare*, como instrumento del derecho de defensa"[543]. A mayor abundamiento, NEIRA PENA destaca que, además, en la lista de delitos atribuibles a una persona jurídica, no se ha incluido ningún delito contra la Administración de Justicia (Título XX CP) como pudieran ser los de: encubrimiento (art. 451 a 454 CP); presentación de testigos falsos o peritos mendaces (art. 461 CP); intento de influir en la actuación procesal de un tercero (art. 464 CP); o, el de destrucción de pruebas (art. 465 CP). Ni tampoco los relativos a las falsedades documentales consistentes en presentar en juicio documentos a sabiendas de su falsedad (art. 393 CP) o en falsear documentos privados (arts. 395 y 396 CP) o certificados (art. 399 CP).

Por ello, como propone esta autora, "cuando la persona jurídica realizase una investigación interna y, posteriormente, entregase a las autoridades públicas los resultados de la misma, aun cuando tales resultados contuviesen confesiones por parte de ciertos miembros de la organización, reconociendo su responsabilidad personal en los hechos, las autoridades públicas no deberían asumir acríticamente el resultado de las indagaciones privadas sino que, por el contrario, ha-

542 NEIRA PENA, A. M.: *La instrucción...*, *op. cit.*, p. 344.
543 *Ibíd.*, p. 346.

brían de practicar todas las diligencias necesarias a fin de adquirir el convencimiento sobre la verdad del mismo"[544].

3.2. *Vulneración del secreto de las comunicaciones y a la intimidad*

En este apartado, nos centraremos en analizar los efectos que las investigaciones internas pueden proyectar principalmente sobre dos derechos fundamentales como son el secreto de las comunicaciones y a la intimidad. Y lo haremos exclusivamente prestando atención a la vertiente procesal de la cuestión (la ilicitud probatoria del art. 11.1 LOPJ) y desde la perspectiva sustantiva o material (responsabilidad penal por delito de descubrimiento y revelación de secretos, o contra la intimidad, del art. 197 CP)[545].

Si bien, como ya dijimos, no son las únicas vías que brinda el ordenamiento jurídico para la protección de ambos derechos. Así, debe mencionarse la posibilidad de recurrir en amparo ante el Tribunal Constitucional (art. 53.2 CE); acudir a la jurisdicción laboral o civil; o, reclamar una posible vulneración de la normativa sobre protección de datos.

Por otro lado, como resalta NEIRA PENA, una consecuencia directa de la conculcación de derechos fundamentales durante la correspondiente investigación interna es que la persona jurídica no podrá beneficiarse de la atenuante de colaboración recogida en el art. 31 quater b) CP, "ya que se sobreentiende, aunque el Código Penal no lo diga expresamente, que tales pruebas además de nuevas y decisivas habrán de ser lícitas, no pudiendo, por lo tanto, haberse obtenido con vulneración, directa o indirecta, de ningún derecho fundamental"[546].

3.2.1. El canon de la expectativa razonable de privacidad

En el ámbito laboral, los derechos al secreto de las comunicaciones y a la intimidad del trabajador pueden infringirse "legítimamente" si

---

544 Ídem.

545 Téngase en cuenta que, tal y como habilita el art. 197 quinquies CP, la comisión de estos delitos puede atribuirse a la propia persona jurídica.

546 NEIRA PENA, A. M.: *La instrucción...*, *op. cit.*, p. 352.

el empresario desvirtúa la denominada expectativa razonable de privacidad. Esto es, si el titular de los medios de producción comunica a los empleados que los ordenadores de la empresa pueden ser revisados, al igual que el correo corporativo, los despachos, el teléfono móvil, etc., la expectativa razonable de privacidad quedará enervada, de forma que no estaría incurriendo ni en una vulneración del secreto de las comunicaciones ni de la intimidad del trabajador (lo cual permite, en la práctica, fundamentar numerosos despidos disciplinarios).

Así lo ha venido considerando el TEDH[547], la Sala de lo Social de nuestro Tribunal Supremo[548], y el Tribunal Constitucional[549]. Exigiéndose la concurrencia de los siguientes requisitos:

a) previsión legal (arts. 20.3 y 18 ET).

b) fin legítimo.

c) proporcionalidad:

- juicio de idoneidad de la medida para alcanzar el fin perseguido.
- subsidiariedad: que no existan medidas menos gravosas.
- proporcionalidad en sentido estricto: que implica que el sacrificio de un derecho fundamental no resulte desmedido en relación con la gravedad de los supuestos hechos.
- comunicación efectiva para que no se vulnere la expectativa razonable de privacidad.

Con todo, en el ámbito penal, la STS (Sala Segunda) 528/2014, de 16 de junio (Ponente: José Manuel Maza Martín), respetando los criterios contenidos en las resoluciones de la Sala Cuarta del Tribunal Supremo, y avalados por el Tribunal Constitucional, estimó que los postulados allí mantenidos respecto de la (no) exigencia de autorización judicial previa debían quedar restringidos a la jurisdicción laboral, sin que en modo alguno pudieran extenderse al enjuiciamiento

---

547 De especial importancia resulta la STEDH (Gran Sala) 2017/61, de 5 de septiembre (*Caso Barbulescu*).

548 Así, por ejemplo, SSTS (Sala Cuarta) Roj: 6128/2007, de 26 de septiembre; Roj 8876/2011, de 6 de octubre; 119/2018, de 8 de febrero; y, 766/2020, de 15 de septiembre.

549 Entre las más citadas, SSTC 241/2012, de 17 de diciembre; 29/2013, de 11 de febrero; y, 170/2013, de 7 de octubre.

penal. Por ello, dada la trascendencia de esta resolución, pasaremos a enumerar algunas de sus claves:

1) Se trata de un pronunciamiento *obiter dicta.*

> *"Pues bien, con ambos argumentos: la existencia de otras pruebas independientes y suficientes para sostener el «factum» y la inexistencia de injerencia en el secreto de las comunicaciones del investigado, basta para considerar improcedentes o, en todo caso, irrelevantes, las alegaciones del Recurso acerca de las dudas sobre la integridad y validez de la prueba informática obrante en estas actuaciones.*
>
> *No obstante lo cual, esta Sala considera conveniente, en aras a fijar una clara doctrina en materia de tanta trascendencia, salir al paso de ciertas afirmaciones rotundas, incluidas en la propia Resolución de instancia a pesar de aquellas iniciales constancias referentes a la irrelevancia de la prueba, tales como las de que «...el ordenador registrado era una herramienta propiedad de la empresa y facilitada por la empresa a don (sic) Rodolfo exclusivamente para desarrollar su trabajo, por lo que entendemos que incluso en aquel supuesto en que pudiera utilizar el ordenador para emitir algún tipo de mensaje de carácter personal, entendemos que al utilizar precisamente un ordenador ajeno, de la empresa, y destinado exclusivamente para el trabajo a la empresa, estaba asumiendo —cediendo— la falta de confidencialidad —secreto— de las comunicaciones que pudiera tener el señor (sic) Rodolfo utilizando tal terminal informático»".*

2) La sentencia alude a la validez en el ámbito laboral de la valoración de la prueba basada en la inexistencia de expectativa razonable de privacidad (aunque no mencionada exactamente con estos términos) para fundar la procedencia del despido.

> *"Criterios (...) que, a nuestro juicio, han de quedar restringidos al ámbito de la Jurisdicción laboral, ante el que obviamente nuestra actitud no puede ser otra más que la de un absoluto respeto, máxime cuando cuentan con la confirmación constitucional a la que acabamos de referirnos, pero que, en modo alguno, procede que se extiendan al enjuiciamiento penal, por mucho que en éste la gravedad de los hechos que son su objeto, delitos que en ocasiones incluso constituyen infracciones de una importante relevancia, supere la de las infracciones laborales a partir de las que, ante su posible existencia, se justifica la injerencia en el derecho al secreto de las comunicaciones del sospechoso de cometerlas".*

3) La no validez en el terreno penal de la doctrina sentada en la jurisdicción social se predica únicamente respecto del derecho al secreto de las comunicaciones.

"En efecto, a nuestro juicio, el texto constitucional es claro y tajante cuando afirma categóricamente que: «Se garantiza el secreto de las comunicaciones y, en especial, de las postales, telegráficas y telefónicas, salvo resolución judicial».

No contempla, por tanto, ninguna posibilidad ni supuesto, ni acerca de la titularidad de la herramienta comunicativa (ordenador, teléfono, etc. propiedad de tercero ajeno al comunicante), ni del carácter del tiempo en el que se utiliza (jornada laboral) ni, tan siquiera, de la naturaleza del cauce empleado («correo corporativo»), para excepcionar la necesaria e imprescindible reserva jurisdiccional en la autorización de la injerencia.

Tampoco una supuesta «tácita renuncia» al derecho, como a la que alude la Audiencia al final del párrafo antes transcrito, puede convalidar la ausencia de intervención judicial, por un lado porque obviamente dicha «renuncia» a la confidencialidad, o secreto de la comunicación, no se produce ni es querida por el comunicante que, de conocer sus consecuencias, difícil es imaginar que lleve a cabo la comunicación objeto de intervención y, de otra parte, porque ni aún cuando se entienda que la «renuncia-autorización» se haya producido resultaría operativa ya que, a diferencia de lo que ocurre con la protección del derecho a la inviolabilidad domiciliaria (art. 18.2 CE), nuestra Carta Magna no prevé, por la lógica imposibilidad para ello, la autorización del propio interesado como argumento habilitante para la injerencia".

4) La sentencia excluye a la intimidad como derecho que precisa de resolución judicial para autorizar cualquier injerencia en él:

"(...) bien claro ha de quedar que en el ámbito del procedimiento penal, el que a nosotros compete, para que pueda otorgarse valor y eficacia probatoria al resultado de la prueba consistente en la intervención de las comunicaciones protegidas por el derecho consagrado en el artículo 18.3 de la Constitución, resultará siempre necesaria la autorización e intervención judicial, en los términos y con los requisitos y contenidos que tan ampliamente se han venido elaborando en multitud de Resoluciones por esta Sala, a partir del importante Auto de 18 de junio de 1992 (RJ 1992, 6102) (caso «Naseiro»)*, cualquiera que fueren las circunstancias o personas, funcionarios policiales, empresarios, etc., que tales injerencias lleven a cabo.*

Lo que por otra parte, obvio es recordarlo, operará tan sólo respecto a lo que estrictamente constituye ese «secreto de las comunicaciones», es decir, con exclusión de los denominados «datos de tráfico» o incluso de la posible utilización del equipo informático para acceder a otros servicios de la red como páginas web, etc., de los mensajes que, una vez recibidos y abiertos por su destinatario, no forman ya parte de la comunicación propiamente dicha, respecto de los que rigen normas diferentes como las relativas a la protección y conservación de datos (art. 18.4 CE) o a la in-

timidad documental en sentido genérico y sin la exigencia absoluta de la intervención judicial (art. 18.1 CE)".

A continuación, para abordar la cuestión de forma más pedagógica, haremos alusión a tres planos distintos:

A) Plano procesal penal (ilicitud de la prueba)

Como ha quedado plasmado más arriba, en la citada sentencia se expresa claramente que la intrusión en el derecho al secreto de las comunicaciones precisa inevitablemente de autorización judicial, de forma que no cabe el consentimiento del titular de las mismas para renunciar a tal derecho fundamental[550].

Por el contrario, como se destaca en la sentencia, no existe una exigencia absoluta de resolución judicial fuera de los supuestos comprendidos por el derecho al secreto de las comunicaciones. De forma que, al menos, cuando lo que esté en juego sea el derecho a la intimidad, el canon de la expectativa razonable de privacidad —y su exclusión— podría ser alegado en un proceso penal.

Con todo, debemos hacer las siguientes apreciaciones:

i) No podemos compartir el carácter indisponible del derecho al secreto de las comunicaciones, pues, la propia naturaleza o configuración de éste lo permite. Como muestra de ello, el propio Código Penal en su art. 197 CP avala las injerencias en tal derecho cuando sean consentidas por su titular.

ii) Las diferencias entre la esfera laboral y procesal, consideramos, estriban en los siguientes aspectos:

- *En el ámbito laboral:* la destrucción de la expectativa razonable de privacidad se produce cuando el empresario

---

550 En la doctrina, esta tesis ha sido avalada, entre otros, por AGUILAR FERNÁNDEZ, C. y LIÑÁN LAFUENTE, A. (2018), "El secreto profesional del abogado y su aplicación al asesoramiento penal preventivo del «*compliance officer*»", en GÓMEZ-JARA DÍEZ, C. (Coord.): *Persuadir y Razonar: Estudios Jurídicos en Homenaje a José Manuel Maza Martín. Tomo II*, Cizur Menor, pp. 795-796. NEIRA PENA, A. M.: *La instrucción..., op. cit.*, p. 374. Y ÁLCACER GUIRAO, R. (2016), "Investigaciones internas", en AYALA GÓMEZ, I. y ORTIZ DE URBINA GIMENO, I. (Coords.): *Penal económico y de la empresa*, Madrid, p. 210.

simplemente comunica, por tanto, pone en conocimiento de los empleados, que los medios de producción que la empresa pone a su disposición son para uso estrictamente laboral, y por tanto pueden ser vigilados. No exigiéndose la aceptación/consentimiento/autorización de los trabajadores. Es más, incluso la expectativa razonable de privacidad puede ser también enervada por lo que se derive del entorno regulatorio en el que opera la empresa, así como de la "adecuación social" en relación con los medios corporativos.

- *En el ámbito procesal penal*: partiendo de la premisa de la plena (absoluta-total) disponibilidad de los derechos al secreto de las comunicaciones y a la intimidad, estimamos tiene que haber consentimiento (puede ser tácito) para que el propietario de los medios de producción pueda utilizar como prueba en un proceso penal lo obtenido en la investigación interna.

En consecuencia, a nuestro juicio, siempre y cuando constase fehacientemente (esto es decisivo), de cualquier forma (contrato, convenio, código de conducta, instrucción, protocolo, comunicación escrita, etc.), que la persona jurídica es la propietaria de los medios "corporativos" (ordenador, despacho, teléfono, correo, etc.) puestos a disposición de la persona física (trabajador o no) y ésta consintiese válidamente –con todas las garantías y de forma indubitada— que la organización tuviese acceso a todo su contenido: el material descubierto podría emplearse, en su caso, como:

- prueba de descargo (para exculpar a la persona jurídica).
- prueba de cargo contra la persona física autora del delito.
- a efectos de obtención de la atenuante de colaboración.

La STS (Sala Segunda) 489/2018, de 23 de octubre (Ponente: Antonio del Moral García) recoge, en buena medida, lo que acabamos de exponer, apartándose así de lo dispuesto en la STS (Sala Segunda) 528/2014, de 16 de junio (Ponente: José Manuel Maza Martín). Por ello, creemos oportuno traer a colación algunos de sus pasajes más importantes:

En el fundamento jurídico séptimo, el Tribunal Supremo entiende que: "*Hay un relevante signo diferenciador entre el acceso por el empresario y el acceso por agentes públicos; el primero en virtud de sus facultades de supervisión del trabajo que se presta por una relación laboral; los segundos, en virtud de potestades públicas.* ***En el primer caso nos movemos en el marco de una relación contractual entre particulares. La clave estará en si el trabajador ha consentido anticipadamente reconociendo esa capacidad de supervisión al empresario y, por tanto, cuenta con ello; está advertido; es decir, es una limitación conocida y contractualmente asumida.***

En las relaciones con los Poderes Públicos, sin embargo, no cabe esa "cesión" anticipada o renuncia previa a ese espacio de intimidad virtual.

El reconocimiento previo, explícito o implícito, de esa facultad de empresario constituye el punctum dolens la clave, en el ámbito de las relaciones laborales. En una investigación penal lo será la autorización judicial o el consentimiento actual"[551].

En el caso enjuiciado en la referida sentencia, el Tribunal Supremo señala (en el fundamento jurídico décimo) que: "*Podrían existir razones fundadas para sospechar y entender que el examen del ordenador era una medida proporcionada para esclarecer la conducta desleal y evaluar los perjuicios. Se buscó, además, una fórmula lo menos invasiva posible.* ***Pero faltaba un prius inexcusable.***

Si existiese esa expresa advertencia o instrucción en orden a la necesidad de limitar el uso del ordenador a tareas profesionales, (de la que en podría llegar a derivarse una anuencia tácita al control o, al menos, el conocimiento de esa potestad de supervisión) y/o además alguna cláusula conocida por ambas partes autorizando a la empresa a medidas como la aquí llevada a cabo; o, si se hubiese recabado previamente el consentimiento de quien venía usando de forma exclusiva el ordenador (en caso de negativa, nada impedía recabar la autorización necesaria) pocas dudas podrían albergarse sobre la legitimidad de la actuación indagatoria llevada a cabo por la empresa. Pero en las circunstancias en que se llevó a cabo hay que afirmar que el ordenamiento ni consiente, ni consentía en la

551 La negrita es nuestra.

fecha de los hechos, tal acción intrusiva por ser lesiva de derechos fundamentales"[552].

Esta doctrina ha sido recientemente avalada por la STS (Sala Segunda) 328/2021, de 22 de abril (Ponente: Manuel Marchena Gómez), en la cual se recoge que:

> "*El punto de partida de nuestro análisis admite, no ya la flexibilidad para tolerar la fiscalización de los actos inicialmente protegidos por el derecho a la intimidad, sino la capacidad para extender ese ámbito de negociación al derecho a la inviolabilidad de las comunicaciones, excluyendo la imperatividad de la autorización judicial para justificar la intromisión.* ***Empresario y trabajador pueden fijar los términos de ese control, pactando la renuncia, no ya a la intimidad, sino a la propia inviolabilidad de las comunicaciones. Y allí donde exista acuerdo expreso sobre fiscalización, se estará excluyendo la expectativa de privacidad que, incluso en el ámbito laboral, acompaña a cualquier empleado.***
>
> ***Pero la exclusión de esa expectativa ha de ser expresa y consciente, sin que pueda equipararse a ésta una pretendida renuncia derivada de la voluntad presunta del trabajador.*** *El trabajador que conoce la prohibición de utilizar para fines particulares los ordenadores puestos a su disposición por la empresa y, pese a ello, incumple ese mandato, incurre en una infracción que habrá de ser sancionada en los términos que son propios de la relación laboral. Pero esa infracción no priva al trabajador que incurre en ella de su derecho a definir un círculo de exclusión frente a terceros, entre los que se incluye, desde luego, quien le proporciona esos medios productivos. De admitir esa artificial asimilación a la hora de pronunciarnos sobre la legitimidad de la injerencia, estaríamos olvidando la propia naturaleza del contrato de trabajo por cuenta ajena. Los elementos de disponibilidad del derecho fundamental a la intimidad y a la inviolabilidad de las comunicaciones no pueden abordarse con quiebra del principio de proporcionalidad. De hecho, la efectiva vigencia de aquellos derechos del trabajador no puede hacerse depender exclusivamente de un pacto incondicional de cesión en el que todo se vea como susceptible de ser contractualizado*"[553] (FJ, 3).

En el caso enjuiciado, el Tribunal Supremo ratificó la condena impuesta al empresario por un delito del art. 197.1 CP. Señalándose que:

> "*Examinado el relato de hechos probados de la sentencia recurrida, se observa que no existe ningún presupuesto fáctico que permita apreciar*

---

552 La negrita es nuestra.

553 La negrita es nuestra.

la concurrencia de una causa de justificación excluyente de la antijuridicidad. El acusado no ejerció de forma legítima ningún derecho. Ni la compartida utilización de las claves corporativas, ni la definición en el convenio colectivo, como infracción disciplinaria grave, de la utilización de los medios productivos puestos a disposición del trabajador, son suficientes para legitimar la grave intromisión del empleador en la cuenta particular de Octavio. De hecho, frente a la versión de la defensa de que el acceso a esas cuentas privadas fue prácticamente inevitable por el funcionamiento del sistema, lo que indica el factum es precisamente lo contrario. Su conducta no se limitó a ese contacto casual con aquello que no se quería conocer, sino que se imprimieron «... determinados mensajes y correos electrónicos enviados o recibidos entre el 11-3-13 y el 26-6-13», llegando a ordenar el acusado a su hija que siguiera haciendo acopio de mensajes para «... recabar todos los datos posibles de lo sucedido», si bien no ha podido acreditarse si la ejecución de ese encargo conllevó la entrada en la cuenta privada. En cualquier caso, el amplio paréntesis cronológico —casi tres meses— durante el que Octavio fue despojado de su derecho a la intimidad, a la protección de datos y, en fin, de su derecho al entorno virtual, habla por sí solo de la intensidad y el alcance de la injerencia".

(...)

"En el presente caso, no existe dato alguno que permita concluir que Octavio sacrificó convencionalmente el ámbito de su privacidad. La hipotética comisión por su parte de una infracción disciplinaria grave, derivada de la indebida utilización del ordenador puesto a su disposición por la empresa, sólo permitía a ésta asociar su incumplimiento a una consecuencia jurídica. Pero no legitimaba la irrupción del empresario en los correos electrónicos generado durante tres meses en una cuenta privada".

Más recientemente, la STS (Sala Segunda) 56/2022, de 24 de enero (Ponente: Javier Hernández García) concluía que: "*en el caso, el exhaustivo acceso a los contenidos de correo electrónico no vino precedido de ninguna advertencia, no estuvieron presentes las personas afectadas, no se identificó previamente una finalidad precisa, vinculada a la propia actividad empresarial desarrollada, no se adoptó ninguna fórmula de atemperación de la extensión subjetiva del acceso y los contenidos documentados fueron, finalmente, utilizados para fundar la acción penal, no solo contra el otro socio sino también contra los propios empleados usuarios de las cuentas de correo*" (FJ, 11). El Tribunal afirma en la citada resolución que, en modo alguno, cabe identificar que el acceso a los canales de comunicación empleados respondiera "al ejercicio del poder de inspección reconocido al empresario y sometidos, en consecuencia, a su posible fiscalización". Sentenciándose que el acceso fue desproporcionado y lesionó los derechos a la privacidad y a la intimidad de las personas afectadas.

En resumen, la validez en un proceso penal de la prueba obtenida a raíz de una investigación interna precisa de las siguientes pautas:

a) previsión legal.

En el caso de los empleados, como apunta ÁLCACER GUIRAO, la habilitación legal reside en[554]:

- la supervisión de las obligaciones laborales del trabajador —que incluye, lógicamente, el cumplimiento de la legalidad— (art. 20.3 ET) "*El empresario podrá adoptar las medidas que estime más oportunas de vigilancia y control para verificar el cumplimiento por el trabajador de sus obligaciones y deberes laborales (...)*".
- la protección del patrimonio empresarial (art. 18 ET) que sin duda puede verse afectado ante una eventual investigación y sanción penal.

Pero, ¿y fuera del ámbito laboral?, ¿puede o no llevar a cabo la persona jurídica una investigación interna? Efectivamente, no hay habilitación expresa para ello, sin embargo:

- puede considerarse que forma parte del derecho de defensa de la persona jurídica. Así lo entiende NIETO MARTÍN cuando expresa que "constituye parte del derecho de defensa la posibilidad de poder recabar y compilar el material probatorio favorable con el fin de aportarlo o de realizar cuantas actividades se consideren convenientes para preparar mejor la estrategia de defensa"[555].

En este sentido, desde el punto de vista del ejercicio del derecho de defensa, la investigación interna puede tener como objetivos:

- demostrar la existencia o inexistencia del delito.
- que no concurren los criterios de imputación del art. 31 bis 1 CP.
- determinar la eficacia eximente del modelo.

---

[554] ALCÁCER GUIRAO, R.: "Investigaciones...", *op. cit.*, p. 208.

[555] NIETO MARTÍN, A. (2015), "Investigaciones internas", en NIETO MARTÍN, A. (Dir.): *Manual de cumplimiento penal en la empresa*, Valencia, p. 264.

- se deduce de la propia atenuante de colaboración (art. 31 quater b) CP): si la entidad puede ver atenuada su responsabilidad colaborando, resulta evidente que una vía para conseguir el material probatorio será a través de las investigaciones internas.
- si se prevé la obligación de informar al órgano de vigilancia de posibles riesgos e incumplimientos del modelo (art. 31 bis 5. 4º CP), para el esclarecimiento de los hechos denunciados se precisará la apertura de una investigación interna.
- si se prevé el establecimiento de un régimen sancionador interno (art. 31 bis 5. 5º CP), resulta evidente que la sanción no podrá imponerse si no es como consecuencia de una investigación interna que concluya que los hechos son constitutivos de infracción.
- y, en último lugar, podría afirmarse que la realización de investigaciones internas va en la esencia de los programas de cumplimiento penal, pues, su finalidad no sólo es la de prevenir, sino también la de detectar/descubrir hechos delictivos y, para ello, las investigaciones internas son cruciales.

b) fin legítimo.

En este caso, cabría citar: la prevención de delitos, descubrimiento de infracciones, colaboración con la justicia, etc.

c) proporcionalidad:

- juicio de idoneidad de la medida para alcanzar el fin perseguido.
- subsidiariedad: que no existan medidas menos gravosas.
- proporcionalidad en sentido estricto: que implica que el sacrificio de un derecho fundamental no resulte desmedido en relación con la gravedad de los supuestos hechos. En este caso, la existencia de indicios de comisión de delitos justifica que las medidas sean más invasivas que en otro tipo de situaciones.

d) consentimiento del afectado.

No simple comunicación por parte de la persona jurídica.

B) Plano sustantivo (art. 197 CP)

Como los tipos del art. 197.1 CP exigen que el descubrimiento de los secretos o vulneración de la intimidad se produzca sin el consentimiento del titular de tales derechos (*"sin su consentimiento"*), es claro, como sostiene GONZÁLEZ CUSSAC, que la regulación penal incorpora su naturaleza disponible al exigir tal ausencia de autorización[556].

Por tanto, desde el punto de vista penal, los titulares de ambos derechos fundamentales gozan de la capacidad suficiente para renunciar a ellos.

Así, el canon de la expectativa razonable de privacidad, junto con parámetros como el de proporcionalidad y razonabilidad deben ser tenidos en cuenta para la resolución del enjuiciamiento de conductas incardinables en los arts. 197 y ss. CP[557].

C) Plano interno (potestad disciplinaria)

La cuestión que aquí queremos plantear es la relativa a qué sucede cuando las pruebas obtenidas de la investigación interna no se van a aportar en un proceso penal, sino que pretenden utilizarse únicamente para fundar una sanción por incumplimiento de algún aspecto del *compliance*:

- *si se trata de trabajadores*: estamos ante un supuesto similar al de la validez del despido disciplinario, pues, si éste es una manifestación del poder sancionador del empresario, en nada difiere de la sanción impuesta por una contravención del modelo. Así pues, en estos supuestos bastará la mera comunicación por parte de la organización para frustrar la expectativa razonable de privacidad de sus miembros.

---

556 *Cfr.* GONZÁLEZ CUSSAC, J. L.: "La tutela penal del derecho a la intimidad desde el canon de la expectativa razonable de privacidad", en MAQUEDA ABREU, M. L.; MARTÍN LORENZO, M. y VENTURA PÜSCHEL, A. (Coords.): *Derecho penal para un Estado social y democrático de Derecho. Estudios penales en homenaje al profesor Emilio Octavio de Toledo y Ubieto*, Madrid, Servicio de publicaciones de la facultad de Derecho de la Universidad Complutense de Madrid, 2016, p. 649.

557 Ídem.

- *si no se trata de empleados*, piénsese, por ejemplo, en el caso de los partidos políticos (en donde los trabajadores representan una parte ínfima con respecto de toda la organización), o en una ONG (compuesta básicamente por voluntarios, colaboradores, etc.): consideramos que la solución debiera ser la misma que en el caso anterior. Esto es, tendría que ser suficiente con el aviso efectuado por la entidad, sin precisar del consentimiento de los integrantes. En este sentido, entendemos que no se puede ser menos exigente con quien es trabajador de una empresa, que con alguien que no está sujeto a una relación laboral.

3.2.2. Aportación de pruebas obtenidas por particulares con vulneración de derechos fundamentales

La STS (Sala Segunda) 116/2017, de 23 de febrero (Ponente: Manuel Marchena Gómez), conocida como «*Caso Falciani*», instauró una nueva doctrina respecto de la admisión de la aportación al proceso penal, por parte de un particular, de pruebas obtenidas con vulneración de derechos fundamentales[558]. Siendo avalada por la STC 97/2019, de 16 de julio[559].

Las dos exigencias a las que la Sala Penal del Tribunal Supremo alude en el fundamento jurídico sexto de la referida sentencia son, resumidamente, los siguientes:

1) ausencia de voluntad de prefabricar (preconstituir) prueba.

> *"La Sala entiende que la posibilidad de valoración de una fuente de prueba obtenida por un particular con absoluta desconexión de toda actividad estatal y ajena en su origen a la voluntad de prefabricar pruebas, no necesita ser objeto de un enunciado legal que así lo proclame. Su valoración es perfectamente posible a la vista de la propia literalidad del vigente enunciado del art. 11 LOPJ y, sobre todo, en atención a la idea de que, en su origen histórico y en su sistematización jurisprudencial, la regla de*

---

[558] Puede verse un análisis exhaustivo sobre dicho pronunciamiento en MOSQUERA BLANCO, A. J.: "La prueba ilícita tras la sentencia Falciani: Comentario a la STS 116/2017, de 23 de febrero", *InDret*, núm. 3, 2018, pp. 1-34.

[559] Puede encontrarse un breve pero crítico análisis sobre dicho pronunciamiento en ASENCIO MELLADO, J. M.: "La STC 97/2019, de 16 de julio: descanse en paz la prueba ilícita", *Diario La Ley*, núm. 9499, 2019.

exclusión sólo adquiere sentido como elemento de prevención frente a los excesos del Estado en la investigación del delito".

2) desconexión con el ejercicio del *ius puniendi*.

"(...) más allá del fecundo debate dogmático acerca de lo que se ha llamado la eficacia horizontal de los derechos fundamentales, es evidente que la acción vulneradora del agente de la autoridad que personifica el interés del Estado en el castigo de las infracciones criminales nunca puede ser artificialmente equiparada a la acción del particular que, sin vinculación alguna con el ejercicio del ius puniendi, se hace con documentos que más tarde se convierten en fuentes de prueba que llegan a resultar, por una u otra circunstancia, determinante para la formulación del juicio de autoría".

En este sentido, si se entendiese que una investigación interna llevada a cabo en el ámbito corporativo se ajustase a esas dos excepciones, se podrían adoptar medidas que comportasen una injerencia directa en los derechos fundamentales de sus integrantes sin que ello tuviere repercusión en la validez de las pruebas obtenidas y presentadas.

Volviendo a la citada STS (Sala Segunda) 489/2018, de 23 de octubre, ésta aporta en su fundamento jurídico decimocuarto un clarificador resumen relativo a la anterior cuestión que, por su trascendencia, reproducimos a continuación:

"Nos enfrentamos aquí a una ilicitud atribuible no a órganos del Estado, sino a particulares.

Este dato tiene relevancia; mucha si se asume como punto de partida el fundamento preventivo de la teoría de la prueba ilícita.

No hay duda de la eficacia de los derechos fundamentales entre particulares (drittwirkung), aunque no se puede desconocer que su construcción teórica y su fortificación legal y práctica ha surgido y crecido sobre todo en tensión frente a los poderes estatales. Por definición algunos derechos fundamentales solo son oponibles al poder estatal (derecho a no confesarse culpable —con algún matiz—, y en general, derecho a un proceso con todas las garantías). Es verdad que el art. 11.1 LOPJ no introduce distinción alguna en este sentido. La inutilizabilidad de la prueba obtenida con violación de derechos se predica de todos los casos y de todos los procesos, más allá de que el agente infractor sea estatal o un particular. También en el proceso civil (vid. art. 287 LEC) o en el laboral rige la previsión.

Admitido eso, no puede ocultarse que por tradición, por teleología, por ponderación de derechos fundamentales en tensión y por sus finali-

dades, el juego de esa norma, de máxima intensidad cuando la violación proviene de un agente estatal, consiente más modulaciones en el caso de particulares (son frecuentes en el derecho comparado las regulaciones de esta materia que dejan al margen las actuaciones de particulares: U.S.A., Francia, Holanda, México, Bélgica con matices).

Por eso la jurisprudencia reciente ha admitido que en el caso de particulares estamos en un terreno más permeable a excepciones (SSTS 87/2017, de 19 de abril ó 116/2017, de 23 de febrero).

En las relaciones entre particulares, las exigencias de la doctrina de la prueba ilícita son más débiles porque las necesidades de protección y la potencialidad de agresión son en principio menores. Normalmente basta con las sanciones penales o, en su caso, las reacciones desde el ordenamiento privado.

Desde esa óptica, por ejemplo, cuando no se constata en la actuación del particular la finalidad de obtener pruebas para hacerlas valer en un proceso judicial puede eludirse la tajante sanción del art. 11.1 LOPJ en cuanto no está presente la finalidad a que obedece la norma (STS 116/2017, de 23 de febrero).

Pero en otros casos, rige el mandato del art. 11.1 LOPJ"[560].

Llegados a este punto, resulta conveniente traer a colación algunas de las principales apreciaciones vertidas por la STC 97/2019, de 16 de julio, en relación con la STS (Sala Segunda) 116/2017, de 23 de febrero.

Así, el Alto Tribunal señala que: "*desde el punto de vista de la garantía contenida en el art. 24.2 CE, que es el único que atañe a este Tribunal, resulta plenamente compatible con dicho precepto constitucional la interpretación efectuada por el Tribunal Supremo del art. 11.1 LOPJ, según la cual esta disposición legal no se refiere a cualquier violación de derechos fundamentales sino, como corresponde al estricto ámbito procesal en el que despliega su eficacia, a la proscripción de utilizar instrumentalmente medios de investigación que lesionen estas titularidades primordiales. (...) El sentido específico de la garantía del proceso debido incluida en el art. 24.2 CE es, así, el de proteger a los ciudadanos de la violación instrumental de sus derechos fundamentales que ha sido verificada, justamente, para obtener pruebas. Con ello, se protege la integridad del sistema de justicia, la igualdad de las partes y se disuade a los órganos públicos, en parti-*

---

560 La negrita es nuestra.

cular, a la policía, pero también a los propios particulares, de realizar actos contrarios a los derechos fundamentales con fines de obtener una ventaja probatoria en el proceso. Fuera de tales supuestos, esto es, ***cuando no existe una conexión o ligamen entre el acto determinante de la injerencia en el derecho fundamental sustantivo y la obtención de fuentes de prueba, las necesidades de tutela de dicho derecho son ajenas al ámbito procesal y pueden sustanciarse en los procesos penales o civiles*** *directamente tendentes a sancionar, restablecer o resarcir los efectos de la vulneración verificada en aquel"* (FJ, 5)[561].

A mayor abundamiento, la citada sentencia concluye que:

> *"a) Con carácter general, hay que tener presente que el dato de que la vulneración originaria del derecho sustantivo fuera cometida, en el caso que nos ocupa, por un particular no altera en absoluto el canon de constitucionalidad aplicable desde la óptica del derecho a un proceso con todas las garantías (art. 24.2 CE), de suerte que la exclusión de los elementos probatorios obtenidos ha de ser, también en este tipo de supuestos, el punto de partida o regla general, si bien, en cada caso concreto, el órgano judicial puede apreciar, con arreglo a los parámetros que ya han sido expuestos, la ausencia de necesidades de tutela procesal en relación con la vulneración consumada, incorporando, en esos casos excepcionales, los elementos controvertidos al acervo probatorio.*
>
> *b) El primer parámetro del juicio ponderativo se refiere a la "índole y características" de la vulneración originaria del derecho a la intimidad, siendo relevante valorar que, tal y como el Tribunal Supremo explica con profusión de argumentos en su sentencia casacional, estamos ante una intromisión en el derecho a la intimidad que carece de cualquier conexión instrumental, objetiva o subjetiva, con actuaciones investigadoras llevadas a cabo por las autoridades españolas o por alguna parte procesal no pública. Según se declara probado, un informático aprovechó el acceso que, por razones laborales, tenía a datos de clientes del banco HSBC para elaborar sus propios ficheros, cruzando los datos bancarios, hasta realizar perfiles específicos, que pretendía vender a terceros para lucrarse. Desde el punto de vista de la "índole y características de la vulneración" originaria en el derecho fundamental sustantivo, la tutela de la intimidad de los clientes de la entidad bancaria frente a la violación cometida por un empleado de ésta queda plenamente colmada con los procedimientos penales o civiles que puedan desplegarse en el país en el que se ha consumado esa intromisión inter privatos, sin que se observe ninguna conexión instrumental con el proceso penal español que suponga, de acuerdo con el art.*

---

561 La negrita es nuestra.

24.2 CE, una necesidad adicional de tutela jurídica de la intimidad dentro de dicho proceso que deba llevar indefectiblemente a un pronunciamiento de inadmisión dela prueba.

c) A la misma conclusión se llega si se examina, también desde el punto de vista interno, el "resultado" de la violación consumada en el derecho a la intimidad. Puede advertirse que los datos que son utilizados por la hacienda pública española se refieren a aspectos periféricos e inocuos de la llamada "intimidad económica". No se han introducido dentro del proceso penal datos, como podrían ser los concretos movimientos de cuentas, que puedan revelar o que permitan deducir los comportamientos o hábitos de vida del interesado (SSTC 142/1993, de 22 de abril, FJ 7, y 233/2005, de 26 de septiembre, FJ 4). Los datos controvertidos son, exclusivamente, la existencia de la cuenta bancaria y el importe ingresado en la misma. El resultado de la intromisión en la intimidad no es, por tanto, de tal intensidad que exija, por sí mismo, extender las necesidades de tutela del derecho sustantivo al ámbito del proceso penal, habida cuenta que, como ya se ha dicho, éste no tiene conexión instrumental alguna con el acto de injerencia verificado entre particulares" (FJ, 6).

En la ya comentada STS (Sala Segunda) 56/2022, de 24 de enero, el Tribunal entendió que: "*En el caso, como anticipábamos, la vulneración de los derechos a la privacidad e intimidad que se produjo en el acceso indiscriminado y no justificado al contenido de los correos electrónicos de personas empleadas de la empresa Grupo Gestur, justifica su exclusión del cuadro de prueba porque su admisión comprometería gravemente el principio de integridad del proceso. Y ello porque los documentos se obtuvieron con la precisa finalidad de aportarlos al proceso y, algunos de ellos, cuando ya se había iniciado, en sustento de la acción penal dirigida, además, contra algunas de las personas afectadas por la lesión iusfundamental. (...) Se pretendió obtener una ventaja procesal mediante la lesión de derechos fundamentales siendo precisamente esto lo que justifica axiológica y constitucionalmente la activación de la regla de exclusión*" (FJ, 18).

Con todo, a juicio de algunos autores, las investigaciones internas llevadas a cabo por una persona jurídica en el marco de un programa de cumplimiento, no entrarían dentro de los supuestos enumerados en la Sentencia *Falciani*, esto es, no podrían adoptarse medidas que supusieran una injerencia en derechos fundamentales so pena de incurrir en delito y/o invalidez de la prueba.

Así, por ejemplo, respecto de la primera exigencia, como señala COLOMER HERNÁNDEZ, la finalidad que persigue la indagación practicada a instancias del órgano de cumplimiento o del órgano de administración es verificar la existencia de indicios fácticos del delito y hacer acopio del mayor número de evidencias de su comisión que puedan respaldar una: 1) posterior denuncia o querella que interponga la persona jurídica contra la persona física; 2) atenuación de la pena; 3) exoneración al acreditar la elusión fraudulenta de los controles[562]. En consecuencia, sí cabría hablar de voluntad de prefabricar (preconstituir) prueba.

En cuanto a la segunda exigencia, a juicio de COLOMER HERNÁNDEZ, "la actuación investigadora de la persona jurídica en el seno de su organización y estructura puede responder, según las concretas circunstancias, a una finalidad de contribuir, al menos de forma indirecta, a la función estatal de investigación de delitos. Y, por ello, hay que entender que las vulneraciones de derechos fundamentales para la obtención de pruebas que se aporten al proceso penal para el esclarecimiento de hechos y responsabilidades, tampoco cumplen con la segunda de las exigencias requeridas por el Tribunal Supremo para no aplicar la exclusión probatoria del art. 11.1 LOPJ, ya que son actuaciones conectadas indirectamente con la labor investigadora que corresponde al Estado para el esclarecimiento de los delitos"[563].

En sentido similar, según ALCÁCER GUIRAO, partiendo de la base de que el sistema establecido por el art. 31 bis CP tiende a una suerte de privatización de la investigación penal, la persona jurídica asume el rol de "agente colaborador" del poder público, de forma que los hallazgos obtenidos por la persona jurídica perseguirán el fin, directo o indirecto, de ser utilizados como medio de prueba en un eventual procedimiento[564].

---

562 COLOMER HERNÁNDEZ, I.: "Régimen de exclusión probatoria de las evidencias obtenidas en las investigaciones del *compliance officer* para su uso en un proceso penal", *Diario La Ley*, núm. 9080, 2017, p. 13.

563 *Ibid.*, p. 14.

564 ALCÁCER GUIRAO, R.: "Retos del compliance penal: Barculescu, Falcciani y el reforzamiento de las garantías en el proceso penal", en CANCIO MELIÁ, M.; MARAVER GÓMEZ, M.; FAKHOURI GÓMEZ, Y.; GUÉRREZ TRICARICO, P.; RODRÍGUEZ HORCAJO, D. y BASSO, G. J. (Eds.): *Libro Homenaje al Profesor Dr. Agustín Jorge Barreiro. Vol. 1*, Madrid, UAM Ediciones, 2019, p. 43.

Así pues, en relación a la cuestión relativa a las investigaciones internas habidas en el marco de los *compliance programs* cabría advertir que, si bien no siempre el contenido de las mismas tiene por qué "salir a la luz" (esto es, no van a ser utilizadas en sede judicial), lo habitual será aportarlas como prueba bien para descargar de responsabilidad penal a la persona jurídica o para acusar a alguna persona física. Esto es, lo usual (o en la mayoría de ocasiones) tales actuaciones se llevarán a cabo originariamente con la finalidad de hacerlas valer en el proceso penal. Precisamente por ello, la utilización en el proceso penal de información obtenida a raíz de dichas indagaciones corporativas solo podrá ser válida en caso de que habiéndose logrado por particulares no se haya incurrido en una vulneración de derechos fundamentales, especialmente, del secreto a las comunicaciones —y a la intimidad—, entre otros[565]. Constituyendo un escenario distinto al anterior aquel en que se acaben utilizando posteriormente en sede procesal penal informaciones, documentación, etc., obtenida por particulares (al margen de dichas investigaciones internas) aun con vulneración de derechos fundamentales, en cuyo caso no siempre constituirá una muestra de ilicitud probatoria atendiendo a los criterios fijados en la STS (Sala Segunda) 116/2017, de 23 de febrero; y, en la STC 97/2019, de 16 de julio.

En cualquier caso, debemos insistir en que dado el carácter "preventivo" de los programas de cumplimiento y, por ende, de determinado tipo de investigaciones, la "voluntad" de prefabricar pruebas para posteriormente ser utilizadas en un proceso (en descargo de la persona jurídica o para incriminar a sujetos personas físicas) no siempre tiene por qué estar presente *ab initio*. Y, de igual modo, afirmar, por ejemplo, que si la investigación se lleva a cabo para obtener la atenuante de colaboración implica en cierto modo una conexión (aun indirecta) con el ejercicio del ius puniendi, tal apreciación nos resulta un tanto alejada de la realidad.

Ahora bien, que se entendiese que determinada investigación interna sí sirviese a los dos propósitos recogidos en la sentencia Falciani no comportaría, a nuestro modo de ver, como ha señalado algún autor, "un ata-

---

565 *Vid.*, ampliamente, LEÓN ALAPONT, J.: *Compliance Penal...*, *op. cit.*, pp. 223 y ss.

que directo a los fundamentos de la autorregulación penal (*compliance*) en tanto implicaría que sólo las autoridades pueden realizar investigaciones en el seno de la organización"[566]; sino, más bien, que solo se podrían llevar a cabo siempre que se respetasen derechos fundamentales como el secreto de las comunicaciones, a la intimidad, etc.

A las dos excepciones señalas por el TS y el TC algunos autores han añadido otras que encajarían o serían manifestaciones de aquellas. Así, coincidimos con POUCHAIN cuando señala que la exclusión probatoria debería darse también cuando: 1) desde las autoridades (el Estado) se induzca a la realización de investigaciones en el ámbito privado (corporativo); y, 2) las autoridades se mantengan inactivas con el fin de aprovechar posteriormente los resultados de las investigaciones internas para sus propios fines[567].

4. CONCLUSIONES

Respecto de la primera de las cuestiones aquí tratadas, debe advertirse que la inicial reticencia de la Sala de lo Penal del Tribunal Supremo a otorgar carácter disponible (o negociable) al derecho al secreto de las comunicaciones (art. 18.3 CE) se ha visto superada por la más reciente jurisprudencia. Consentimiento a la injerencia en un derecho fundamental que no era así cuestionado en el caso del derecho a la intimidad. De forma que los escenarios posibles que pueden plantearse en este tipo de situaciones serían principalmente los siguientes: a) no afectación a los referidos derechos fundamentales y, en consecuencia, no existencia del delito del art. 197 CP; b) afectación a tales derechos, pero, no surgimiento del delito del art. 197 CP; y, c) injerencia ilegítima en los citados derechos fundamentales y generación de la conducta delictiva del art. 197 CP. Más difícil de concebir resulta aquel escenario en el que no habiendo vulneración del secreto de las

---

566 GIMENO BEVIÁ, J.: "Valor procesal de las fuentes de prueba obtenidas en el marco de las investigaciones internas", en FORTUNY CENDRA, M. (Dir.): *Las investigaciones internas en compliance penal. Factores clave para su eficacia*, Cizur Menor, Thomson Reuters-Aranzadi, 2021, p. 154.

567 POUCHAIN, P.: "Autoincriminación "forzada" en las investigaciones internas. Prohibición probatoria según la imputación al Estado", *InDret*, núm. 4, 2022, pp. 99-100.

comunicaciones y la intimidad se pretendiese sostener la atribución del delito del art. 197 CP.

Y, en cuanto a la aportación de pruebas obtenidas (por un particular) con vulneración de derechos fundamentales, manifestar que, si bien la denominada "doctrina Falciani" ampara (como hemos expuesto) su aportación en el proceso penal bajo determinadas condiciones, la no finalidad de *preconstituir prueba* es un elemento que no siempre será fácil de discernir indiciariamente, esto es, con hechos que revelen de alguna forma tal intención o voluntad. En este sentido, puede resultar difícil de sostener que unas pruebas que finalmente (con posterioridad) acaban siendo utilizadas en un proceso penal no fueron recabadas (por un particular y con vulneración de derechos) con tal fin.

Con todo, la principal crítica que cabe hacer tanto a la sentencia del Tribunal Supremo como a la del Tribunal Constitucional (en el caso Falciani) es otra, sin duda, de mayor calado. Lamentablemente, aunque no podamos ocuparnos de ello con el detenimiento que merece una cuestión de tal importancia, sí que queremos poner de relieve la sorprendente "pacífica" recepción de tal doctrina entre la mayoría de operadores jurídicos. Y es que, no debemos olvidar que lo que se plantea en este supuesto no es otra cosa que un ejemplo clásico de colisión de deberes. En esta ocasión, el conflicto se da entre el deber de guardar reserva o sigilo (así exigido, por ejemplo, a través de una cláusula de confidencialidad, etc.), bajo la amenaza de castigo por un delito de revelación de secretos si se llega a facilitar la información descubierta; y, entre el deber genérico de denunciar delitos o de colaborar con la justicia, bajo el apercibimiento de ser perseguido por un delito (cuanto menos) de desobediencia, u otros como los de encubrimiento o en calidad de cómplice, si no se procede de tal forma. Sin embargo, ambos Tribunales ventilan la cuestión de forma un tanto simple derivando la cuestión únicamente al terreno procesal; cuando, la vulneración de derechos fundamentales cometida por el particular no solo podría tener una consecuencia en el plano de la validez de la prueba sino, naturalmente, también en el de la responsabilidad penal de éste.

Lo mínimo que hubiera cabido esperar de ambos Tribunales es al menos un esbozo de las distintas posibles soluciones que permitiesen resolver tal colisión de deberes. Así, deberían haberse explorado como vías: a) reconducir la cuestión a un estado de necesidad justificante (art. 20.5º CP) en el que el sacrificio de bienes jurídicos como el secreto de las comunicaciones o la intimidad cediese en favor de otros intereses superiores como los que se esconden tras el delito fiscal, el blanqueo de capitales, etc.; o, b) a través de la eximente de obrar en cumplimiento de un deber o en el ejercicio legítimo de un derecho, oficio o cargo (art. 20.7º CP).

Recapitulando, las injerencias en el derecho al secreto de las comunicaciones (y a la intimidad) no siempre tiene por qué ser delictivas (la existencia o no de consentimiento por parte del titular deviene en un elemento esencial); y, además, no siempre tienen porqué suponer una vulneración de la regla contenida en el art. 11 LOPJ (en cuanto a su validez procesal) aun cuando no medie tal consentimiento. En este último caso, como ya se dijo, cabría distinguir entre dos posibles escenarios: 1) aquel en que la prueba es obtenida mediante vulneración de derechos fundamentales, pero, que no resulta ilícita; y, 2) aquel otro en el que la prueba obtenida mediante vulneración de derechos fundamentales deviene ilícita y puede ser invalidada o incluso llegar a contaminar todo el proceso.

ÚLTIMAS REFLEXIONES

Quisiéramos finalizar este trabajo dejando anotadas unas últimas consideraciones que, en el caso que aquí nos ocupa, creemos son más que oportunas.

Dados los términos en los que el vigente Código Penal regula los modelos de organización y gestión, el desarrollo jurisprudencial de todos los extremos que contienen los arts. 31 bis 2 a 5 CP se hace imprescindible. En este sentido, como apunta GALÁN MUÑOZ, el sistema de responsabilidad penal de la persona jurídica no está completamente cerrado ni es perfecto, "si no lo es el previsto para las personas físicas, tras siglos de laborioso y sesudo desarrollo, difícilmente lo iba a poder ser un sistema de tan reciente creación como el «joven» sistema implantado para las referidas entidades colectivas. Aún queda mucho por hacer"[568].

Lo anterior, nos lleva a profundizar en el siguiente aspecto: si será suficiente para despejar las dudas que plantean particularmente los dos ámbitos que aquí han sido tratados (y, en general, todo el sistema de responsabilidad penal de las personas jurídicas y su exención) con dicho desarrollo jurisprudencial o, si habrá que "reglamentar" más su contenido, lo que nos conduce a la pregunta de si en algún momento se debería plantear la posibilidad de dotarse de una ley especial para regular dicho sistema fuera del Código Penal como ya han hecho otros países.

Así pues, aunque algunos se horroricen por el nivel de reglamentación que exhiben los arts. 31 bis 2 a 5 CP, su contenido es, se quiera ver o no, a todas luces insuficiente, con los problemas exegéticos que, naturalmente, ello acarrea. De hecho, esto es lo que criticamos especialmente. De forma que, o habrá que esperar a futuros pronunciamientos judiciales que vayan delimitando cada una de las condiciones

---

[568] GALÁN MUÑOZ, A.: "Acción, tipicidad y culpabilidad penal de la persona jurídica en tiempos del *compliance*: Una propuesta interpretativa", en GÓMEZ COLOMER, J. L. (Dir.): *Tratado sobre Compliance Penal. Responsabilidad Penal de las Personas Jurídicas y Modelos de Organización y Gestión*, Valencia, Tirant lo Blanch, 2019, p. 276.

y requisitos a los que el Código Penal alude, o (lo que sería más deseable) el legislador debería (más pronto que tarde) detallar con mayor nivel de precisión los parámetros que éste fija en la actualidad.

Particularmente, ello sería especialmente útil en el caso de los canales de denuncia y las investigaciones internas, pues, como se ha podido comprobar, son muchos los interrogantes, aspectos controvertidos y problemas los que se suscitan en torno a estos dos elementos. Precisamente, con la presente obra hemos tratado de contribuir a reducir ese déficit regulatorio, facilitando (en la medida de nuestras posibilidades) las herramientas exegéticas (teórico-prácticas) necesarias para su aplicación.

Por último, destacar que, en relación con la trasposición de la Directiva (UE) 2019/1937, nos enfrentamos a un reto jurídico de primer nivel. Y, justamente, como hemos tenido ocasión de analizar en este trabajo, el Proyecto de Ley reguladora de la protección de las personas que informen sobre infracciones normativas y de lucha contra la corrupción, presenta numerosas deficiencias y abre la puerta a discusiones técnico-jurídicas ciertamente complejas y delicadas. El legislador español debiera aprovechar la oportunidad para corregir las múltiples carencias, contradicciones o controversias que presenta la Directiva europea, pero, sin embargo, por lo apuntado en este texto, parece que se va justo en la dirección contraria; esto es, la de aportar más incertidumbre e inseguridad jurídica. Confiamos, pues, en que muchos de los aspectos aquí criticados sean subsanados durante la tramitación parlamentaria.

Y, es que, una normativa tan sumamente difícil de articular por las múltiples implicaciones que tiene (aspectos laborales, penales, de protección de datos, etc.) no puede ser introducida de forma tan alegre en un sistema jurídico como el nuestro sin valorar detenidamente todas las consecuencias (negativas) que ello puede tener, por muy loable que sea el fin perseguido.

En cualquier caso, lo que queda fuera de toda duda es que este firme impulso de los canales de denuncia (sobre todo corporativos), y paralelamente de las investigaciones internas, no viene sino a confirmar y afianzar la decidida apuesta que desde la introducción de la responsabilidad penal de las personas jurídicas y de los compliance se viene haciendo por la denominada “autorregulación”. Y, esto no es otra cosa que una privatización (encubierta) del poder punitivo del Estado; o, si se prefiere, una renuncia (o abandono) al ejercicio de la tutela penal por parte de éste (por más que responda a fines loables como tratar de reducir la tasa de litigiosidad y así descongestionar los juzgados). El tiempo nos permitirá ver (o no) las bondades de estos sistemas, si la alianza empresa-Estado en la prevención y castigo de delitos da sus frutos; o si, por el contrario, todo esto no es más que un pasaporte directo a la impunidad. Pero, como aquél...siempre nos quedará la desconfianza de los incrédulos: de quienes recurrirán a instituciones independientes (como la Autoridad) o a los "auténticos" medios de denuncia (ante la policía, fiscalía, o jueces).

BIBLIOGRAFÍA CITADA

ABEL SOUTO, M.: "Antinomias de la reforma penal de 2015 sobre programas de prevención que eximen o atenúan la responsabilidad criminal de las personas jurídicas", en MATALLÍN EVANGELIO, Á. (Dir.): *Compliance y prevención de delitos de corrupción*, Valencia, Tirant lo Blanch, 2018, pp. 13-27.

ABEL SOUTO, M.: "Algunas discordancias legislativas sobre la responsabilidad criminal de las personas jurídicas en el código penal español", *Revista General de Derecho Penal*, núm. 35, 2021, pp. 1-62.

AGUDO FERNÁNDEZ, E.; JAÉN VALLEJO, M. y PERRINO PÉREZ, Á.L.: *Derecho penal de las personas jurídicas*, Madrid, Dykinson, 2016.

AGUILAR FERNÁNDEZ, C. y LIÑÁN LAFUENTE, A.: "El secreto profesional del abogado y su aplicación al asesoramiento penal preventivo del «*compliance officer*»", en GÓMEZ-JARA DÍEZ, C. (Coord.): *Persuadir y Razonar: Estudios Jurídicos en Homenaje a José Manuel Maza Martín. Tomo II*, Cizur Menor, Thomson Reuters-Aranzadi, 2018, pp. 787-811.

AGUILERA GORDILLO, R.: *Compliance Penal en España. Régimen de Responsabilidad Penal de las Personas Jurídicas. Fundamentación Analítica de Base Estratégica. Lógica Predictiva y Requisitos del Compliance Program Penal*, Cizur Menor, Thomson Reuters-Aranzadi, 2018.

AGUILERA GORDILLO, R.: *Manual de Compliance Penal en España*, Cizur Menor, Thomson Reuters-Aranzadi, 2022.

ALCÁCER GUIRAO, R.: "Investigaciones internas", en AYALA GÓMEZ, I. y ORTIZ DE URBINA GIMENO, I. (Coords.): *Penal económico y de la empresa*, Madrid, Francis Lefebvre, 2016, pp. 206-216.

ALCÁCER GUIRAO, R.: "Retos del compliance penal: Barculescu, Falcciani y el reforzamiento de las garantías en el proceso penal", en CANCIO MELIÁ, M.; MARAVER GÓMEZ, M.; FAKHOURI GÓMEZ, Y.; GUÉRREZ TRICARICO, P.; RODRÍGUEZ HORCAJO, D. y BASSO, G. J. (Eds.): *Libro Homenaje al Profesor Dr. Agustín Jorge Barreiro. Vol. 1*, Madrid, 2019, pp. 33-46.

ALIAGA RODRÍGUEZ, R.: "La «denuncia anónima» en la lucha contra la corrupción. Especial referencia a la Ley 2/2021, de 18 de junio, de lucha contra el fraude y la corrupción en Andalucía y protección de la persona denunciante", *Diario La Ley*, núm. 9900, 2021.

ALIAGA RODRÍGUEZ, R.: "La denuncia anónima como instrumento de transparencia y protección de los denunciantes", *Revista Española de la Transparencia*, núm. 14, 2022, pp. 57-78.

ARÁNGUEZ SÁNCHEZ, C.: "El diseño de programas de prevención de delitos para personas jurídicas", *Revista Electrónica de Ciencia Penal y Criminología*, 2020, núm. 22-20, pp. 1-26.

ARANGÜENA FANEGO, C.: "El derecho al silencio, a no declarar contra uno mismo y a no confesarse culpable de la persona jurídica y el régimen de compliance", en GÓMEZ COLOMER, J. L. (Dir.): *Tratado sobre Compliance*

Penal. Responsabilidad Penal de las Personas Jurídicas y Modelos de Organización y Gestión, Valencia, Tirant lo Blanch, 2019, pp. 439-472.

ARTAZA VARELA, O.: *La empresa como sujeto de imputación de responsabilidad penal. Fundamentos y límites*, Madrid, Marcial Pons, 2013.

ASENCIO MELLADO, J. M.: "La STC 97/2019, de 16 de julio: descanse en paz la prueba ilícita", *Diario La Ley*, 2019, núm. 9499.

AYALA DE LA TORRE, J. M.: *Compliance*, Madrid, Francis Lefebvre, 2016.

AYALA DE LA TORRE, J. M.: *Compliance (2ª edición)*, Madrid, Francis Lefebvre, 2018.

AYALA GONZÁLEZ, A.: "Investigaciones internas: ¿zanahorias legislativas y palos jurisprudenciales?", *InDret*, núm. 2, 2020, pp. 270-303.

BACHMAIER WINTER, L.: "Responsabilidad penal de las personas jurídicas: definición y elementos de un programa de *compliance*", *Diario La Ley*, núm. 7938, 2012, pp. 1-11.

BACHMAIER WINTER, L.: "Whistleblowing europeo y compliance: La Directiva EU de 2019 relativa a la protección de personas que reporten infracciones del Derecho de la Unión", *Diario La Ley*, núm. 9539, 2019, pp. 1-10.

BACIGALUPO SAGESSE, S.: "El modelo de imputación de la responsabilidad penal de los entes colectivos", en ZUGALDÍA ESPINAR, J. M. y MARÍN DE ESPINOSA CEBALLOS, E. B. (Coords.): *Aspectos prácticos de la responsabilidad criminal de las personas jurídicas*, Cizur Menor, Thomson Reuters-Aranzadi, 2013, pp. 67-102.

BACIGALUPO SAGESSE, S.: "Artículo 31 bis, ter, quater, quinquies", en GÓMEZ TOMILLO, M. (Dir.): *Comentarios prácticos al Código penal. Tomo I*, Cizur Menor, Thomson Reuters-Aranzadi, 2015, pp. 469-479.

BACIGALUPO ZAPATER, E.: *Compliance y Derecho Penal*, Cizur Menor, Thomson Reuters-Aranzadi, 2011.

BAJO ALBARRACÍN, J. C.: *Sistemas de gestión compliance. Guía práctica para el compliance officers*, Madrid, Centro de Estudios Financieros, 2017.

BAJO ALBARRACÍN, J. C.: *Auditoría de sistemas de gestión. Compliance*, Cizur Menor, Thomson Reuters-Aranzadi, 2017.

BAJO FERNÁNDEZ, M.: "Vigencia de la RPPJ en el derecho sancionador español", en BAJO FERNÁNDEZ, M.; FEIJÓO SÁNCHEZ, B. y GÓMEZ-JARA DÍEZ, C.: *Tratado de responsabilidad penal de las personas jurídicas*, Cizur Menor, Thomson Reuters-Aranzadi, 2016, pp. 25-54.

BALLESTEROS SÁNCHEZ, J: "Pautas y recomendaciones técnico-jurídicas para la configuración de un canal de denuncias eficaz en organizaciones públicas y privadas. La perspectiva española", *Derecho PUCP*, núm. 85, 2020 diciembre-mayo, pp. 41-78.

BANACLOCHE PALAO, J.: "Dilemas de la defensa, principio de oportunidad y responsabilidad penal de las personas jurídicas", en AA. VV: *Responsabilidad penal de las personas jurídicas. Homenaje al Excmo. Sr. D. José Manuel Maza Martín*, Madrid, Fiscalía General del Estado, 2018, pp. 13-40.

BARBER BURUSCO, S.: "La protección del alertador y los derechos de las "personas afectadas" en el ámbito penal", en OLAIZOLA NOGALES, I.; SIE-

RRA HERNAIZ, E. y LÓPEZ LÓPEZ, H. (Dirs.): *Análisis de la Directiva UE 2019/1937, Whistleblower desde las perspectivas penal, procesal laboral y administrativo-financiera*, Cizur Menor, Thomson Reuters-Aranzadi, 2021, pp. 53-80.

BAUCELLS LLADÓS, J.: "La responsabilidad penal de los partidos como personas jurídicas", en GARCÍA ARÁN, M. y BOTELLA, J. (Dirs.): *Responsabilidad jurídica y política de los partidos políticos*, Valencia, Tirant lo Blanch, 2018, pp. 281-308.

BENITO SÁNCHEZ, D.: "El whistleblowing ante los medios de comunicación como manifestación del derecho a la libertad de expresión", en RODRÍGUEZ-GARCÍA, N.; GONZÁLEZ CASTELL, A. C. y LETURIA INFANTE, F. J. (Dirs.): *Justicia penal pública y medios de comunicación*, Valencia Tirant lo Blanch, 2018, pp. 379-403.

BLANCO CORDERO, I.: *El delito de blanqueo de capitales*, Cizur Menor, Thomson Reuters-Aranzadi, 2015.

BOLDOVA PASAMAR, M. Á.: "La introducción de la responsabilidad penal de las personas jurídicas en la legislación española", *Estudios Penales y Criminológicos*, vol. 33, 2013, pp. 219-263.

BOLDOVA PASAMAR, M. Á.: "La responsabilidad penal de las personas jurídicas", en ROMEO CASABONA, C. M.; SOLA RECHE, E. y BOLDOVA PASAMAR, M. Á. (Coords.): *Derecho penal. Parte general*, Granada, Comares, 2016, pp. 349-370.

BOLDOVA PASAMAR, M. Á.: "Naturaleza jurídica de los programas de cumplimiento", *Revista General de Derecho Penal*, núm. 37, 2022, pp. 1-41.

BONATTI BONET, F.: "Claves para introducirse en la certificación de sistemas de gestión de compliance penal", en FRAGO AMADA, J. A.: *Actualidad Compliance 2018*, Cizur Menor, Thomson Reuters-Aranzadi, 2018, pp. 143-156.

BORJA JIMÉNEZ, E.: "Reglas generales de aplicación de las penas (arts. 66, 66 bis, 70 y 71)", en GONZÁLEZ CUSSAC, J. L. (Dir.): *Comentarios a la Reforma del Código Penal de 2015 (2ª edición)*, Valencia, Tirant lo Blanch, 2015, pp. 271-287.

BRIME GONZÁLEZ, J.: "Sistema disciplinario", en AA.VV: *Guía de implementación de compliance para pymes*, Madrid, World Compliance Association, 2019, pp. 119-124.

BROSETA PONT, M. y MARTÍNEZ SANZ, F.: *Manual de Derecho Mercantil. Volumen I*, Madrid, Tecnos, 2018.

CAMACHO VIZCAÍNO, A. y URÍA PRADO, Á.: "Los programas de prevención de delitos del artículo 31 bis del Código Penal", en CAMACHO VIZCAÍNO, A. (Dir.): *Tratado de Derecho Penal Económico*, Valencia, Tirant lo Blanch, 2019, pp. 577-599.

CARBONELL MATEU, J. C.: "Responsabilidad penal de las personas jurídicas: reflexiones en torno a su *dogmática* y al sistema de la reforma de 2010", *Cuadernos de Política Criminal*, núm. 101, 2010, pp. 5-33.

CARBONELL MATEU, J. C. y MORALES PRATS, F.: "Responsabilidad penal de las personas jurídicas", en ÁLVAREZ GARCÍA, F. J y GONZÁLEZ CUS-

SAC, J. L. (Coords.): *Comentarios a la reforma penal de 2010*, Valencia, Tirant lo Blanch, 2010, pp. 56-86.

CARO CORIA, D. C.: "Imputación objetiva y compliance penal", *Revista General de Derecho Penal*, núm. 30, 2018, pp. 1-30.

CARPIO BRIZ, D.: "La olvidada relevancia de la seguridad privada en los sistemas de compliance penal", *Revista de Derecho y Proceso Penal*, núm. 52, 2018, pp. 125-139.

CASANOVAS YSLA, A.: "La norma UNE 19601 y los requisitos del Código Penal", en GÓMEZ-JARA DÍEZ, C. (Coord.): *Persuadir y Razonar: Estudios Jurídicos en Homenaje a José Manuel Maza Martín. Tomo II*, Cizur Menor, Thomson Reuters-Aranzadi, 2018, pp. 887-916.

CASANOVAS YSLA, A.: *Guía práctica para la gestión de la denuncia de irregularidades según la Norma ISO 37002:2021. Edición que incluye la Norma UNE-ISO 37002:2021*, Madrid, AENOR, 2022.

CASTILLEJO MANZANARES, R.: "Los principios probatorios y el *compliance*", en GÓMEZ COLOMER, J. L. (Dir.): *Tratado sobre Compliance Penal. Responsabilidad Penal de las Personas Jurídicas y Modelos de Organización y Gestión*, Valencia, Tirant lo Blanch, 2019, pp. 583-607.

CERVELLÓ DONDERIS, V.: "Consecuencias accesorias", en BOIX REIG, J. (Dir.): *Diccionario de Derecho penal económico*, Madrid, Iustel, 2017, pp. 182-198.

CIGÜELA SOLA, J.: "*Compliance* más allá de la ciencia penal", *InDret*, núm. 4, 2019, pp. 1-36.

COBO DEL ROSAL, M. y VIVES ANTÓN, T. S.: *Derecho penal. Parte general*, Valencia, Tirant lo Blanch, 1999.

COCA VILA, I.: "Los modelos de prevención de delitos como eximente de la responsabilidad «penal» empresarial en el ordenamiento jurídico español", en COCA VILA, I.; URIBE MANRÍQUEZ, A. R.; ATAHUAMAN PAUCAR, J. y REYNA ALFARO, L. (Coords.): *Compliance y responsabilidad penal de las personas jurídicas*, Ciudad de México, Flores, 2017, pp. 125-147.

COLOMER HERNÁNDEZ, I.: "Régimen de exclusión probatoria de las evidencias obtenidas en las investigaciones del *compliance officer* para su uso en un proceso penal", *Diario La Ley*, núm. 9080, 2017, pp. 1-24.

CORTÉS BECHIARELLI, E.: "Límites a la extinción de la responsabilidad penal de la persona jurídica", en JUANES PECES, Á. (Dir.): *Responsabilidad penal y procesal de las personas jurídicas*, Madrid, Francis Lefebvre, 2015, pp. 173-175.

CORTÉS BECHIARELLI, E.: "Causas de la atenuación de la responsabilidad penal de las personas jurídicas; artículos 31 ter y quater CP", en JUANES PECES, Á. (Dir.): *Responsabilidad penal y procesal de las personas jurídicas*, Madrid, Francis Lefebvre, 2015, pp. 103-112.

DE LA CUESTA ARZAMENDI, J. L.: "Responsabilidad penal de las personas jurídicas en el Derecho español", en DE LA CUESTA ARZAMENDI, J. L. (Dir.): *Responsabilidad penal de las personas jurídicas*, Cizur Menor, Thomson Reuters-Aranzadi, 2013, pp. 49-102.

DE LA MATA BARRANCO, N. J.: "La exclusión de la responsabilidad penal de las personas jurídicas. Protocolos de prevención de delitos", en JUANES PECES, Á. (Dir.): *Responsabilidad penal y procesal de las personas jurídicas*, Madrid, Francis Lefebvre, 2015, pp. 87-101.

DE LA MATA BARRANCO, N. J.: "Responsable de cumplimiento", en JUANES PECES, Á. (Dir.): *Compliance Penal*, Madrid, Francis Lefebvre, 2017, pp. 73-91.

DE LA MATA BARRANCO, N. J.: "El órgano de cumplimiento en la exención de responsabilidad penal de las personas jurídicas: indefiniciones y precisiones", en MATALLÍN EVANGELIO, Á. (Dir.): *Compliance y prevención de delitos de corrupción*, Valencia, Tirant lo Blanch, 2018, pp. 457-469.

DE LA MATA BARRANCO, N. J.; BILBAO LORENTE, M. y ALGORTA BORDA, M.: "La atribución de responsabilidad penal de las personas jurídicas y su exención: instrumentos de prevención en el seno corporativo", *La Ley Penal*, núm. 87, 2011, pp. 1-19.

DEL MORAL GARCÍA, A.: "Responsabilidad Penal de Personas Jurídicas: notas con ocasión de la reforma de 2015", *Revista del Ministerio Fiscal*, núm. 0, 2015, pp. 215-252.

DEL MORAL GARCÍA, A.: "Eficacia de los programas de cumplimiento", en JUANES PECES, Á. (Dir.): *Compliance Penal*, Madrid, Francis Lefebvre, 2017, pp. 275-287.

DEL MORAL GARCÍA, A.: "Responsabilidad penal de partidos políticos", en AA.VV.: *La responsabilidad penal de las personas jurídicas*, Madrid, Fiscalía General del Estado, 2018, pp. 299-318.

DEL MORAL GARCÍA, A.: "Cuestiones Generales", en CAMACHO VIZCAÍNO, A. (Dir.): *Tratado de Derecho Penal Económico*, Valencia, Tirant lo Blanch, 2019, pp. 513-576.

DEL MORAL GARCÍA, A.: "*Compliance* en la doctrina de la Sala Segunda del Tribunal Supremo: Presente y perspectivas", en GÓMEZ COLOMER, J. L. (Dir.): *Tratado sobre Compliance Penal. Responsabilidad Penal de las Personas Jurídicas y Modelos de Organización y Gestión*, Valencia, Tirant lo Blanch, 2019, pp. 675-704.

DEL MORAL GARCÍA, A.: "Peculiaridades del juicio oral con personas jurídicas acusadas", en DEL MORAL GARCÍA, A.: "Peculiaridades del juicio oral con personas jurídicas acusadas", en ESCOBAR JIMÉNEZ, R. y DEL MORAL GARCÍA, A. (Coords.): *El juicio oral en el proceso penal: especial referencia al procedimiento abreviado*, 3ª edición, Granada, Comares, 2021, pp. 921-937.

DEL ROSAL BLASCO, B.: "Responsabilidad penal de las personas jurídicas: títulos de imputación y requisitos para la exención", en MORILLAS CUEVA, L. (Dir.): *Estudios sobre el Código Penal reformado*, Madrid, Dykinson, 2015, pp. 81-125.

DÍAZ ALDAO, M. y HERNÁNDEZ PÉREZ, E.: "Las investigaciones internas del modelo de prevención penal", en GÓMEZ-JARA DÍEZ, C. (Coord.): *Persuadir y Razonar: Estudios Jurídicos en Homenaje a José Manuel Maza Martín. Tomo II*, Cizur Menor, Thomson Reuters-Aranzadi, 2018, pp. 989-1015.

DÍAZ GÓMEZ, A.: "El modelo de responsabilidad criminal de las personas jurídicas tras la LO 5/2010", *Revista Electrónica de Ciencia Penal y Criminología*, núm. 13-08, 2011, pp. 1-28.

DÍEZ RIPOLLÉS, J. L.: "La responsabilidad penal de las personas jurídicas. Regulación española", *InDret*, núm. 1, 2012, pp. 1-33.

DÍEZ RIPOLLÉS, J. L.: *Derecho penal español. Parte general*, Valencia, Tirant lo Blanch, 2016.

DOPICO GÓMEZ-ALLER, J.: "Imputación de responsabilidad penal a la persona jurídica", en MOLINA FERNÁNDEZ, F. (Coord.): *Penal 2017*, Madrid, Francis Lefebvre, 2016, pp. 363-377.

DOPICO GÓMEZ-ALLER, J.: "Determinación de las penas aplicables a las personas jurídicas", en MOLINA FERNÁNDEZ, F. (Coord.): *Penal 2017*, Madrid, Francis Lefebvre, 2016, pp. 621-626.

DOPICO GÓMEZ-ALLER, J.: "La responsabilidad penal de las personas jurídicas", en DE LA MATA BARRANCO, N. J.; DOPICO GÓMEZ-ALLER, J.; LASCURAÍN SÁNCHEZ, J. A. y NIETO MARTÍN, A.: *Derecho penal económico y de la empresa*, Madrid, Dykinson, 2018, pp. 129-168.

DOPICO GÓMEZ-ALLER, J.: "Presupuestos básicos de la responsabilidad penal del "compiance officer" tras la reforma penal de 2015", en FRAGO AMADA, J. A. (Dir.): *Actualidad Compliance 2018*, Cizur Menor, Thomson Reuters-Aranzadi, 2018, p. 215-232.

ETXEBERRIA BEREZIARTUA, E.: "Aspectos básicos de los planes «compliance»", *Diario La Ley*, núm. 9192, 2018, pp. 1-14.

ETXEBERRIA BEREZIARTUA, E.: "«Whistleblowing» o canales de denuncia: La garganta profunda de las empresas", *Diario La Ley*, núm. 9342, 2019, pp. 1-16.

FARALDO CABANA, P.: "Las penas", en JUANES PECES, Á. (Dir.): *Responsabilidad penal y procesal de las personas jurídicas*, Madrid, Francis Lefebvre, 2015, pp. 113-163.

FARALDO CABANA, P: "Medidas para contener la culpabilidad en los delitos imputables a las empresas", en JUANES PECES, Á. (Dir.): *Compliance Penal*, Madrid, Francis Lefebvre, 2017, pp. 121-149.

FARALDO CABANA, P.: "Los *compliance programs* y la atenuación de la responsabilidad penal", en GÓMEZ COLOMER, J. L. (Dir.): *Tratado sobre Compliance Penal. Responsabilidad Penal de las Personas Jurídicas y Modelos de Organización y Gestión*, Valencia, Tirant lo Blanch, 2019, pp. 157-180.

FEIJÓO SÁNCHEZ, B.: "La responsabilidad penal de las personas jurídicas", en DÍAZ-MAROTO Y VILLAREJO, J.: (Dir.): *Estudios sobre las reformas del Código Penal (operadas las LO 5/2010, de 22 de junio, y 3/2011, de 28 de enero)*, Cizur Menor, Thomson Reuters-Aranzadi, 2011, pp. 65-142.

FEIJÓO SÁNCHEZ, B.: "Fortalezas, debilidades y perspectivas de la responsabilidad penal de las sociedades mercantiles", en ONTIVEROS ALONSO, M. (Coord.): *Responsabilidad penal de las personas jurídicas*, Valencia, Tirant lo Blanch, 2014, pp. 135-176.

FEIJÓO SÁNCHEZ, B.: "Las características básicas de la responsabilidad penal de las personas jurídicas en el Código Penal español", en BAJO FERNÁNDEZ, M.; FEIJÓO SÁNCHEZ, B. y GÓMEZ-JARA DÍEZ, C.: *Tratado de responsabilidad penal de las personas jurídicas*, Cizur Menor, Thomson Reuters-Aranzadi, 2016, pp. 67-73.

FEIJÓO SÁNCHEZ, B.: "Los requisitos del art. 31 bis 1", en BAJO FERNÁNDEZ, M.; FEIJÓO SÁNCHEZ, B. y GÓMEZ-JARA DÍEZ, C.: *Tratado de responsabilidad penal de las personas jurídicas*, Cizur Menor, Thomson Reuters-Aranzadi, 2016, pp. 75-88.

FEIJÓO SÁNCHEZ, B.: "La extinción de la responsabilidad penal de las personas jurídicas", en BAJO FERNÁNDEZ, M.; FEIJÓO SÁNCHEZ, B. y GÓMEZ-JARA DÍEZ, C.: *Tratado de responsabilidad penal de las personas jurídicas*, Cizur Menor, Thomson Reuters-Aranzadi, 2016, pp. 297-300.

FEIJÓO SÁNCHEZ, B.: *El delito corporativo en el Código Penal español*, Cizur Menor, Thomson Reuters-Aranzadi, 2016.

FEIJÓO SÁNCHEZ, B.: "Réplica a Javier Cigüela. A la vez algunas consideraciones sobre las últimas novedades en materia de responsabilidad penal de las personas jurídicas: Circular de la Fiscalía General del Estado 1/2016 y Sentencias del Tribunal Supremo 154/2016, de 29 de febrero y 221/2016, de 16 de marzo", *InDret*, núm. 2, 2016, pp. 1-39.

FERNÁNDEZ HERNÁNDEZ, A.: "Los programas penales de organización y gestión (compliance) y su prueba", en GONZÁLEZ CUSSAC, J. L. (Dir.) y LEÓN ALAPONT, J. (Coord.): *Estudios Jurídicos en Memoria de la Profesora Doctora Elena Górriz Royo*, Valencia, Tirant lo Blanch, 2020, pp. 313-334.

FERNÁNDEZ TERUELO, J.: "Regulación vigente: exigencias legales que permiten la atribución de responsabilidad penal a la persona jurídica y estructura de imputación (CP art. 31 bis 1, 2 inciso 1° y 5°), en JUANES PECES, Á. (Dir.): *Responsabilidad penal y procesal de las personas jurídicas*, Madrid, Francis Lefebvre, 2015, pp. 59-85.

FERNÁNDEZ TERUELO, J. G.: "Responsabilidad penal de las personas jurídicas: el contenido de las obligaciones de supervisión, organización, vigilancia y control referidas en el art. 31 bis 1. b) del Código Penal español", *Revista Electrónica de Ciencia Penal y Criminología*, núm. 21-03, 2019, pp. 1-25.

FERNÁNDEZ TERUELO, J. G.: "El control de la responsabilidad penal de la persona jurídica a través de los modelos de cumplimiento: Las condiciones legales establecidas en el art. 31 bis 2 y ss. CP", en GÓMEZ COLOMER, J. L. (Dir.): *Tratado sobre Compliance Penal. Responsabilidad Penal de las Personas Jurídicas y Modelos de Organización y Gestión*, Valencia, Tirant lo Blanch, 2019, pp. 181-210.

FERNÁNDEZ TERUELO, J. G.: "Requisitos de configuración de los programas de prevención de delitos (art. 31 bis CP y Norma UNE 19601)", en FRAGO AMADA, J. A. (Dir.): *Actualidad Compliance 2019*, Cizur Menor, Thomson Reuters-Aranzadi, 2019, pp. 185-203.

FERNÁNDEZ TERUELO, J. G.: *Parámetros interpretativos del modelo español de responsabilidad penal de las personas jurídicas y su prevención a través de un modelo de organización o gestión (compliance)*, Cizur Menor, Thomson Reuters-Aranzadi, 2020

FERRÉ OLIVÉ, J. C.: "Reflexiones en torno al *compliance* penal y a la ética en la empresa", *Revista Penal*, núm. 44, 2019, pp. 61-80.

FORTUNY CENDRA. M.: "Las investigaciones internas en el marco de un modelo de prevención de delitos", en FORTUNY CENDRA, M. (Dir.): *Las investigaciones internas en compliance penal. Factores clave para su eficacia*, Cizur Menor, Thomson Reuters Aranzadi, 2022, pp. 21-60.

FRAGO AMADA, J. A.: "Seguridad privada, detectives, investigaciones internas y compliance", *En ocasiones veo reos*, 27 de junio de 2017. Disponible en: https://enocasionesveoreos.blogspot.com/2017/06/seguridad-privada-detectives.html

FRAGO AMADA, J. A.: "El paper compliance, su detección y el tratamiento procesal del mismo", en FRAGO AMADA, J. A.: *Actualidad Compliance 2018*, Cizur Menor, Thomson Reuters-Aranzadi, 2018, pp. 317-329.

GALÁN MUÑOZ, A.: *Fundamentos y límites de la responsabilidad penal de las personas jurídicas tras la reforma de la LO 1/2015*, Valencia, Tirant lo Blanch, 2017.

GALÁN MUÑOZ, A.: "Acción, tipicidad y culpabilidad penal de la persona jurídica en tiempos del *compliance*: Una propuesta interpretativa", en GÓMEZ COLOMER, J. L. (Dir.): *Tratado sobre Compliance Penal. Responsabilidad Penal de las Personas Jurídicas y Modelos de Organización y Gestión*, Valencia, Tirant lo Blanch, 2019, pp. 243-276.

GALÁN MUÑOZ, A.: "Whistleblowing anónimo y compliance penal tras la aprobación de la Ley Orgánica 3/2018, de Protección de Datos personales y de garabtía de los derechos digitales: una decisión político-criminal a revisar", en COLOMER HERNÁNDEZ, I. (Dir.): Uso y cesión de evidencias y datos personales entre procesos y procedimientos sancionadores o tributarios, Cizur Menor, Thomson Reuters-Aranzadi, 2019, pp. 239-261.

GALÁN MUÑOZ, A.: "¿Cultura o estructura? ¿esa es la cuestión? La difícil convivencia y coordinación de los dos sistemas de tratamiento penal de las personas jurídicas en el ordenamiento español", *Revista General de Derecho Penal*, núm. 35, 2021, pp. 1-33.

GALLARDO ROSADO, M.: *Los derechos a permanecer en silencio y a no declarar contra sí mismo. Perspectivas actuales de interpretación*, Valencia, Tirant lo Blanch, 2022.

GALLEGO SOLER, J. I.: "*Criminal compliance* y proceso penal: reflexiones iniciales", en MIR PUIG, S.; CORCOY BIDASOLO, M. y GÓMEZ MARTÍN, V. (Dirs.): *Responsabilidad de la empresa y compliance. Programas de prevención, detección y reacción penal*, Montevideo-Buenos Aires, B de F, 2013, pp. 195-229.

GALLEGO SOLER, J. I.: "Investigaciones internas corporativas: de la práctica a la teoría", en GÓMEZ MARTÍN, V.; BOLEA BARDÓN, C.; GALLEGO SOLER, J. I.; HORTAL IBARRA, J. C. y JOSHI JUBERT, U. (Dirs.): *Un modelo integral de Derecho penal. Libro homenaje a la profesora Mirentxu Corcoy Bidasolo*, Madrid, Boletín Oficial del Estado, 2022, pp. 1151-1165.

GARCÍA ALBERO, R.: "La medición del riesgo penal corporativo: principales problemas", en MORALES PRATS, F.; TAMARIT SUMALLA, J. M. y GARCÍA ALBERO, R. (Coords.): *Represión Penal y Estado de Derecho. Homenaje al Profesor Gonzalo Quintero Olivares*, Cizur Menor, Thomson Reuters-Aranzadi, 2018, pp. 549-564.

GARCÍA ARÁN, M.: "Artículo 31 bis", en CÓRDOBA RODA, J. y GARCÍA ARÁN, M. (Dirs.): *Comentarios al Código Penal. Parte General*, Madrid, Marcial Pons, 2011, pp. 385-415.

GARCÍA-PANASCO MORALES, G.: "El sistema vicarial y la carga de la prueba sobre los programas de compliance en la responsabilidad penal de las personas jurídicas: hacia la superación de un desencuentro", *Diario La Ley*, núm. 9227, 2018, pp. 1-7.

GARCÍA MORENO, B.: "Whistleblowing y canales institucionales de denuncia", en NIETO MARTÍN, A. (Dir.): *Manual de cumplimiento penal en la empresa*, Valencia, Tirant lo Blanch, 2015, pp. 205-230.

GARCÍA MORENO, B.: *Del whistleblower al alertador. La regulación europea de los canales de denuncia*, Valencia, Tirant lo Blanch, 2020.

GASCÓN INCHAUSTI, F.: *Proceso penal y persona jurídica*, Madrid, Marcial Pons, 2012.

GIMENO BEVIÁ, J.: *Compliance y proceso penal. El proceso penal de las personas jurídicas*, Cizur Menor, Thomson Reuters-Aranzadi, 2016.

GIMENO BEVIÁ, J.: "De falciani a birkenfeld: la evolución del delator en un cazarrecompensas. Aspectos procesales e incidencia frente a las personas jurídicas (whistleblower vs bounty hunter)", *Diario La Ley*, núm. 9139, 2018.

GIMENO BEVIÁ. J.: "Whistleblowing y proceso penal: una lectura desde las garantías procesales", en OLAIZOLA NOGALES, I.; SIERRA HERNAIZ, E. y LÓPEZ LÓPEZ, H. (Dirs.): *Análisis de la Directiva UE 2019/1937, Whistleblower desde las perspectivas penal, procesal laboral y administrativo-financiera*, Cizur Menor, Thomson Reuters-Aranzadi, 2021, pp. 161-178.

GIMENO BEVIÁ, J.: "Valor procesal de las fuentes de prueba obtenidas en el marco de las investigaciones internas", en Fortuny Cendra, M. (Dir.): *Las investigaciones internas en compliance penal. Factores clave para su eficacia*, Cizur Menor, Thomson Reuters-AranzadI, 2021, pp. 139-159.

GIMENO SENDRA, V.: *Manual de Derecho Procesal Penal*, Madrid, Ediciones Jurídicas Castillo de Luna, 2018.

GOENA VIVES, B.: *Responsabilidad penal y atenuantes en la persona jurídica*, Madrid, Marcial Pons, 2017.

GOENA VIVES, B.: "El secreto profesional del abogado *in-house* en la encrucijada: tendencias y retos en la era del *compliance*", *Revista Electrónica de Ciencia Penal y Criminología*, núm. 21-19, 2019, pp. 1-26.

GOENA VIVES, B.: "Responsabilidad penal de las personas jurídicas y nemo tenetur: análisis desde el fundamento material de la sanción corporativa", *Revista Electrónica de Ciencia Penal y Criminología*, 2021, núm. 23-22, pp. 1-52.

GÓMEZ COLOMER, J. L.: "El enjuiciamiento criminal de una persona jurídica en España: particularidades sobre sus derechos fundamentales y la necesaria reinterpretación de algunos principios procesales, a la vista de esta importante novedad legislativa", *Revista de Derecho y proceso penal*, núm. 27, 2012, pp. 199-226.

GÓMEZ-JARA DÍEZ, C.: *Fundamentos modernos de la responsabilidad penal de las personas jurídicas*, Montevideo-Buenos Aires, B d F, 2010.

GÓMEZ-JARA DÍEZ, C.: "El sistema de imputación de responsabilidad penal de las personas jurídicas", en BANACLOCHE PALAO, J.; ZARZALEJOS NIETO, J. y GÓMEZ-JARA DÍEZ, C.: *Responsabilidad penal de las personas jurídicas. Aspectos sustantivos y procesales*, La Ley-Wolters Kluwer, Las Rozas, 2011, pp. 65-86.

GÓMEZ-JARA DÍEZ, C.: "Fundamentos de la responsabilidad penal de las personas jurídicas", en BAJO FERNÁNDEZ, M.; FEIJÓO SÁNCHEZ, B. y GÓMEZ-JARA DÍEZ, C.: *Tratado de responsabilidad penal de las personas jurídicas*, Cizur Menor, Thomson Reuters-Aranzadi, 2016, pp. 89-119.

GÓMEZ-JARA DÍEZ, C.: "El injusto típico de la persona jurídica (tipicidad)", en BAJO FERNÁNDEZ, M.; FEIJÓO SÁNCHEZ, B. y GÓMEZ-JARA DÍEZ, C.: *Tratado de responsabilidad penal de las personas jurídicas*, Cizur Menor, Thomson Reuters-Aranzadi, 2016, pp. 121-141.

GÓMEZ-JARA DÍEZ, C.: "La culpabilidad de la persona jurídica", en BAJO FERNÁNDEZ, M.; FEIJÓO SÁNCHEZ, B. y GÓMEZ-JARA DÍEZ, C.: *Tratado de responsabilidad penal de las personas jurídicas*, Cizur Menor, Thomson Reuters-Aranzadi, 2016, pp. 143-219.

GÓMEZ-JARA DÍEZ, C.: *El Tribunal Supremo ante la Responsabilidad Penal de las Personas Jurídicas. El inicio de una larga andadura*, Cizur Menor, Thomson Reuters-Aranzadi, 2017.

GÓMEZ MARTÍN, V.: "Artículo 31 bis", en CORCOY BIDASOLO, M. y MIR PUIG, S. (Dirs.): *Comentarios al Código Penal. Reforma LO 1/2015 y LO 2/2015*, Valencia, Tirant lo Blanch, 2015, pp. 176-185.

GÓMEZ MARTÍN, V.: "Artículo 31 ter", en CORCOY BIDASOLO, M. y MIR PUIG, S. (Dirs.): *Comentarios al Código Penal. Reforma LO 1/2015 y LO 2/2015*, Valencia, Tirant lo Blanch, 2015, pp. 185-187.

GÓMEZ MARTÍN, V.: *La prescripción del delito*, Montevideo-Buenos Aires, B d F, 2016.

GÓMEZ RIVERO, C.: "La responsabilidad penal de las personas jurídicas", en GÓMEZ RIVERO, C. (Dir.): *Nociones Fundamentales de Derecho Penal. Parte General*, Madrid, Tecnos, 2015, pp. 365-378.

GÓMEZ TOMILLO, M.: "Imputación objetiva y culpabilidad en el Derecho penal de las personas jurídicas. Especial referencia al sistema español", *Revista Jurídica de Castilla y León*, núm. 25, 2011, pp. 43-84.

GÓMEZ TOMILLO, M.: *Introducción a la responsabilidad penal de las personas jurídicas*, Cizur Menor, Thomson Reuters-Aranzadi, 2015.

GÓMEZ TOMILLO, M.: *Compliance penal y política legislativa. El deber personal y empresarial de evitar la comisión de ilícitos en el seno de las personas jurídicas*, Valencia, Tirant lo Blanch, 2016.

GÓMEZ TOMILLO, M.: "Presunción de inocencia, carga de la prueba de la idoneidad de los «compliance programs» y cultura de cumplimiento", en FRAGO AMADA, J. A.: *Actualidad Compliance 2018*, Cizur Menor, Thomson Reuters-Aranzadi, 2018, pp. 201-214.

GONZÁLEZ CANO, I.: "La prueba sobre la infracción de los deberes de supervisión, vigilancia y control. Especial consideración de los programas de cumplimiento penal", en GÓMEZ COLOMER, J. L. (Dir.): *Tratado sobre Compliance Penal. Responsabilidad Penal de las Personas Jurídicas y Modelos de Organización y Gestión*, Valencia, Tirant lo Blanch, 2019, pp. 861-893.

GONZÁLEZ CUSSAC, J. L.: "El modelo español de responsabilidad penal de las personas jurídicas", en GÓMEZ COLOMER, J. L.; BARONA VILAR, S. y CALDERÓN CUADRADO, P. (Coords.): *El Derecho Procesal español del siglo XX a golpe de tango,* Valencia, Tirant lo Blanch, 2012, pp. 1033-1049.

GONZÁLEZ CUSSAC, J. L.: "Responsabilidad penal de las personas jurídicas: arts. 31 bis, ter, quáter y quinquies", en GONZÁLEZ CUSSAC, J. L. (Dir.): *Comentarios a la Reforma del Código Penal de 2015 (2ª edición)*, Valencia, Tirant lo Blanch, 2015, pp. 151-210.

GONZÁLEZ CUSSAC, J. L.: "La tutela penal del derecho a la intimidad desde el canon de la expectativa razonable de privacidad", en MAQUEDA ABREU, M. L.; MARTÍN LORENZO, M. y VENTURA PÜSCHEL, A. (Coords.): *Derecho penal para un Estado social y democrático de Derecho. Estudios penales en homenaje al profesor Emilio Octavio de Toledo y Ubieto*, Madrid, Servicio de publicaciones de la facultad de Derecho de la Universidad Complutense de Madrid, 2016, pp. 641-652.

GONZÁLEZ CUSSAC, J. L.: "El plano constitucional en la responsabilidad penal de las personas jurídicas", en MORALES PRATS, F; TAMARIT SUMALLA, J. M. y GARCÍA ALBERO, R. (Coords.): *Represión Penal y Estado de Derecho. Homenaje al Profesor Gonzalo Quintero Olivares*, Cizur Menor, Thomson Reuters-Aranzadi, 2018, pp. 565-576.

GONZÁLEZ CUSSAC, J. L.: "¿Sobre qué han de decidir los jueces penales?", en *Tratamiento penal de la persona jurídica*, Curso de Formación Continua de Fiscales (código FCO280VC), Centro de Estudios Jurídicos, Madrid, 24 a 26 de septiembre de 2018, pp. 1-44.

GONZÁLEZ CUSSAC, J. L.: "Responsabilidad penal de las personas jurídicas y delito de blanqueo de dinero", en ABEL SOUTO, M. y SÁNCHEZ STEWART, N. (Coords.): *V Congreso sobre prevención y represión del blanqueo de dinero*, Valencia, Tirant lo Blanch, 2018, pp. 345-349.

GONZÁLEZ CUSSAC, J. L.: "El plano técnico-jurídico en la responsabilidad penal de las personas jurídicas", en CANCIO MELIÁ, M.; MARAVER GÓMEZ, M.; FAKHOURI GÓMEZ, Y.; GUÉRREZ TRICARICO, P.; RODRÍGUEZ HORCAJO, D. y BASSO, G. J. (Eds.): *Libro Homenaje al Profesor Dr. Agustín Jorge Barreiro*, Madrid, UAM Ediciones, 2019, pp. 473-483

GONZÁLEZ CUSSAC, J. L.: "La eficacia eximente de los programas de prevención de delitos", *Estudios Penales y Criminológicos*, vol. XXXIX, 2019, pp. 593-654.

GONZÁLEZ CUSSAC, J. L.: "Condiciones y requisitos para la eficacia eximente o atenuante de los programas de prevención de delitos", en GÓMEZ COLOMER, J. L. (Dir.): *Tratado sobre Compliance Penal. Responsabilidad Penal de las Personas Jurídicas y Modelos de Organización y Gestión*, Valencia, Tirant lo Blanch, 2019, pp. 317-345.

GONZÁLEZ CUSSAC, J. L.: "La eficacia atenuante de los programas de prevención de delitos", en AA. VV (Dirs.): *Libro Homenaje al Profesor Diego-Manuel Luzón Peña*, Madrid, Reus, 2020, pp. 687-700.

GONZÁLEZ CUSSAC, J. L.: *Responsabilidad Penal de las Personas Jurídicas y Programas de Cumplimiento*, Valencia, Tirant lo Blanch, 2020.

GONZÁLEZ LÓPEZ, J. J.: "Imputación de personas jurídicas y derecho a la no colaboración activa", *Revista Jurídica de Castilla y León*, núm. 40, 2016, pp. 35-66.

GONZÁLEZ-CUELLAR SERRANO, N. y JUANES PECES, A.: "La responsabilidad de las personas jurídicas y su enjuiciamiento en la reforma de 2010. Medidas a adoptar antes de su entrada en vigor", *Diario La Ley*, núm. 7501, 2010, pp. 1-11.

GONZÁLEZ SIERRA, P.: *La imputación penal de las personas jurídicas*, Valencia, Tirant lo Blanch, 2014.

GOÑI SEIN, J. L.: "Criminalidad de empresa, mecanismos de denuncia o *whistleblowing* y protección de datos", en AA.VV: *Derecho de la empresa y protección de datos*, Cizur Menor, Thomson Reuters-Aranzadi, 2008, pp. 21-65.

GOÑI SEIN, J. L.: "Sistemas de denuncia interna de irregularidades («whistleblowing»)", en GOÑI SEIN, J. L. (Dir.): Ética empresarial y códigos de conducta, Las Rozas, La Ley-Wolters Kluwer, 2011, pp. 319-355.

GOÑI SEIN, J. L.: "Programas de cumplimiento empresarial (*compliance programs*): aspectos laborales", en MIR PUIG, S.; CORCOY BIDASOLO, M. y GÓMEZ MARTÍN, V.: *Responsabilidad de la empresa y compliance. Programas de prevención, detección y reacción penal*, Montevideo-Buenos Aires, B de F, 2013, p. 401.

GÓRRIZ ROYO, E.: "Criminal compliance ambiental y responsabilidad de las personas jurídicas a la luz de la LO 1/2015, de 30 de marzo", *InDret*, núm. 4, 2019, pp. 1-66.

GUARDIOLA LAGO, M. J.: *Responsabilidad penal de las personas jurídicas y alcance del art. 129 del Código Penal*, Valencia, Tirant lo Blanch, 2004.

GUISASOLA LERMA, C.: "Delitos contra bienes culturales: especial consideración a los programas de cumplimiento penal (*criminal compliance programs*) en el sector del mercado del arte", *Cuadernos de Política Criminal*, núm. 130, 2020, pp. 7-45.

GUTIÉRREZ MUÑOZ, C.: *El estatuto de la responsabilidad penal de las personas jurídicas: aspectos de Derecho material*, Tesis, Barcelona, Universidad Autónoma, 2016.

GUTIÉRREZ PÉREZ, E.: "Los *compliance programs* como eximente o atenuante de la responsabilidad penal de las personas jurídicas. La «eficacia e idoneidad» como principios rectores tras la reforma de 2015", *Revista General de Derecho Penal*, núm. 24, 2015, pp. 1-24.

GUTIÉRREZ PÉREZ, E.: "La figura del *compliance officer*. Algunas notas sobre su responsabilidad penal", *Diario La Ley*, núm. 8653, 2015, pp. 1-15.

HERMOSÍN ÁLVAREZ, M.: "Los derechos de defensa y el deber de colaboración con la administración tributaria", *Estudios de Deusto*, núm. 66-2, 2018, pp. 219-248.

HERNÁNDEZ DÍAZ, L.: "El nuevo artículo 31 bis del Código Penal: exigencias legales (explícitas e implícitas) que permiten la atribución de responsabilidad penal a la persona jurídica", en DE LA CUESTA ARZAMENDI, J. L. (Dir.): *Responsabilidad Penal de las Personas Jurídicas*, Cizur Menor, Thomson Reuters-Aranzadi, 2013, pp. 103-125.

INSINGA, L. G. y PISANI, P.: "La responsabilità civile del costruttore del modello e dei componenti dell'organismo di vigilanza quale *enforcement* a sostegno dell'operatività del sistema previsto dal d.lgs. 231/2001", *Rivista 231*, núm. 2, 2016, pp. 273-283.

JAÉN VALLEJO, M.: "Características del sistema de responsabilidad penal de las personas jurídicas", en ZUGALDÍA ESPINAR, J. M. y MARÍN DE ESPINOSA CEBALLOS, E. B. (Coords.): *Aspectos prácticos de la responsabilidad criminal de las personas jurídicas*, Cizur Menor, Thomson Reuters-Aranzadi, 2010, pp. 103-121.

JIMENO BULNES, M.: "La responsabilidad penal de las personas jurídicas y los modelos de compliance: un supuesto de anticipación probatoria", *Revista General de Derecho Penal*, núm. 32, 2019, pp. 1-67.

JULIÀ-PIJOAN, M.: "Un porqué a la observancia de las garantías procesales en las investigaciones internas", *Revista vasca de derecho procesal y arbitraje*, vol. 33, núm. 3, 2021, pp. 317-353.

LAFONT NICUESA, L.: "La participación del detective privado en la investigación interna de delitos corporativos", *Diario La Ley*, núm. 10024, 2022, pp. 1-11.

LASCURAÍN SÁNCHEZ, J. A.: "*Compliance,* debido control y unos refrescos", en ARROYO ZAPATERO, L. y NIETO MARTÍN, A. (Dirs.): *El derecho penal económico en la era compliance*, Valencia, Tirant lo Blanch, 2013, pp. 111-135.

LASCURAÍN SÁNCHEZ, J. A.: "La delegación como mecanismo de prevención y de generación de deberes penales", en NIETO MARTÍN, A. (Dir.): *Manual de cumplimiento penal en la empresa*, Valencia, Tirant lo Blanch, 2015, pp. 165-185.

LASCURAÍN SÁNCHEZ, J. A.: "¿Cuánto hay que probar el incumplimiento?, *Almacén de Derecho*, 14 de febrero de 2020. Disponible en: https://almacendederecho.org/cuanto-hay-que-probar-el-incumplimiento

LEÓN ALAPONT, J.: "La responsabilidad penal de los partidos políticos en España: ¿disfuncionalidad normativa?", *Revista General de Derecho Penal*, núm. 27, 2017, pp. 1-42.

LEÓN ALAPONT, J.: "¿A qué «partido político» imputar y eventualmente condenar?", *Revista Penal*, núm. 40, 2017, pp. 146-167.

LEÓN ALAPONT, J.: "Partidos políticos y responsabilidad penal de las personas jurídicas: consideraciones en torno a su régimen jurídico y los *compliances programs*", en MATALLÍN EVANGELIO, Á. (Dir.), *Compliance y prevención de delitos de corrupción*, Valencia, Tirant lo Blanch, 2018, pp. 153-191.

LEÓN ALAPONT, J.: *La responsabilidad penal de los partidos políticos*, Valencia, Tirant lo Blanch, 2019.

LEÓN ALAPONT, J.: "*Criminal compliance*: análisis de los arts. 31 bis 2 a 5 y 31 quater CP", *Revista General de Derecho Penal*, núm. 31, 2019, pp. 1-36.

LEÓN ALAPONT, J.: "Retos jurídicos en el marco de las investigaciones internas corporativas: a propósito de los *compliances*", *Revista Electrónica de Ciencia Penal y Criminología*, núm. 22-04, 2020, pp. 1-34.

LEÓN ALAPONT, J.: "Los programas de cumplimiento penal como objeto de prueba", *Revista General de Derecho Procesal*, núm. 51, 2020, pp. 1-38.

LEÓN ALAPONT, J.: *Compliance Penal. Especial referencia a los partidos políticos*, Valencia, Tirant lo Blanch, 2020.

LEÓN ALAPONT, J.: "La atenuación de responsabilidad penal de las personas jurídicas a través de los modelos de organización y gestión", en SIMÓN CASTELLANO, P. y ABADÍAS SELMA, A. (Coords.): *Cuestiones penales a debate*, Barcelona, JM Bosch Editor, 2021, pp. 63-95.

LEÓN ALAPONT, J.: "Prisión preventiva, secreto sumarial e información y acceso a los elementos esenciales de las actuaciones: análisis de la jurisprudencia del Tribunal Constitucional español", *Revista Penal México*, núm. 20, 2022, pp. 91-116.

LEÓN ALAPONT, J.: "Canales de denuncia, *compliance* y *whistleblowing* en tiempos de pandemia", en LEÓN ALAPONT, J. (Dir.): *El Derecho penal frente a las crisis sanitarias*, Valencia, Tirant lo Blanch, 2022, pp. 265-319.

LEÓN ALAPONT, J.: "Los canales de denuncia y la protección del informante en las entidades del sector privado: a propósito de la trasposición de la Directiva (UE) 2019/1937, de 23 de octubre", *Revista de Derecho Penal y Criminología*, núm. 28, 2022, pp. 153-214.

LIÑÁN LAFUENTE, A.: *La responsabilidad penal del Compliance Officer*, Cizur Menor, Thomson Reuters-Aranzadi, 2019.

LLEDÓ BENITO, I.: *Corporate compliance: la prevención de riesgos penales y delitos en las organizaciones penalmente responsables*, Madrid, Dykinson, 2018.

LÓPEZ RODRÍGUEZ, Ó.: "Gestión del riesgo de *Compliance* y su control", en PUYOL MONTERO, J. (Dir.): *Guía para la implantación del Compliance en la empresa*, Madrid, Wolters Kluwer, 2017, pp. 235-253.

MAGRO SERVET, V.: *Guía práctica sobre responsabilidad penal de empresas y planes de prevención (compliance)*, Las Rozas, La Ley-Wolters Kluwer, 2017.

MAGRO SERVET, V.: "Hacia la creación del registro de expertos en programas de compliance", *Diario La Ley*, núm. 9362, 2019, pp. 1-8.

MAGRO SERVET, V.: "Viabilidad de la pericial de compliance para validar la suficiencia del programa de cumplimiento normativo por las personas jurídicas", *Diario La Ley*, núm. 9337, 2019, pp. 1-8.

MAGRO SERVET, V.: "¿Por qué es recomendable un canal de denuncias interno en la empresa?" *Diario La Ley*, n. 9586, 2020, pp. 1-9.

MANDRÍ ZARATE, J.: "El código ético de conducta", en PUYOL MONTERO, J. (Dir.): Guía para la implantación del Compliance en la empresa, Madrid, Wolters Kluwer, pp. 269-278.

MAROTO CALATAYUD, M.: *La financiación ilegal de los partidos políticos: un análisis político-criminal*, Madrid, Marcial Pons, 2015.

MARTIN POLVORINOS, C: "Las investigaciones internas corporativas desde la perspectiva de la investigación privada", Madrid, World Compliance Association, Biblioteca compliance 02, 2021.

MARTÍN RÍOS, M. P.: "Cuestiones procesales en torno al perdón del ofendido: estado de la cuestión tras la LO 15/2003 y la LO 5/2010", *Revista de Derecho y Proceso Penal*, núm. 24, 2010, pp. 31-44.

MARTÍNEZ-BUJÁN PÉREZ, C.: *Derecho penal económico y de la empresa. Parte general*, Valencia, Tirant lo Blanch, 2016.

MARTÍNEZ PUERTAS, L. y PUJOL CAPILLA, P.: *Guía para prevenir la responsabilidad penal de la empresa*, Cizur Menor, Thomson Reuters-Aranzadi, 2015.

MARTÍNEZ SALDAÑA, D. (Coord.): *La protección del Whistleblower*, Valencia, Tirant lo Blanch, 2020.

MATALLÍN EVANGELIO, A.: "Mecanismos de prevención de futuras zoonosis: la responsabilidad penal de las personas jurídicas en los delitos contra la biodiversidad", en CUERDA ARNAU (Dir.) y PERIAGO MORANT (Coord.): *De animales y normas. Protección animal y derecho sancionador*, Valencia, Tirant lo Blanch, 2021, pp. 258-309.

MATALLÍN EVANGELIO, Á.: "Mapas delictivos, delitos contra la biodiversidad y responsabilidad penal de las personas jurídicas: una reforma necesaria del Código Penal", *Revista de Derecho Penal y Criminología*, núm. 28, 2022, pp. 381-429.

MATUS ACUÑA, J. P.: "La certificación de los programas de cumplimiento", en ARROYO ZAPATERO, L. y NIETO MARTÍN, A. (Dirs.): *El derecho penal económico en la era compliance*, Valencia, Tirant lo Blanch, 2013, pp. 145-154.

MAZA MARTÍN, J. M.: *Delincuencia electoral y responsabilidad penal de los partidos políticos*, Las Rozas, La Ley-Wolters Kluwer, 2018.

MELENDO PARDOS, M. y NÚÑEZ FERNÁNDEZ, J.: "Lección 38. Personas jurídicas y responsabilidad penal", en GIL GIL, A.; LACRUZ LÓPEZ, J. M.; MELENDO PARDOS, M. y NÚÑEZ FERNÁNDEZ, J.: *Curso de Derecho Penal. Parte General*, Madrid, Dykinson, 2015, pp. 1085-1111.

MIR PUIG, S.: *Derecho Penal. Parte general (9ª edición a cargo de Víctor Gómez Martín)*, Barcelona, Reppertor, 2011.

MORALES HERNÁNDEZ, M. A.: "Los criterios jurisprudenciales para exigir responsabilidad penal a las personas jurídicas en el delito corporativo", *Revista de Derecho Penal y Criminología*, núm. 19, 2018, pp. 327-368.

MORALES PRATS, F.: "La responsabilidad penal de las personas jurídicas (arts. 31 bis., 31.2 supresión, 33.7, 66 bis., 129, 130.2 CP)", en QUINTERO OLIVARES, G. (Dir.): *La reforma penal de 2010: análisis y comentarios*, Cizur Menor, Thomson Reuters-Aranzadi, 2010, pp. 45-69.

MORENO CATENA, V.: "El desarrollo del juicio oral", en MORENO CATENA, V. y CORTÉS DOMÍNGUEZ, V.: *Derecho Procesal Penal*, Valencia, Tirant lo Blanch, 2019, pp. 419-448.

MORILLAS CUEVA, L.: "La cuestión de la responsabilidad penal de las personas jurídicas", *Anales de Derecho*, núm. 29, 2011, pp. 1-33.

MOSQUERA BLANCO, A. J.: "La prueba ilícita tras la sentencia Falciani: Comentario a la STS 116/2017, de 23 de febrero", *InDret*, núm. 3, 2018, pp. 1-34.

MUÑOZ CONDE, F. y GARCÍA ARÁN, M.: *Derecho penal. Parte general*, Valencia, Tirant lo Blanch, 2015.

MUÑOZ CUESTA, J. y RUIZ DE ERENCHUN ARTECHE, E.: *Cuestiones prácticas sobre la reforma penal de 2015*, Cizur Menor, Thomson Reuters-Aranzadi, 2015.

NAVARRO CARDOSO, F.: "La responsabilidad penal de las personas jurídicas. Especial referencia a la situación en Brasil" en COUTO DE BRITO, A. (Coord.), *Direito penal e cidadania: parâmetros para um Código penal responsável*, São Paulo, Universidade Presbiteriana Mackenzie, 2019, pp. 47-66.

NAVARRO CARDOSO, F.: "*Blockchain, Smart Contract y Compliance*: Anotaciones para el Derecho Penal y Procesal de la persona jurídica", en DEMETRIO CRESPO, E. (Dir.): *Derecho penal y Comportamiento Humano. Avances desde la Neurociencia y la Inteligencia Artificial*, Valencia, Tirant lo Blanch, 2022, pp. 673-698.

NEIRA PENA, A. M.: *La instrucción de los procesos penales frente a las personas jurídicas*, Valencia, Tirant lo Blanch, 2017.

NEIRA PENA, A.M.: "La prueba en el proceso penal frente a las personas jurídicas", en PÉREZ-CRUZ MARTÍN, A. J.: *Proceso penal y responsabilidad penal de personas jurídicas*, Cizur Menor, Thomson Reuters-Aranzadi, 2017, pp. 267-291.

NEIRA PENA, A. M.: *La defensa penal de la persona jurídica. Representante defensivo, rebeldía, conformidad y compliance como objeto de prueba*, Cizur Menor, Thomson Reuters-Aranzadi, 2018.

NIETO MARTÍN, A.: "La responsabilidad penal de las personas jurídicas tras la reforma de 2010", *Revista Xuridica Galega*", núm. 63, 2009, pp. 47-70.

NIETO MARTÍN, A.: "Problemas fundamentales del cumplimiento normativo", en KUHLEN, L., MONTIEL, J. P., ORTIZ DE URBINA GIMENO, I. (Eds.): *Compliance y teoría del Derecho penal*, Madrid, Marcial Pons, 2013, pp. 21-50.

NIETO MARTÍN, A.: "Introducción", en ARROYO ZAPATERO, L. y NIETO MARTÍN, A. (Dirs.): *El derecho penal económico en la era compliance*, Valencia, Tirant lo Blanch, 2013, pp. 11-29.

NIETO MARTÍN, A.: "Investigaciones internas, whistleblowing y cooperación: la lucha por la información en el proceso penal", *Diario La Ley*, núm. 8120, 2013, pp. 1-8.

NIETO MARTÍN, A.: "El artículo 31 bis del Código Penal y las reformas sin estreno", *Diario La Ley*, núm. 8248, 2014, pp. 1-8.

NIETO MARTÍN, A.: "Código ético, evaluación de riesgos y formación", en NIETO MARTÍN, A. (Dir.): *Manual de cumplimiento penal en la empresa*, Valencia, Tirant lo Blanch, 2015, pp. 135-163.

NIETO MARTÍN, A.: "La institucionalización del sistema de cumplimiento", en NIETO MARTÍN, A. (Dir.): *Manual de cumplimiento penal en la empresa*, Valencia, Tirant lo Blanch, 2015, pp. 187-204.

NIETO MARTÍN, A.: "Investigaciones internas", en NIETO MARTÍN, A. (Dir.): *Manual de cumplimiento penal en la empresa*, Valencia, Tirant lo Blanch, 2015, pp. 231-270.

NIEVA FENOLL, J.: "Investigaciones internas de la persona Jurídica: derechos fundamentales y valor probatorio", *Jueces para la Democracia*, núm. 86, 2016, pp. 80-91.

OLAIZOLA NOGALES, I.; SIERRA HERNAIZ, E. y LÓPEZ LÓPEZ, H. (Dirs.): *Análisis de la Directiva UE 2019/1937, Whistleblower desde las perspectivas penal, procesal laboral y administrativo-financiera*, Cizur Menor, Thomson Reuters-Aranzadi, 2021.

ONTIVEROS ALONSO, M.: "Manual básico para la elaboración de un *criminal compliance program*", Ciudad de México, Tirant lo Blanch, 2018.

ORTIZ DE URBINA GIMENO, I.: "Responsabilidad penal de las personas jurídicas y programas de cumplimiento empresarial («compliance programs»)", en GOÑI SEIN, J. L. (Dir.): Ética empresarial y códigos de conducta, Las Rozas, La Ley-Wolters Kluwer, 2011, pp. 95-135.

ORTIZ DE URBINA GIMENO, I.: "Responsabilidad penal de las personas jurídicas. Cuestiones materiales", en AYALA GÓMEZ, I. y ORTIZ DE URBINA GIMENO, I. (Coords.): *Penal económico y de la empresa 2016-2017*, Madrid, Francis Lefebvre, 2016, pp. 165-200.

ORTIZ DE URBINA GIMENO, I.: "Cultura de cumplimiento y exención de responsabilidad de las personas jurídicas", *Revista Internacional Transparencia e Integridad*, núm. 6, 2018, pp. 1-7.

ORTIZ PRADILLO, J. C.: *Los delatores en el proceso penal. Recompensas, anonimato, protección y otras medidas para incentivar una colaboración eficaz con la justicia*, Madrid, Wolters Kluwer-La Ley, 2018.

ORTS BERENGUER, E. y GONZÁLEZ CUSSAC, J. L.: *Compendio de Derecho Penal. Parte General*, Valencia, Tirant lo Blanch, 2019.

PALMA HERRERA, J. M.: "El papel de los *compliance* en un modelo vicarial de responsabilidad penal de la persona jurídica", en PALMA HERRERA, J.M.

(Dir.): *Procedimientos operativos estandarizados y responsabilidad penal de las personas jurídicas*, Madrid, Dykinson, 2014, pp. 157-231.

PALMA HERRERA, J. M.: "Presupuestos jurídico-penales de la responsabilidad penal de los entes corporativos y del sistema de «compliances»", en PALMA HERRERA, J. M. y AGUILERA GORDILLO, R.: *Compliances y responsabilidad penal corporativa*, Cizur Menor, Thomson Reuters-Aranzadi, 2017, pp. 15-73.

PEÑARANDA EZPONDABURU, A.: "Límites y riesgos de las investigaciones internas en la reciente jurisprudencia del Tribunal Supremo", *La Ley Penal*, núm. 155, 2022, pp. 1-22.

PÉREZ ARIAS, J.: *Sistema de atribución de responsabilidad penal a las personas jurídicas*, Madrid, Dykinson, 2014.

PÉREZ GIL, J.: "Carga de la prueba y sistemas de gestión de compliance", en GÓMEZ COLOMER, J. L. (Dir.): *Tratado sobre Compliance Penal. Responsabilidad Penal de las Personas Jurídicas y Modelos de Organización y Gestión*, Valencia, Tirant lo Blanch, 2019, pp. 1061-1089.

PÉREZ MACHÍO, A. I.: *La responsabilidad penal de las personas jurídicas en el Código Penal español. A propósito de los programas de cumplimiento normativo como instrumentos idóneos para un sistema de justicia penal preventiva*, Granada, Comares, 2017.

PLANCHADELL GARGALLO, A.: "Compliance y prueba. Otra vuelta de tuerca a los principios de la prueba", en BARONA VILAR, S. (Ed.): *Justicia poliédrica en periodo de mudanza*, Valencia, Tirant lo Blanch, 2022, pp. 173-191.

POLAINO NAVARRETE, M.: *Lecciones de Derecho Penal. Parte General*, Madrid, Tecnos, 2016.

PONCELA GARCÍA, J. A.: "La responsabilidad penal de las personas jurídicas", en GOENAGA OLAIZOLA, R. *et al.*: *La reforma del Código Penal a debate*, Bilbao, Publicaciones de la Universidad de Deusto, 2016, pp. 99-140.

POUCHAIN, P.: "Autoincriminación "forzada" en las investigaciones internas. Prohibición probatoria según la imputación al Estado", *InDret*, núm. 4, 2022, pp. 80-111.

PUYOL MONTERO, J.: *Criterios prácticos para la elaboración de un código de compliance*, Valencia, Tirant lo Blanch, 2016.

PUYOL MONTERO, J.: "El mantenimiento constante del modelo de *Compliance* y su actualización periódica", en PUYOL MONTERO, J. (Dir.): *Guía para la implantación del Compliance en la empresa*, Madrid, Wolters Kluwer, 2017, pp. 279-284.

PUYOL MONTERO, J.: *El funcionamiento práctico del canal de compliance "whistleblowing"*, Valencia, Tirant lo Blanch, 2017.

QUINTERO OLIVARES, G.: "La nueva regulación de la prescripción del delito", en ÁLVAREZ GARCÍA, F. J y GONZÁLEZ CUSSAC, J. L. (Coords.): *Comentarios a la reforma penal de 2010*, Valencia, Tirant lo Blanch, 2010, pp. 169-180.

QUINTERO OLIVARES, G.: "La reforma del régimen de responsabilidad penal de las personas jurídicas", en QUINTERO OLIVARES, G. (Dir.): *Comentario a la reforma penal de 2015*, Cizur Menor, Thomson Reuters-Aranzadi, 2015, pp. 77-91.

QUINTERO OLIVARES, G.: "Art. 31 bis; art. 31 ter; art. 31 quater; y, art. 31 quinquies", en QUINTERO OLIVARES, G. (Dir.): *Comentarios al Código Penal español. Tomo I*, Cizur Menor, Thomson Reuters-Aranzadi, 2016, pp. 375-411.

RAGUÉS I VALLÉS, R.: *Whistleblowing. Una aproximación desde el Derecho penal,* Madrid, Marcial Pons, 2013.

RAGUÉS I VALLÉS, R.: "El fomento de las denuncias como instrumento de política criminal contra la criminalidad corporativa: *whistleblowing* interno vs. *Whistleblowing* externo", en MIR PUIG, S.; CORCOY BIDASOLO, M. y GÓMEZ MARTÍN, V.: *Responsabilidad de la empresa y compliance. Programas de prevención, detección y reacción penal*, Montevideo-Buenos Aires, B de F, 2013, pp. 459-486.

RAGUÉS I VALLÉS, R.: "Denuncias de los trabajadores («whistleblowing»)", en AYALA GÓMEZ, I. y ORTIZ DE URBINA GIMENO, I. (Coords.): *Penal económico y de la empresa*, Madrid, Francis Lefebvre, 2016, pp. 200-206.

RAGUÉS I VALLÈS, R.: *La actuación en beneficio de la persona jurídica como presupuesto para su responsabilidad penal*, Madrid, Marcial Pons, 2017.

RAGUÉS I VALLÈS, R.: "Prescripción y responsabilidad penal de las personas jurídicas", en SUAREZ LÓPEZ, J.M.; BARQUÍN SANZ, J.; BENÍTEZ ORTÚZAR, I. F.; JIMÉNEZ DÍAZ, M. J. y SAINZ-CANTERO CAPARRÓS, J. E. (Dirs.): *Estudios penales y criminológicos. En homenaje al Prof. Dr. Dr. H. C. Mult. Lorenzo Morillas Cueva. Volumen I*, Madrid, Dykinson, 2018, pp. 553-573.

RAGUÉS I VALLÉS, R.: "Un nuevo avance en la estandarización de los modelos de prevención de delitos: la ISO 37002 sobre gestión de sistemas de denuncia", *La Ley Compliance penal*, núm. 7, 2021, pp. 1-9.

RIDAURA MARTÍNEZ, M. J.: "Los derechos fundamentales como límites en el marco de la investigación privada", *Teoría y Realidad Constitucional*, núm. 47, 2021, pp. 129-159.

ROCA DE AGAPITO, L.: "Sanciones penales a entes colectivos", en ROCA DE AGAPITO, L. (Dir.): *Las consecuencias jurídicas del delito*, Valencia, Tirant lo Blanch, 2017, pp. 191-204.

ROJO, Á.: "La representación en el Derecho Mercantil", en URÍA, R. y MENÉNDEZ, A.; *et al.*: *Curso de Derecho Mercantil. TomoI*, Madrid, Civitas, 2001, pp. 207-223.

ROMA VALDÉS, A.: *Responsabilidad penal de las personas jurídicas. Manual sobre su tratamiento penal y procesal*, Alcobendas, Rasche, 2012.

RUIZ-LLUCH MANILS, N.: "Revisiones periódicas y auditorias", en AA.VV: *Guía de implementación de compliance para pymes*, Madrid, World Compliance Association, 2019, p. 143-147.

SÁIZ PEÑA, C. A.: "Estrategias para la implantación de un programa de cumplimiento normativo", en JUANES PECES, Á. (Dir.): *Compliance Penal*, Madrid, Francis Lefebvre, 2017, pp. 27-54.

SÁNCHEZ-VERA GÓMEZ-TRELLES, J. y ALMODÓVAR PUIG, B.: "La des-objetivización de la responsabilidad civil *ex delicto*: los programas de cumplimiento", *InDret*, n. 3, 2022, pp. 114-146.

SÁNCHEZ MARTÍN, M. Á.: *Responsabilidad penal de las personas jurídicas. Plan de prevención de riesgos penales y código ético de conducta*, Cizur Menor, Thomson Reuters-Aranzadi, 2017.

SÁNCHEZ MELGAR, J.: "Aproximación a la responsabilidad penal de las personas jurídicas: nuevos modelos de imputación", en ZUGALDÍA ESPINAR, J. M. y MARÍN DE ESPINOSA CEBALLOS, E. B. (Coords.): *Aspectos prácticos de la responsabilidad criminal de las personas jurídicas*, Cizur Menor, Thomson Reuters-Aranzadi, 2013, pp. 31-65.

SÁNCHEZ MELGAR, J.: "La carga de la prueba en materia de responsabilidad penal de las personas jurídicas: de la cuadratura del círculo a la reconciliación", *Práctica Penal: Cuaderno Jurídico*, núm. 87, 2017, pp. 17-23.

SAURA ALBERDI, B.: "Diseño e implementación del plan de prevención de delitos en la empresa", en PÉREZ-CRUZ MARTÍN, A. J.: *Proceso penal y responsabilidad penal de personas jurídicas*, Cizur Menor, Thomson Reuters-Aranzadi, 2017, pp. 293-301.

SERRANO ZARAGOZA, Ó.: "Contenido y límites del derecho a la no autoincriminación de las personas jurídicas en tanto sujetos pasivos del proceso penal", *Diario La Ley*, núm. 8415, 2014.

SERRANO ZARAGOZA, Ó.: "Régimen de deberes y responsabilidades de los administradores sociales tras la introducción del régimen de responsabilidad penal de las personas jurídicas en el derecho español", en RUIZ DE LARA, M. (Coord.): *Compliance penal y responsabilidad civil y societaria de los administradores*, Madrid, Wolters Kluwer, 2018, pp. 17-117.

SILVA SÁNCHEZ, J. M.: *Fundamentos del Derecho penal de le Empresa*, Madrid, Edisofer, 2016.

SILVA SÁNCHEZ, J. M.: "El debate sobre la prueba del modelo de compliance: una breve contribución", *InDret*, núm. 1, 2020, editorial.

SILVA SÁNCHEZ, J. M.: "El compliance de detección como «eximente» supralegal para las personas jurídicas", en MARÍN DE ESPINOSA CEBALLOS, E. B. (Dir.): *El Derecho penal en el siglo XXI. Liber Amicorum en honor al profesor José Miguel Zugaldía Espinar*, Valencia, Tirant lo Blanch, 2021, pp. 131-150.

SIMÓN CASTELLANO, P.: "Requerimientos de información y derecho de defensa de la persona jurídica (Reflexiones en torno al caso BBVA-Villarejo)", *Diario La Ley*, núm. 9691, 2020, pp. 1-12.

SIMÓN CASTELLANO, P.: "La inmunidad penal como recompensa a los denunciantes. Allende un nuevo factor subjetivo-formal de punibilidad", *Revista Electrónica de Ciencia Penal y Criminología*, 2022, núm. 24-14, pp. 1-32.

TEJADA PLANA, D.: *Investigaciones internas, cooperación y nemo tenetur: consideraciones prácticas nacionales e internacionales*, Cizur Menor, Thomson Reuters-Aranzadi, 2020.

TORO PEÑA, J. A.: *La persona jurídica en el proceso penal*, Madrid, Dykinson, 2012.

TURIENZO FERNÁNDEZ, A.: *La responsabilidad penal del compliance officer*, Madrid, Marcial Pons, 2021.

VEIGA MAREQUE, J. A. y FERNÁNDEZ DE AVILÉS, G.: *Compliance para Pymes. Paso a paso*, Madrid, Colex, 2019.

VELASCO NÚÑEZ, E. y SAURA ALBERDI, B.: *Cuestiones prácticas sobre responsabilidad penal de la persona jurídica y compliance. 86 preguntas y respuestas*, Cizur Menor, Thomson Reuters-Aranzadi, 2016.

VIDALES RODRÍGUEZ, C.: "Blanqueo, responsabilidad de las personas jurídicas y programas de cumplimiento", en GÓMEZ COLOMER, J. L. (Dir.): *Tratado sobre Compliance Penal. Responsabilidad Penal de las Personas Jurídicas y Modelos de Organización y Gestión*, Valencia, Tirant lo Blanch, 2019, pp. 409-436.

VILLEGAS GARCÍA, M. Á. y ENCINAR DEL POZO, M. Á.: *Lucha contra la corrupción, compliance e investigaciones internas. La influencia del Derecho estadounidense*, Cizur Menor, Thomson Reuters-Aranzadi, 2020.

VILLEGAS GARCÍA, M. Á.: "La figura del denunciante. El estatuto del denunciante en la nueva Directiva (UE) 2019/1937", en FORTUNY CENDRA, M. (Dir.): *Las investigaciones internas en compliance penal. Factores clave para su eficacia*, Cizur Menor, Thomson Reuters-Aranzadi, 2021, pp. 61-94.

ZUGALDÍA ESPINAR, J. M.: *La responsabilidad criminal de las personas jurídicas, de los entes sin personalidad y sus directivos*, Valencia, Tirant lo Blanch, 2013.

ZUGALDÍA ESPINAR, J. M.: "La responsabilidad criminal de las personas jurídicas en el Derecho penal español (análisis de la cuestión tras la reforma operada por la LO 1/2015, de 30 de marzo)", en ZUGALDÍA ESPINAR, J. M. y MARÍN DE ESPINOSA CEBALLOS, E. B. (Dirs.): *La responsabilidad criminal de las personas jurídicas en Latinoamérica y en España*, Cizur Menor, Thomson Reuters-Aranzadi, 2015, pp. 217-240.

ZÚÑIGA RODRÍGUEZ, L.: "El sistema de sanciones penales aplicables a las personas jurídicas", en BERDUGO GÓMEZ DE LA TORRE, I. (Coord.): *Lecciones y materiales para el estudio del Derecho Penal. Tomo I. Introducción al Derecho penal*, Madrid, Iustel, 2010, pp. 313-327.

JURISPRUDENCIA CITADA

Tribunal Supremo (Sala Segunda)

STS 2/1998, de 29 de julio.
STS 253/2000, de 24 de febrero.
STS 1881/2000, 7 de diciembre.
STS 1335/2001, 19 de julio.
STS 867/2002, de 29 de julio.
STS 27/2004, de 13 de enero.
STS 1387/2004, de 27 diciembre.
STS 416/2005, de 31 de marzo.
STS 531/2007, de 18 de junio.
STS 336/2009, de 2 de abril.
STS 834/2009, de 29 de julio.
STS 11/2011, de 1 de febrero.
STS 658/2012, de 13 de julio.
STS 318/2013, de 11 de abril.
STS 528/2014, de 16 de junio.
STS 795/2014, de 20 de noviembre.
STS 514/2015, de 2 de septiembre.
STS 154/2016, de 29 de febrero.
STS 221/2016, de 16 de marzo.
STS 516/2016, de 13 de junio.
STS 639/2016, de 14 de julio.
STS 802/2016, de 26 de octubre.
STS 827/2016, de 3 noviembre.
STS 908/2016, de 30 de noviembre.
STS 958/2016, de 19 de diciembre.
STS 116/2017, de 23 de febrero.
STS 335/2017, de 4 de abril.
STS 583/2017, de 19 de julio.
STS 668/2017, de 11 de octubre.
STS 489/2018, de 23 de octubre.
STS 506/2018, de 25 de octubre.
STS 742/2018, de 7 de febrero de 2019.
STS 676/2019, de 23 de enero.
STS 123/2019, de 8 de marzo.
STS 234/2019, de 8 de mayo.
STS 676/2019, de 23 de enero de 2020.
STS 35/2020, de 6 de febrero
STS 165/2020, de 19 de mayo.
STS 288/2020, de 4 de junio.

STS 224/2021, de 11 de marzo.
STS 328/2021, de 22 de abril.
STS 36/2022, de 20 de enero
STS 56/2022, de 24 de enero.
STS 264/2022, de 18 de marzo.
STS 747/2022, de 22 de julio.

Auto de aclaración de 28 de junio de 2016.

Audiencia Nacional

Auto 391/2021, de 1 de julio, Sala de lo Penal de la Audiencia Nacional.
Auto 405/2021, de 8 de julio, Sala de lo Penal de la Audiencia Nacional.
Auto 51/2022, de 7 de febrero, Sala de lo Penal de la Audiencia Nacional.

Auto de 29 de julio de 2021, Juzgado Central de Instrucción nº 6.

Tribunal Supremo (Sala Cuarta)

STS Roj: 6128/2007, de 26 de septiembre.
STS Roj 8876/2011, de 6 de octubre.
STS 119/2018, de 8 de febrero.
STS 766/2020, de 15 de septiembre.

Tribunal Constitucional

STC 36/1996, de 11 de marzo.
STC 87/2001, de 2 de abril.
STC 184/2003, de 23 de octubre
STC 241/2012, de 17 de diciembre.
STC 29/2013, de 11 de febrero.
STC 170/2013, de 7 de octubre.
STC 97/2019, de 16 de julio.

Tribunal Europeo de Derechos Humanos

STEDH (Gran Sala) 2017/61, de 5 de septiembre (*Caso Barbulescu*).

Apuesta por Tirant Online, la base de datos jurídica de la editorial más prestigiosa de España.*

www.tirantonline.com

Suscríbete a nuestro servicio de base de datos jurídica y tendrás acceso a todos los documentos de Legislación, Doctrina, Jurisprudencia, Formularios, Esquemas, Consultas o Voces, y a muchas herramientas útiles para el jurista:

* Biblioteca Virtual
* Herramientas Salariales
* Calculadoras de tasas y pensiones
* Tirant TV
* Personalización
* Foros y Consultoría
* Revistas Jurídicas
* Gestión de despachos
* Biblioteca GPS
* Ayudas y subvenciones
* Novedades

* Según ranking del CSIC

96 369 17 28
96 369 41 51
atencionalcliente@tirantonline.com
www.tirantonline.com